3 miles to 1 inch

ROAD ATLAS
of GREAT BRITAIN

JOHNSTON & BACON
LONDON & EDINBURGH

A Johnston & Bacon Road Atlas published by
Cassell & Collier Macmillan Publishers Ltd.
35 Red Lion Square, London WC1R 4SG
& Tanfield House, Tanfield Lane, Edinburgh EH3 5LL
and at Sydney, Auckland, Toronto, Johannesburg,
an affiliate of
Macmillan Publishing Co
New York

© **Johnston & Bacon,**
a division of Cassell & Collier
Macmillan Publishers Ltd. 1976

First Edition 1940
Reprinted 1941 (thrice), 1942, 1943, 1944, 1945,
1946, 1947 (twice)

Second Edition 1948
Reprinted 1949, 1950, 1951, 1952, 1953, 1954

Third Edition 1955
Reprinted 1955, 1956

Fourth Edition 1957
Reprinted 1958, 1959, 1960, 1961, 1962

Fifth Edition 1963
Reprinted 1964, 1965, 1966, 1968

Sixth Edition 1970

Revised Edition 1971/1972

Seventh Edition 1973
Reprinted 1974

Eighth Edition 1976

ISBN 0 7179 3519 1 (Cased)
ISBN 0 7179 3520 5 (De luxe)

Printed in Great Britain by
Morrison and Gibb Limited, London and Edinburgh

CONTENTS

Key to map section	4–9
Road Signs	10–12
Plan of the motorways	13
Plan of London	14–15
Town street plans	16–27
Map sections	1–324
Index and table of distances	325–372

LEGEND

MI S Access Point / Service Area	Motorways
	Motorways under construction
A354	First Class Roads
B3057	Second Class Roads
	Dual Carriageways
T	A.A. and R.A.C. Telephone Boxes
✈	Airports
	Railways
+	Churches
•Cas.	Castles
⚔	Sites of Battles with dates
	Woods and Plantations
	Private Parks and Estates
·1174	Heights above sea level

Mountain Ranges and Peaks—named with their heights

Antiquities, e.g. Stonehenge—lettered in very thin type

TOWN STREET PLANS

Bath	19
Birmingham	17
Bristol	19
Cambridge	24
Cardiff	22
Carlisle	26
Chester	21
Derby	21
Edinburgh	27
Exeter	23
Glasgow	27
Gloucester	22
Leeds	17
Leicester	20
Lincoln	25
Liverpool	16
London	14–15
Manchester	16
Newcastle	26
Norwich	25
Nottingham	18
Oxford	24
Salisbury	23
Sheffield	18
Wolverhampton	20

HEIGHTS IN FEET

0	300	500	1000	2000

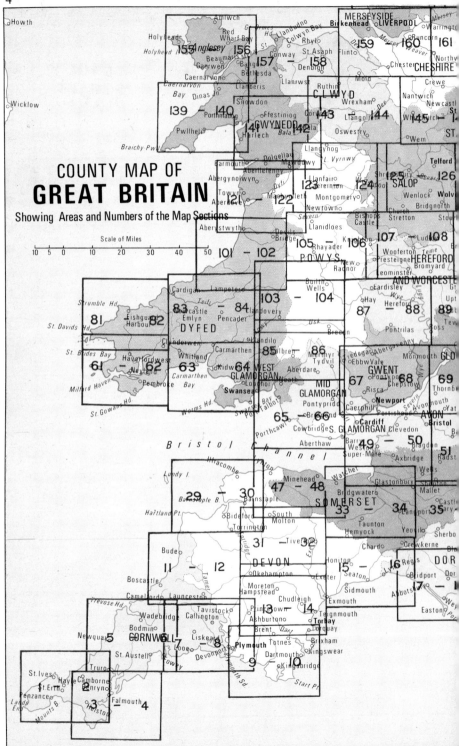

4

COUNTY MAP OF
GREAT BRITAIN
Showing Areas and Numbers of the Map Sections

Scale of Miles
10 5 0 10 20 30 40 50

5

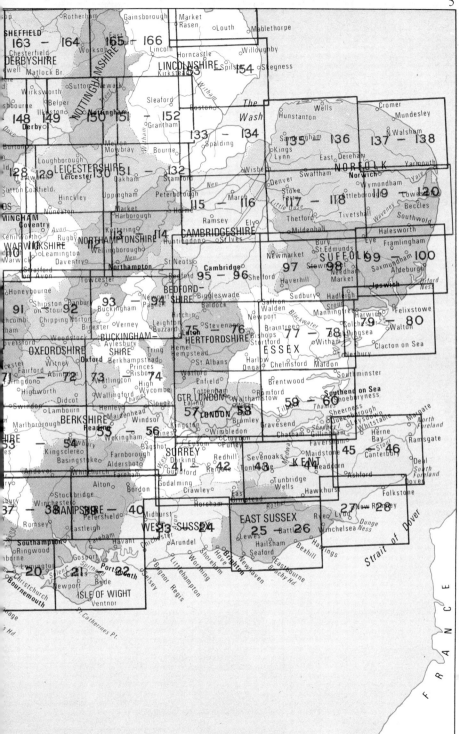

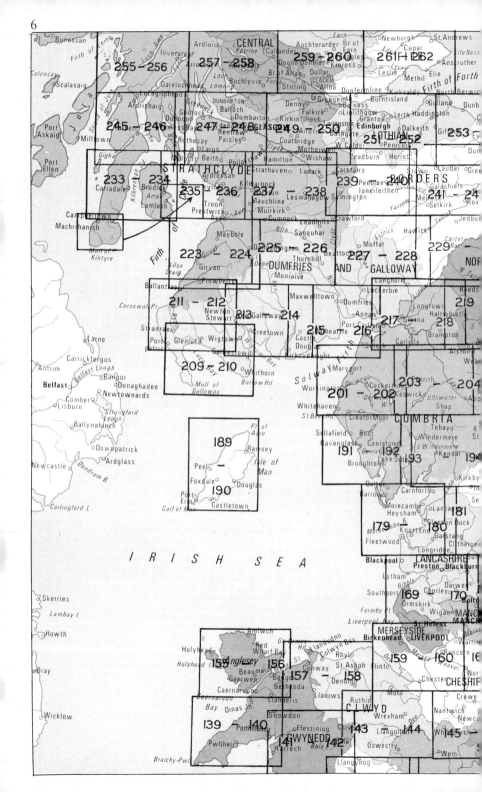

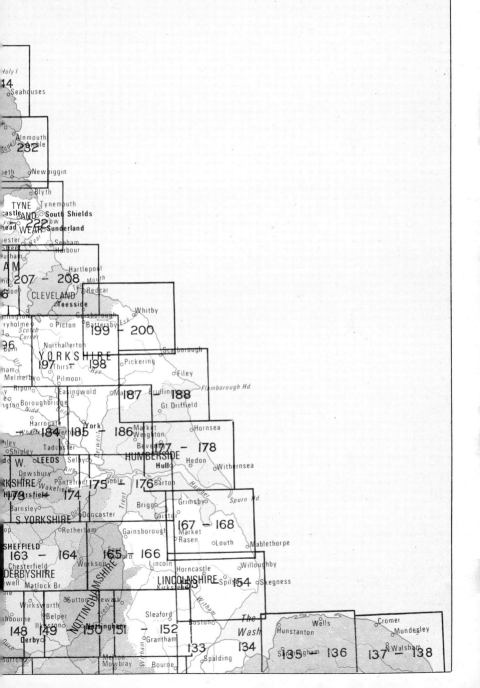

8

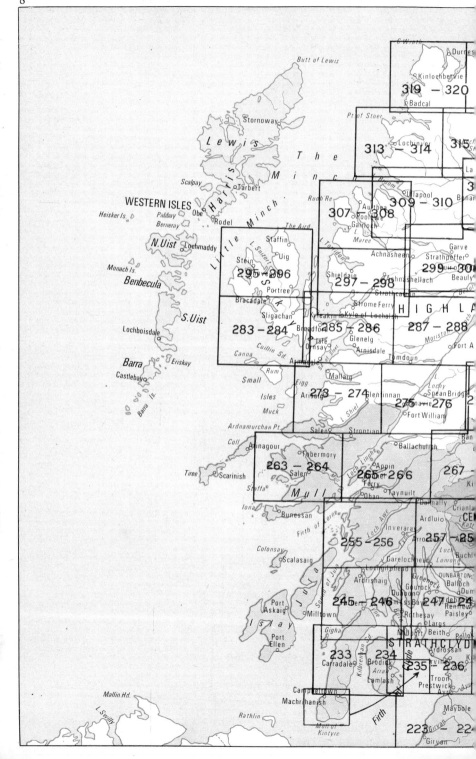

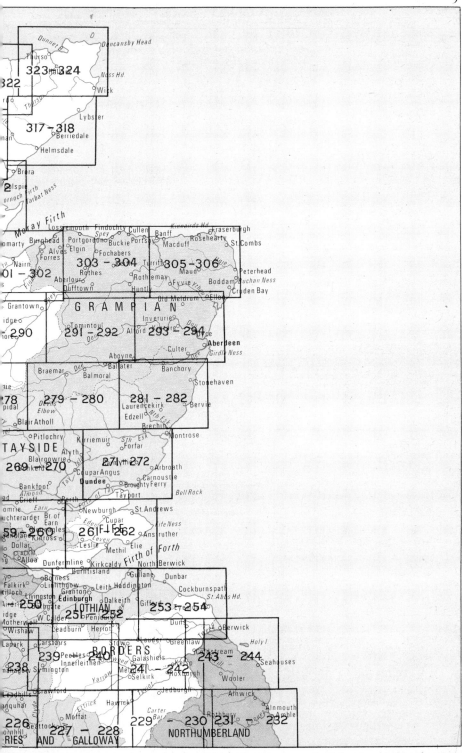

MOTORWAY SIGNS
CROWN COPYRIGHT BY PERMISSION OF THE CONTROLLER OF H. M. STATIONERY OFFICE

SITED WITHIN 50 YARDS
OF EACH OTHER ON
A SLIP ROAD.

No stopping
No U-turns
In emergency use
nearside verge

Sign to indicate rule governing
the use of the motorway.

Motorway
NO L-drivers or
Motorcycles under 50 cc
Mopeds, Pedal-cycles
Invalid-carriages
Pedestrians, Animals

Sign to indicate traffic
excluded from the
motorway.

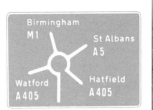

Advance direction sign on the immediate
approach to a junction with the motorway.

Exit distance markers, 300, 200 and 100
yards in advance of the beginning of the
deceleration lane.

Overhead sign for a cloverleaf junction.

Overhead sign for a
cloverleaf junction.

Second advance
direction sign
for a cloverleaf
junction

Third advance direction sign
for a cloverleaf junction.

 First advance direction
sign for a junction of
two motorways.

Second (overhead) advance direction sign for a junction of two motorways.

Alternative design for first
advance direction sign for
a junction of two
motorways.

Second (overhead) advance
direction sign for a junction
of two motorways.

Supplementary direction sign
(for use where appropriate)
at a junction of two motorways.

End of
motorway
1 mile

Sign to give warning of
approach to end of
motorway.

End of
motorway

Sign to indicate that the
motorway regulations no
longer apply.

End
of motorway
regulations

Sign at the entrance to a
service area to indicate that
the motorway regulations
no longer apply.

Rugby and Leicester M1

Alternative design for final advance
direction sign for a junction of two
motorways.

Services
1m and 26m

Sign one mile before the first
of two or more service areas
along the motorway.

Sign half a mile in advance
of a service area.

Sign at beginning of
deceleration lane
leading to a service
area.

LEAVING THE MOTORWAY Advance signs warning you of your point of exit.

First advance direction
sign for an intermediate
junction

Second advance direction
sign for an intermediate
junction.

Third advance direction sign
for an intermediate junction.

Services

Supplementary direction
sign indicating a service
area.

MOTORWAY SIGNS - *Continued*

First warning sign for a convergence of two motorways.

Second warning sign for a convergence of two motorways

Sign to give warning that the motorway narrows.

Sign to give warning of a bend

M1 Birmingham

London Birmingham M1

Supplementary sign at a junction with, and indicating, a motorway.

SIGNS TO DIRECT TRAFFIC TO THE MOTORWAY FROM DISTANT POINTS.

Sign on front of emergency telephone box.

Warning sign of traffic island.

NEW MOTORWAY SIGNALS

Urban Motorways

Rural Motorways

STOP at the signal and wait until it changes.

Advised maximum speed.

Advised maximum speed.

Change lane.

Lane closed.

Leave motorway at next exit.

Lane clear.

Road clear.

ALL-PURPOSE ROAD SIGNS

DIRECTIONAL SIGNS

Advance direction sign for complex junction.

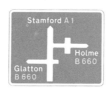

Advance direction sign for use at junction of side turnings with dual-carriageway road.

Advance direction sign for roundabout junction of all-purpose roads with motorway.

SIGNS WHICH MUST BE OBSERVED

Stop and give way.

School Crossing Patrol.

Give way to traffic on major road.

No right turn.

No U turns.

Turn right.

SIGNS WHICH MUST BE OBSERVED - *Continued*

Turn left at junction

Keep left

Straight ahead

Prohibited all vehicles in both directions.

All motor vehicles prohibited.

Priority to vehicles from the opposite direction.

No overtaking.

No waiting.

No stopping. ("Clearway")

Maximum speed limit.

No entry.

End of maximum speed limit.

SIGNS WHICH WARN

Dual carriageway ends.

Road narrows on both sides.

Pedestrian crossing.

Children.

Low flying aircraft or sudden aircraft noise.

Other danger.

Crossroads.

Road works.

Steep hill.

Opening or swing bridge.

Staggered junction.

Double bend.

Series of bends.

Traffic signals ahead.

Uneven road.

Slippery road.

Quayside or river bank.

Falling rocks.

Bend to the right.

Two-way traffic crosses one-way road.

Roundabout.

Level crossing with gate or barrier ahead.

Hump bridge.

Two-way traffic. straight ahead.

Side road.

Animals crossing.

Level crossing without gate or barrier ahead.

T Junction.

SIGNS WHICH INFORM

No through road.

Initial sign.

Side road sign.

Terminal sign.

Ring road

Parking place

PLAN OF THE MOTORWAYS

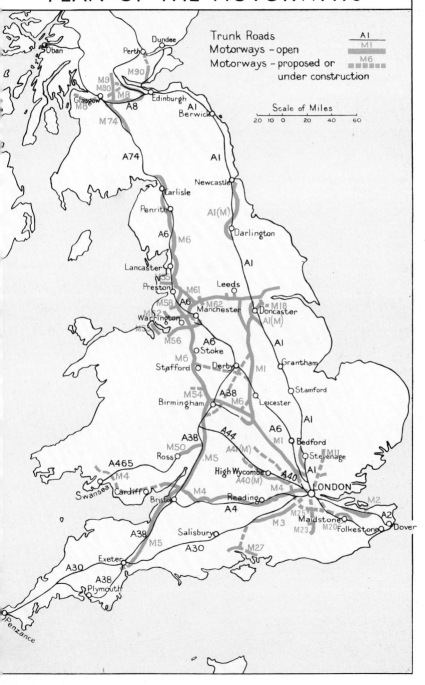

14

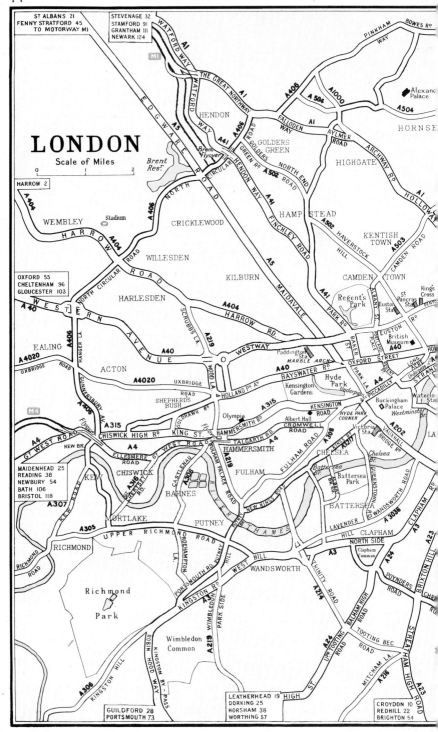

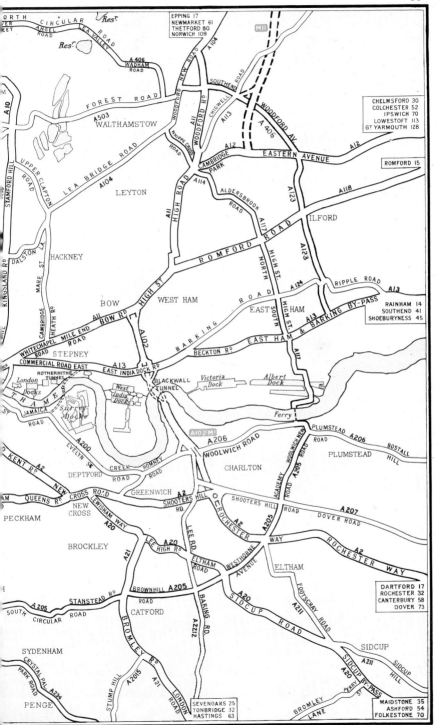

16

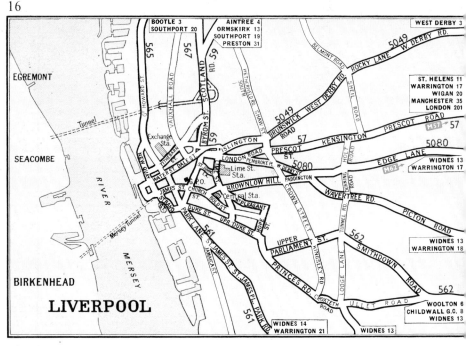

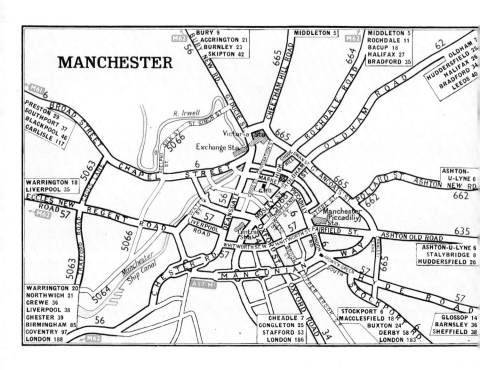

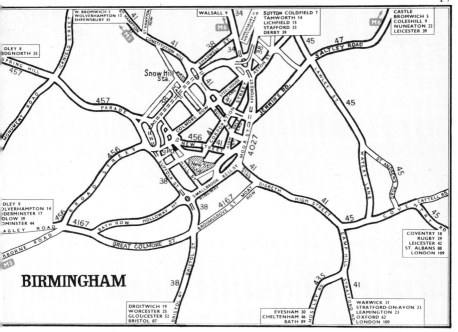

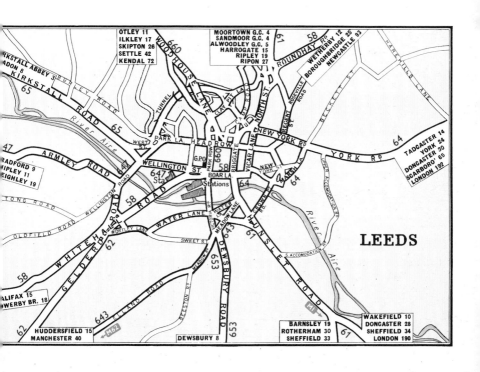

18

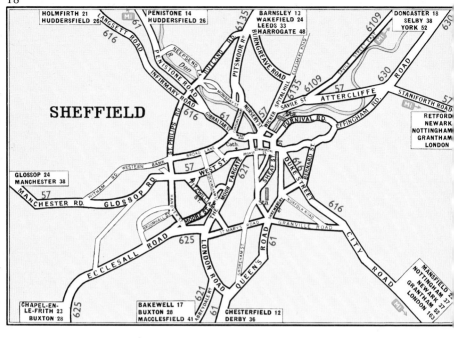

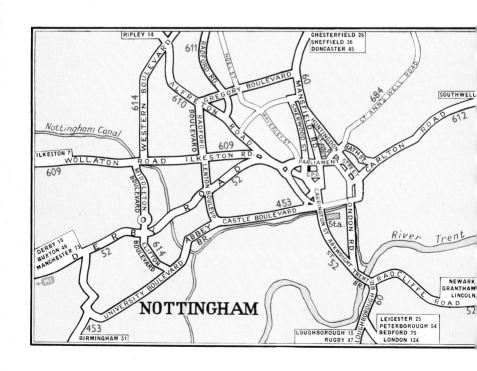

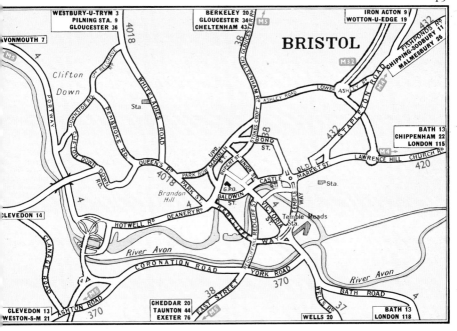

WESTBURY-U-TRYM 3
PILNING STA. 9
GLOUCESTER 36

BERKELEY 20
GLOUCESTER 34
CHELTENHAM 43

IRON ACTON 9
WOTTON-U-EDGE 19

AVONMOUTH 7

BRISTOL

FISHPONDS RD.
CHIPPING-SODBURY 11
MALMESBURY 26

4018

Clifton

Down

Sta

CLEVEDON 14

Brandon
Hill

BATH 13
CHIPPENHAM 22
LONDON 115

CLEVEDON 13
WESTON-S-M 21

CHEDDAR 20
TAUNTON 44
EXETER 76

WELLS 20

BATH 13
LONDON 118

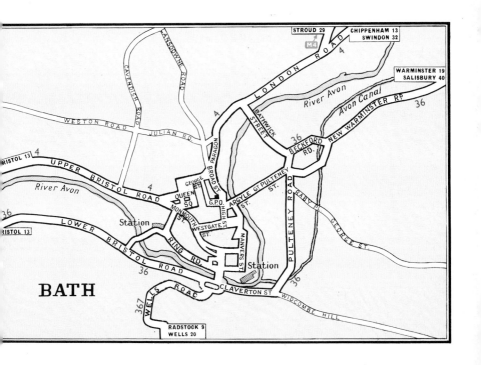

STROUD 29
M4

CHIPPENHAM 13
SWINDON 32

WARMINSTER 19
SALISBURY 40

River Avon

Avon Canal

36

WESTON ROAD
JULIAN RD.

BRISTOL 13
UPPER BRISTOL ROAD
River Avon

BRISTOL 13
LOWER BRISTOL ROAD

Station

36

Station

BATH

RADSTOCK 9
WELLS 20

20

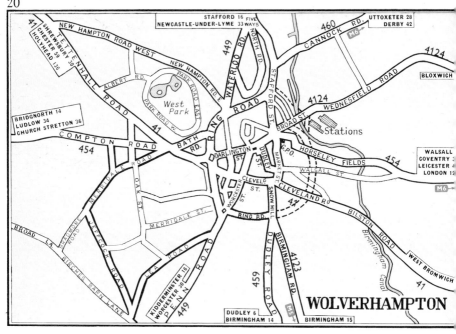

WOLVERHAMPTON

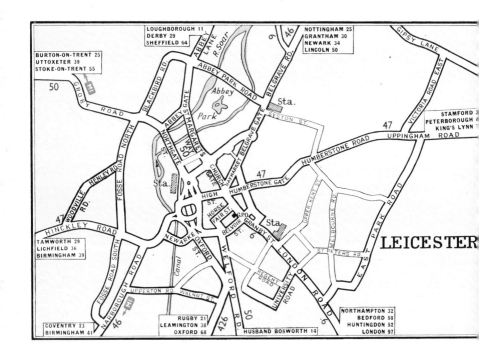

LEICESTER

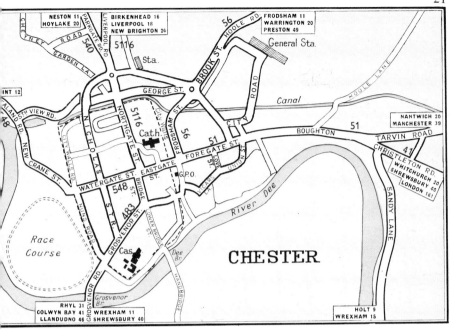

CHESTER

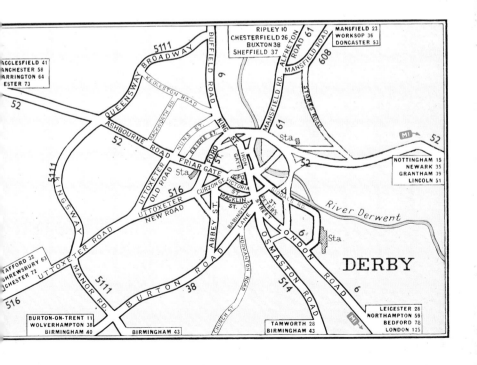

DERBY

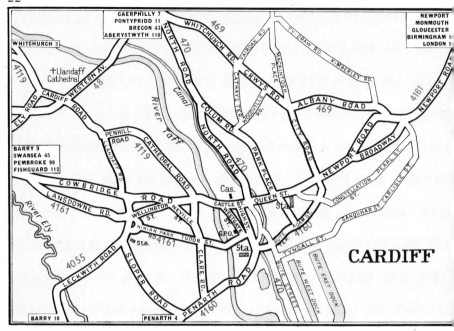

CARDIFF

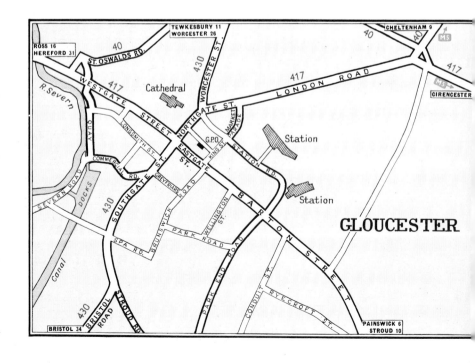

GLOUCESTER

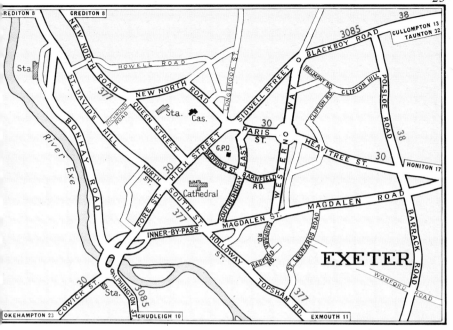

EXETER

CREDITON 8

CREDITON 8

38

3085

CULLOMPTON 13
TAUNTON 32

NEW NORTH ROAD

377

ST. DAVID'S HILL

HOWELL ROAD

NEW NORTH ROAD

LONGBROOK ST.

SIDWELL STREET

BLACKBOY ROAD

BELMONT RD.

CLIFTON RD.

CLIFTON HILL

POLSLOE ROAD

38

BONHAY ROAD

RICHMOND ROAD

QUEEN STREET

Sta.

Cas.

HIGH STREET

PARIS
ST.

30

WESTERN WAY

HEAVITREE ST.

30

HONITON 17

River Exe

NORTH ST.

G.P.O.

BEDFORD ST.

SOUTHERNHAY EAST

BARNFIELD
RD.

30

FORE ST.

SOUTH ST.

377

Cathedral

MAGDALEN ST.

FAIRPARK RD.

MAGDALEN ROAD

BARRACK ROAD

INNER-BY-PASS

HOLLOWAY ST.

RADFORD RD.

ST. LEONARDS ROAD

WONFORD ROAD

30

PALDHINGTON ST.

Sta.

3085

COWICK ST.

TOPSHAM RD.

377

OKEHAMPTON 23

CHUDLEIGH 10

EXMOUTH 11

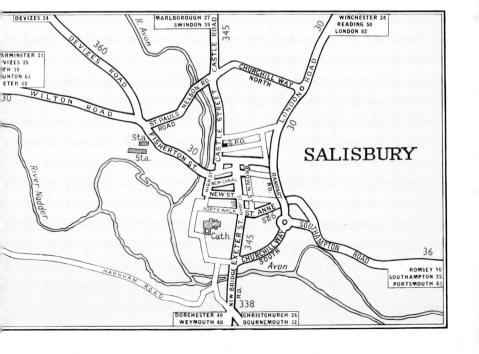

SALISBURY

DEVIZES 24

MARLBOROUGH 27
SWINDON 39

CASTLE ROAD

345

WINCHESTER 24
READING 50
LONDON 82

DEVIZES ROAD

360

R. Avon

30

ARMINSTER 21
VIZES 25
TH 39
UNTON 63
ETER 88

WILTON ROAD

30

NELSON RD.

ST. PAULS ROAD

CASTLE STREET

CHURCHILL WAY
NORTH

LONDON ROAD

30

Sta.

FISHERTON ST.

Sta.

30

G.P.O.

River Nadder

HIGH ST.

NEW CANAL

NEW ST.

BROWN ST.

EXETER ST.

ST. ANNE

RAMPART RD.

NORTH WALK

ST. 36

SOUTHAMPTON ROAD

36

Cath.

CHURCHILL WAY
SOUTH

345

Avon

ROMSEY 16
SOUTHAMPTON 22
PORTSMOUTH 43

HARNHAM ROAD

NEW BRIDGE

338

DORCHESTER 40
WEYMOUTH 48

CHRISTCHURCH 26
BOURNEMOUTH 32

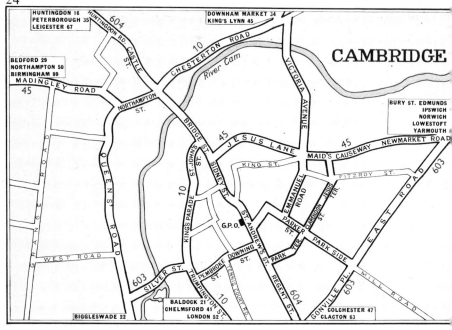

HUNTINGDON 16
PETERBOROUGH 35
LEICESTER 67

DOWNHAM MARKET 34
KING'S LYNN 45

CAMBRIDGE

BEDFORD 29
NORTHAMPTON 50
BIRMINGHAM 99

MADINGLEY ROAD
45

604

HUNTINGDON RD.
CASTLE ST.

CHESTERTON ROAD

10

River Cam

VICTORIA AVENUE

BURY ST. EDMUNDS
IPSWICH
NORWICH
LOWESTOFT
YARMOUTH

NORTHAMPTON ST.

QUEEN'S ROAD

BRIDGE ST.

ST. JOHN'S ST.

KINGS PARADE

45

JESUS LANE

SIDNEY ST.

KING ST.

MAID'S CAUSEWAY

45

NEWMARKET ROAD

FITZROY ST.

603

EAST ROAD

GRANGE RD.

WEST ROAD

10

G.P.O.

ST. ANDREW'S ST.

EMMANUEL ROAD

JESUS TER.

CLARENDON ST.

PARKER ST.

PARK ST.

PARK SIDE

GONVILLE PL.

603

MILL ROAD

603

SILVER ST.

TRUMPINGTON ST.

PEMBROKE ST.

DOWNING ST.

TENNIS COURT RD.

REGENT ST.

604

10

BALDOCK 21
CHELMSFORD 41
LONDON 52

BIGGLESWADE 22

COLCHESTER 47
CLACTON 63

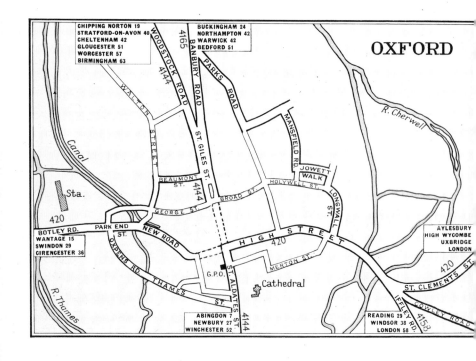

CHIPPING NORTON 19
STRATFORD-ON-AVON 40
CHELTENHAM 42
GLOUCESTER 51
WORCESTER 57
BIRMINGHAM 63

BUCKINGHAM 24
NORTHAMPTON 42
WARWICK 42
BEDFORD 51

OXFORD

4165

WOODSTOCK ROAD

4444

BANBURY ROAD

PARKS ROAD

WALTON STREET

ST. GILES ST.

MANSFIELD RD.

R. Cherwell

Canal

BEAUMONT ST.

4144

JOWETT WALK

HOLYWELL ST.

LONGWALL ST.

Sta.

420

BROAD ST.

GEORGE ST.

AYLESBURY
HIGH WYCOMBE
UXBRIDGE
LONDON

BOTLEY RD.
WANTAGE 15
SWINDON 29
CIRENCESTER 36

PARK END

NEW ROAD

ST.

HIGH STREET

420

420

ST. CLEMENTS ST.

OXPENS RD.

R. THAMES

G.P.O.

ST. ALDATES ST.

Cathedral

MERTON ST.

COWLEY ROAD

IFFLEY RD.

4158

R. Thames

ABINGDON 7
NEWBURY 27
WINCHESTER 52

4144

READING 29
WINDSOR 38
LONDON 58

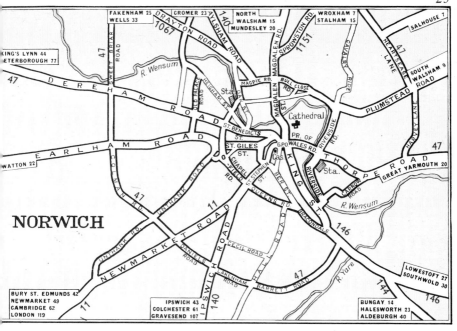

NORWICH

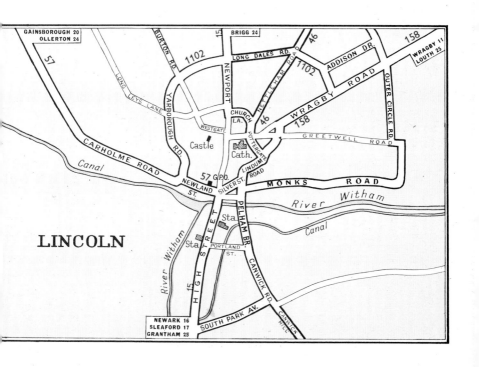

LINCOLN

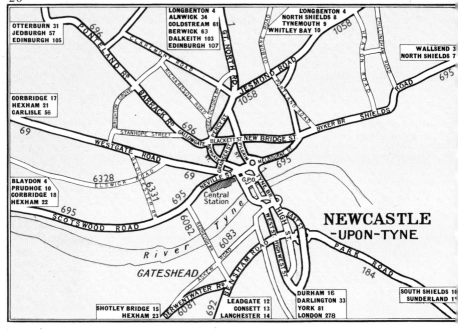

OTTERBURN 31
JEDBURGH 57
EDINBURGH 105

LONGBENTON 4
ALNWICK 34
COLDSTREAM 61
BERWICK 63
DALKEITH 103
EDINBURGH 107

LONGBENTON 4
NORTH SHIELDS 8
TYNEMOUTH 9
WHITLEY BAY 10

WALLSEND 3
NORTH SHIELDS 7

CORBRIDGE 17
HEXHAM 21
CARLISLE 56

BLAYDON 4
PRUDHOE 10
CORBRIDGE 18
HEXHAM 22

NEWCASTLE
-UPON-TYNE

GATESHEAD

SHOTLEY BRIDGE 15
HEXHAM 23

LEADGATE 12
CONSETT 13
LANCHESTER 14

DURHAM 16
DARLINGTON 33
YORK 81
LONDON 278

SOUTH SHIELDS 10
SUNDERLAND 1?

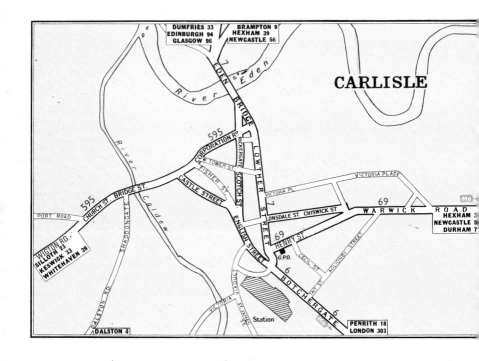

DUMFRIES 33
EDINBURGH 94
GLASGOW 96

BRAMPTON 9
HEXHAM 39
NEWCASTLE 56

CARLISLE

ROAD
HEXHAM 3
NEWCASTLE 5
DURHAM 7

WIGTON RD. 22
SILLOTH 33
KESWICK
WHITEHAVEN 39

DALSTON 4

PENRITH 18
LONDON 303

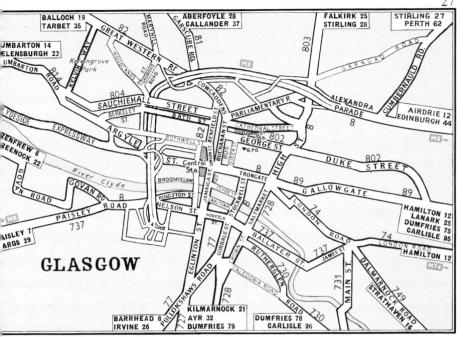

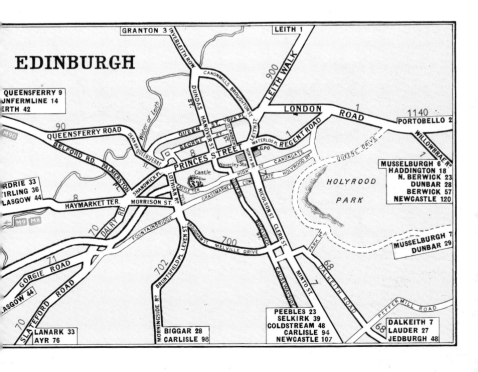

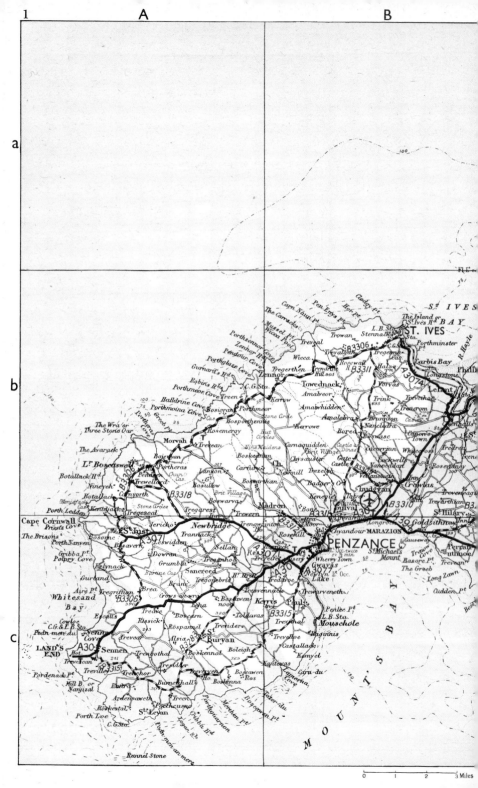

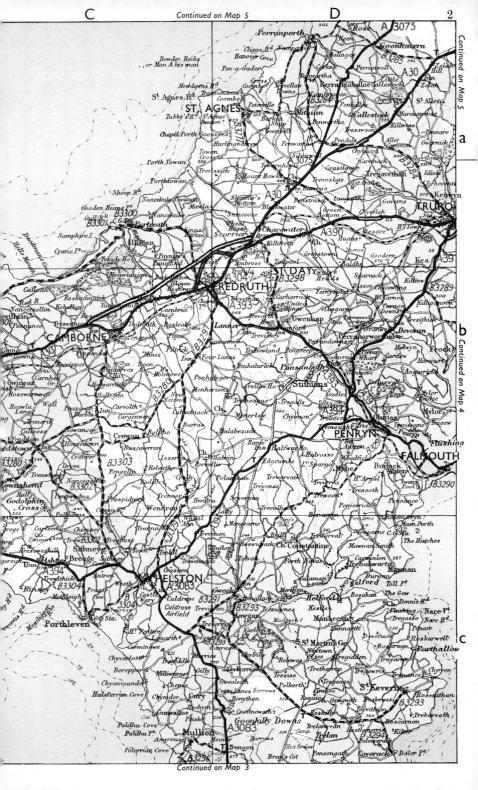

Continued on Map 5

Continued on Map 4

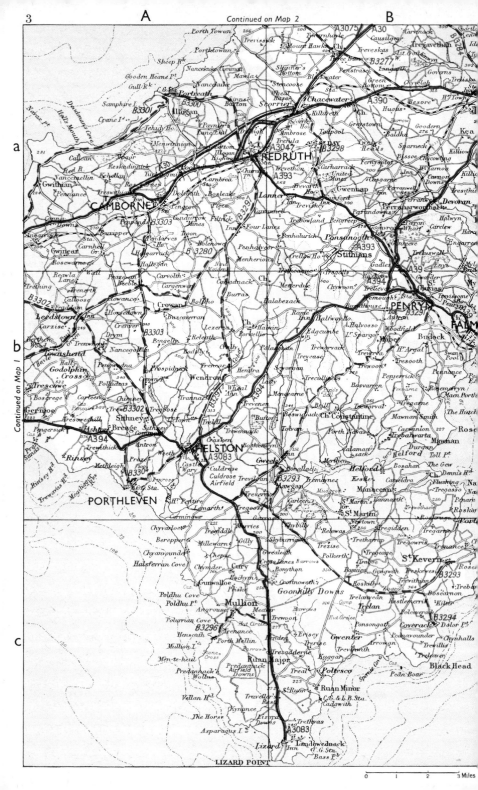

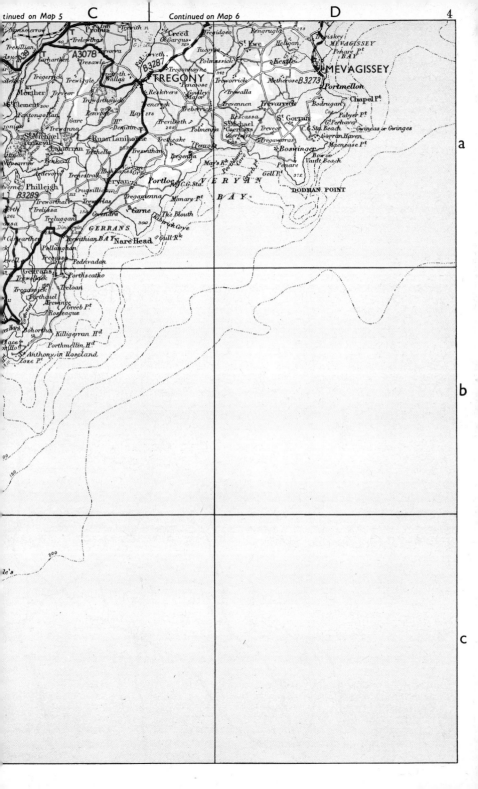

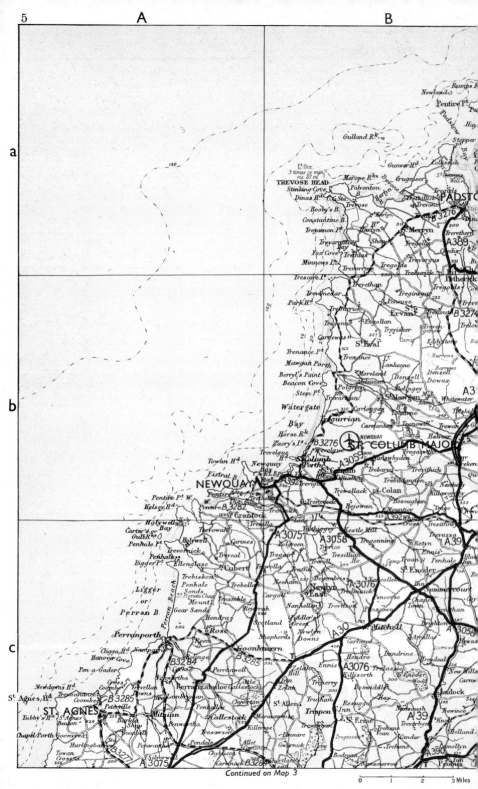

Continued on Map 3

0   1   2   3 Miles

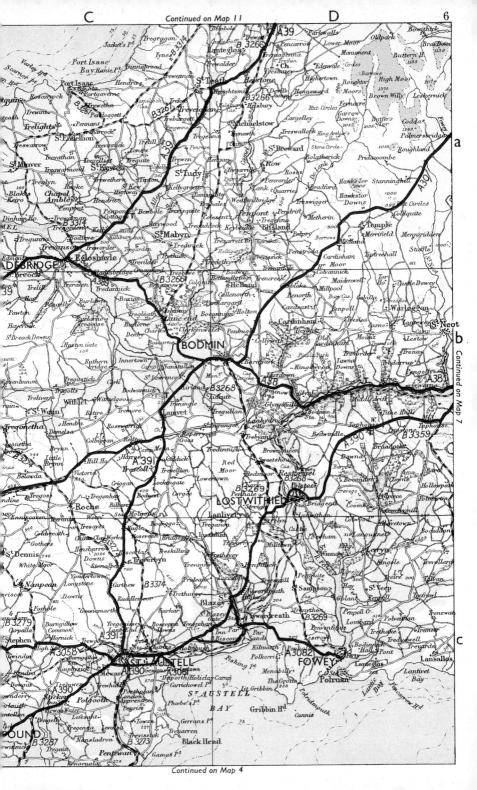

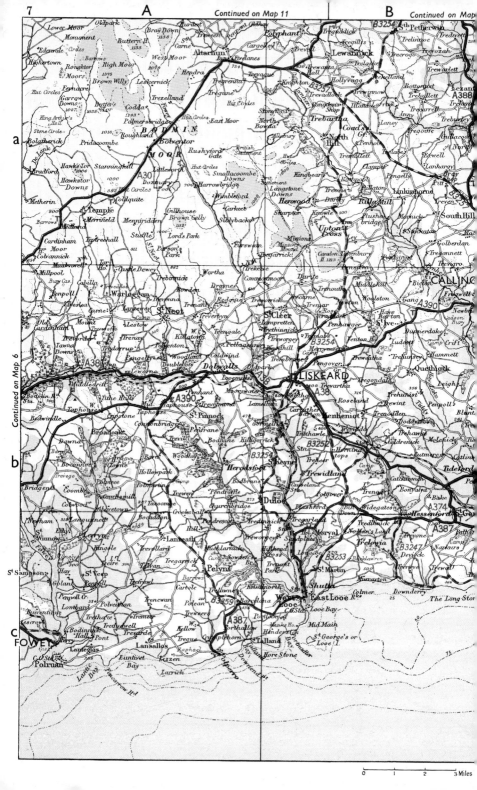

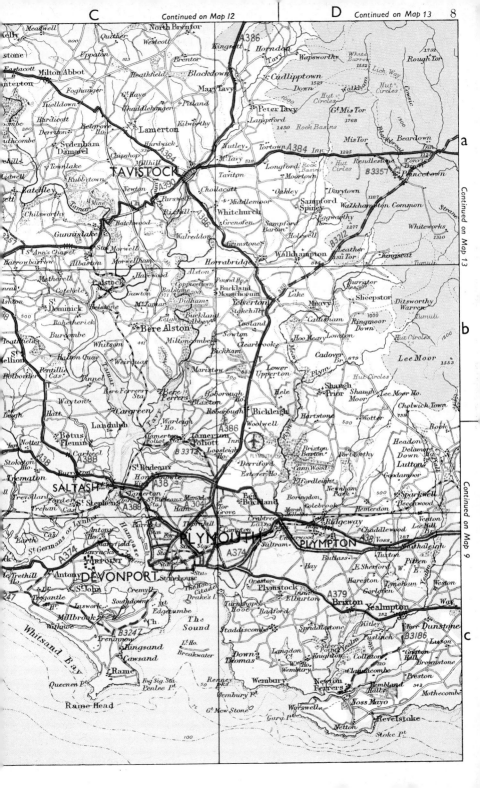

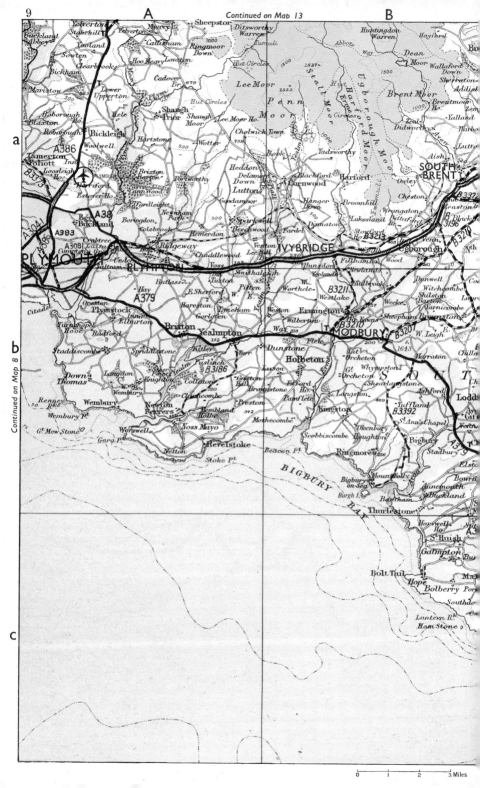

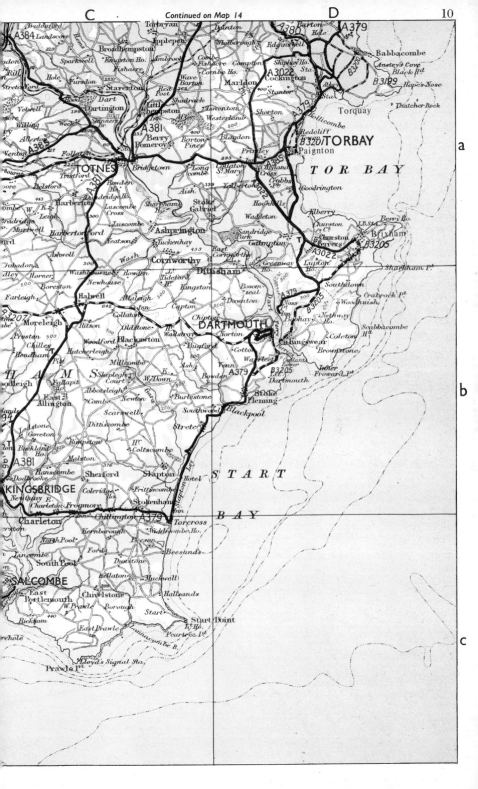

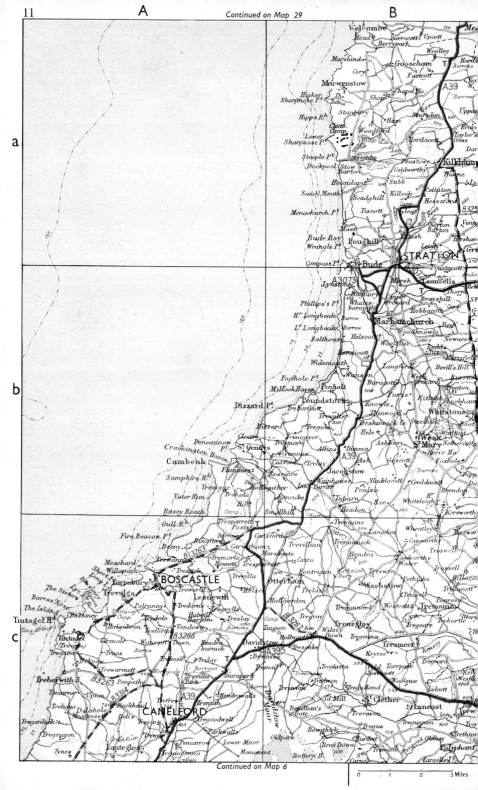

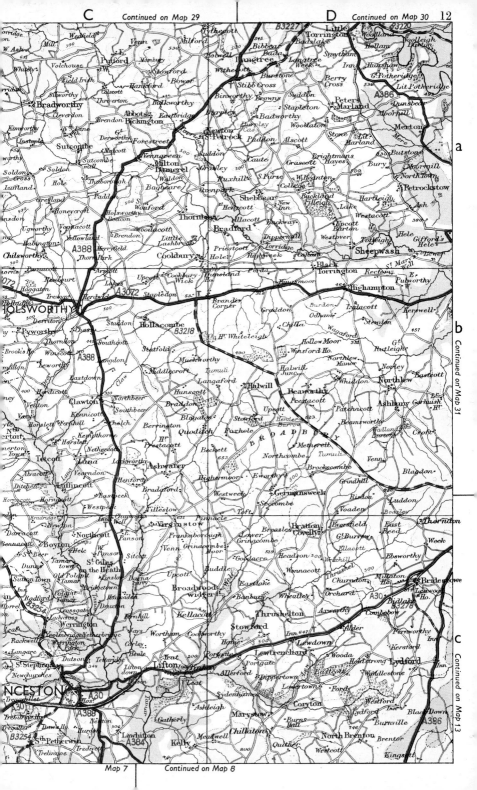

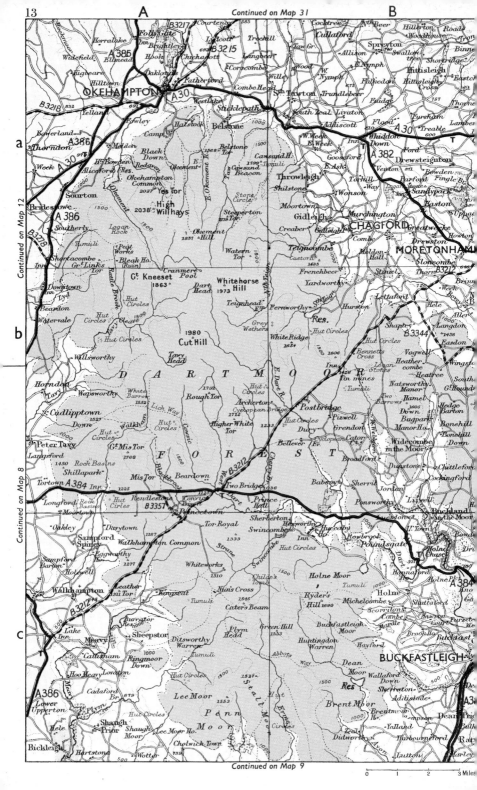

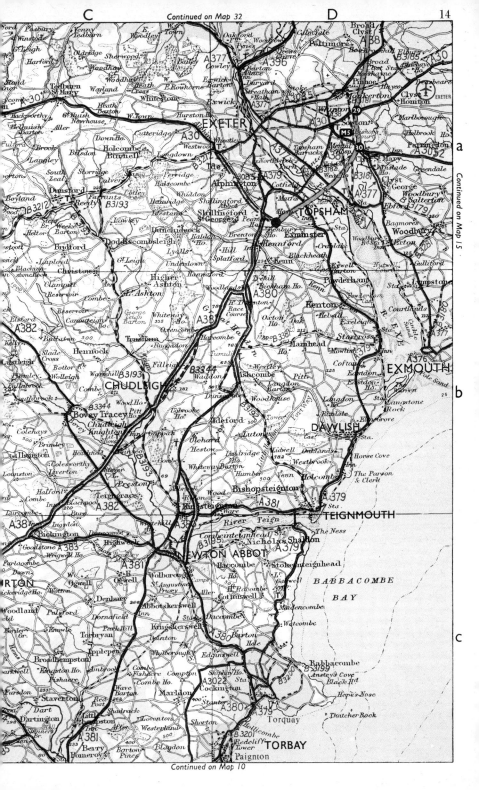

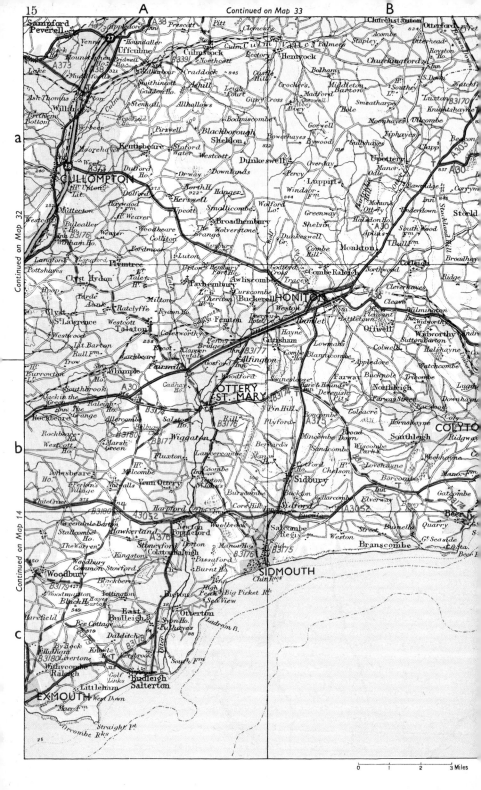

A

B

Continued on Map 32

Continued on Map 14

a

b

c

0   1   2   3 Miles

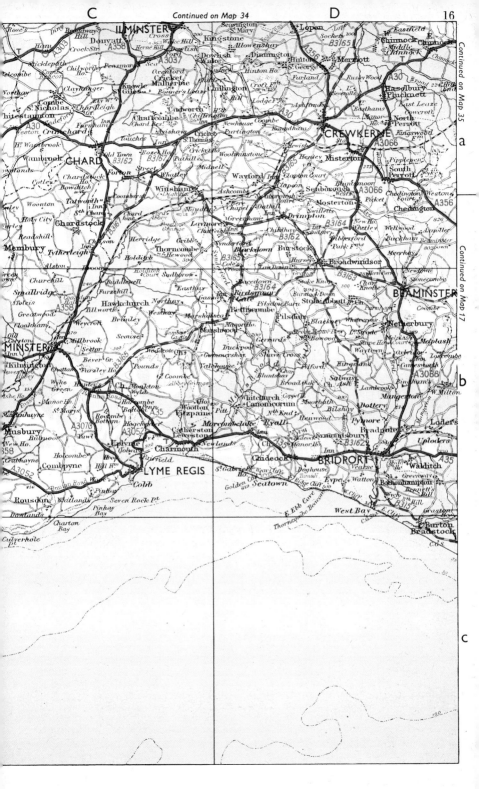

Continued on Map 17

ILMINSTER

LOPEN

Kingstone

Dowlish Wake

Dinnington

Merriott

CREWKERNE

A3066

CHARD

Misterton

South Perrott

Chedington

Winsham

Drimpton

B3162

Thorncombe

Burstock

Broadwindsor

B3163

BEAMINSTER

Netherbury

MINSTER

Pilsdon

Stoke Abbott

Marshwood

Whitchurch Canonicorum

Uplyme

Charmouth

Chideock

Ryall

BRIDPORT

Waditch

LYME REGIS

Loders

Uploders

Seatown

WEST BAY

Burton Bradstock

Rousdon

a

b

c

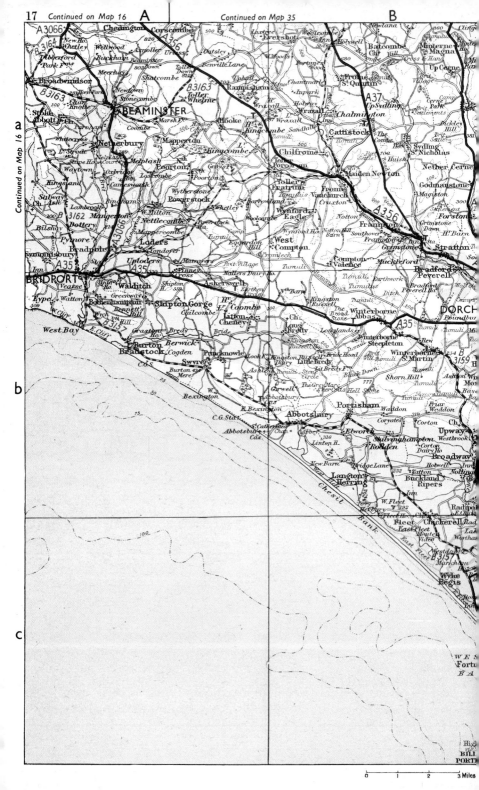

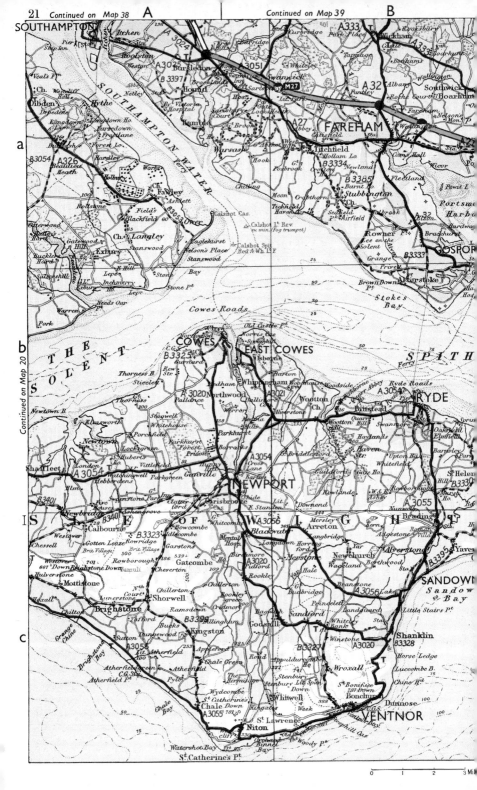

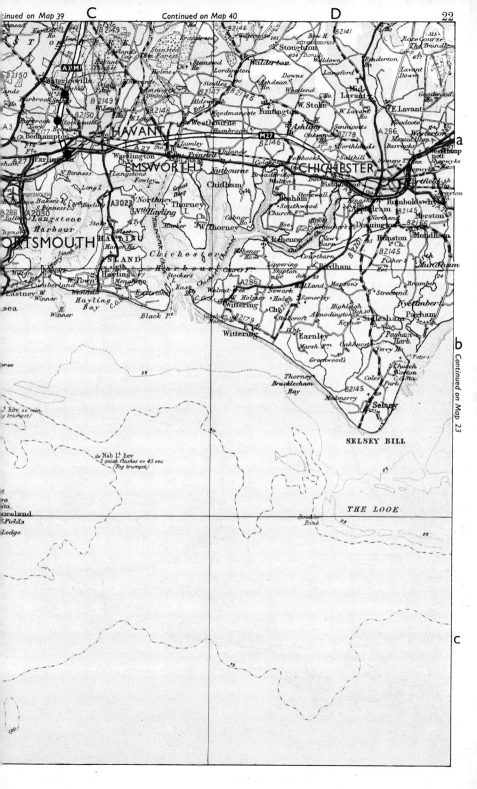

Continued on Map 23

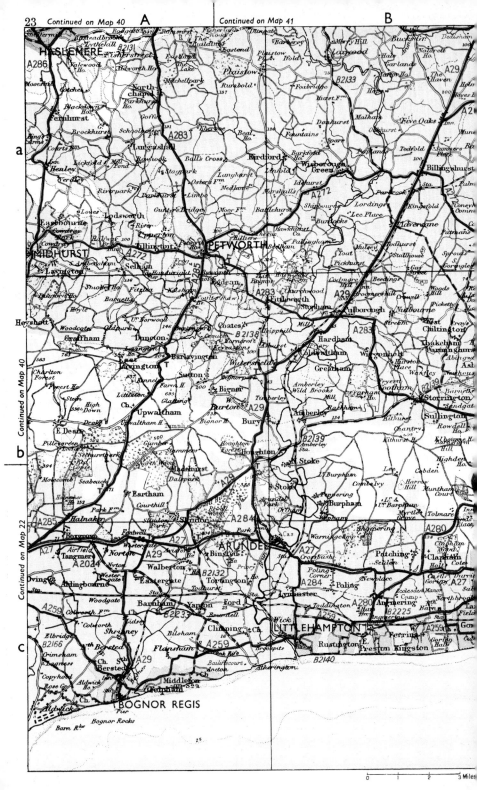

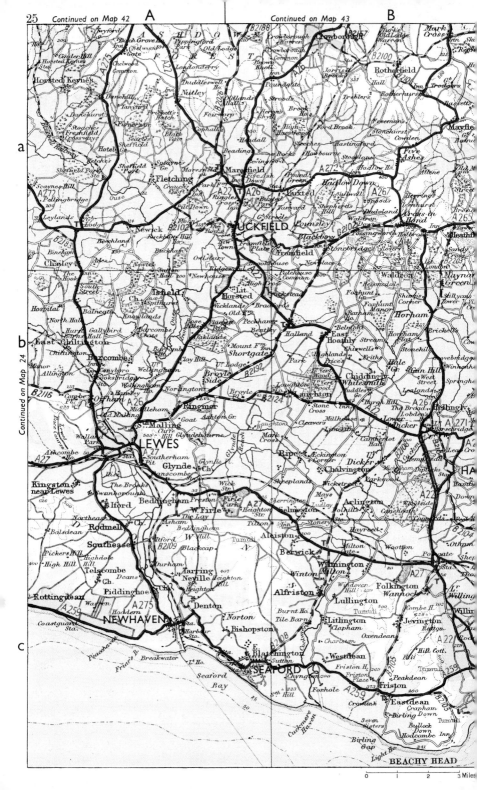

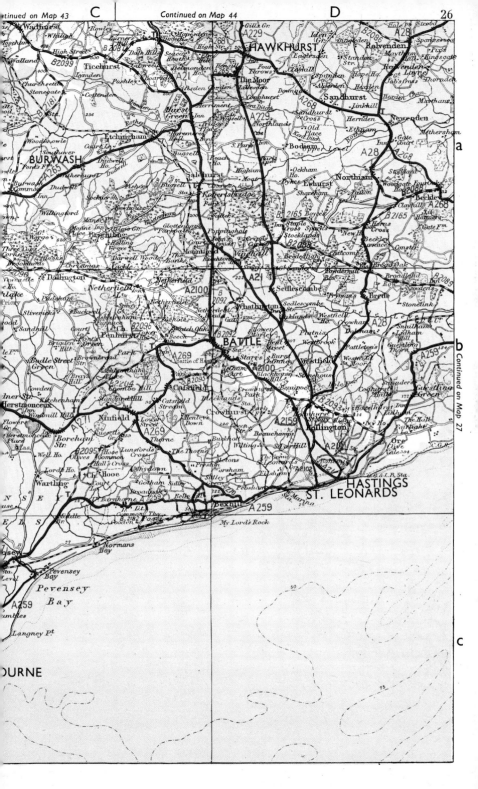

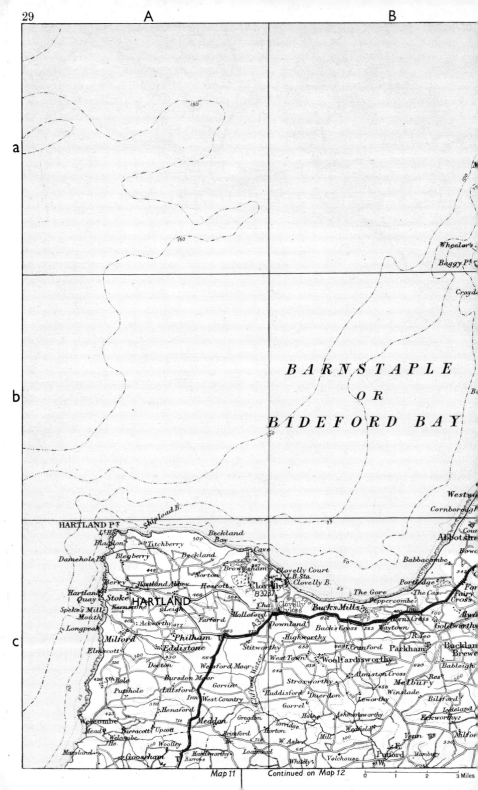

A   B

a

b

c

150

150

Wheelor's
Baggy Pt

Croyd

B

BARNSTAPLE

OR

BIDEFORD BAY

50

Westw
Cornborough

75

HARTLAND PT *Shipload B.*
L.H⸱S⸱ *Beckland*
Blagdon *Titchberry* 500 *Bay*
Damehole Pt *Bleyberry* *Beckland* *Cave*
448 *Norton* *Brownsham* 887 *Clovelly Court*
Berry *Hartland Abbey* *Hescott* *L.B.Sta.*
HARTLAND 466 *Clovelly* *Clovelly B.*
Hartland *Stoke* *Karnsclose* 584 B3237
Quay *Leigh* *Clovelly*
Speke's Mill *Ackworthy* *Farford* *Holloford* *Dykes* *Bucks Mills*
Mouth 470 477 *Downland* *Buck's Cross*
Longpeak 663 *Highworthy* *Waytown*
Milford *Philham* *Stitworthy* *West Town* 658 *Cranford* *Parkham*
Elmscott *Eddistone* 430 660 619 *Woolfardisworthy* *Melbury*
500 *Docton* *Welsford Moor* *Stroxworthy* *Almiston Cross* 458 *Winslade*
516 *Bursdon Moor* *Gorvin* 642 *Huddisford* *Duerdon* *Leworthy* *Bilsford*
420 5th *Hole* *Lilsford* *Irm* *West Country* *Gorrel* *Holes* *Ashmansworthy* *Wedfield*
Putshole 376 *Henaford* 710 *Meddon* *Greadon* *Iorridge* *Mill* *Volchouse* *Putford*
421 *Welcombe* *Burracott* *Upcott* *Woolley* *Bramford* *Horton* *W. Ash*
Mead *Welcombe* *Ho.* *Harisworthy* 718 *Loadmead* *Whitly*
Marsland *Gooseham* *Barrows*

Abbotsh
Cou
Bowc
Babbacombe *Portledge* 342
For
The Gore *Fairy*
Peppercombe *The Cas* *Cross*
25 460 *Awt*
Thorns Cross 500 *Goldworthy*
R. Yeo *Bucklan*
Brewe
620 *Bableigh*
Res⸱
Bilsford *Lodeland*
Eckworthy
530 *Venn* *Milfor*
F. *Monbury*
W.

Map 11   Continued on Map 12   0   1   2   3 Miles

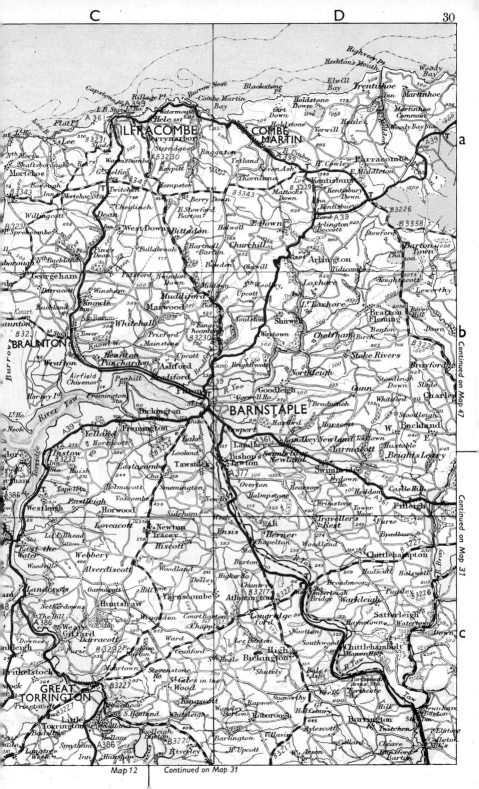

Continued on Map 47

Continued on Map 31

a

b

c

Map 12   Continued on Map 31

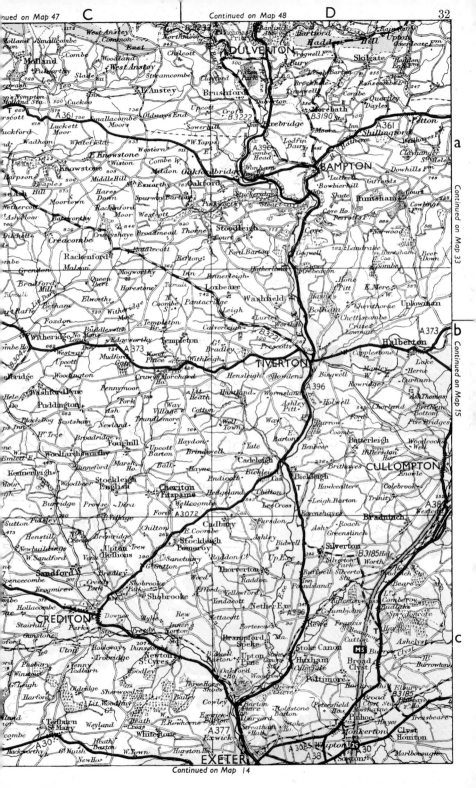

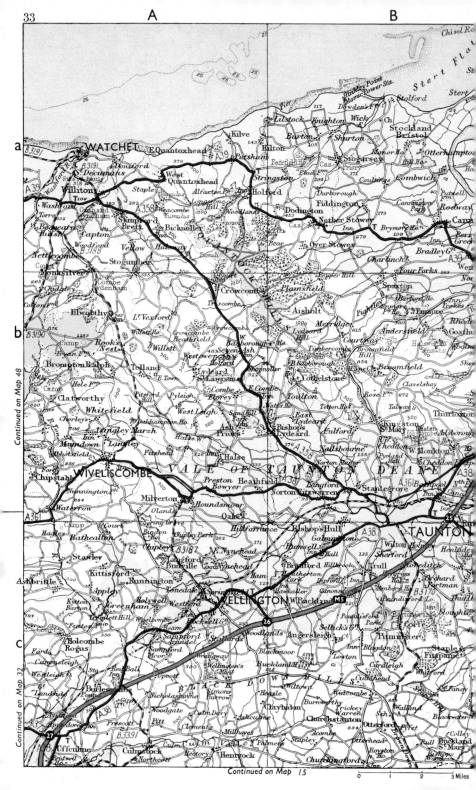

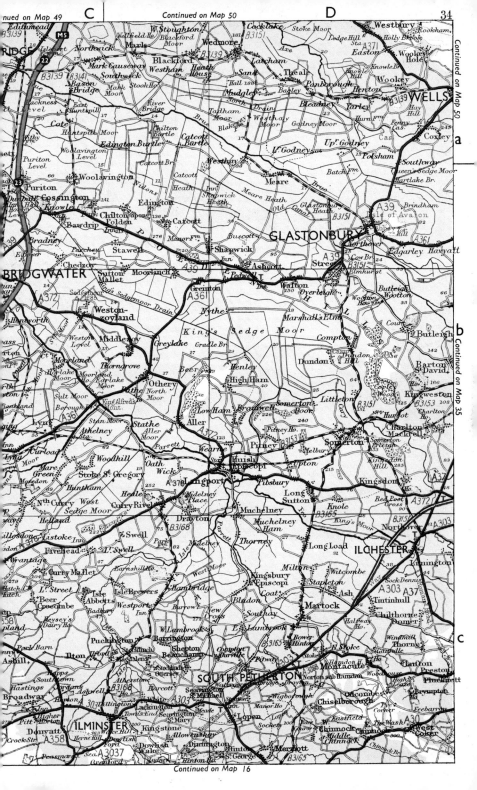

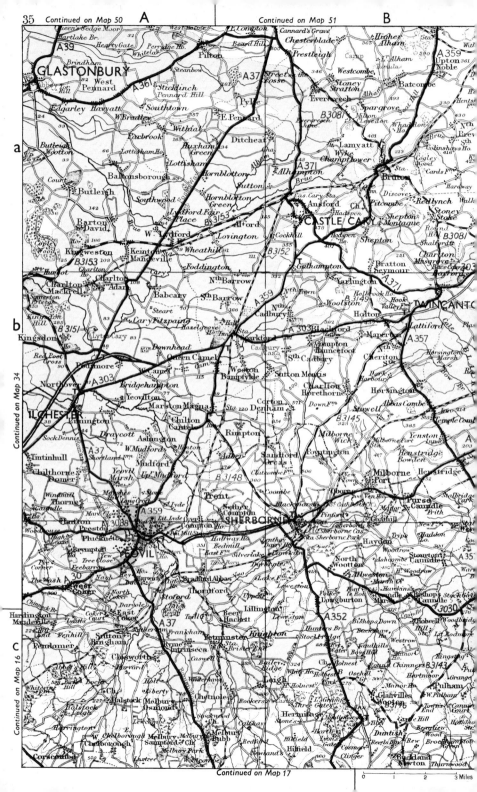

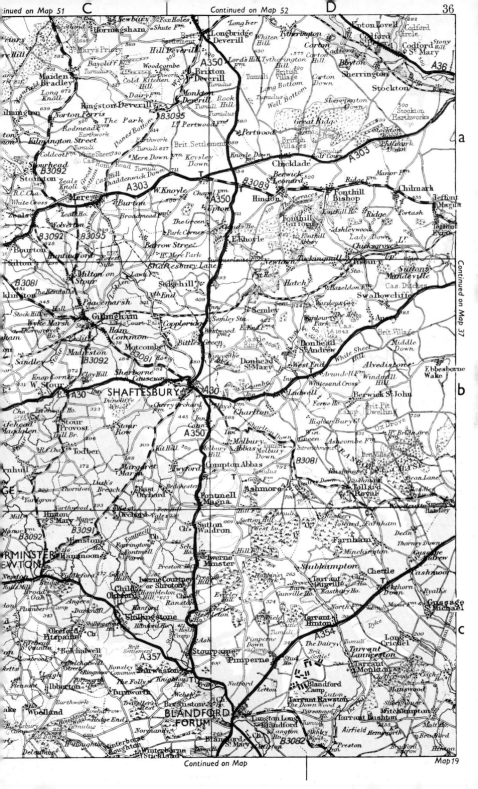

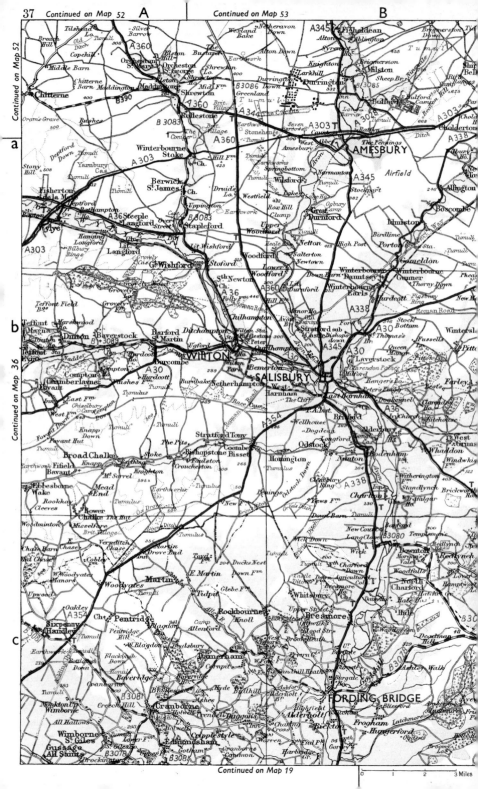

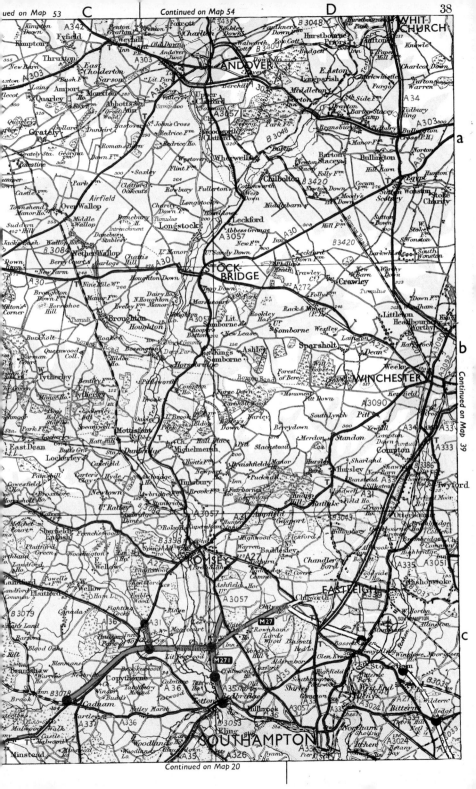

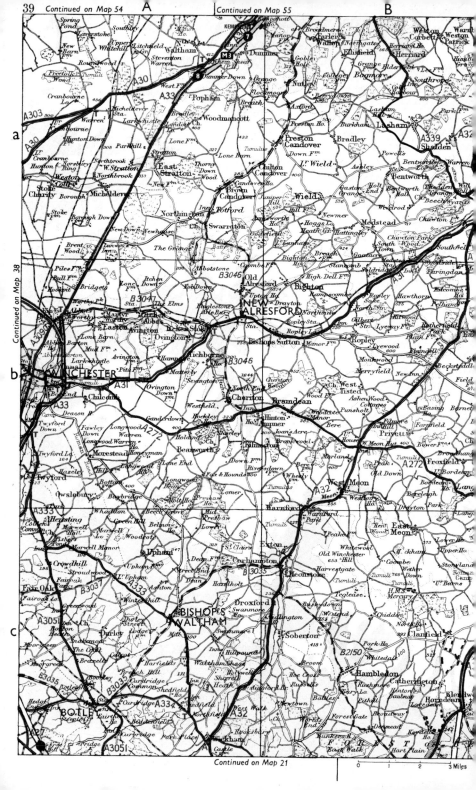

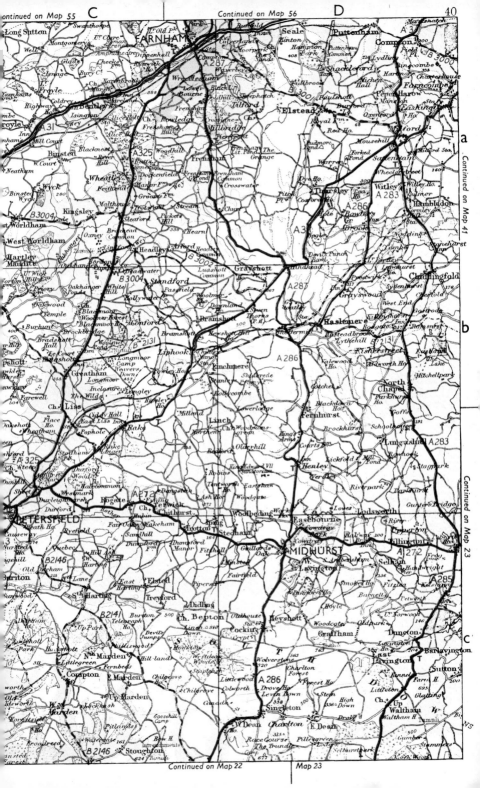

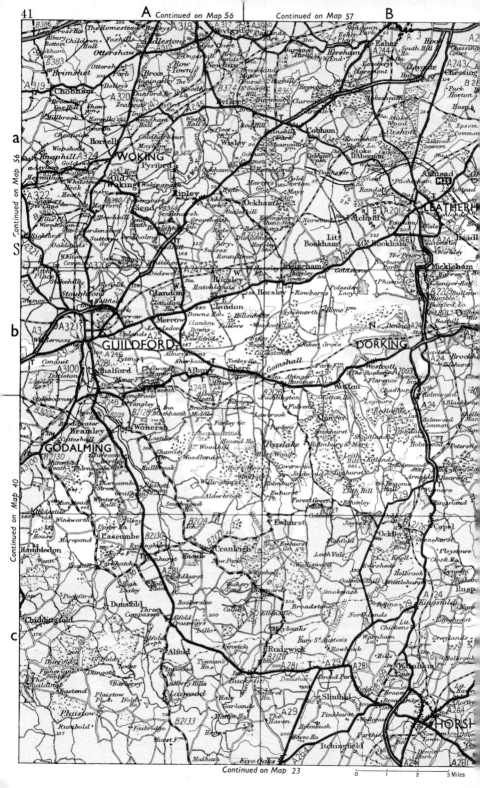
Continued on Map 56
Continued on Map 57
Continued on Map 56
Continued on Map 40
Continued on Map 23

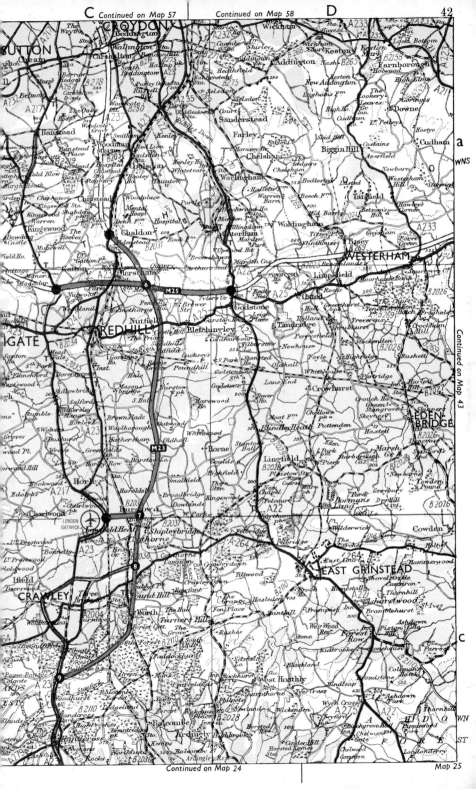

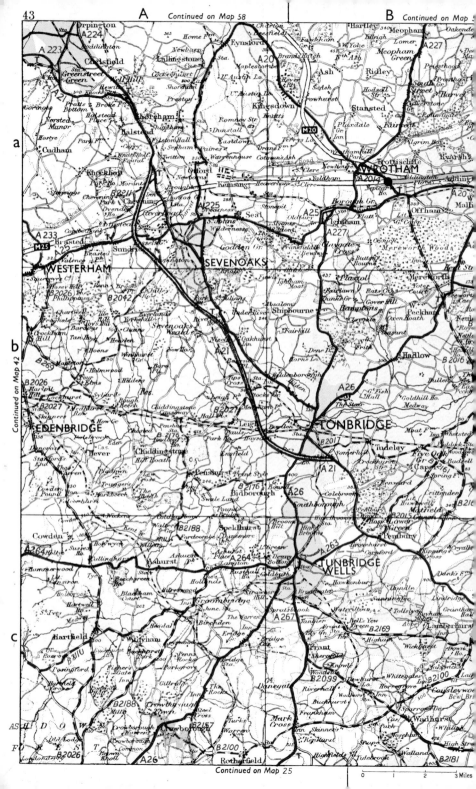

Continued on Map 58

Continued on Map 42

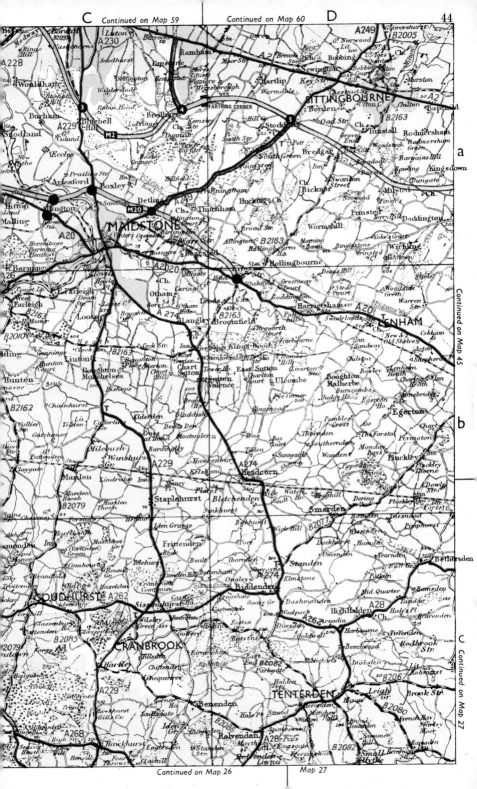

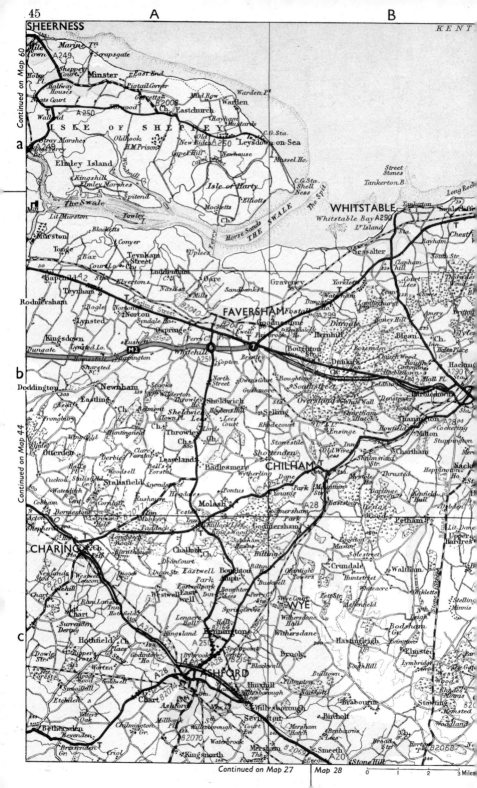

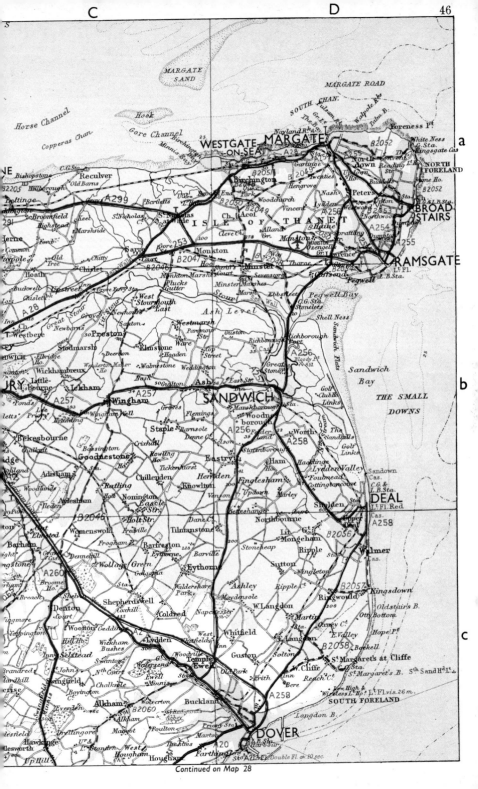

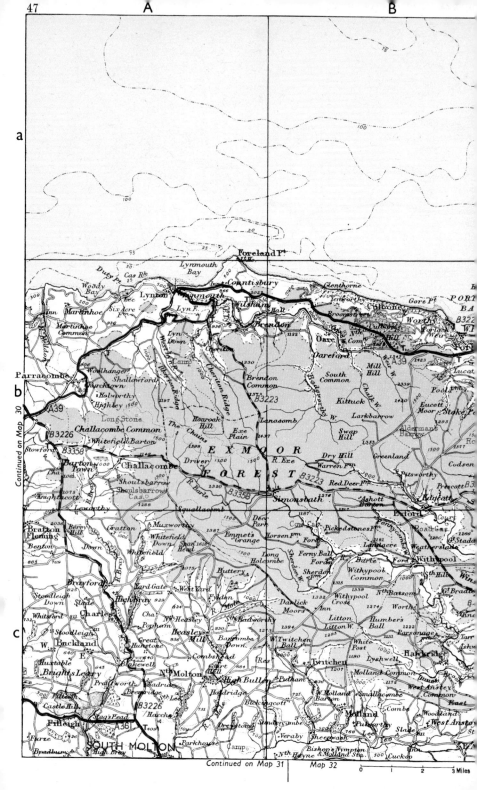

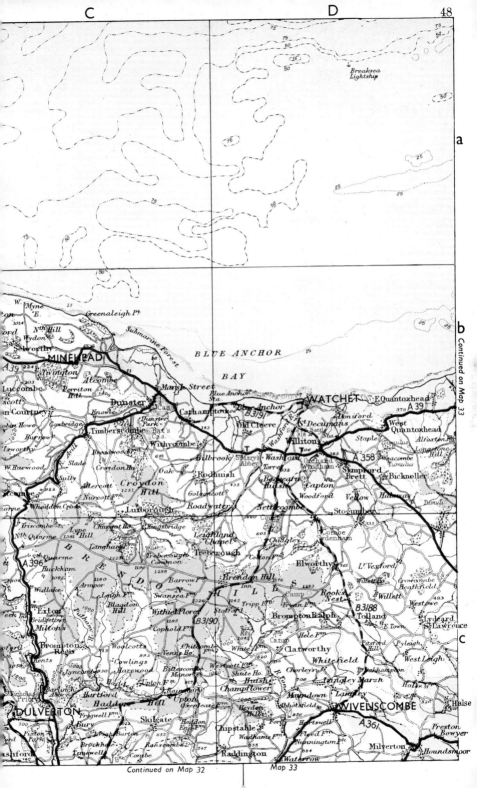

a

Continued on Map 33

b

Breaksea Lightship

BLUE ANCHOR

BAY

Submarine Forest

W. Myne
E.
Greenaleigh Pt.
N th Hill
Wydon
Selworthy
MINEHEAD
A 39
Twinton
Alcombe
Luccombe
Perriton Hill
Knowle
Marsh Street
Blue Anchor Sta.
Blue Anchor
WATCHET
E. Quantoxhead
A 39
Dunster
Cathanger
Doniford
West Quantoxhead
Cowbridge
Dunster Park
Old Cleeve
St Decumans
Staple
Alfoxton
Longstone Hill
Timberscombe
Withycombe
St Mary's Abbey
Washford
Williton
A 358
Weacombe
Tumulus
Bicknoller
Broadwood
Bilbrook
Torre
Wyndham
Orchard
Sampford Brett
Croydon Hill
Rodhuish
Beggearn Huish
Capton
Golsoncott
Woodford
Yellow
Halsway
Wheddon Cross
Nurcott
Luxborough
Roadwater
Nettlecombe
Stogumber
Combe Sydenham
Triscombe
Lype Hill
Kingsbridge
Leighland Chapel
Chidgley
Elworthy
L t. Vexford
Willetstle
Crowcombe Heathfield
A 396
Langham
Treborough Common
Cutcombe Fm.
B R E N D O N   Barrow
H I L L S
Rook's Nest
Willett
Westowe
Lydeard
Lawrence
Exton
Withiel Florey
Stotford
Tripp Fm.
Bryan Fm.
Brompton Ralph
Tolland
E. Town
Pitsford Hill
Pyleigh
West Leigh
Brompton Regis
Woolcotts
Venn Ho.
Whites Fm.
Clatworthy
Hele Fm.
Whitefield
Waldhampton
Langley Marsh
DULVERTON
Hartford
Haddon Hill
Upton
Bittescombe Manor
Shute Ho.
Brushford
Champflower
Maundown
Abbotsfield
WIVELISCOMBE
Halse
Skilgate
Haddon
Heydon
Langley
Preston Bowyer
A 361
Chipstable
Wadhams
Milverton
Houndsmoor
Raddington
Waterrow
Nunnington Pk.

c

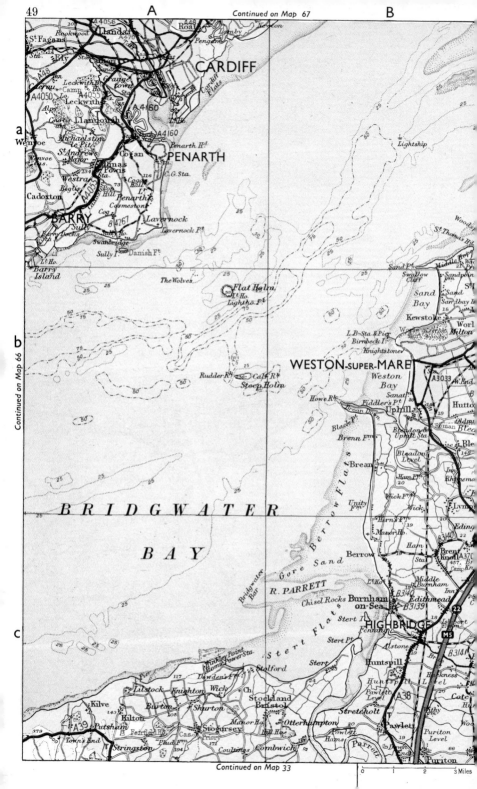

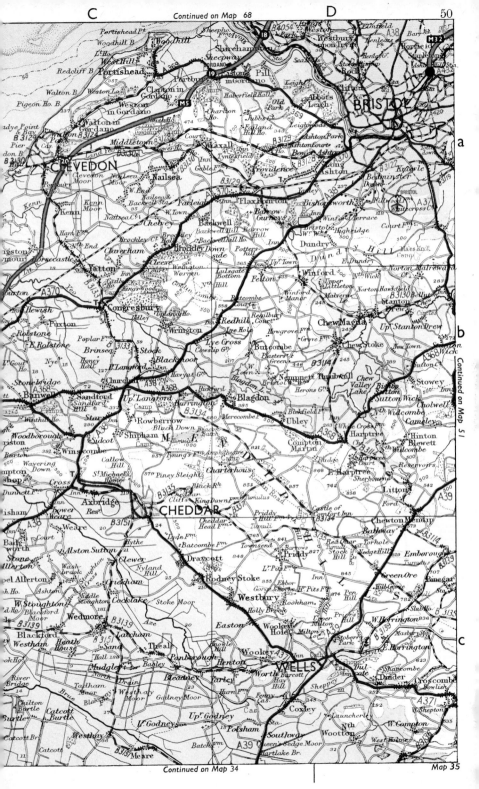

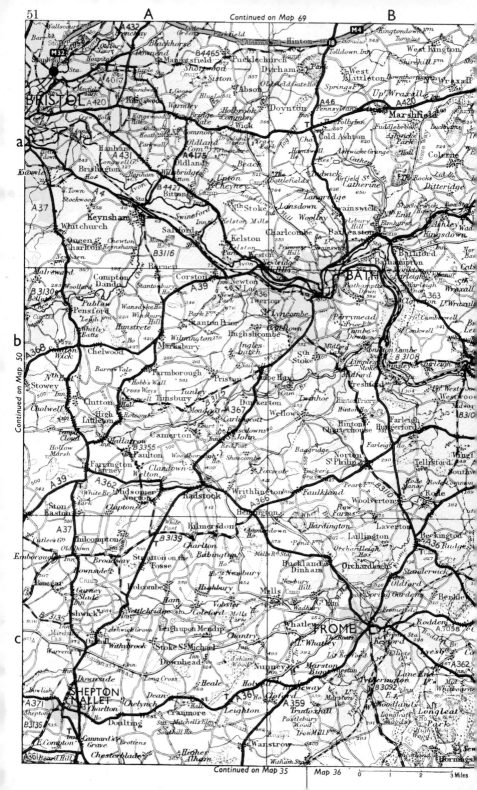

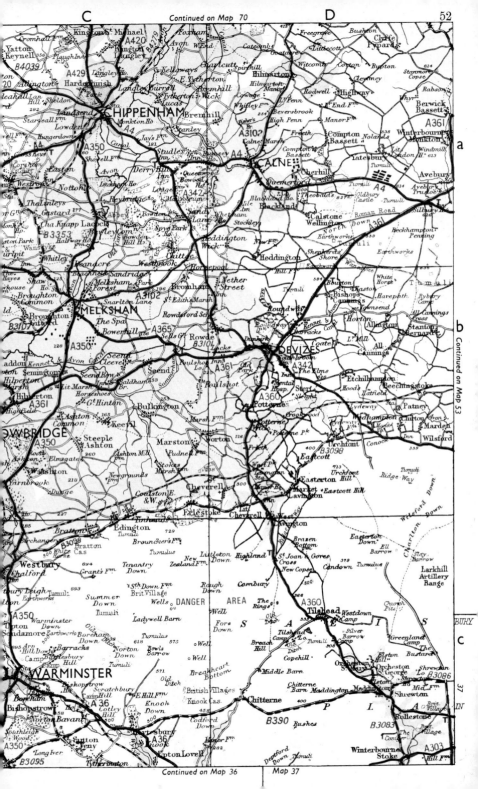

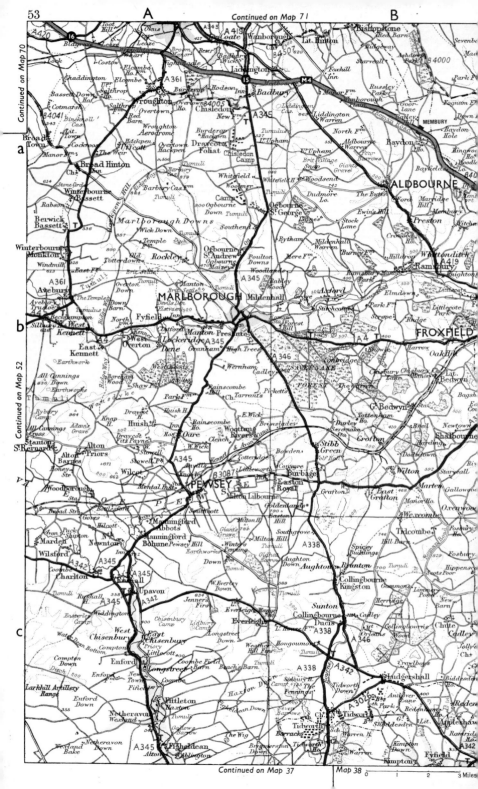

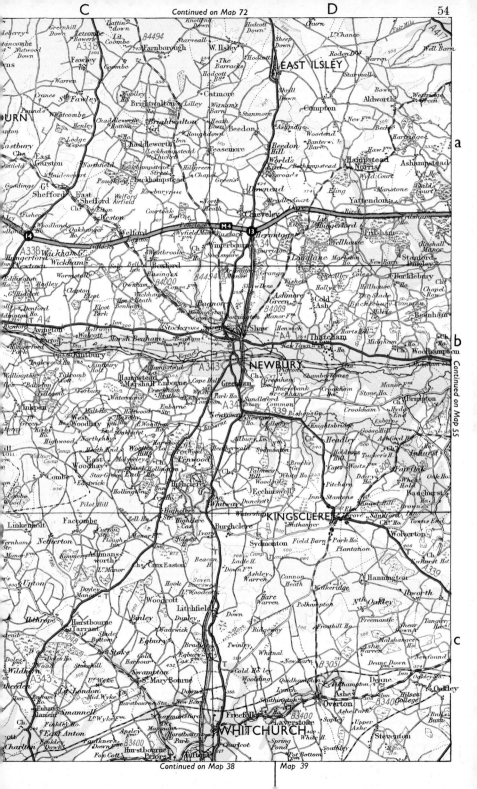

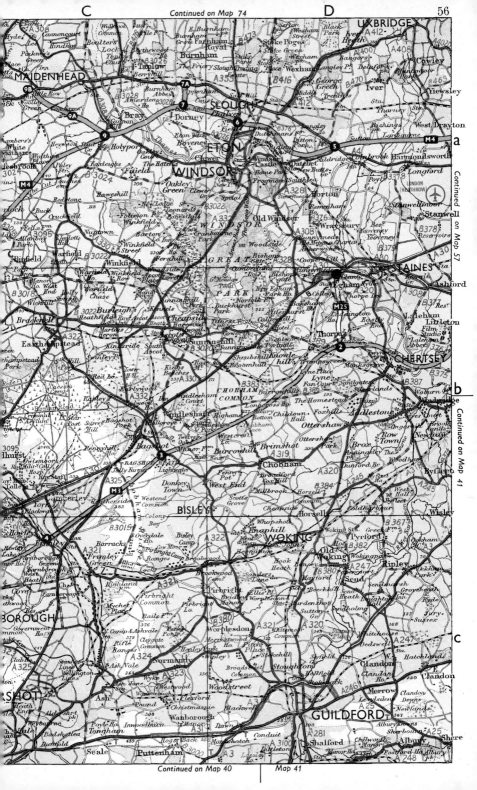

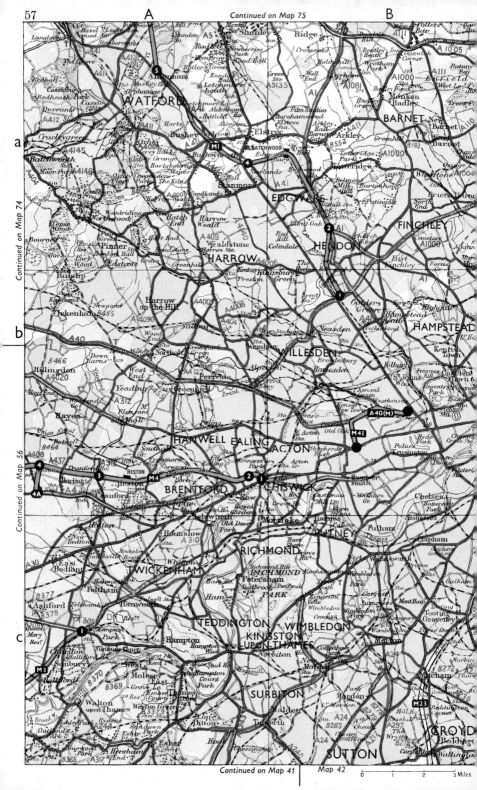

Continued on Map 59

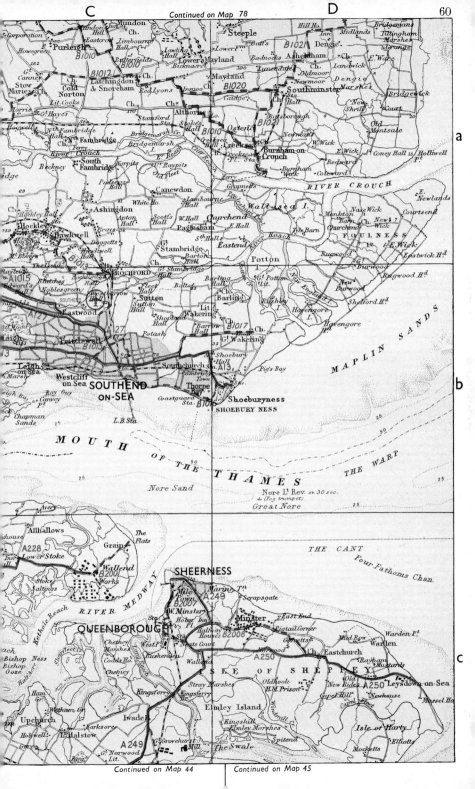

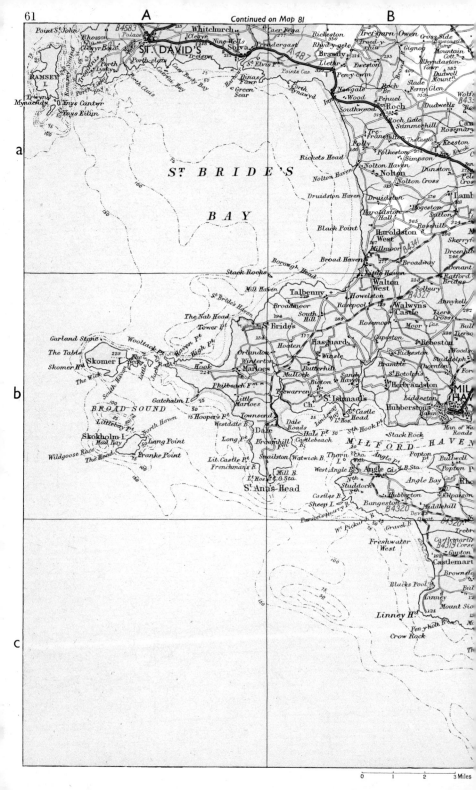

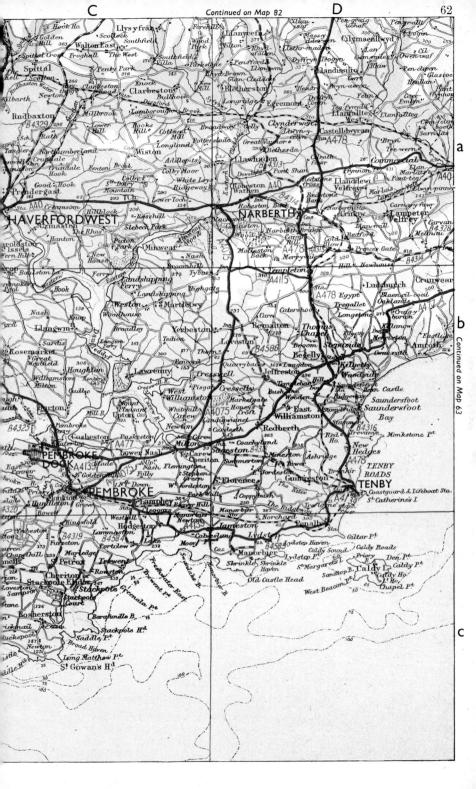

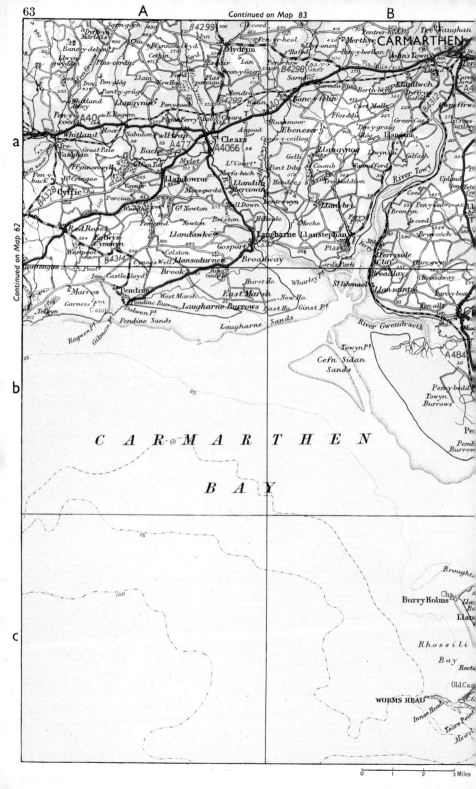

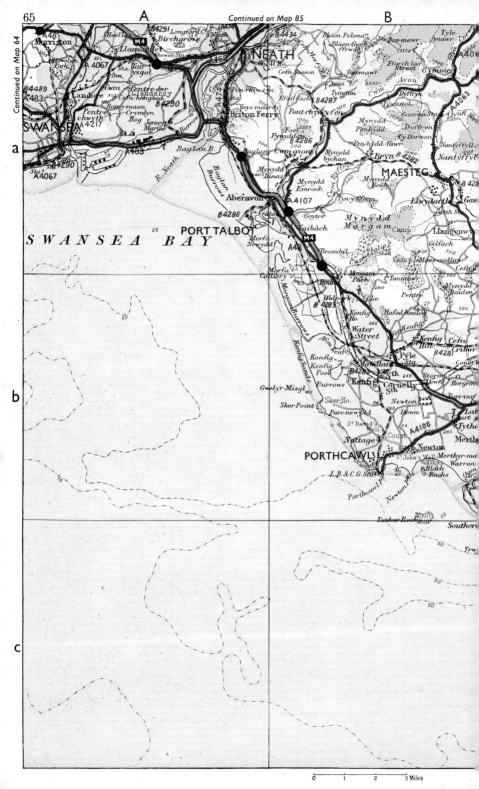

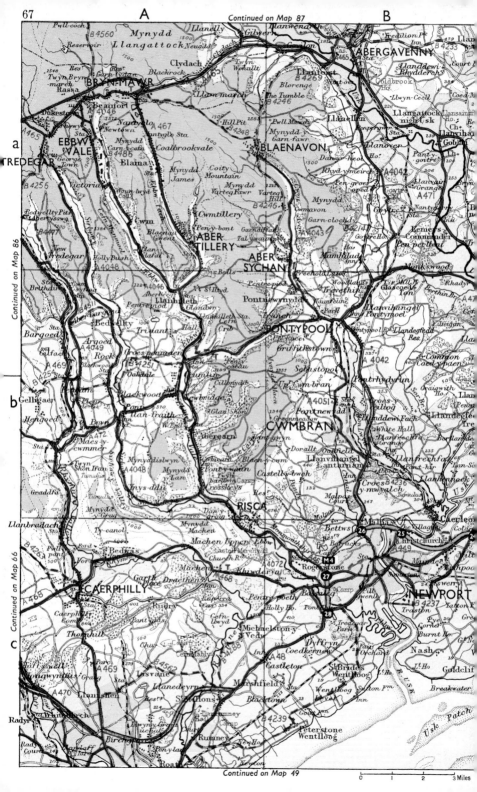

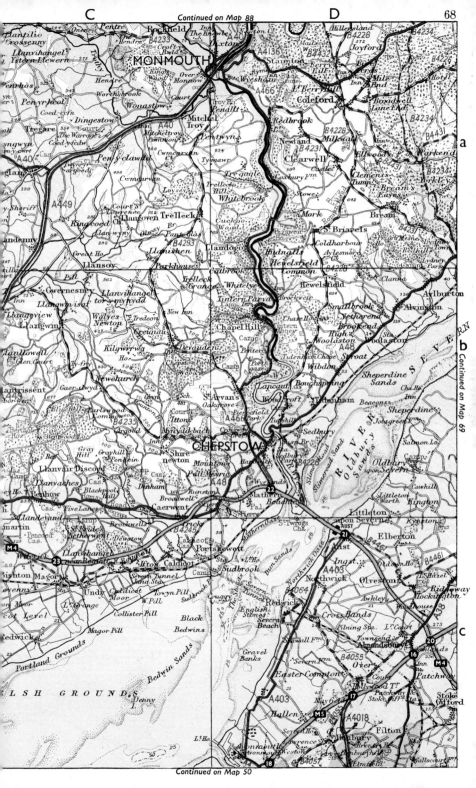

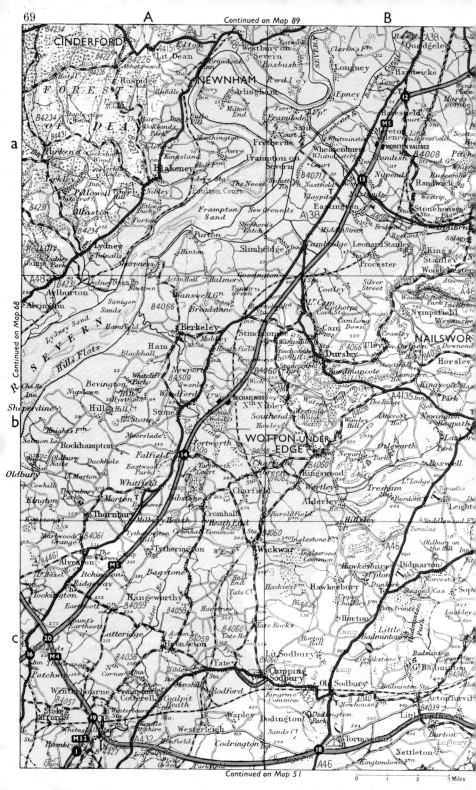

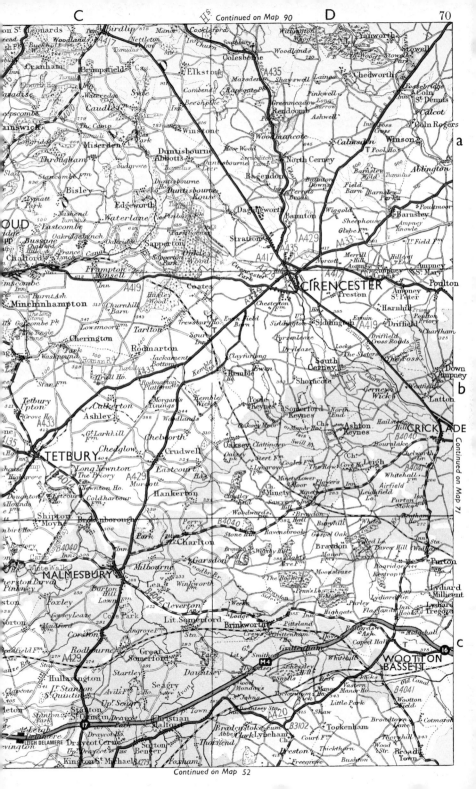
Continued on Map 71

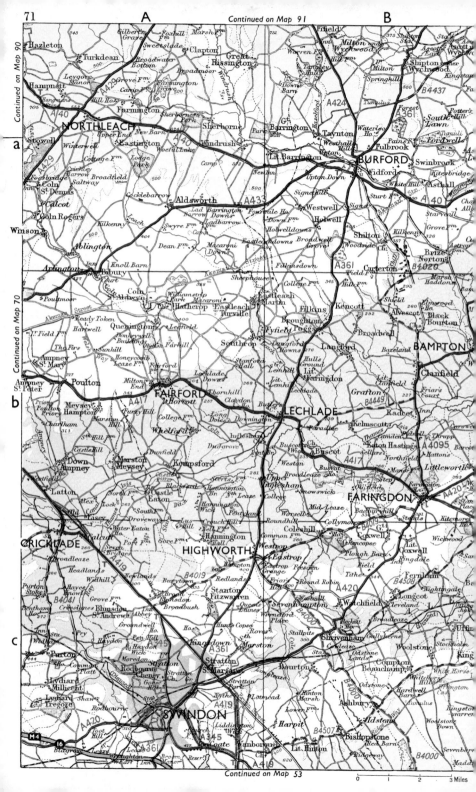

Continued on Map 90

Continued on Map 70

a

b

c

NORTHLEACH

BURFORD

BAMPTON

Clanfield

FAIRFORD

LECHLADE

FARINGDON

CRICKLADE

HIGHWORTH

SWINDON

0   1   2   3 Miles

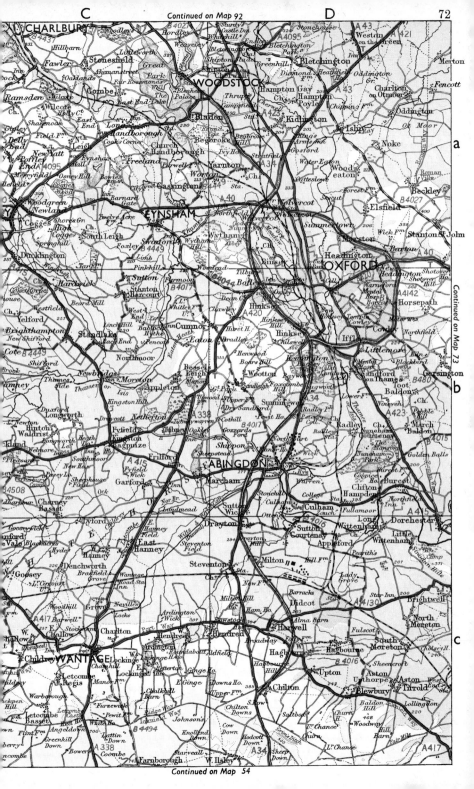

Continued on Map 73

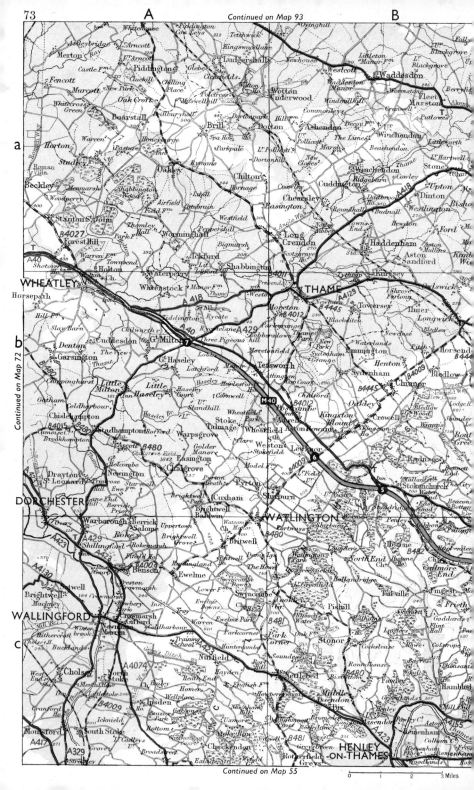

Continued on Map 72

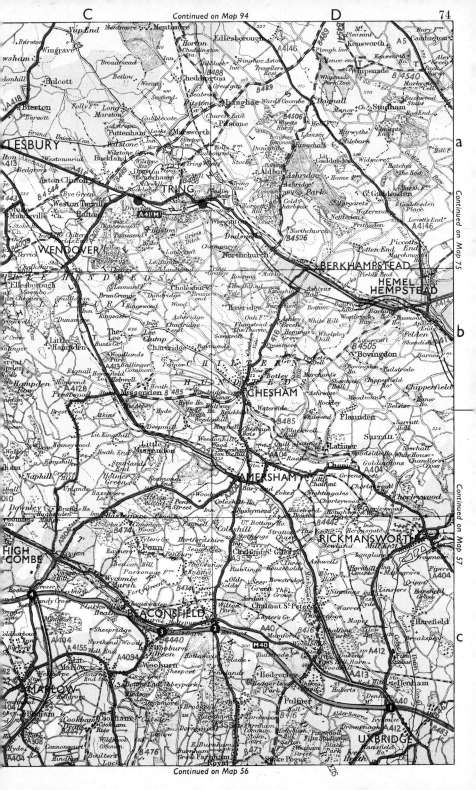

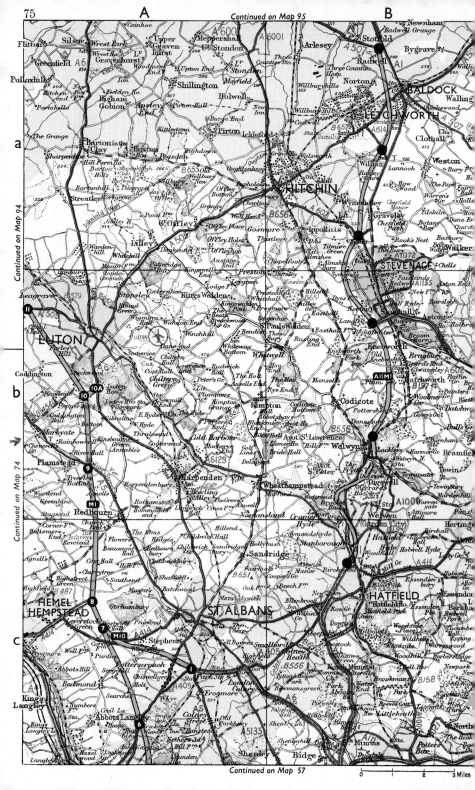

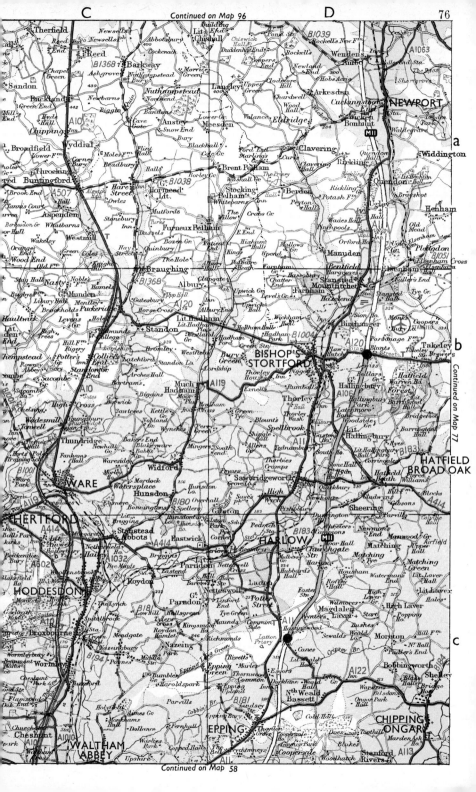

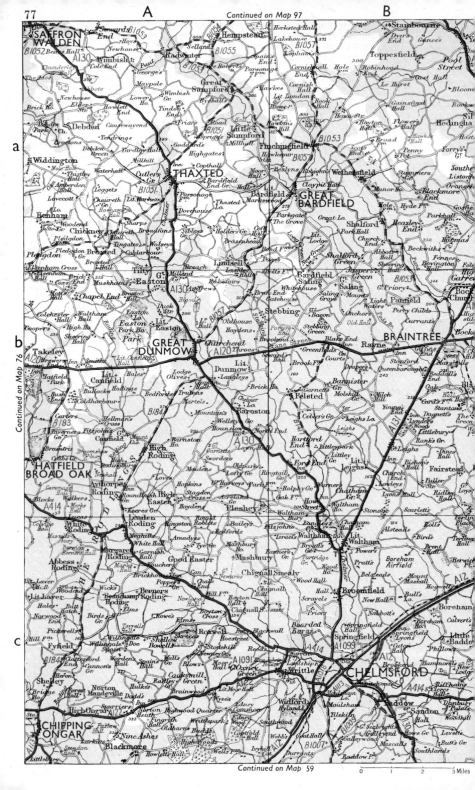

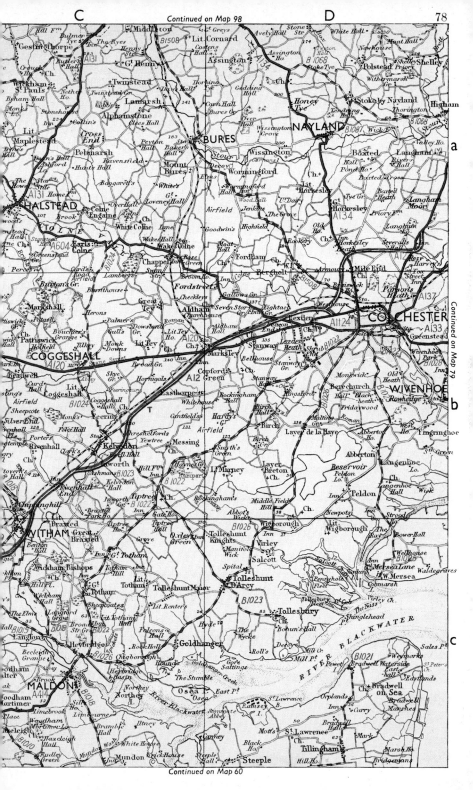

Continued on Map 79

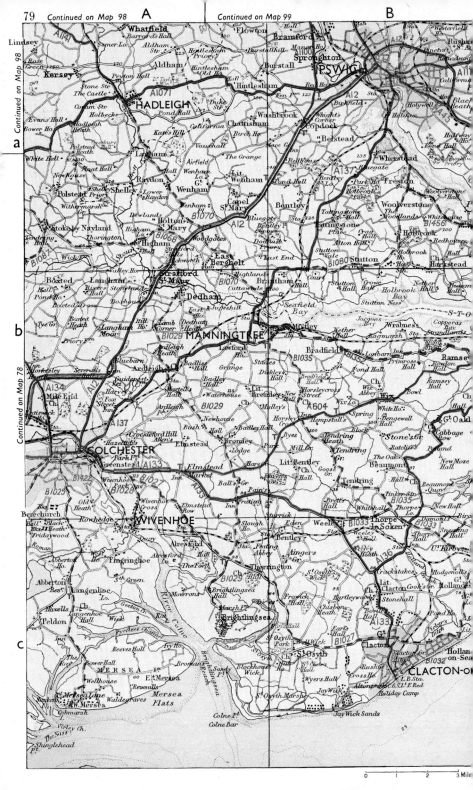

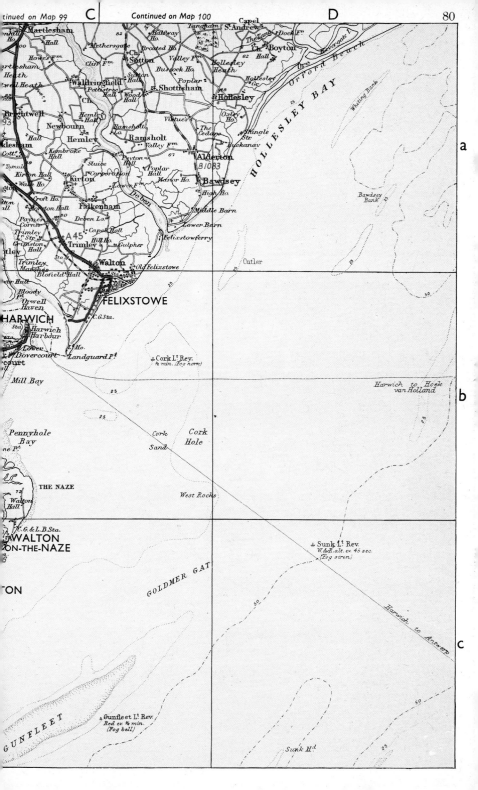

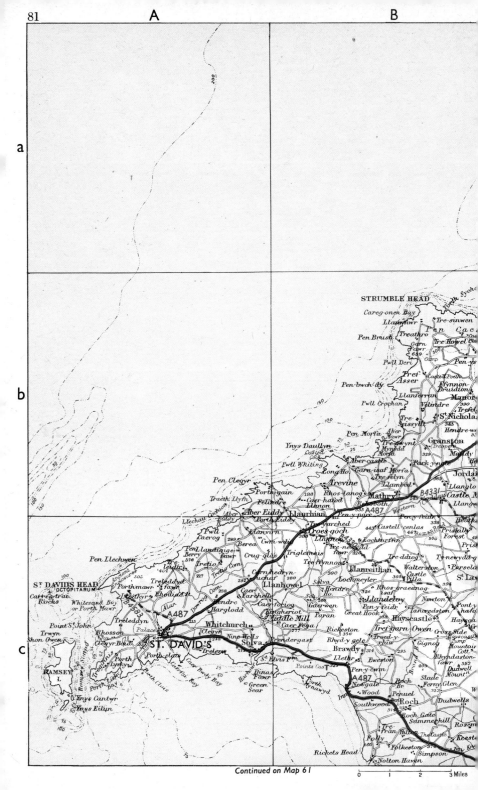

A   B

a

b

c

200

STRUMBLE HEAD

Careg-onen Bay
Llaumhwr
Pen Bruish
Treathro
Carn
Fawr
639

Tre-sinwen
Tre-Howel
Cae
Camp
Pen-ys

Pwll Deri

Tref-Asser
Fynnon-Druidion

Pen-bwch dy
Llanferran
Tre-Seissyllt

Manor
390

Pwll Crochan

Voltredre
St Nicholas
Hendre we

Pen Morfa
Aber Mawr
Tre-gwynt
Mynydd Morfa

Granston

Ynys Daullyn
Castell
Coch
Aber-castle
Long Ho

Carn-isaf Morfa
Tre-felyn
Llambed

Back-y-nau
Maddy

Jordan

Pen Clegyr
Porthgain
Trevine
Rhos-lanog
Mathry

B4331
Llanylo
Castle
Llann

Traeth Llyfn
Felindre
Caer-hand
Llanon

A487
Pen-y-parc
Western
Penycarn

Roman
249

500
Prisilly Forest
Prist

Aber Eiddy
Porth Eiddy
Llaurhian
Coes goch
Llangru
Castell
cenlas
443

338
146

Fwll
Caerog
Manvrn
Cwm-wdig
Tre-newydd

Lochmeyler

Tre-ddiog
Tynewydd
Porsela

Pen Llechwen
Berea
Crug glas
Triglemais
Treffynnon

Manreithan
Walterston
Castle Villa
St La

Ted
Berry
Iretio
Com
fawr

Corn hedryn
uchaf
292

Llanhowel
Solva
Hendre

Rhos braenog
Pen-y-reidr
Llandeloy

Newton
Tancredston
Pont y
hafa

St DAVIDS HEAD
OCTOPITARUM
Carreg-trai
Rocks

Porthmawr
Llethyr fawr

Rhodiad
Corn
238
Caer
Karehells

Caer foriog
Gaerwen
Paran

Great Hook
Hayscastle

Cross Side
Hay

Mountain
Cott.

Point St John
Shon Owen

Whitesand Bay
or Porth Mawr

A487
Dowrog

Endre
Harglodd

Whitchurch
Middle Mill
Caer Fega

Rickeston
Rhyd-y-gele

Tref-garn
Owen

Gignog
Rhyndaston
fawr

Dudwell
Mount

RAMSEY
I.

Clegyr Boid
Rhosson
Cleggyr Boid

Palace
A487
215

Nine Wells
Solva
Prendergast

Brawdy
314

Treoed-y-rhiw

Eweston

Pehuel
Roch
Br
585

Dudwells

Treleiddyn
Porth Lysky

Porth clais
Caerbwdy Bay
Trelem

Dinas
Fawr

St Elvis I

Points Cas

Llethr
Pen-y-cwm

A487
Newgale

Roch
450

Slade
Ferny Glen

Trwyn
Porth Stinian

Treginnis
Porth Tlais

Caerfai Bay
25

Hanton
Porth
Mynawyd
Green
Scar

Wood
Southwood

Roch Gate
Summerhill

Ynys Cantyr
Ynys Eidin

Tre-fran Hilton
The Castle

Folkeston
Simpson

Rosger
Keeste
Fav

Ricketts Head

Nolton Haven

Folly

Continued on Map 61

0 1 2 3 Miles

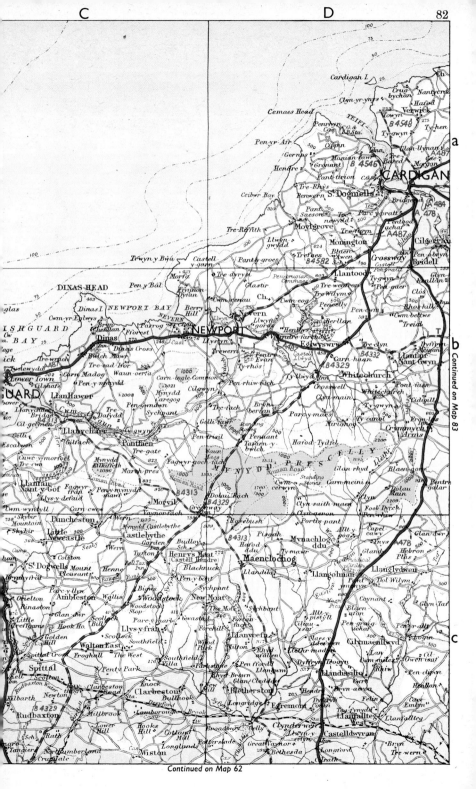

Cardigan I.

Nantycrú
Crug bychan
Cemaes Head
Clyn-yr-ynys
Tre Verwick
B 4548
Ty hen
Pen-yr-Afr
TEIFI
Tywyn
Glan-Llynan
Gernos
B 4546
Morgan
Cronant
A 487
Pant-trion
CARDIGAN
Ceibwr Bay
Pen-wern
St Dogmells
Penwern
Bridgend
A 484
Pant
Pant-y-pratt
A 478
Saesore
Tre Rhys
newydd
A 487
achan
Cilgerran
Moylgrove
Monington
Pen y bryn
Tre-faes
424
Crosswey
Bridell
Tre-rhyn
B4582
Castell
Pant-y-groes
Cilgerran
Trwyn y Bwa
Castell
y garn
Llantood
Ty gwyn
Pen y gaer
Glyn
Morfil
Tre-dyryst
Trefaes
Llwyn
DINAS HEAD
gwydd
Clos
Pen y Bal
Glastir
Tre-wenron
Rhos hill
Frynnon
Pen y cruge
Treipi
Llyran
Commons
602
Cwm-bettws
Ch.
Tre Wilym
NEWPORT BAY
Berry
Cwm minau
Cwm-eog
Pencelly
Pen y
cwm
NEVERN
Hill
Llwyn-
Berllan
Dinas I
Llwyn
gorda
Henllys
Cwm-yr-Eglwys
NEVERN
Tre-fach
Bryn
Cil
FISHGUARD
Llys-y
Vendre furthor
Tre clyn
Dyffryn
Dinas
T
B4332
BAY
Cross
Eglwyswrw
Nant gwyn
Dinas Cross
Trewern
Castell
A488
Carn haan
Llanfair
Bwlch mawr
Lower
Pen yr
Llwyd
Whitechurch
B4329
Town
Carn Madog
Waun-oerta
Evan
Crosswell
Pont faen
Ty rhos
Clyn main
FISHGUARD
Carn-ingle Common
Pen-rhiw fwlch
Whitechurch
Cidgill
Llanychaer
Tre
1021
Mynydd Caregog
Ty gwyn
Bridge
Pen-y-cwnern
Tre-fach
Ty canol
Cil-gelynen
Dafydd
Sychpant
Bryn
Frondeg
Gelli
Llanychar
Gelli fawr
Crymmych
Escalwen
Pen-trisil
berian
Parcy-mac
Mirianog
Arms
Gillach
Fagwyr-goch
Cwm cwch
Pontfaen
Carreg
Unwc y morfoet
Tre-gate
stones
Harod Tydri
Tre cwm
Mynydd
Pennant
MYNYDD
PRESCELLY
Kilkiffeth
Marsh-pres
Tafarn-y-
Llett
Fagwyr
1096
bwlch
Glan rhyd
Blaen-gors
Llanfair
Peny-rhyuydd
832
Roman Road
Standing
Carnmeini
Pentre
Nant-Gof
mawr
920
1595
1760
Stones
galar
Llys-y-defaid
Cwm
Dolau-Bach
1300
Dolau
Cwm-cerwyn
Main
Cwm cwm-cwn
Morvil
B4313
Greenway
Clyn saith maen
Foel Dyrch
Vaynor-fach
B4329
Clyn-gwyn
Pen-rhiw
Damcheston
Wern
Mynydd Castlebythe
Rosebush
Pontis-pant
Capel
Glan-dwr
Little
Castlebythe
Pisgah
cawy
Newcastle
Garden
Budloy
Harod Rhos
Mynachlog
A478
Sealyi
Turton
Tymawr
ddu
Hebron
St Dogwells Mount
Henno
Henry's Moat
Castell-hendre
Llandila
Llangolman
Plas
Pleasant
Ambleston
Biggs
Blacknuck
Llanglydwen
Orielton
Rinaston
Woodstock
Peny bont
Dol Wilym
Little
Shop
Sychpant
Coynant
Tresigane
Hook Ho.
Scollock
Pare y hearl
New Moat
Maesaliwen
Pen-graig
Golden
Bull
The Mott
Farchill
MAENCLOCHOG
uchar
Pen-rallt
Hill
Llys-y-fran
Forton-fach
Llanycefn
Ciilwyn-y-Togon
Spital Cross
Southfield
Wood
Milton
Maes alhven
Llandissilio
Cil
Froghall
Walton East
Southfield
Park
Dyffryn
Cwm miles
Owen-isaf
Golden
Villa
Rhyd
Pen-dipar
Penty Park
wrallen
Hendre
Renllan
Spittal
Yorkstone
Pen ffordd
Bryn-aesau
Llanswm
Felin
Caer
Clarbeston
Golan Cleddau
Dyffryn
Emlyn
Rudbaxton
Kilbarth
B4329
Knock
Bullhook
Blethersion
Hendre
Tre-wern
Millbrook
Clarbeston
Deepford
Egremont
Dyffryn
Bryn
Lower
Lamborough
Longnard
Clunderwen
Hafnalteg
Hooks
Mill
Quay
Longlunds
Rolterslade
Castelldwyran
West
Hill
Cotland
Broadway
Kelly
Rath
Wiston
Mill
Great Vaynor
Bethesda
Clynawr
Tangiers
Northumberland
Crundale

Continued on Map 83

a

b

c

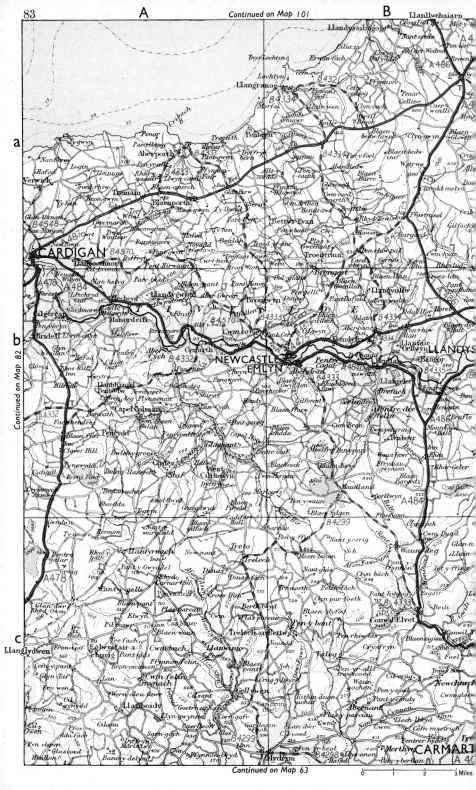

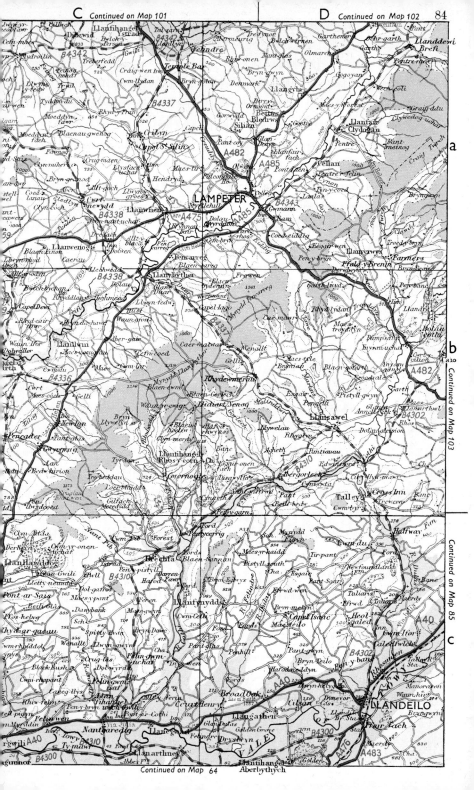

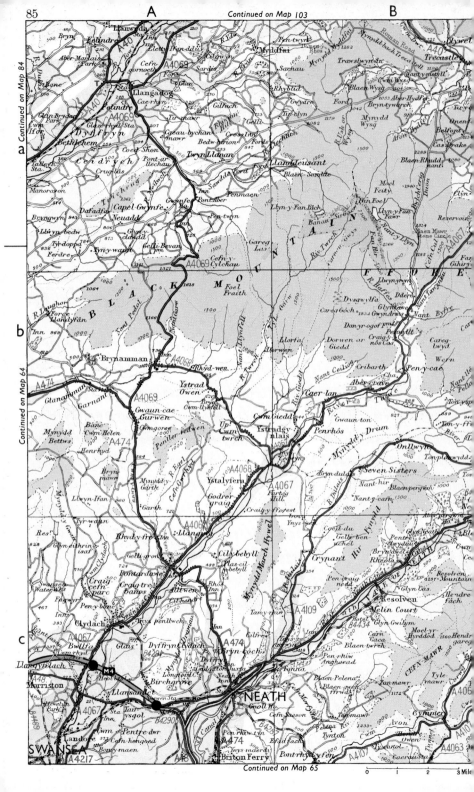

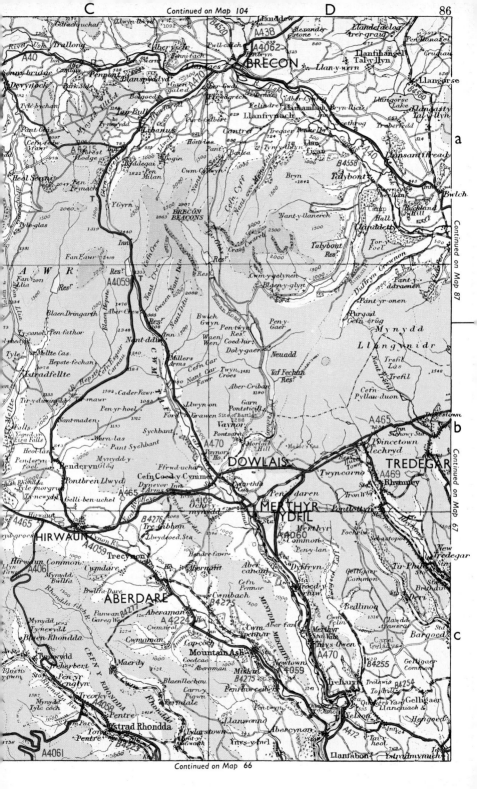

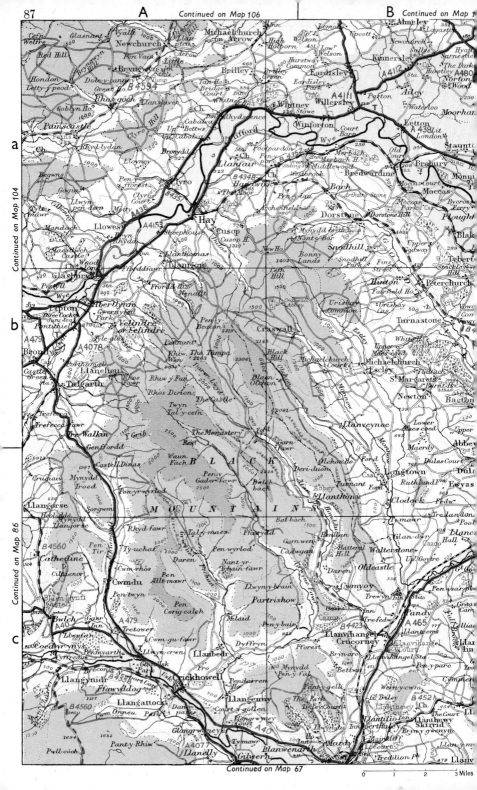

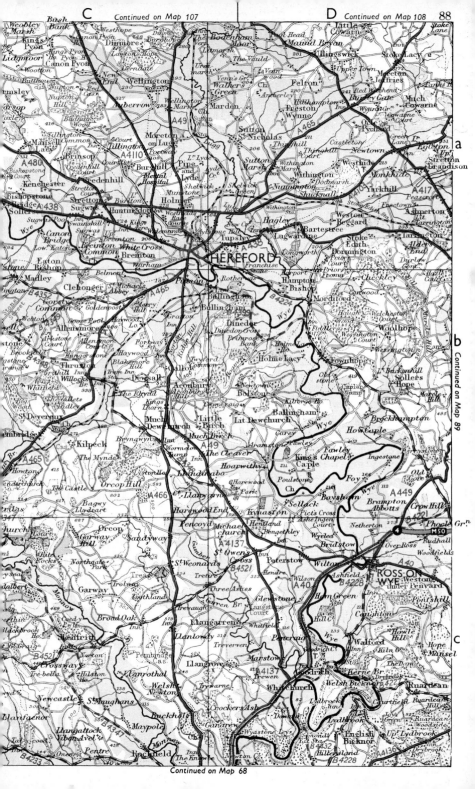

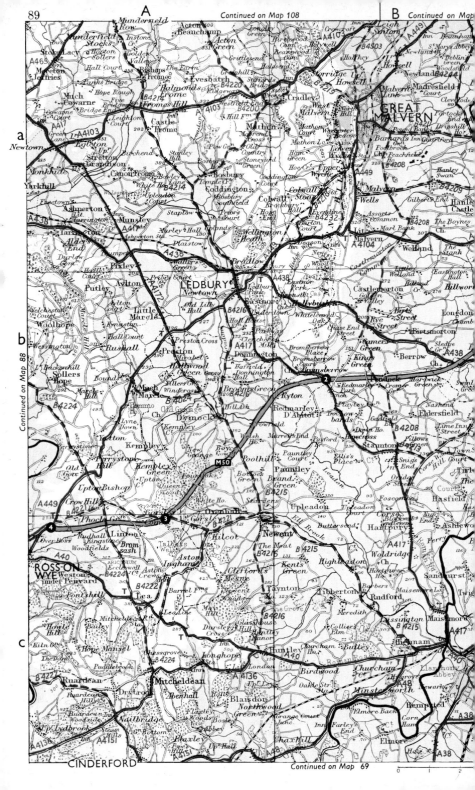

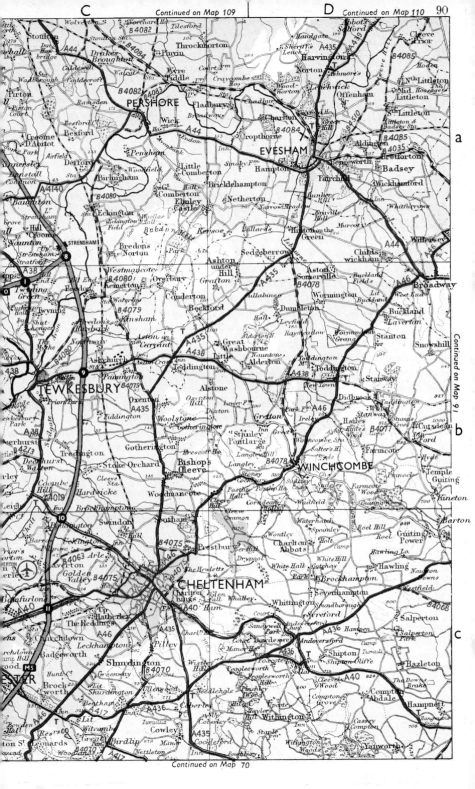

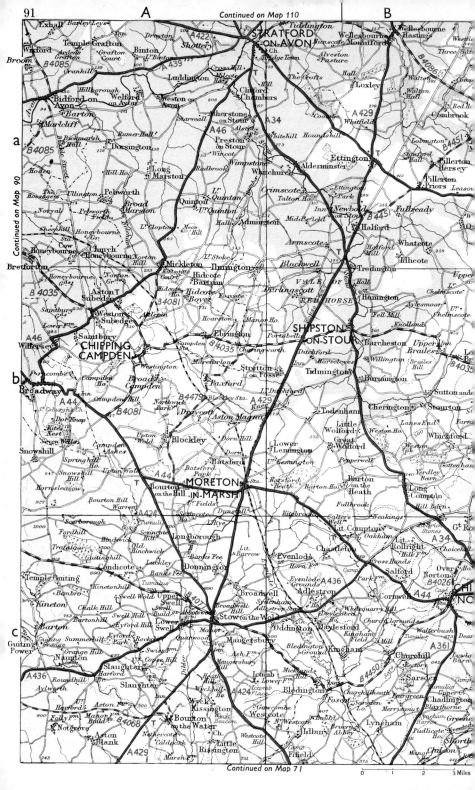

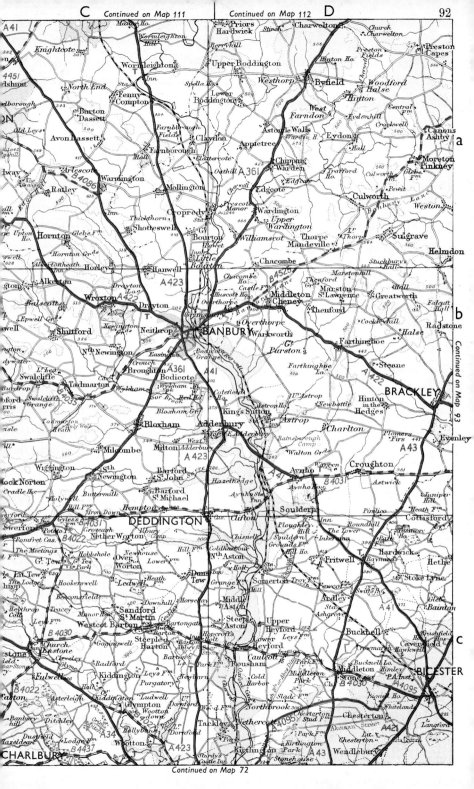

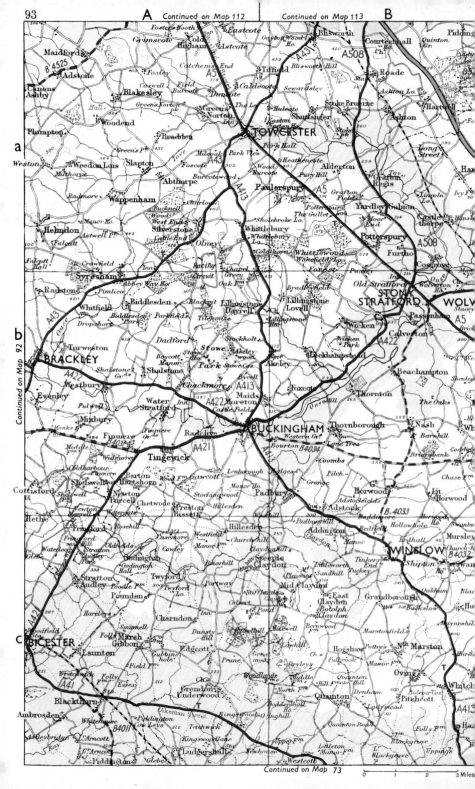

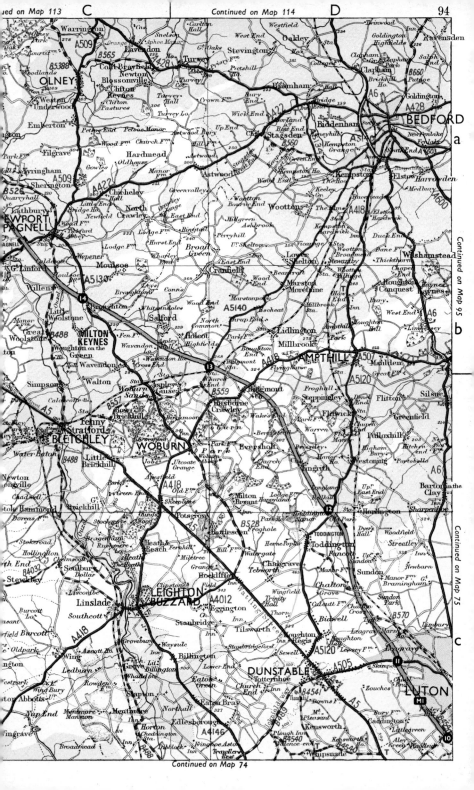

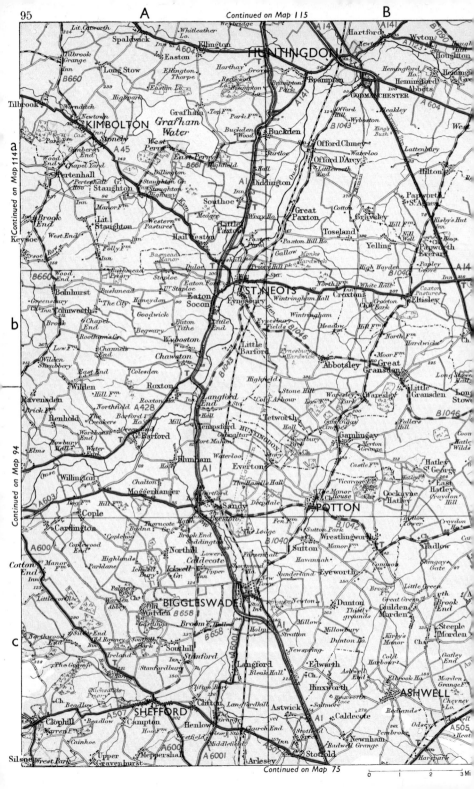

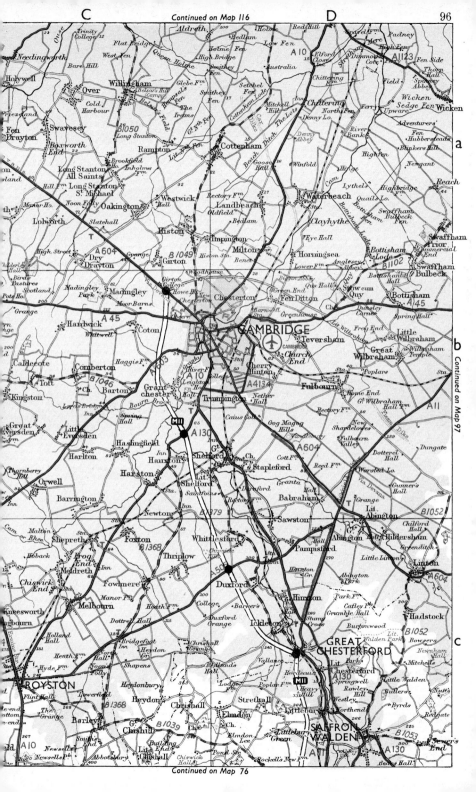

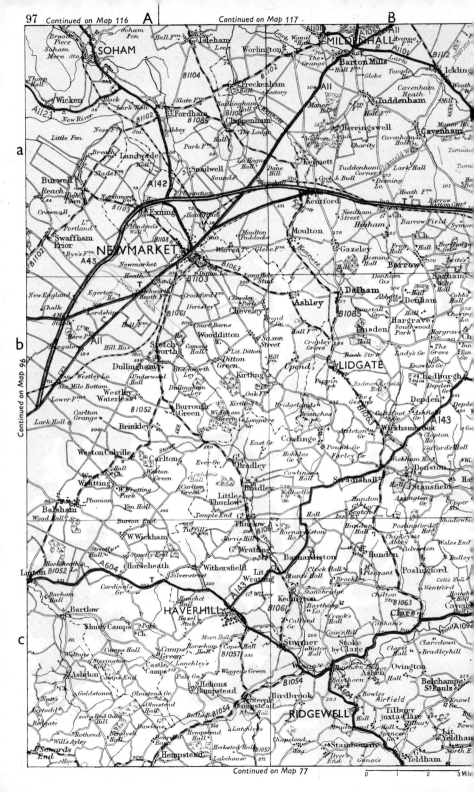

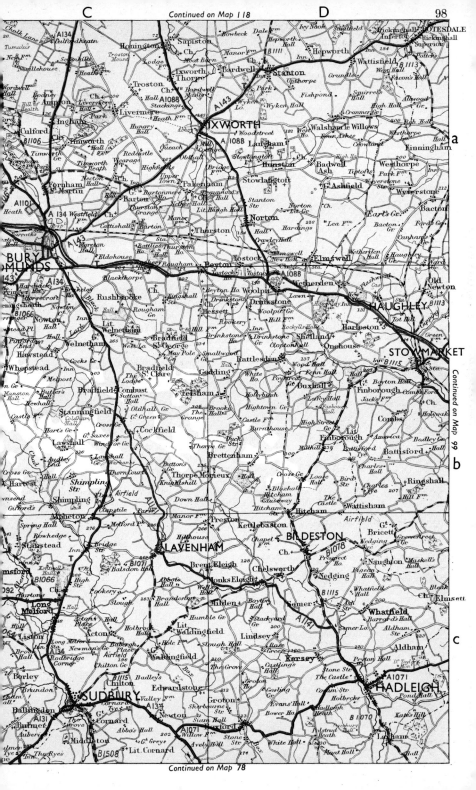

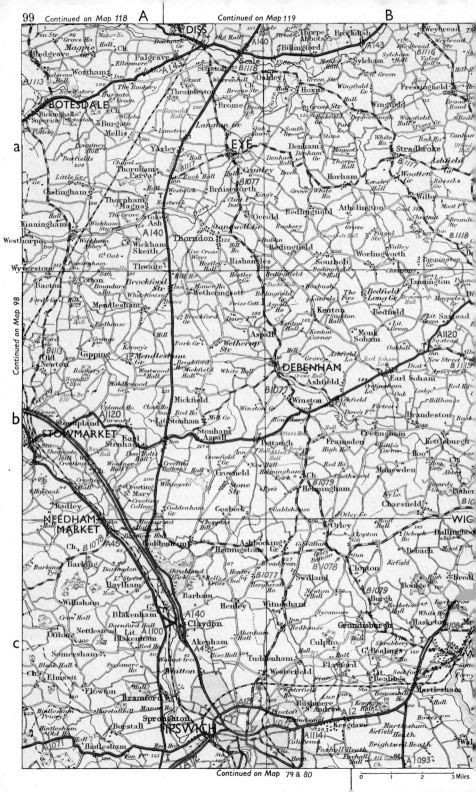

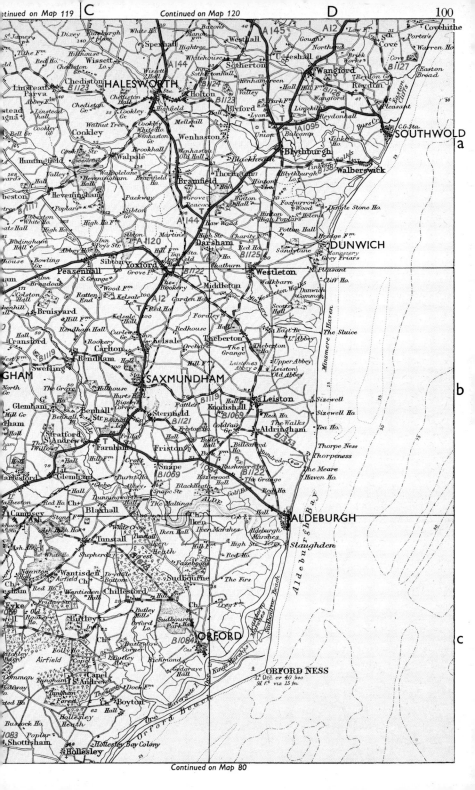

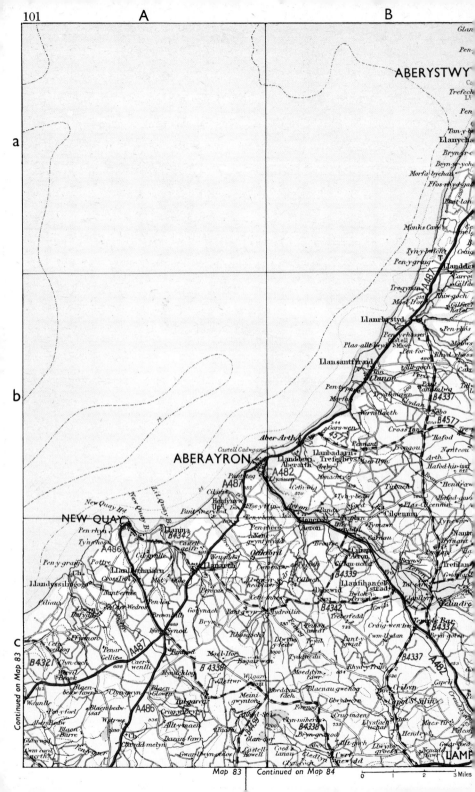

101

A   B

a

b

c

ABERYSTWY
Trefech
L.
Pen
Tan-y-b
Llanycha
Brynsr-e
Bryn-sy-ych
Morfa bychan
Ffos rhyd gar
Pant lan
Monks Cave
Tyn-y-bwlch
Pen-y-graig
Llandde
Carrog
Gilfa
Tregynan
Rhiw-goch
Moel Ifor
Gilfach
haf
Llanrhystyd
Pen-rhos
Penyrhasser
Castell
Mawr
Pen for
Methes
Plas-allt-lwyd
Rhydybass
Llansantffraid
Allt-goch
Peris
Car
Llanon
Pant
camlalwg
B4337
Pen-tyrpeg
Trychmawr
Llydan
Morfa
Nebo
Wern llaeth
Gors-wen
Crosslan
B4577
Aber Arth
Pennant
Hafod
Nanteou
Castell Cadwgan
Frongou
Arth
ABERAYRON
Llanddewi
Aberarth
Llanbadarn
Trefeglwys
Maes Rym
Hafod hir-isa
Hendraw
A482
Llyssteu
Mnachty
Cefn wid
A487
Tyn-y-bela
Cwd
Tybach
Plas-cilcennin
Hafod-garb
Pantteg
Cilcur
Henfryn
Inn
Efos Helin
Pen-y-bum
Pennant
Aeron
Cilcennin
Tyne
Nant
New Quay
Pant Nycyfod
NEW QUAY
Pen rhyn
Llanina
A342
Llanerch
Pen-rhiw
Nantgwynfrydd
Aeron
Felin
Tymawr
Cribiau
Brigant
Tynghos
Castell
aeir
Neuadd
Oakford
Hewyl
Pentre
Tal-sarn
A486
Cilgwillie
Llwyn-yr-heol
Gilbach
Llanfihangel
ystrad
Trefilan
Llandysilioglog
Crossffrod
Moty-clon
Penrain
Cefn-maen
Llwewid
B4339
Llanerch
Nantcerais
Pen-lon
Brownslih
Godynach
Pant-gwyn
Mydrollun
B4342
Treberfedd
Felindre
Ffynnonca
Penarbryn
Synod
Bryn
Rhosdoch
Tempel Bar
Craig-wen Inn
B4337
A482
A487
Mynachlog
Moel-Ifor
Dwyn
feus
Tyddyn-du
Rhiw-y-Trân
Cwm-Llydan
B4321
Caer-wenllu
B4338
Esgar-wen
Wilgarn
Moedlyn
fawr
Blaen-
bedw fawr
Clettwr
Meini
gwynion
Blancu gwelog
Gbwbwen
Cribyn
Capel
Talgarreg
A486
Crug-y-bryn
Allt-y-maen
Darus fawr
Glan-dwr
Firenol
Faenol
Bryn-grenod
B4338
Crug maen
Ystrad
uchaf
Hendryd
Gwarthwyn-redos
Castell Howell
Cledlyn
Cwmtoeth
Llwyn y groes
LLAMP
Chwydd melyn

Map 83   Continued on Map 84

0   1   2   3 Miles

Continued on Map 83

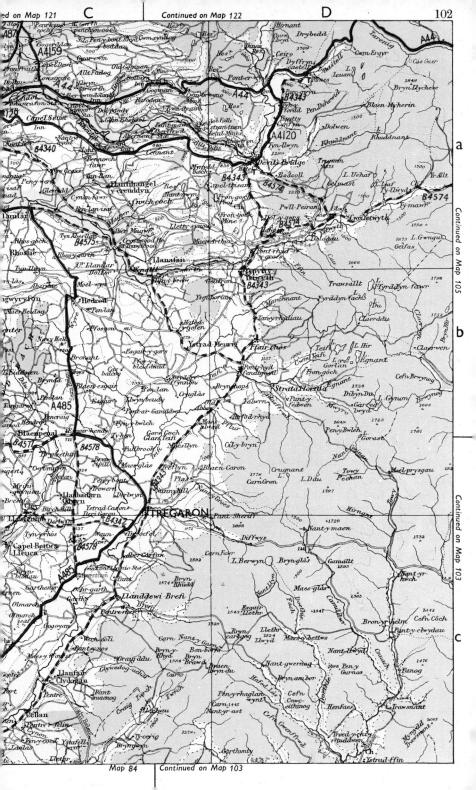

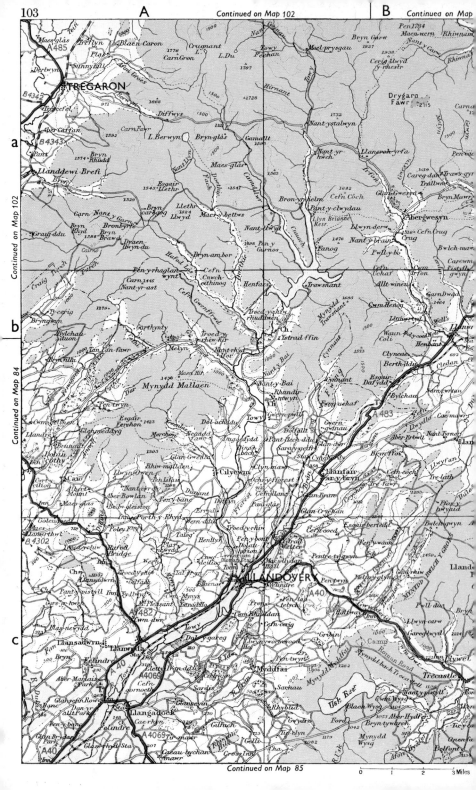

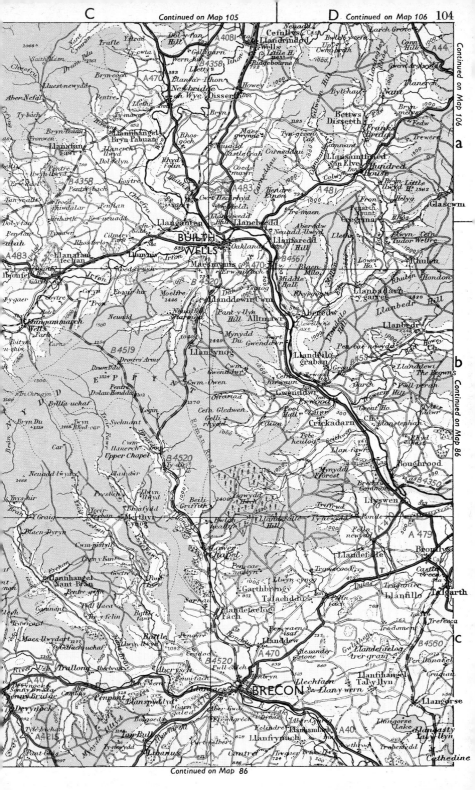

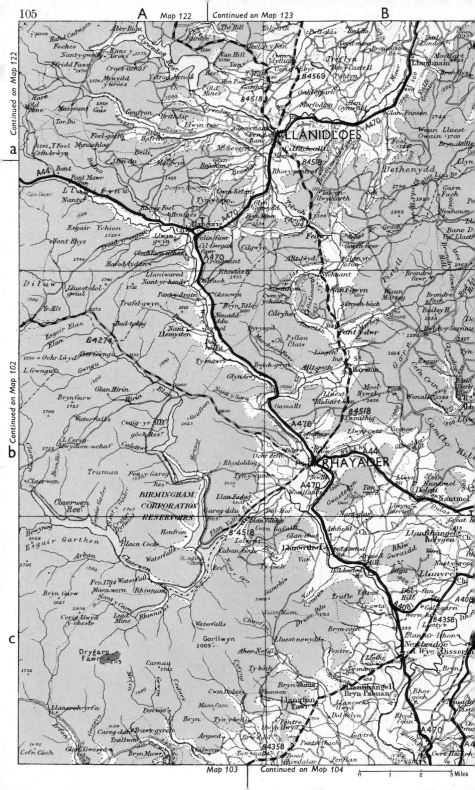

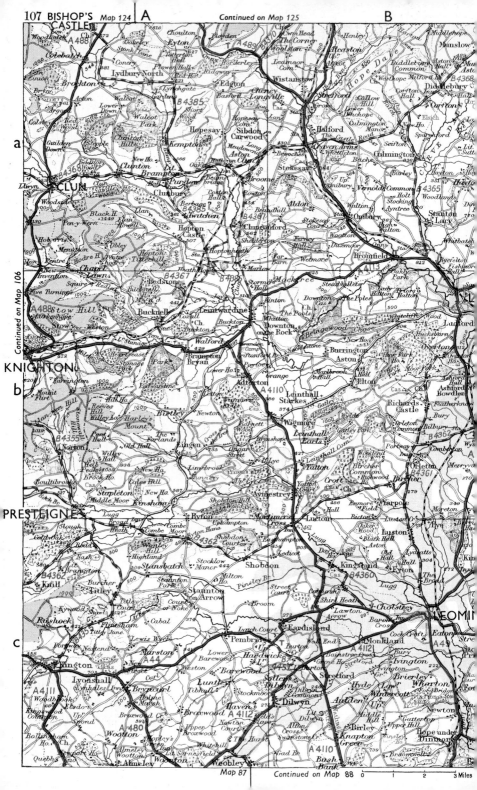

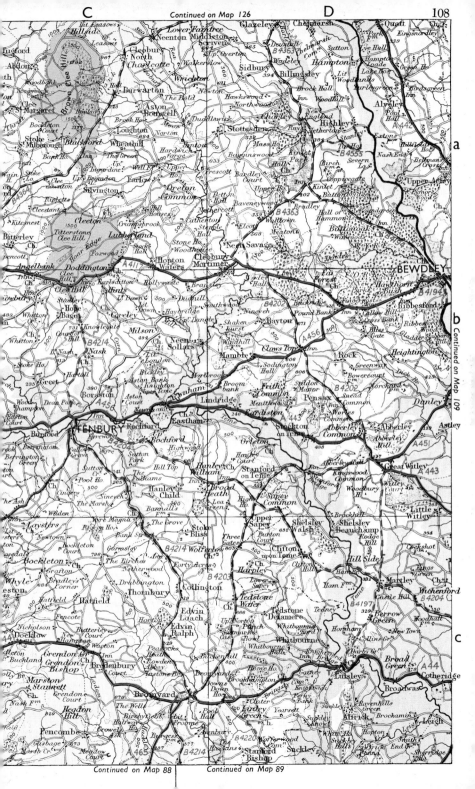

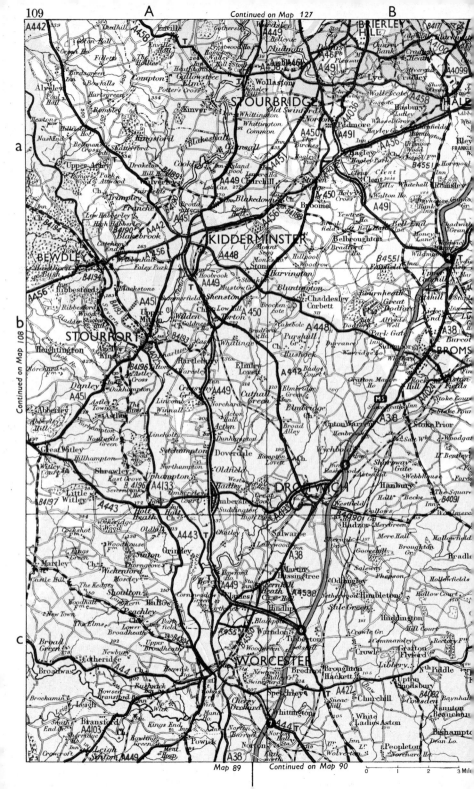
Continued on Map 127
Continued on Map 108
Map 89   Continued on Map 90

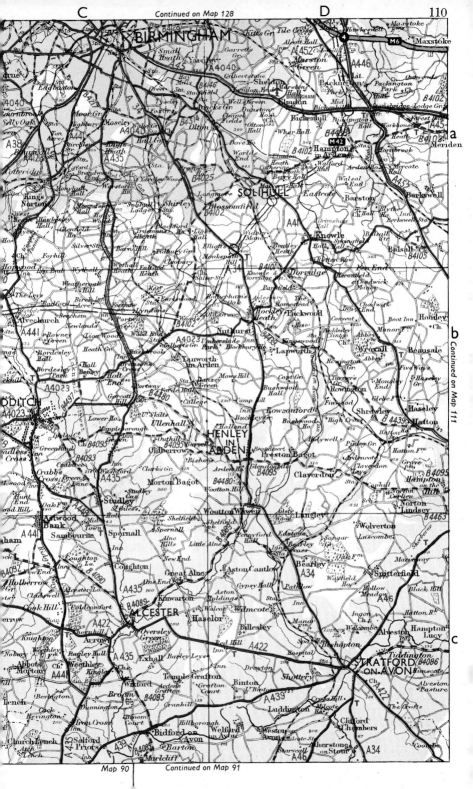

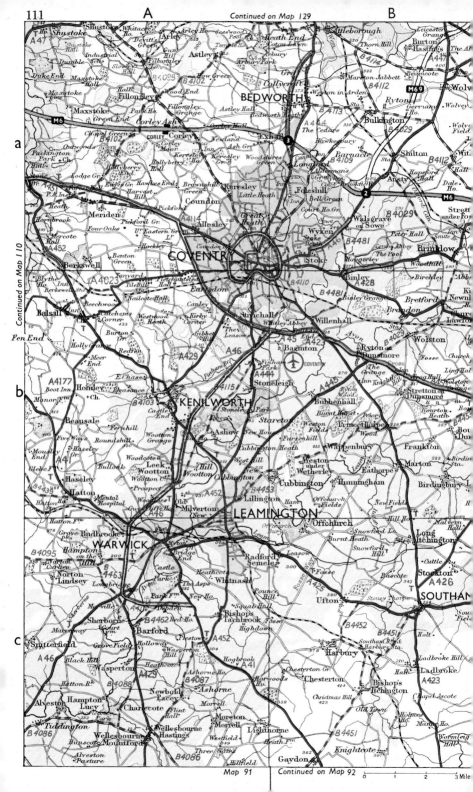

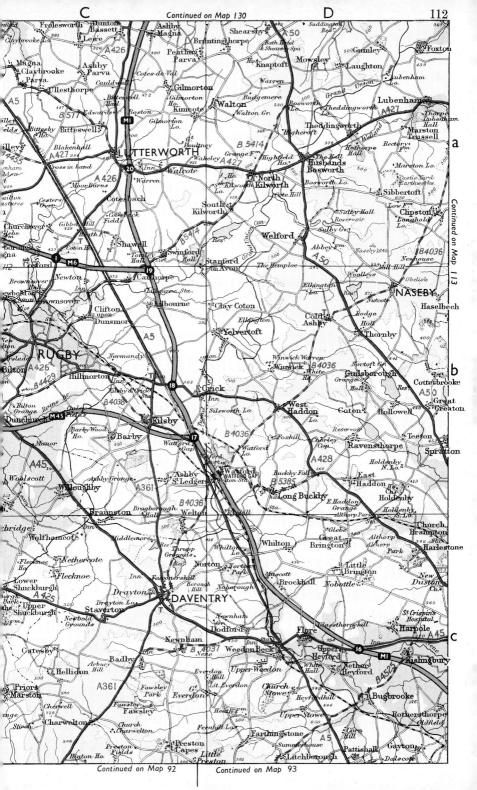

Continued on Map 113

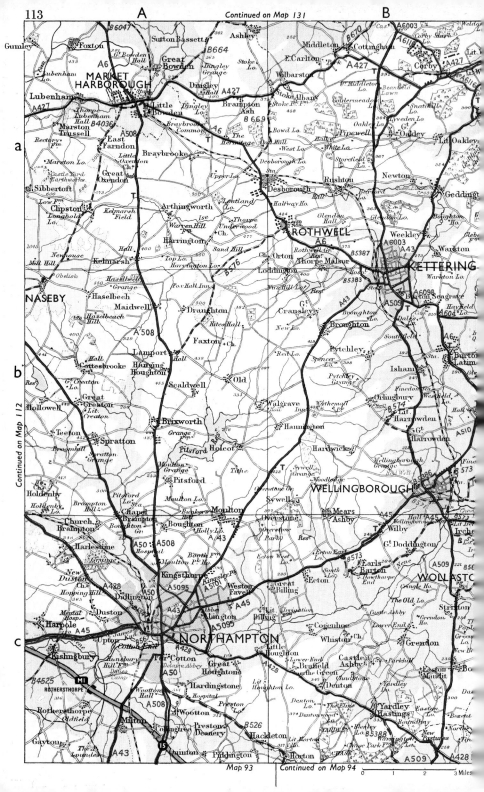

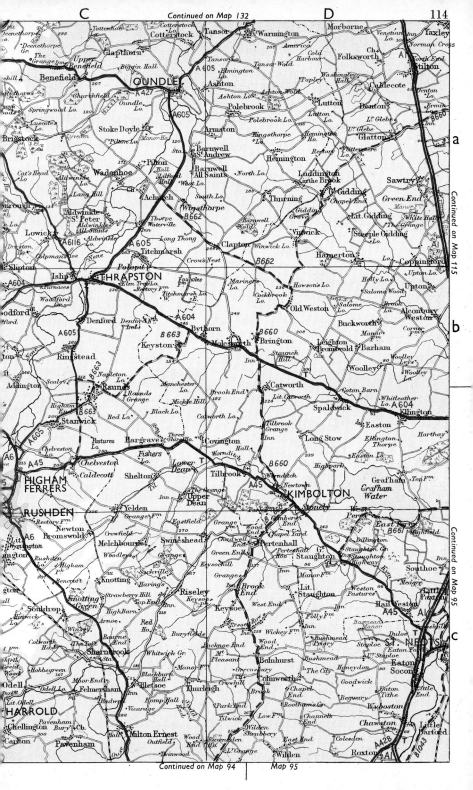

Continued on Map 115

Continued on Map 95

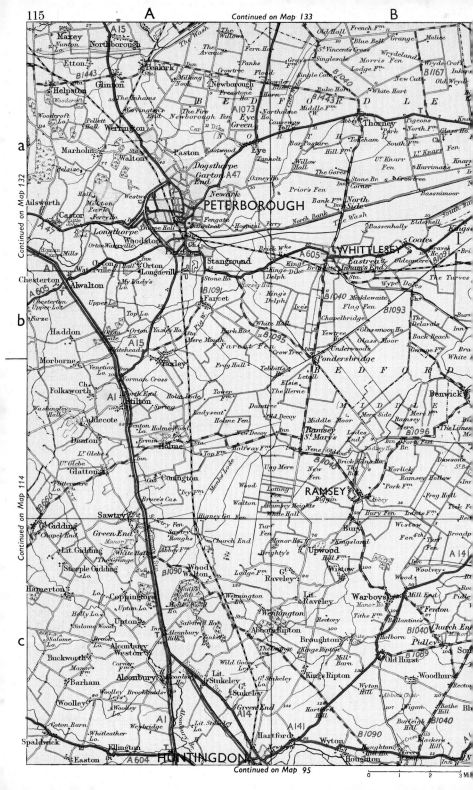

Continued on Map 133

A   B

Continued on Map 132

Continued on Map 114

a

b

c

Continued on Map 95

Maxey
Nunton
Northborough
Etton
Helpston
Glinton
Peakirk
Woodcroft
Woodcroft Lo.
Pellett Hall
Werrington End
Warrington
Werrington
Marholm
Walton
Belsize
Castor
Ailsworth
Hall
Milton Park
Longthorpe
Woodston
Orton Waterville
Orton Longueville
Chesterton
Alwalton
Chesterton Upper Lo.
Furze
Haddon
Morborne
Folksworth
Washingley Hall
Caldecote
Denton
Glatton
Hamerton
Woolley
Spaldwick
Easton

Newborough
Newborough Fen
Eye Green
Eye
Paston
Dogsthorpe
Garton End
Newark
PETERBOROUGH
Fengate
Stanground
Farcet
Yaxley
Norman Cross
Stilton
Holme
Holme Fen
Conington
Sawtry
G. Gidding
Green End
Chapel End
Lit. Gidding
Steeple Gidding
Coppingford
Upton
Buckworth
Barham
Alconbury Weston
Alconbury
Lit. Stukeley
G. Stukeley
Green End
Ellington
HUNTINGDON
Hartford
Wyton

Old Hall
Blue Bell
Grange
Malice
St Vincents Cross
Wryde Croft
Inkery
Old Wryde
New Cut
White Hart
Thorney
North Side
The Wash
Bassenhally
Whittlesey
Coates
Eastrea
Inham's End
The Turves
Pondersbridge
Benwick
Ramsey St Mary's
Ramsey
Ramsey Heights
Bury
Upwood
Wistow
Warboys
Fenton
Pidley
Woodhurst
Old Hurst
Kings Ripton
Broughton
Abbots Ripton
Wyton

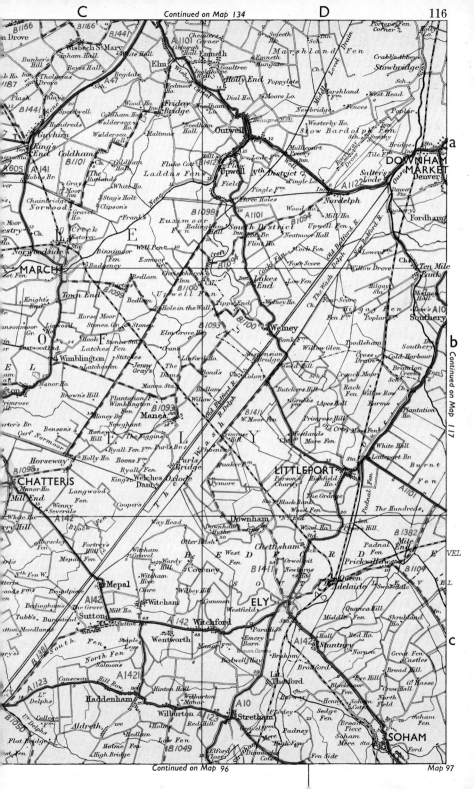

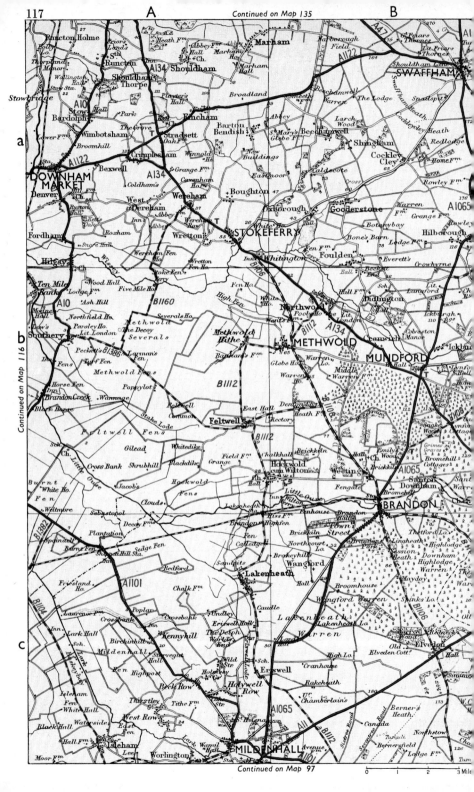

Continued on Map 135

Continued on Map 119

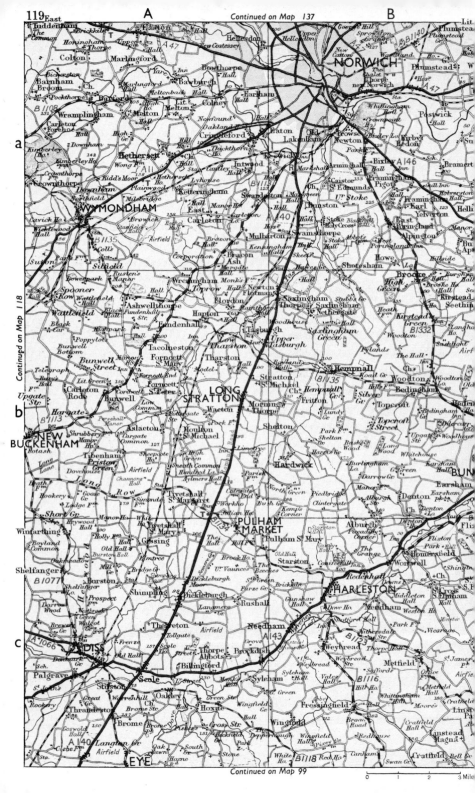

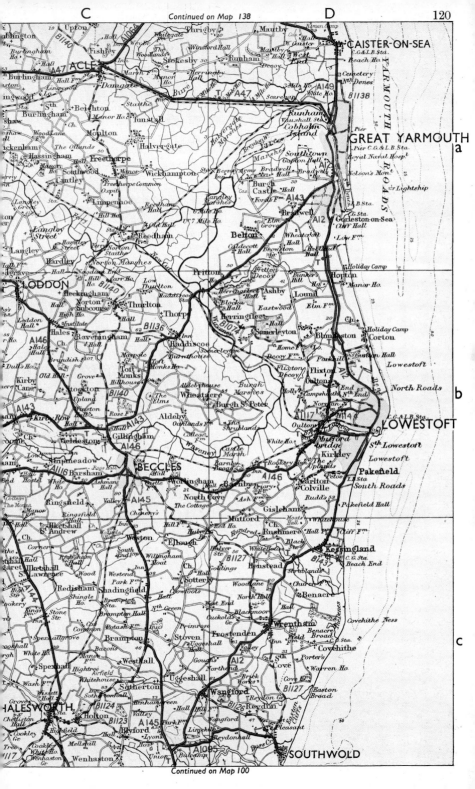

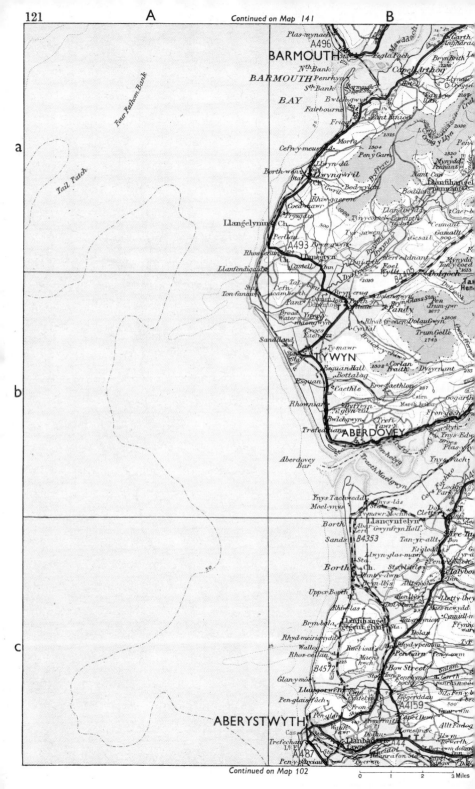

A

Continued on Map 141

B

Plas-mynach
A496
BARMOUTH
Garth Anghara
Mawddach
Tegla Fach
BARMOUTH
Nth Bank
Penrhyn
Capel Arthog
Bryn Bras
Sth Bank
Barmouth
Bwlchgwyn
Llynys
BAY
Fairbourne
Ponty Union
a
Friog
Cefn-y-meusydd
Morfa
1504
Pen y Garn
1315
Mynydd
Llwyn-du
Llanfihangel
Borth-wen
Penmaen
Sta
Gwyngwril
Dyffryn
Nant Cors
Llanfihangel
Rhiwgaeron
Bodwylog
Bodilan
Coed-mawr
Trysgol
500
Tynycoed
Ceunant
Gamallt
Llangelynin Ch
Tyrjawen
Drynog
Gesail
Perfeddnant
Rhos-felin Ch
A493
Rhyngwril
Mynydd
Castell
Inn
Dolgoch
Foel
Tany coed
Llanfendigaid
Wyllt
B4405
Dol
Cefn-y
Dysynni
Ton-fanau
camberth
Bryn-crug
Dolaugwyn
Pen
Glass Sta
Pant
Dolaufron
Tandy
Bryn
Trum-gwr
Broad
Ynys
Rhyd-yr-onen
DolauGwyn
Water
maengwyn
Cynfal
Trum Gelli
Croes
Brachy-y
Sandiland
Ty-mawr
TYWYN
Corlan
Dysyrnant
Esguanhall
Fraith
b
Bottalog
Erw-faethlon
Esquan
Caethle
Cairn
March Arthur
Gogarth
Rhownian
Dyffryn
Fron
glyn ull
Bwlchgwyn
Trefri
Trefeddiam
Tawr
ABERDOVEY
Trefeddian
Ynys Edw
Plas
Aberdovey
Ynys Fach
Bar
Traeth Maelgwyn
Cors Fochno
Lodge
Park
Ynys Tachwedd
Ynys-las
Moel-ynys
Tymawr-Mochras
Dol Clettwr
Borth
Llancynfelyn
Tre
Gwynfryn Hall
Sands
B4353
Tan-yr-allt
Llwyn-glas-mawr
Eglodd
Borth
Ch
Stalloid
Penybontbren
Tan-y-bwp
Dol-y-bont
Upper Borth
Bryn-llys
Alltgoch
Letty
Rhiw-las
Brynglas
Llanfihangel
genau'r glyn
Maes-newydd
Cymmil
Rhyd-meirionydd
sta
Flynn
Wallog
Ruel-isaf
Tai-cynnon
Maen
Dolau
c
Rhos-ceitio
hwch
Penrhyn
Peny-cwm
B4572
Bow Street
Glan-y-môr
Penrhyn
Garth
Llangorwen
coch
penrhyn
Cefnllan
Pen-glais-fach
Fron
Gogerddan
Sto Pen-y-b
Penglais
A4159
Gwar
Lovesgrove
ABERYSTWYTH
Capel Dewi
Allt Fadog
Cas
Llwyn
Trefechan
Llanbadarn
Dolau
Penrafon Sta
A44
A487
Pen-y-parciau
Tycwrn

Continued on Map 102

0   1   2   3 Miles

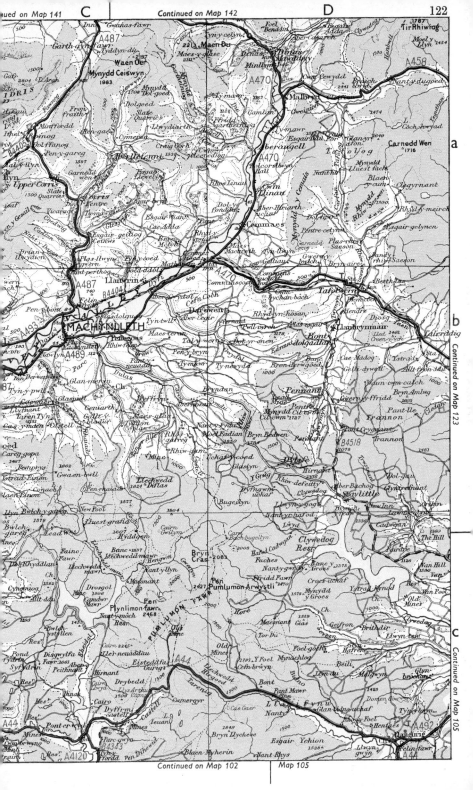

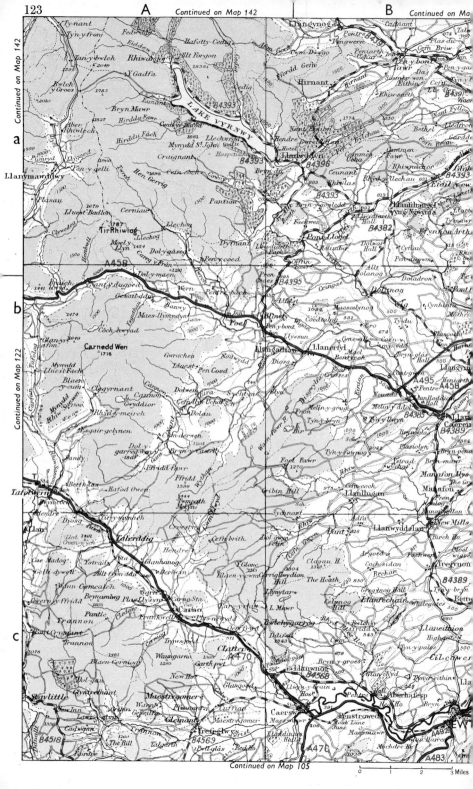

Continued on Map 142

A

Continued on Ma

B

Continued on Map 142

Continued on Map 122

Continued on Map 105

a

b

c

LAKE VYRNWY

Llanymawddwy

Carnedd Wen

Talerddig

Llangynog

Hirnant

Llanwddyn

Pont Llogel

Llanfyllin

Llanerfyl

Llangadfan

Foel

Carno

Clatter

Caersws

0   1   2   3 Miles

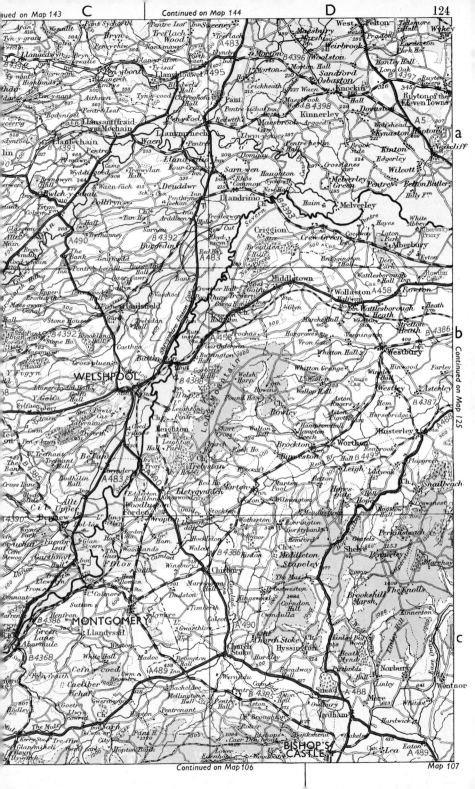

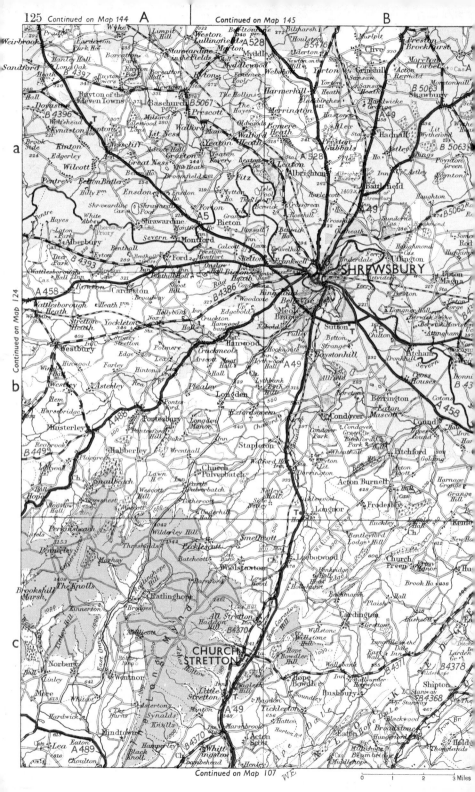

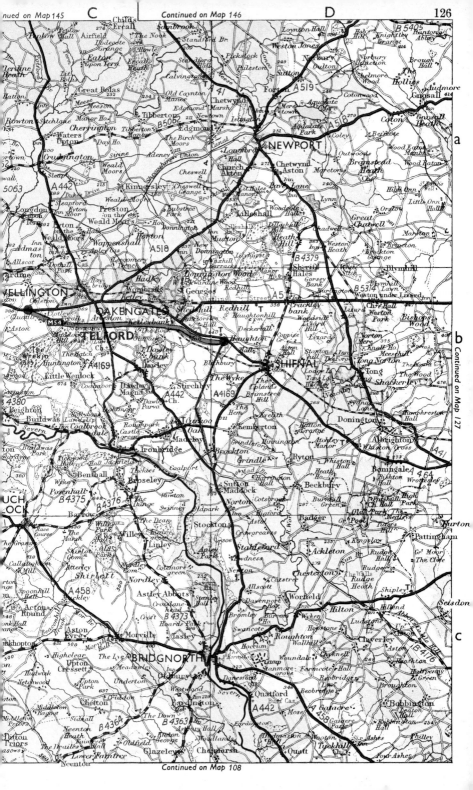

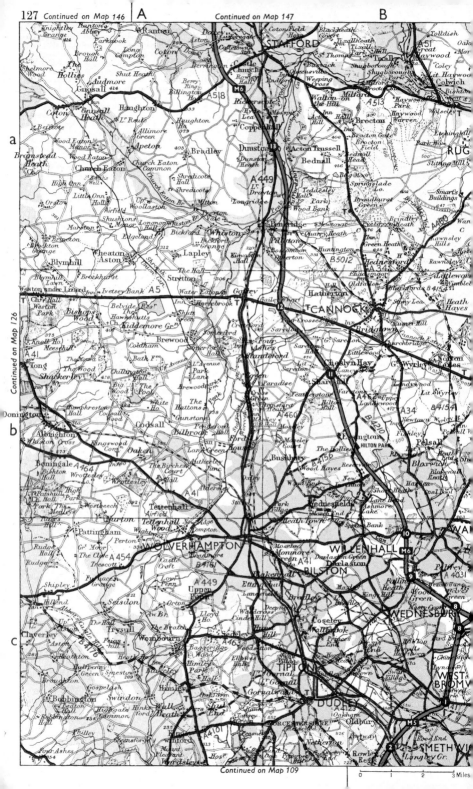

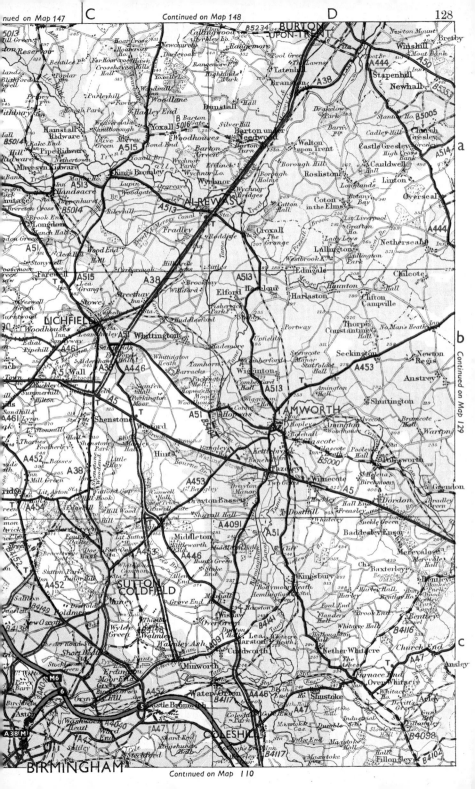

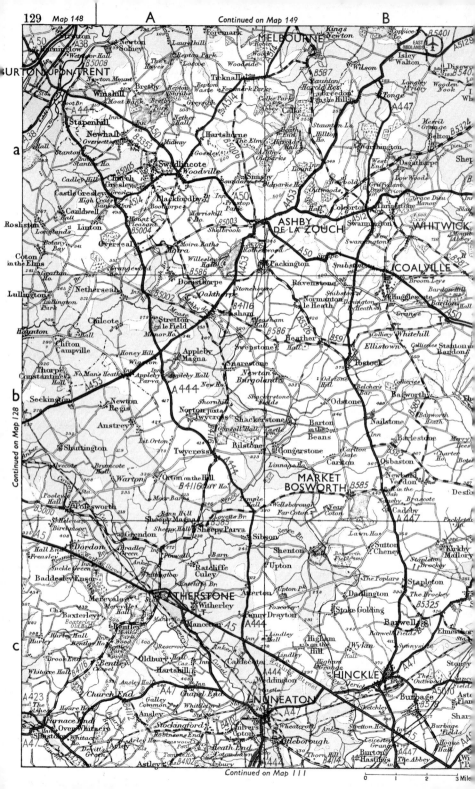

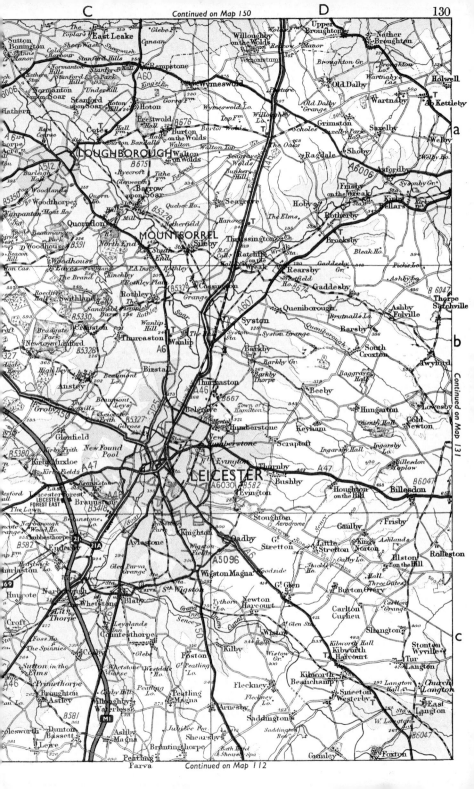

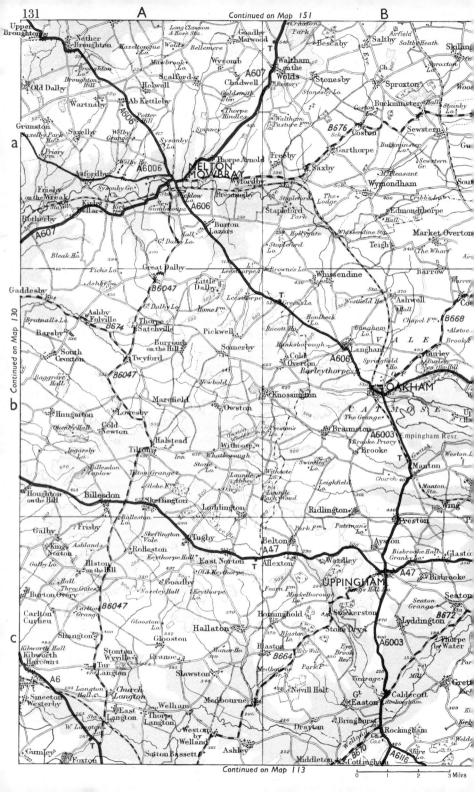

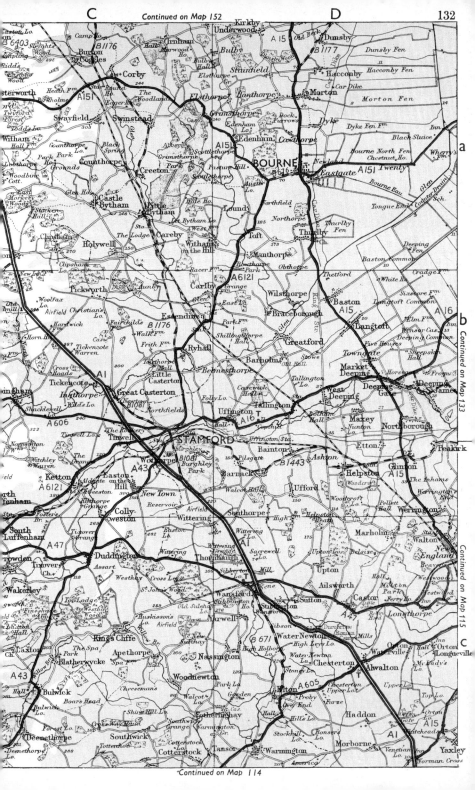

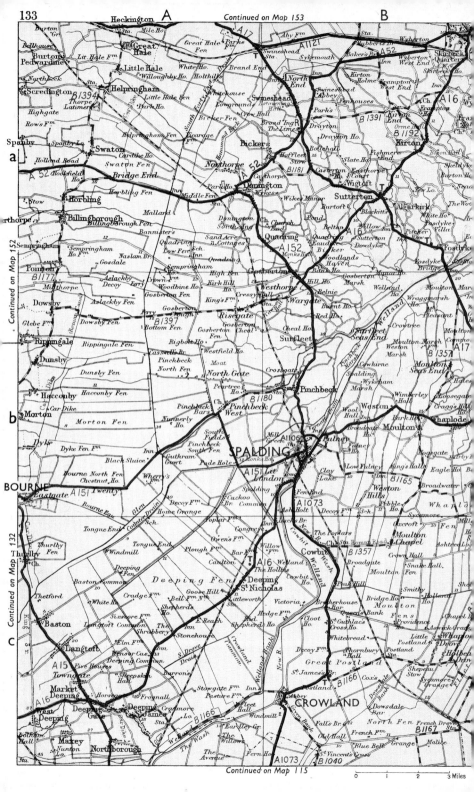

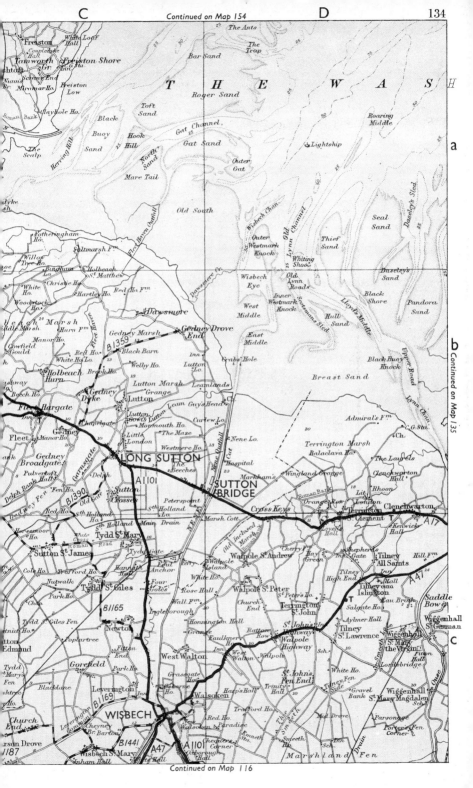

The Ants

The Trap

Freiston
White Loaf Hall
Couplesdyke Hall
Tamworth Gr.
Freiston Shore
Freiston Low
Scrane End
Miramar Ho.
Bar Sand

T H E   W A S H

Roger Sand

Clayhole Ho.
Roman Bank

Black Buoy Sand
Toft Sand
Hook Hill
North Sand
Gat Channel
Gat Sand

Roaring Middle

The Scalp
Herring Hill
Mare Tail
Outer Gat
Lightship

Old South

dyke sh

Fotheringham
Saltmarsh Fm.
Willow Tree Ho.
Bingham
Holbeach Matthew
White Ho.
Christie Ho.
Hartley Ho.
Red Ho Fm.
Woodrock Ho.

Wisbech Chan.
Old Lynn Channel
Seal Sand
Daseley's Slack

Outer Westmark Knock

Daseley's Sand

ech Marsh
dle Marsh
Manor Ho.
Cowfield Gould
Hurn Fm
Dawsmere

Wisbech Eye
Old Lynn Roads
Black Shore
Pandora Sand

Gedney Marsh
Gedney Drove End
West Middle
West Westmark Knock
Seamans Sld
Lloyd's Middle
Upper Road

Holbeach Hurn
White Ho Lo.
Red Ho Fm
Black Barn
Inn
Welby Ho.
Ina Lutton Lo.
East Middle
Crabs Hole
Hull Sand
Black Buoy Knock
Lynn's Chan.

Beech Ho.
Fleet Hargate
Gedney Dyke
Brook Ho.
Lutton Marsh
Grange
Learnlands
Breast Sand

Inn
Chapelgate
Lutton
Lutton Bowl's Lutton Leam
Guy's Head
Cr.

Gedney
Manor Ho.
Fleet
Little London
Monmouth Ho.
Curlew Lo.
Admiral's Fm.
C.G. Sta.

Gedney Broadgate
Garnsgate
The Maze
Westmere Ho.
Nene Lo.
Ch.

Pulvertoft Hall
Delph
LONG SUTTON
The Beeches
Terrington Marsh
Balaclava Ho.
The Laurels

Delph Bank Fen Ho.
B 1390
A 1101
Sutton Crosses
Peterspoint
SUTTON BRIDGE
Hospital
Markham's
Wingland Grange
Clenchwarton Hall

Red Ho.
Old Gate
Sth Holland Lo.
Roman Bank
Orange Row
Lit Rhoon

Gedney Fen
Horsemoor Fen
Sth Holland Main Drain
Marsh Cott.
Cross Keys
Terrington
Clenchwarton
A 17

Tydd St. Mary
Tydd Gate
Old Inclosed Marsh
Loyer Hall
St. Clement
Henwick Hall

Sutton St. James
End Anchor
Ferry
Walpole Island
Cherry Fm.
Shepherd's Gate
Tilney All Saints
Hill Fm.

Cole Ho.
Hannath Hall
White Ho.
Walpole S. Andrew
Hay Green
Inn

Trafford Ho.
Tydd St. Giles
Four Gotes
Rose Hall
Walpole S. Peter
St. Peter's Lo.
Tilney High End
Tilney cum Islington
Hall
A 47

Nutwalk
Park Ho.
Wall Fm.
Church End
Terrington St. John
Eau Brink
Saddle Bow

Chap.
Tydd St. Giles Fen
B 1165
Ingleborough
Ratten Row
St. John's
Tilney St. Lawrence
Wiggenhall St. German

Tydd St. Mary's Fen
Newton
Poplartree
Honnington Hall
Grange
Faulkner's Ho.
Inn
Walpole Highway
Sch.
Aylmer Hall
Wiggenhall St. Mary the Virgin
Lordsbridge

Tydd St. Mary's Fen
Edmund
Fitton End
Park Ho.
West Walton
West Walton
Walpole
St. John's Fen End
White Ho.
Tilney Fen Side
Gravel Bank
Wiggenhall St. Mary Magdalen
Sch.

Gorefield
Blackslane
Grassgate Ho.
Harp's Hall
Trinity Hall
Parsonage

Leverington
B 1169
Walsoken
Red Ho.
Paradise
Mid Drove
Porter's Fen Corner

Church End
Leverington Common
Cheyney Br. Barton
WISBECH
Trafford Ho.
Emneth
The Smeeth
Marshland Fen Drain

son Drove
1187
B 1441
A 47
A 1101
Wisbech St. Mary
nham Hall
Arborough Hall
Chequers Corner
Smeeth Rd.
Sch.

Continued on Map 154
Continued on Map 135

H

a

b

c

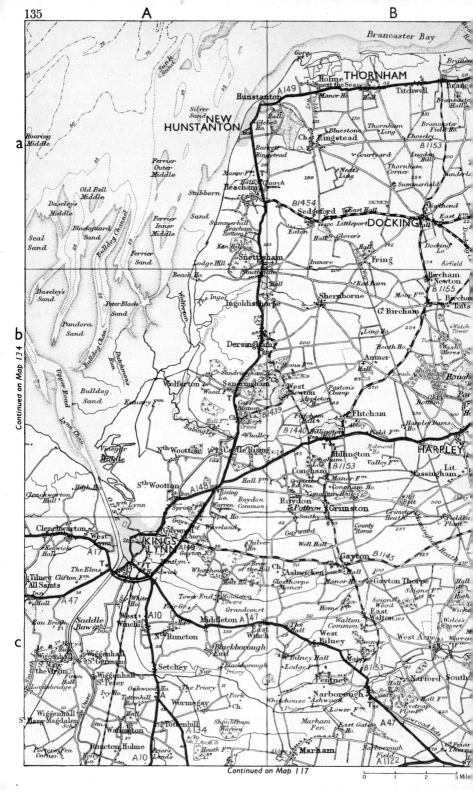

A · B

Continued on Map 134

Brancaster Bay

Gore

THORNHOLM

Holme next the Sea · A149 · Titchwell · Branc

Manor Ho. · Hall · Brancaster
Hall

Hunstanton

Bluestone · Ringstead · Choseley · Brancaster
Field Ho.

NEW
HUNSTANTON

Glebe
Ho.

Barrett
Ringstead

Ch. · Ringstead · Courtyard · Lugden
Hill · Underle

a

Manor Fm · T · Church · Nedt's
Leng · Thornham
Corner · Summerfield

Stubborn · Heacham · B1454 · Sedgeford · East Hall · Northend · DOCKING · East Fm

Sammerhill · Heacham
Bottom Fm · Littleport · Eaton · Hall · Glover's · Docking
Lo. · Airfield

Ken Hill · Southgate · Innere · Fring

Lodge Hill · Snettisham · Red Barn · Bircham
Newton · B1155 · Bircha
Toits

Beach Ho. · Hall · Sherborne · G. Bircham

The Ingol · Ingoldisthorpe · Ling Ho. · Watch
Tower · Wash
Meres

b

Dersingham · Heath Ho. · Anmer · Hall · Hough

Sandringham Ho. · Ch. · Homa Fm

Wolferton · Wood Fm · T · Sandringham · West
Newton · Appleton · Paston's
Clump · Old
Bottom · Harpley Barns · Par

Cas. Bottom · B1439 · Flitcham · Harpley

Hall Fm · Babingley · Whalley · B1440 · Abbey · Field Fm

Nth Wootton · Castle Rising · Hillington · HARPLEY · Lit.
Massingham

S.th Wootton · A148 · Hall Fm · Congham · B1153 · Belmont
Fm · Valley Fm

High Ho. · Rising
Lo. · Roydon
Warren · Roydon
Common · Grimston
Heath · Fieldbar
Plant.

Clenchwarton
Hall · Spring
Ho. · Waveland · Smithy · Pottrow · Grimston · Manor Fm · Congham Ho. · Congham Hall · Roydon

Clenchwarton · West
Lynn · Gaywood · Church
Ho. · Chilver
Ho. · Gaywood · County
Home · Well Hall

c

KINGS
LYNN · A149 · Gayton · Whitehouse · Brow
of the Hill · Ch. · Gayton · B1145 · Gayton Thorpe · Hall · High

Tilney
All Saints · A17 · The Elms · Gayton · Holt Ho. · Ashwicken · Manor Ho. · Gayton Thorpe · Soigne · Soigne Fm · Wicke

Clifton Fm · Tower End · Middleton · A47 · Glosthorpe
Manor · Home Fm · Soigne
Wood · East
Walton · West Acre

Eau Brink · A47 · Saddle
Bow · West
Winch · Middleton · A47 · East
Winch · The Hall · West
Common · Walton · West Acre · Warren

St Mary · Wiggenhall
St Germans · N.th
Runcton · Blackborough
End · West
Bilney · Summer
End · Mapple · Hall

Wiggenhall
St Peter · Setchey · Blackborough
Priory · Bilney Hall
Lodge Fm · B1153 · Narford · South

St Mary
Magdalen · Oakwood Ho. · The Priory · Nar · Pentney · Hall

Ivy Ho. · Wormegay · Park
Ch. · Whitehouse
Priory · Ashwood · Narborough · T · A47 · Skylark
Plant.

Tottenhill
Row · Sta. · Shouldham
Warren · Marham
Fen · East Gate · Narborough
Field

Watlington · Tottenhill · A134 · Lower Fm · A47

Runcton
Holme · Prior's
Lands · Heath Fm · MARHAM · A1122 · Narborough
Field

Porter's
Fen
Corner · A10 · Holly

Continued on Map 117

0 · 1 · 2 · 3 Mile

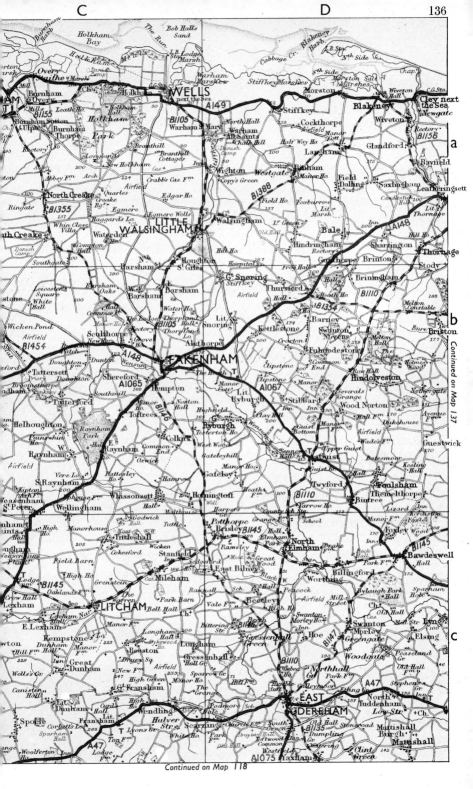

Continued on Map 137

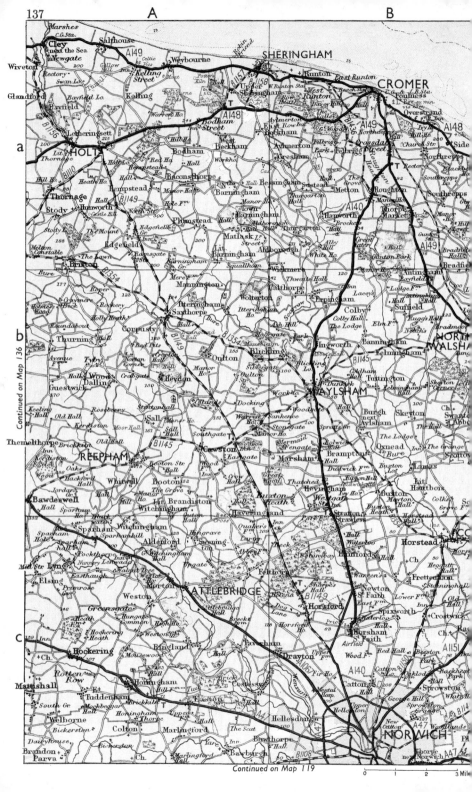

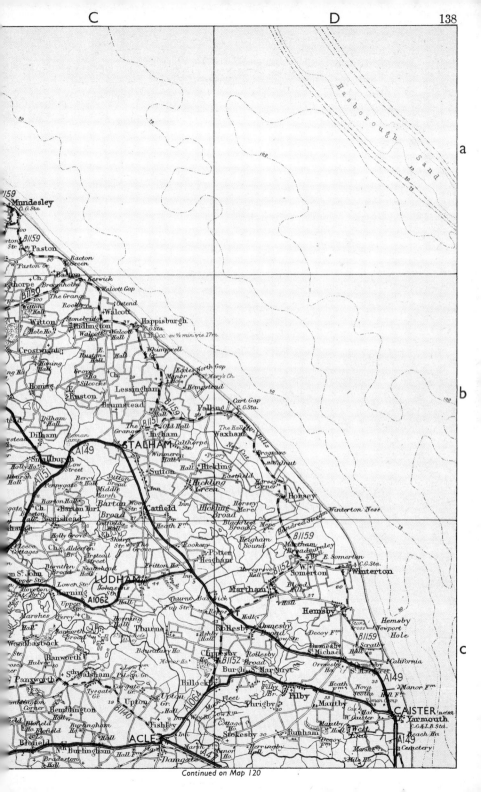

a

b

c

Hasborough Sand

Mundesley
C.G.Sta.
Paston
Bacton Green
"Paston" Ch.
Bacton
Bromholm
Beswick
Walcott Gap
The Grange
Rookery
Ostend
Witton
Hall
Stonebridge
Walcott
Ridlington
Walcott's
Ho.
Walcott
Hall
Happisburgh
C.G.Sta.
Hole Ho.
E. Ruston
Hall
Crostwight
Hall
Whimpwell
Eccles
North Gap
Honing
Hall
Grove
Ho.
Silcocks
Ch.
Manor
Ho.
St Mary's Ch.
Hempstead
Honing
Ruston
Lessingham
Brumstead
New
Hall
Palling
C.G.Sta.
Cart Gap
Dilham
Hall
Old Hall
Dilham
The Grange
Ingham
Waxham
The Hall
Smallburgh
STALHAM
Calthorpe
Hall
New Cut
Holly Ho.
Low
Street
Winmere
Hall
Hickling
Priory
Brograve
Hall
Walnut
Pennygate
Sutton
Hall
Sutton
Hickling
Green
Eastfield
Horsey
Corner
Barton Hall
Bergh
Middle
Marsh
Barton
Broad
Catfield
Hall
Hickling
Broad
Horsey
Mere
Horsey
Neatishead
Barton Turf
Inn
Catfield
Heath Fm.
Blackstreet
Broad
Mepe
Fm.
Winterton Ness
Holly Grove
Alderfen
Br.
Neatishead
Street
Rookery
Potter
Heigham
Heigham
Sound
Hundred Stream
Meadow
Hall
Martham
Broad
B1159
St John
Upper Str.
Hoveton
Fritton Ho.
Lower Str.
LUDHAM
Johnson's
Str.
Inn
Waxham
Moregrove
Hall
Somerton
Winterton
C.G.Sta.
E. Somerton
Horning
Upper
Street
A1062
Hall
Thurne
Bastwick
Repps
Martham
Blood
Hill
Hemsby
Ferry
Thurne
Pub Str.
Hall
Hemsby
Newport
Hole
Marshes
Hall
Womack
Broad
Ashby
Hall
Rollesby
Ormesby
Broad
Decoy Fm.
Ormesby
St Michael
Scratby
Ranworth
Hulver
Sth Walsham
Lower
Gr.
Rollesby
Ormesby
Hall
California
Panxworth
Tyegate
Gr.
Upton
Gr.
Clippesby
Billockby
Rollesby
Burgh
St Margaret
Ormesby
St Margaret
A149
Manor Fm.
Hemblington
Upton
Hall
Fishley
Muck Fleet
Filby
Br.
Filby
Maulby
Hall
W. Caister
CAISTER
next
Yarmouth
C.G.&L.B.Sta.
Beach Ho.
Blofield
Nth Burlingham
Stokesby
Thrigby
Runham
West
End
Bradeston
Hall
ACLE
Damgate
Herringby
Hall
Manor
Ho.
Decoy Fm.
3 Mile Ho.
Marsh
Cemetery
A149

A149
A1151
A1062
B1159
B1152
B1150
A1064
B1140

Continued on Map 120

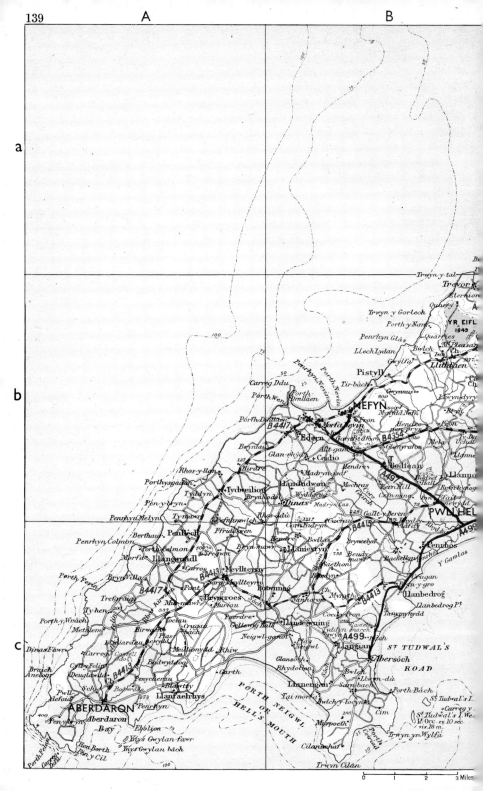

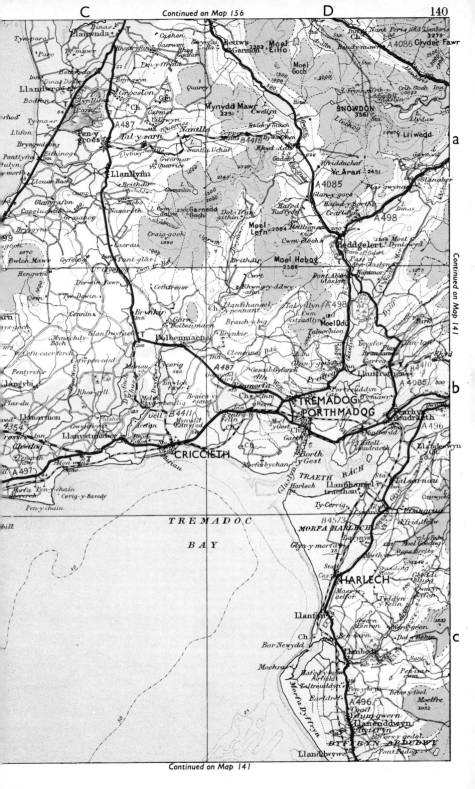

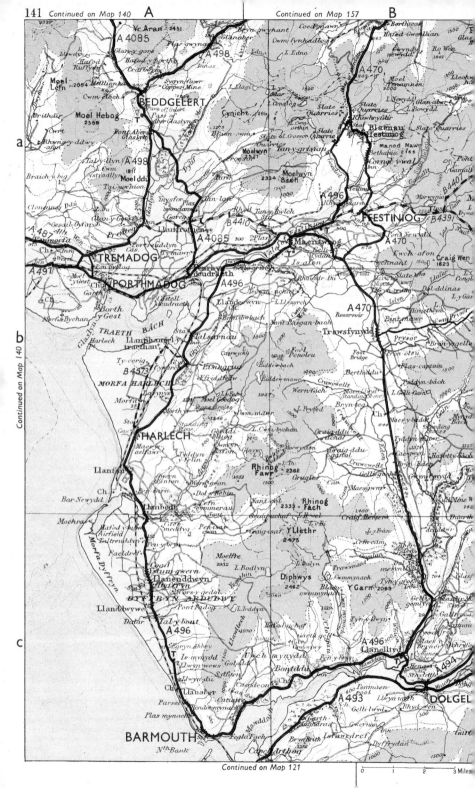

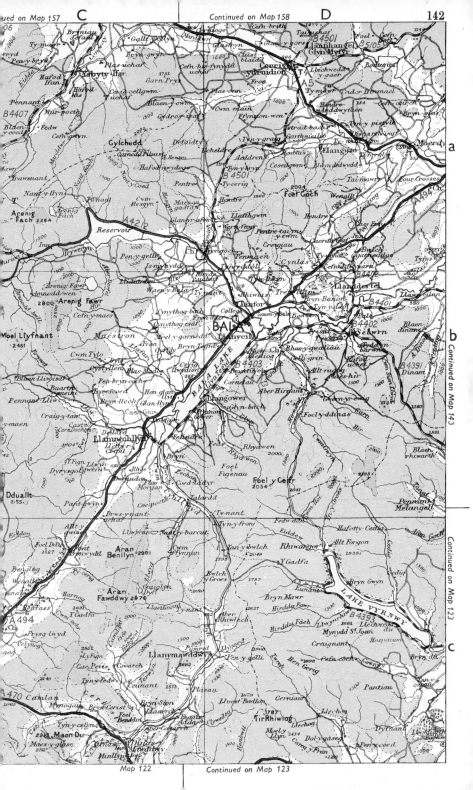

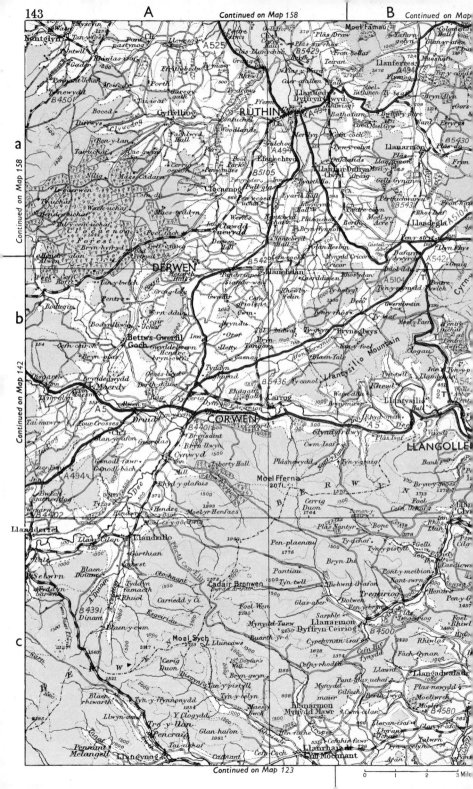

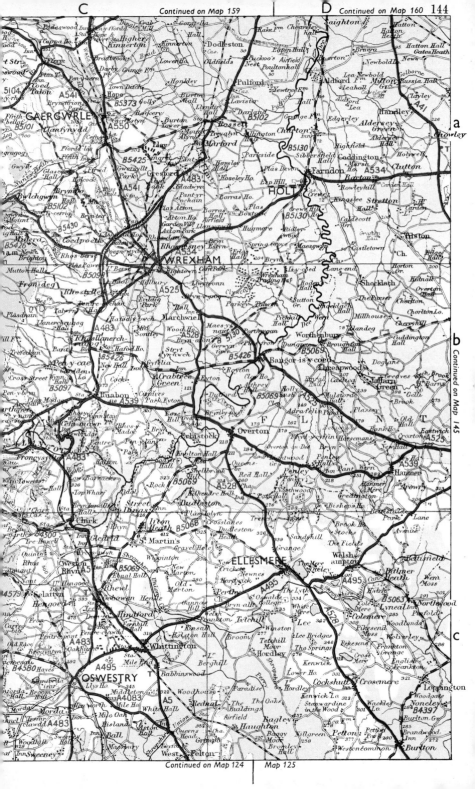

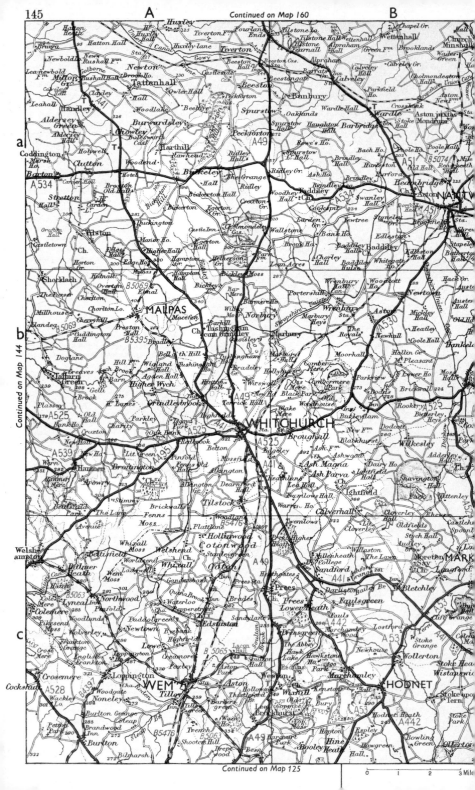

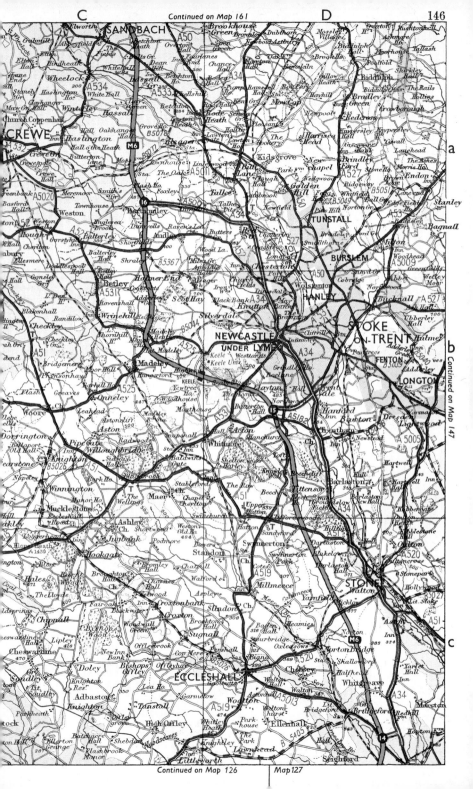

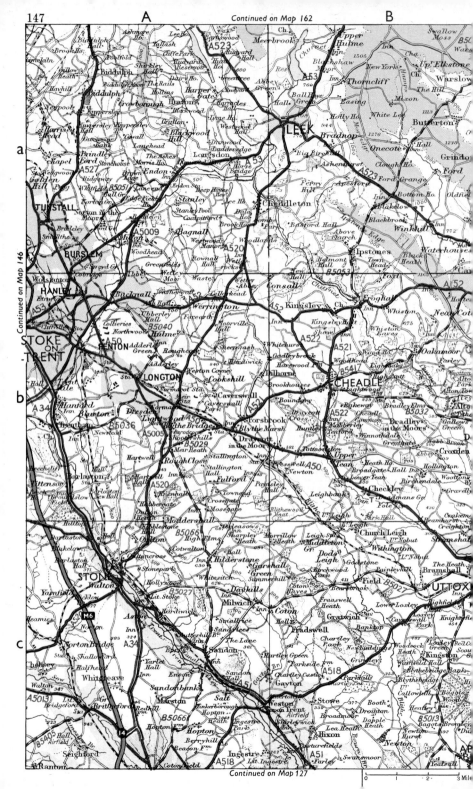

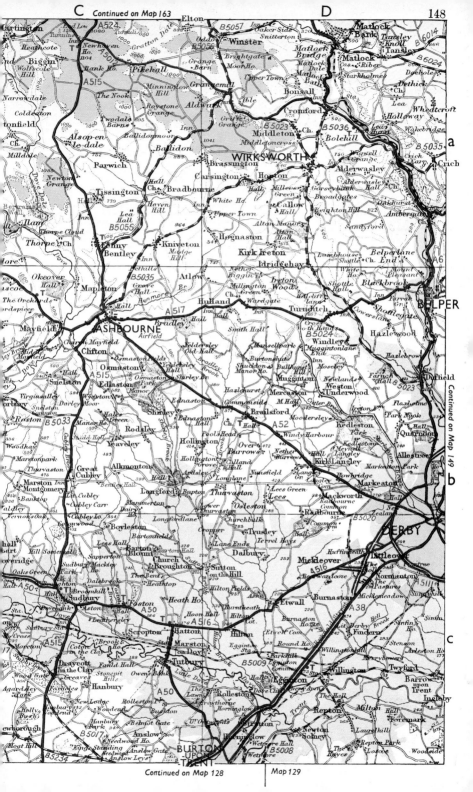

Continued on Map 149

Map 129

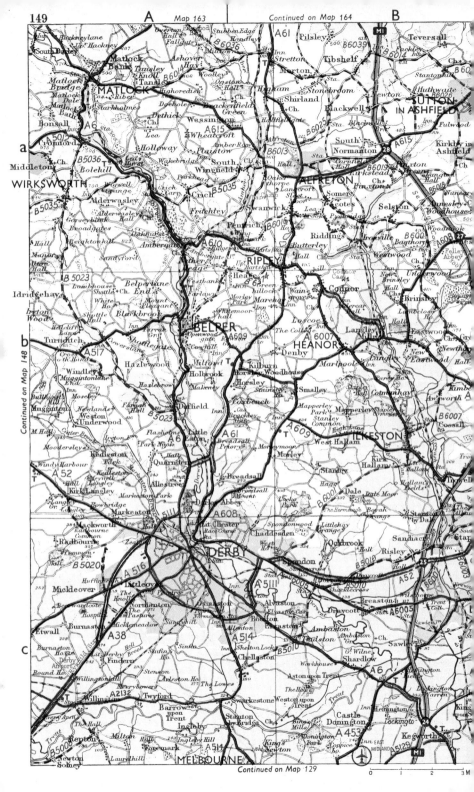

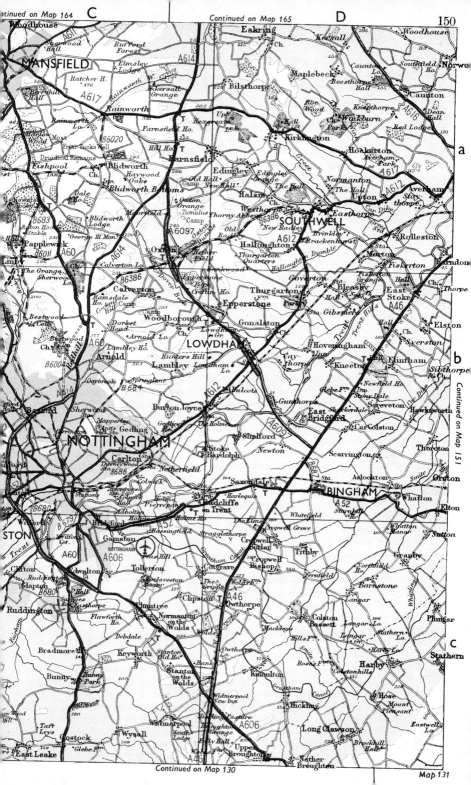

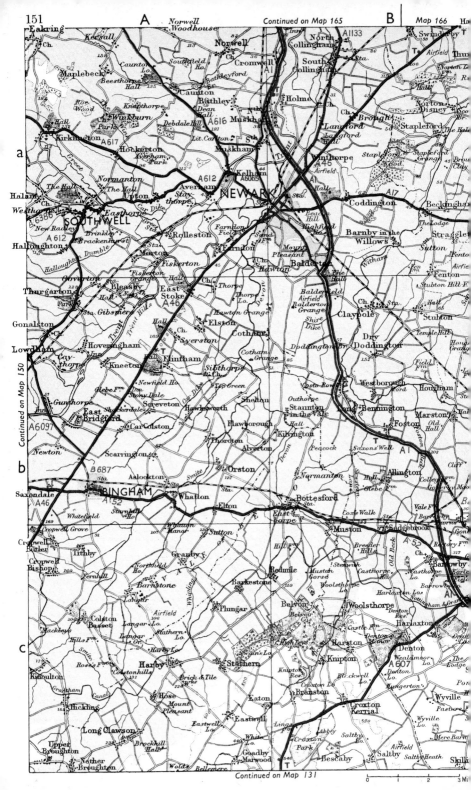

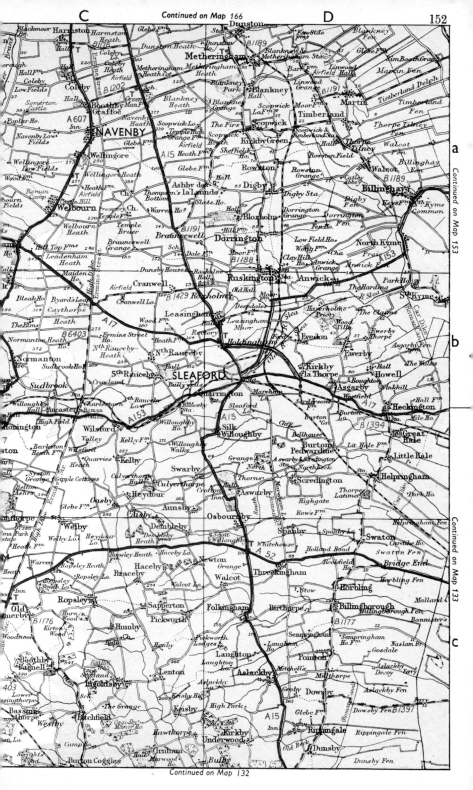

Continued on Map 153

Continued on Map 133

a

b

c

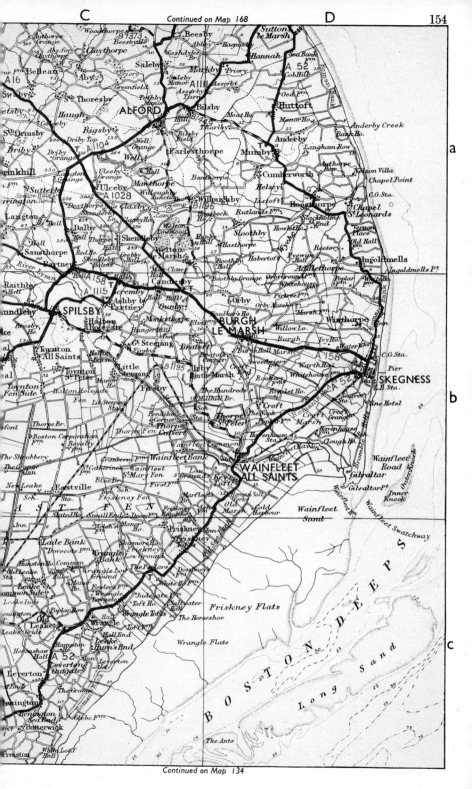

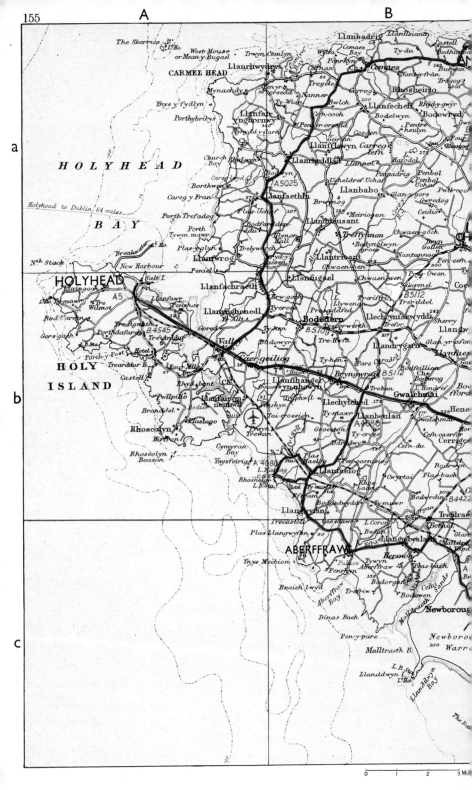

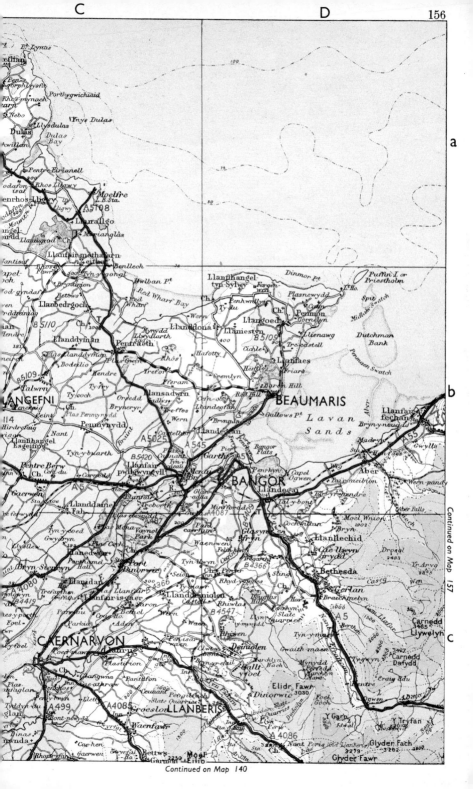

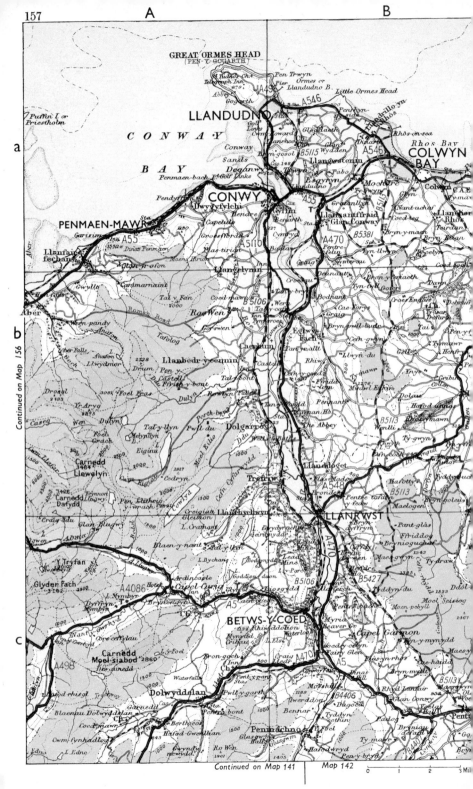

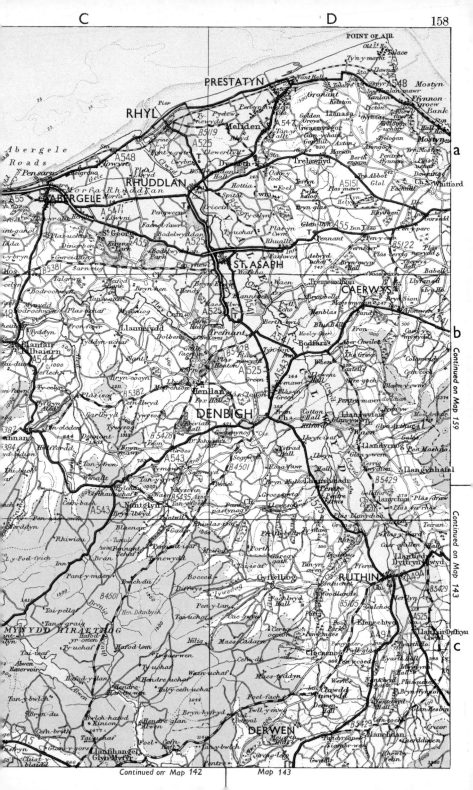

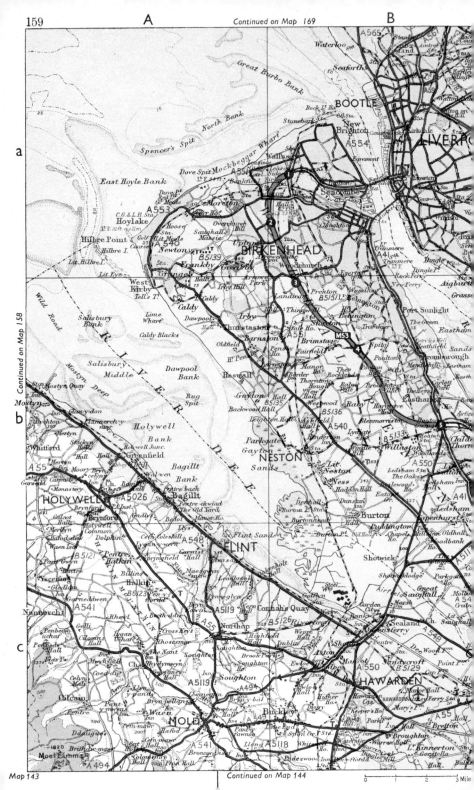

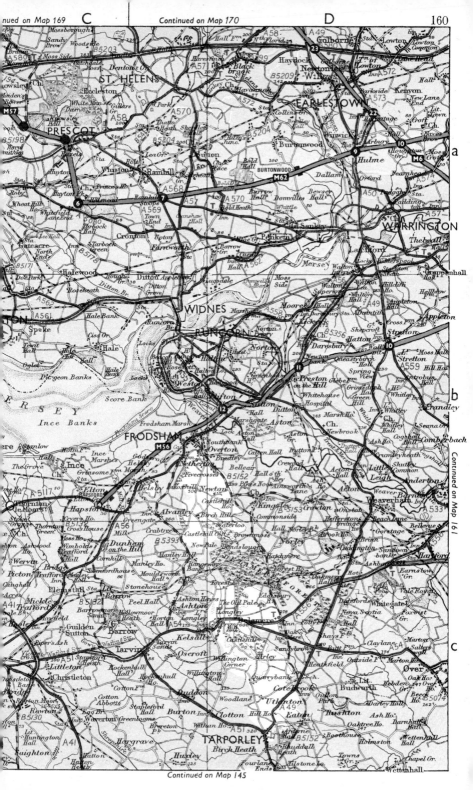
nued on Map 169
Continued on Map 161

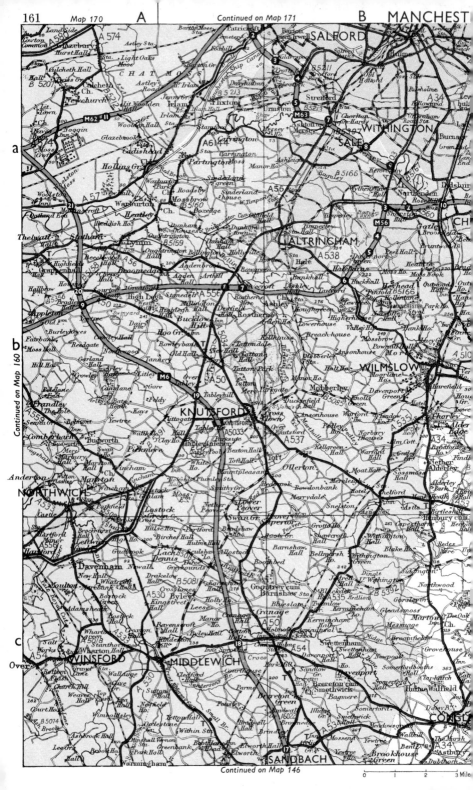

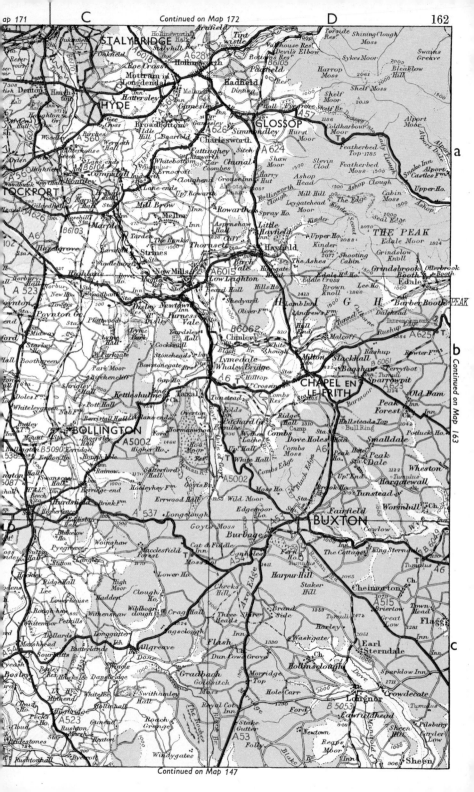

Continued on Map 172
Continued on Map 163
Continued on Map 147

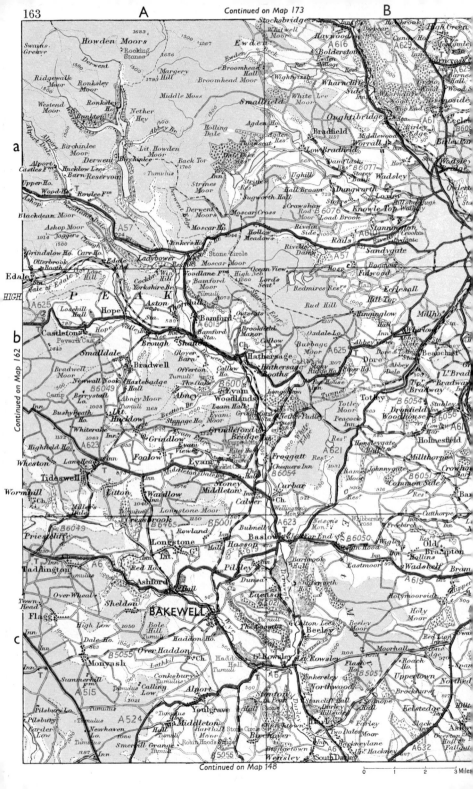

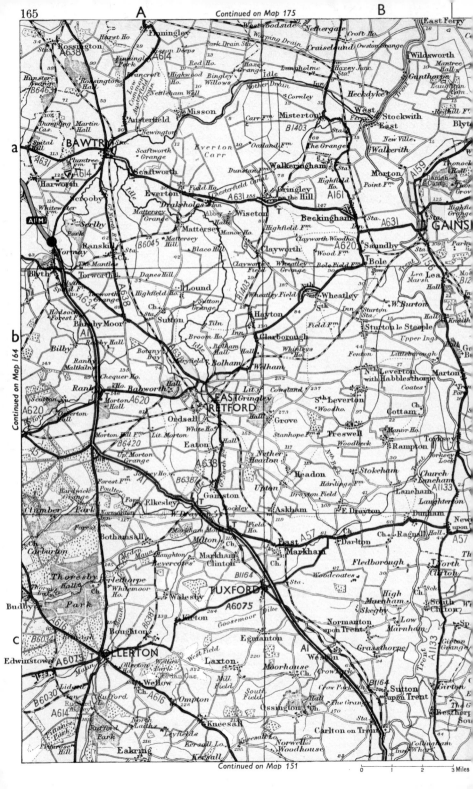

Continued on Map 175

A   B

Continued on Map 164

Continued on Map 151

0   1   2   3 Miles

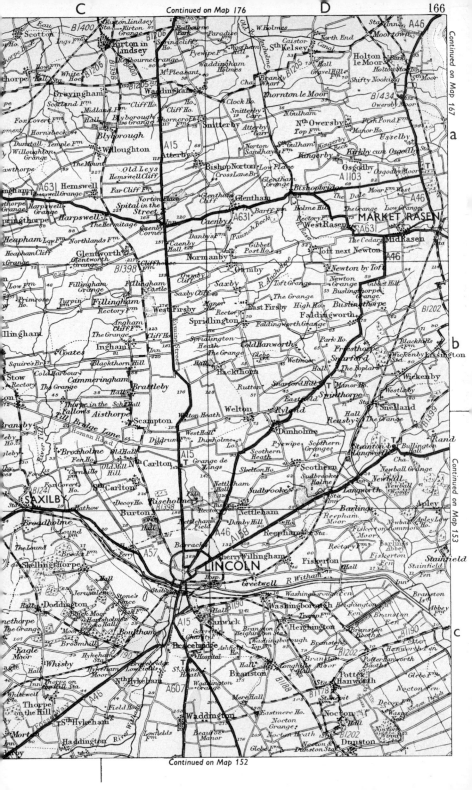

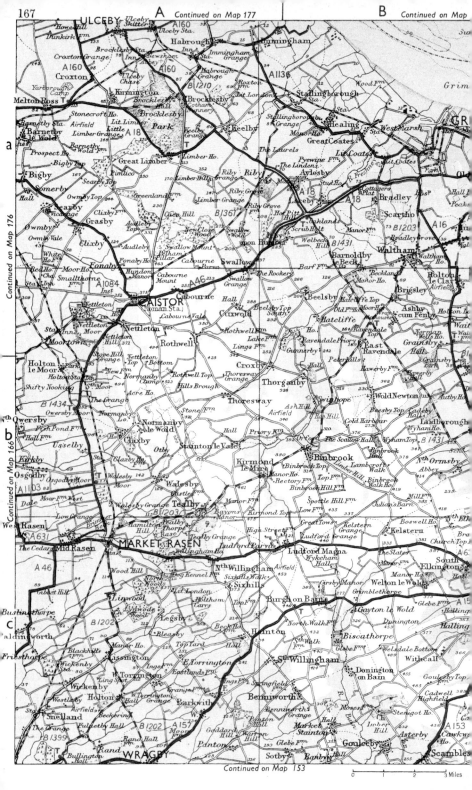

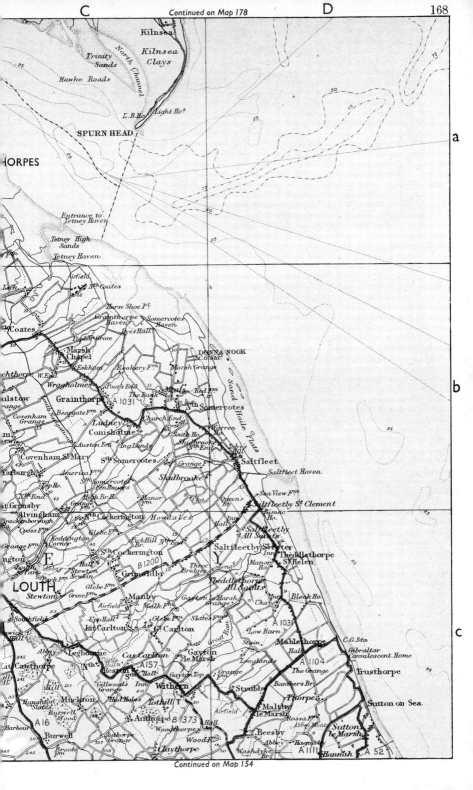

Kilnsea

Trinity Sands

Kilnsea Clays

North Channel

Hawke Roads

ʰORPES

L.B. Hoᵘ   Light Hoˢ

SPURN HEAD

a

Entrance to Tetney Haven

Tetney High Sands

Tetney Haven

Airfield

Nᵗʰ Coates

Horse Shoe Pᵗ

Coates

Grainthorpe Haven

Somercotes Haven

Eyes Hall

Marsh Chapel

Eskham

Rookery Fᵐ

Marsh Grange

DONNA NOOK

C.G. Sta.

b

Wragholme

W. End

Poor's End

Meals

Red Fᵐ

The Bank

Somercotes

Grainthorpe

A 1031

Beargate

Ludney

Church End

Conisholme

South Hoᵘ

Skidbrooke Nᵗʰ End

Warren

Austen Fen

Inglands

Covenham Sᵗ Mary

Sᵗʰ Somercotes

Grange Fᵐ

Saltfleet

Skidbrooke

Saltfleet Haven

Yarburgh

America Fᵐ

Sᵗʰ Somercotes Fenhouses

Sea View Fᵐ

Nᵗʰ End

High Brᵉ Hoᵘ

Manor Fᵐ

Cha.

Queen's Brⁱ

Saltfleetby Sᵗ Clement

Grimsby

Alvingham

Nᵗʰ Cockerington

Howda Ves

Rimac Hoᵘ

Saltfleetby All Saints

Keddington Corner

Glebe Fᵐ

PeckHill Brⁱ

Nᵗʰ End

Saltfleetby Sᵗ Peter

Theddlethorpe Sᵗ Helen

Sᵗʰ Cockerington

B 1200

Three Bridges

Long East

Manor Hoᵘ

Grimoldby

Theddlethorpe All Saints

Bleak Hoᵘ

LOUTH

E

Stewton

Grove Fᵐ

Manby

Gayton le Marsh Grange

A 1031

Walk Fᵐ

Glebe Fᵐ

Slates Fᵐ

Low Barn

Inᵗʰ Carlton

Gᵗ Carlton

Great Eau

Stain

Mablethorpe

C.G. Sta.

c

Southfield

Abbey

Legbourne

Cas. Carlton

Gayton le Marsh

Longlands

A 1104

Gibraltar Convalescent Home

The Grange

Trusthorpe

Cawthorpe

Reston

A 157

Gayton Top

Grange Fᵐ

Banters Brⁱ

Muckton

Gillwoods Grange

Withern

Tothill

Thorpe

Maltby le Marsh

Sutton on Sea

A 16

Authorpe

Woodthorpe

B 1373

Airfield

Beesby

Rossa Fᵐ

Sutton le Marsh

Burwell

Authorpe Grange

Wood Fᵐ

Claythorpe

Washdyke Brⁱ

Hannah

A 52

A 111

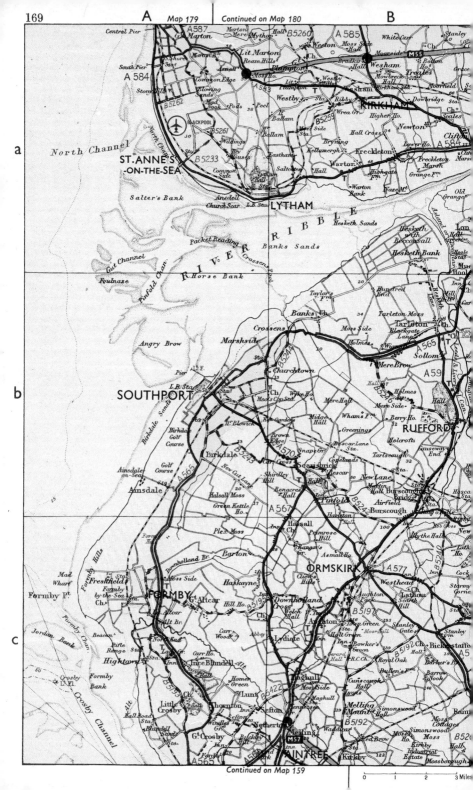

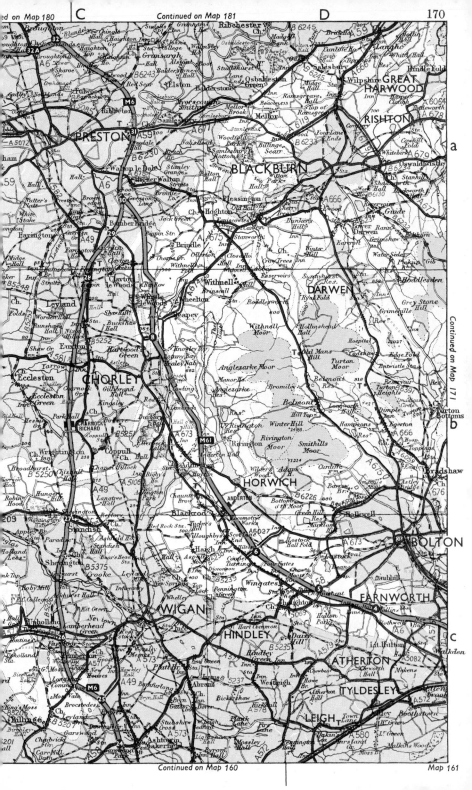

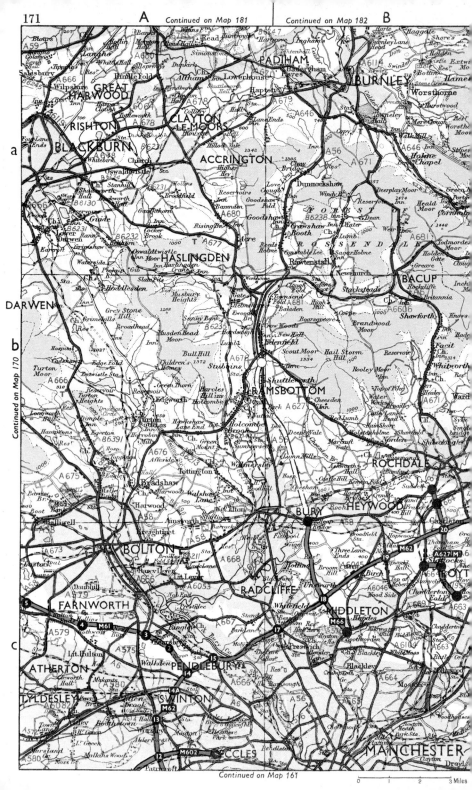

Continued on Map 181
Continued on Map 182
Continued on Map 170

A
B

a

b

c

PADIHAM
BURNLEY
Worsthorne
GREAT HARWOOD
RISHTON
BLACKBURN
CLAYTON LE MOORS
ACCRINGTON
Dunnockshaw
DARWEN
HASLINGDEN
Rawtenstall
Newchurch
BACUP
FOREST
ROSSENDALE
Britannia
Shawforth
Whitworth
RAMSBOTTOM
Scout Moor
Hail Storm Hill
Rooley Moor
ROCHDALE
Tottington
Bradshaw
BURY
HEYWOOD
BOLTON
FARNWORTH
RADCLIFFE
MIDDLETON
ATHERTON
PENDLEBURY
WHITEFIELD
ROYTON
TYLDESLEY
SWINTON
ECCLES
MANCHESTER

0 1 2 3 Miles

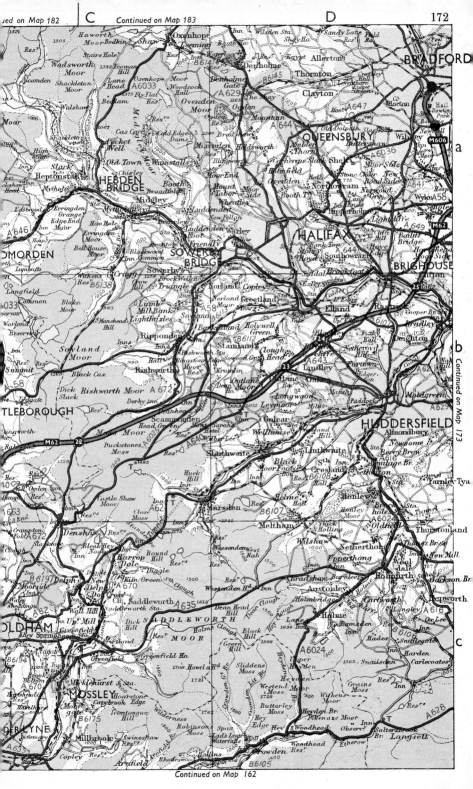

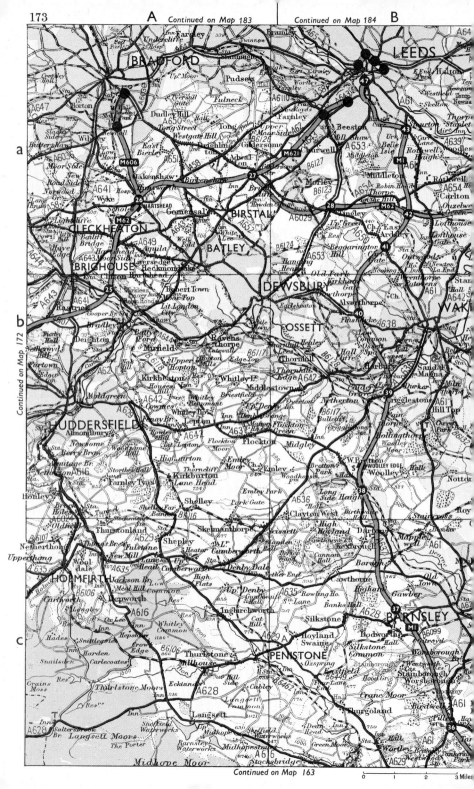

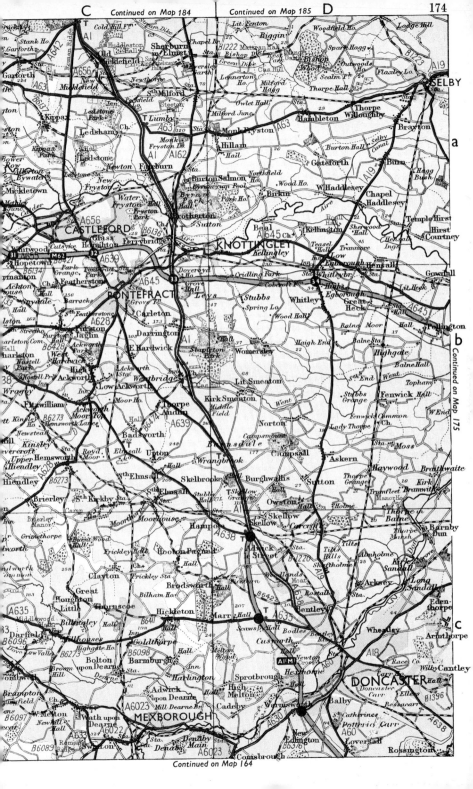

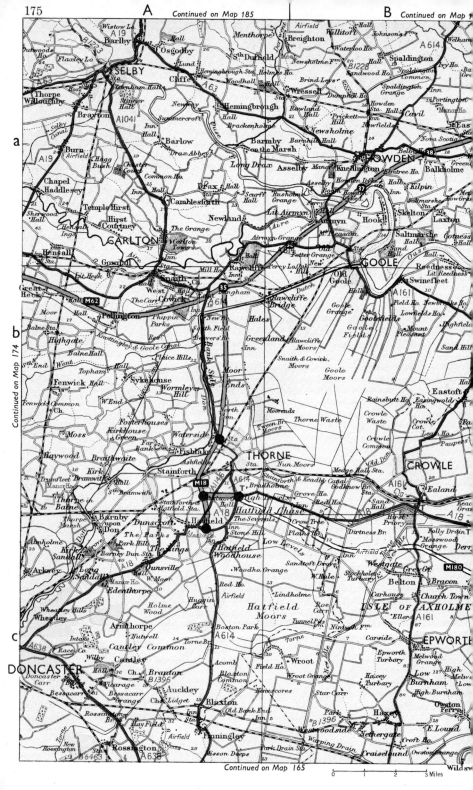

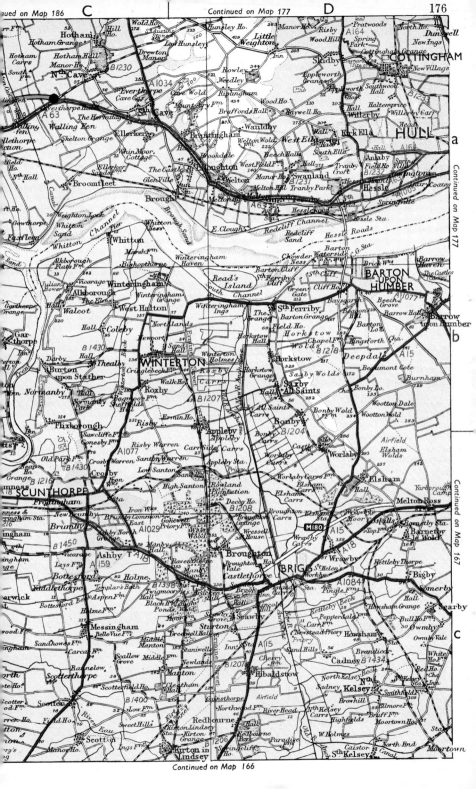

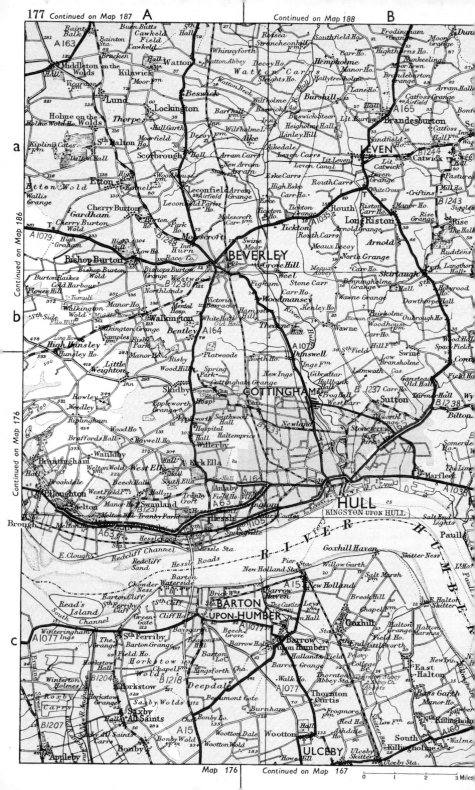

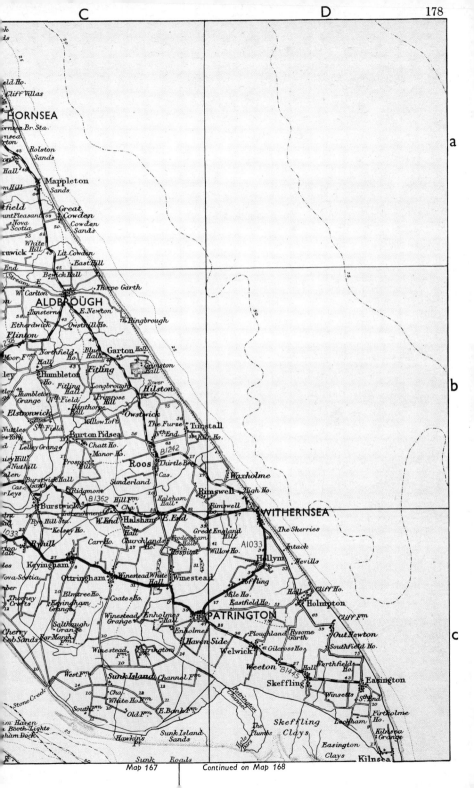

a

b

c

Cliff Villas
HORNSEA
Hornsea Br. Sta.
Rolston Sands
Mappleton Sands
Great Cowden
Cowden Sands
White Hill
Nova Scotia
ruwick Hill
Lt. Cowden
East Hill
Bewick Hall
Thorpe Garth
W. Carlton
ALDBROUGH
Fansterne   E. Newton
Etherdwick   Owsthill Ho.   Ringbrough
Flinton
Moor Fm   Northfield Hall   Blue Hall   Garton Hall
Humbleton   Fitling   Grimston Hall
Humbleton Ho.   Fitling Hall   Longbrough   Tower
Humbleton Grange   N. Field   Primrose Hill   Hilston
Elstronwick   Danthorpe   Owstwick
Nuttles   St. Field   The Furze   Nth. End   Tunstall
New York   Willow Loft   Run Ho.
Lelley Grange   Burton Pidsea   Chatt Ho.
usy Hill   Nuthall   Manor Ho.   B1242
den   Prospect   **Roos**   Thirtle End   Thrtle End
Burstwick Hall   Cas.   Waxholme
Garth   Sunderland
Cas.   Ridgmont   Hill Fm   Halsham   Rimswell
Leys   Burstwick   B1362   Halsham Hall   Rimswell   High Ho.
Entrenchment   **WITHERNSEA**
Ry. Hill Sta.   W. End   E. End   The Skerries
Kelsey Ho.   Hall
Ryhill   Carr Ho.   Churchlands   Frodingham   Great England   A1033   Intack
Keyingham   Ho.   Hospital   Hall   Willow Ho.   **Hollym**   Nevills
Nova Scotia   Otringham   Winestead White   Winestead   Welffling   Hall   Cliff Ho.
ber   Elmtree Ho.   Hall   Mile Ho.   Holmpton
Thorney Crofts   Keyingham Grange   Coates Ho.   Eastfield Ho.   Cliff Fm
Saltaugh Grange   Winestead Grange   Enholmes Hall   **PATRINGTON**   Rysome Garth   Out Newton
Cherry Cob Sands   Far Marsh Fm   Enholme   Haven Side   Ploughland   Gilcross Ho.   Southfield Ho.
Winestead Fm   Patrington   Welwick   Northfield Ho.
West Fm   **Sunk Island** Channel Fm   Weeton   B1445   Hall   **Easington**
Cha.   White Ho. Fm   Old Fm   **Skeffling**   Winsetts   Stand
Stone Creek   South Fm   E. Bank Fm   Firtholme Ho.
Sunk Island Sands   The Plumbs   **Skeffling Clays**   Lockham   Kilnsea Grange
Haven   Booth Lights   Hawkins   Easington Clays   **Kilnsea**
gham Dock   Sunk   Roads

Map 167   Continued on Map 168

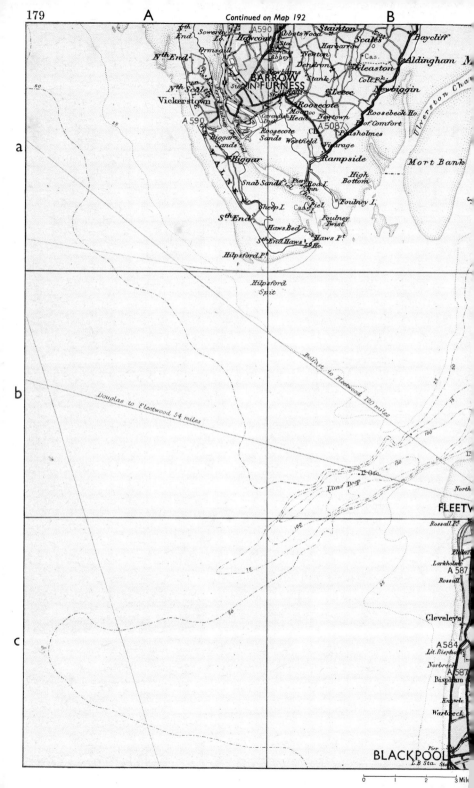

A Continued on Map 192 B

Stainton

Irth End · Sowerby · Holecoat · Abbots Wood · Scales · Baycliff

Nth End · Ormsgill · Barrow · Harbarrow · Newton · Aldingham

Nth Scales · Abbey · Dendron · Gleaston · Colt P^k

Vickerstown · BARROW IN FURNESS · Stank · Leece · Newbiggin

A 590 · Cavendish Head · Roosecote · Roosebeck Ho.

a

Biggar Sands · Roosecote Sands · Westfield · Pt. of Comfort · A 5087 · Rosholmes

Biggar · Vicarage · Rampside · High Bottom · Mort Bank

Snab Sands · Pier · Road I. · Inn

Sheep I. · Cast. · Piel I. · Foulney I. · Foulney Twist

Sth End · Haws Bed · Sth Haws P^t · Haws P^t

Sth End Haws · L^t Ho.

Hilpsford P^t

Hilpsford Spit

b

Belfast to Fleetwood 120 miles

Douglas to Fleetwood 54 miles

Lt. Ho. · Lune Deep · North

FLEETW

Rossall P^t

c

Larkholme · A 587 · Rossall

Cleveleys

A 584 · Lit. Bispham

Norbreck · A 587 · Bispham

Knowle · Warbreck

Pier · BLACKPOOL · L.B.Sta.

0   1   2   3 Mile

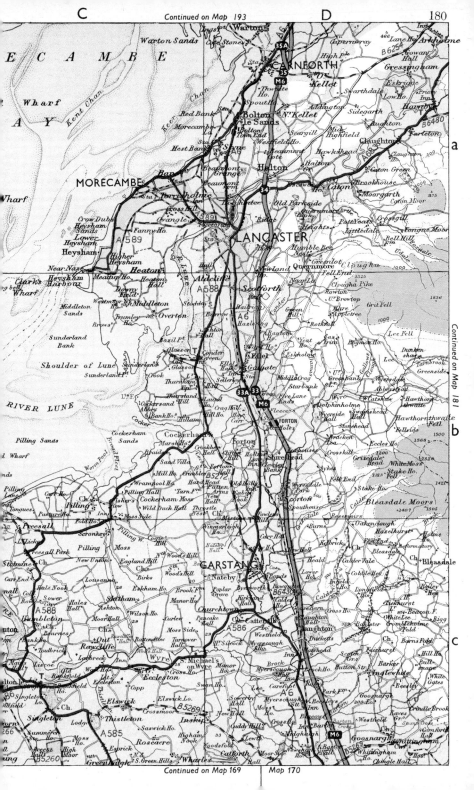

Continued on Map 193
Continued on Map 181

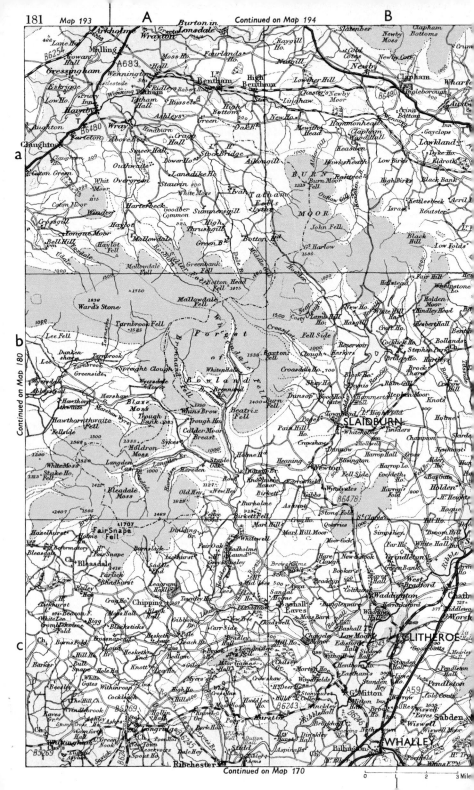

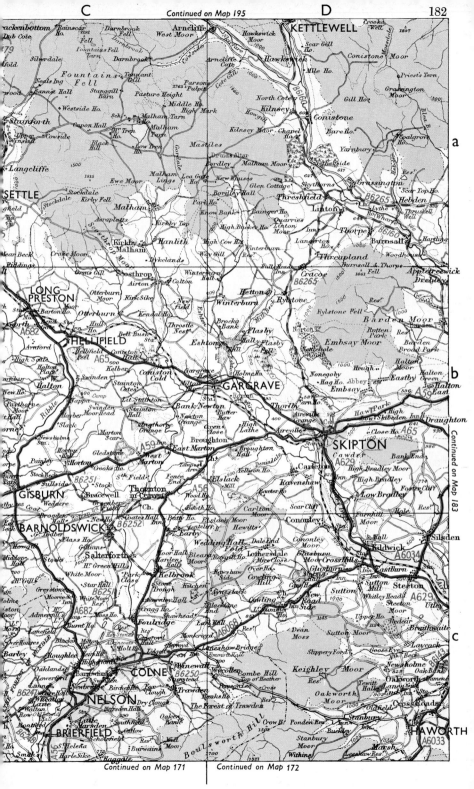

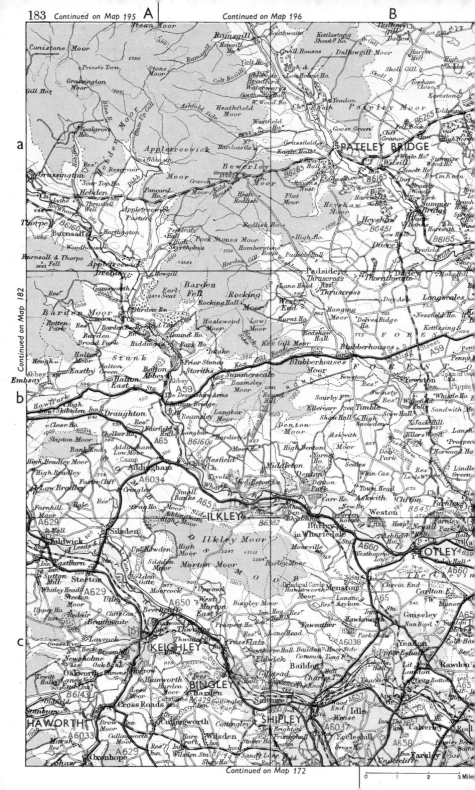

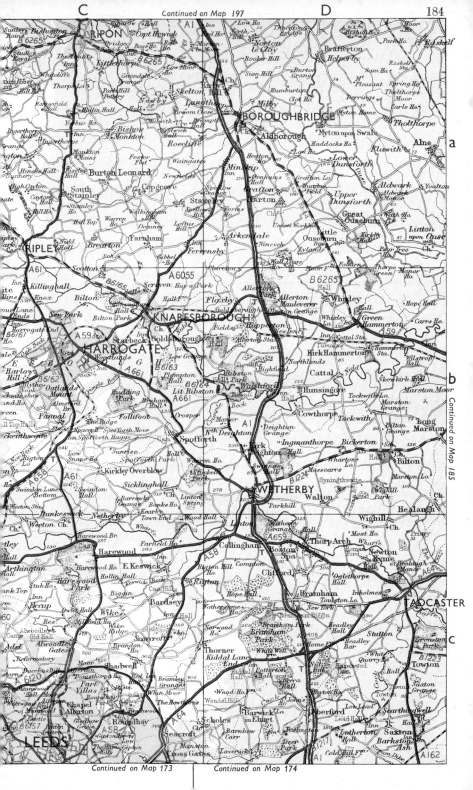

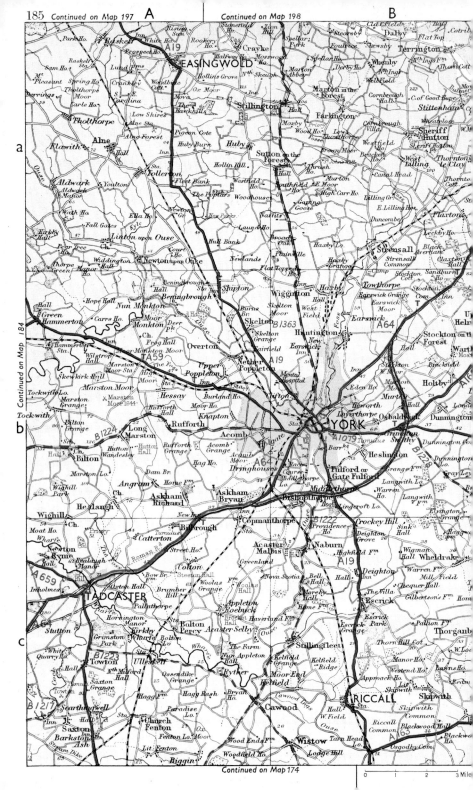

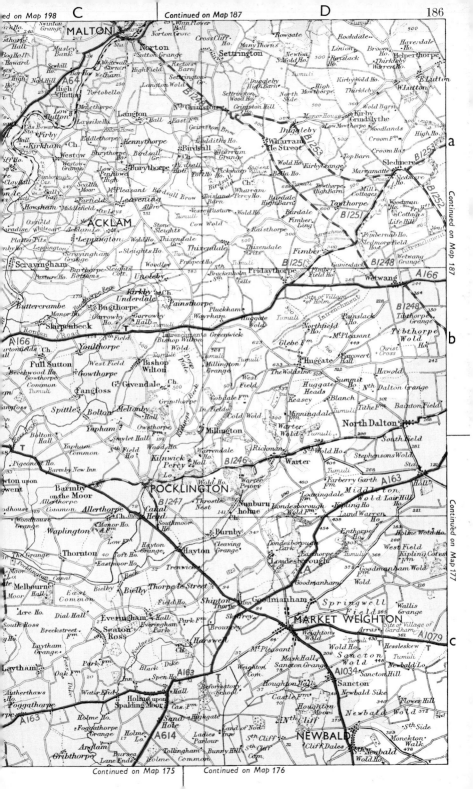

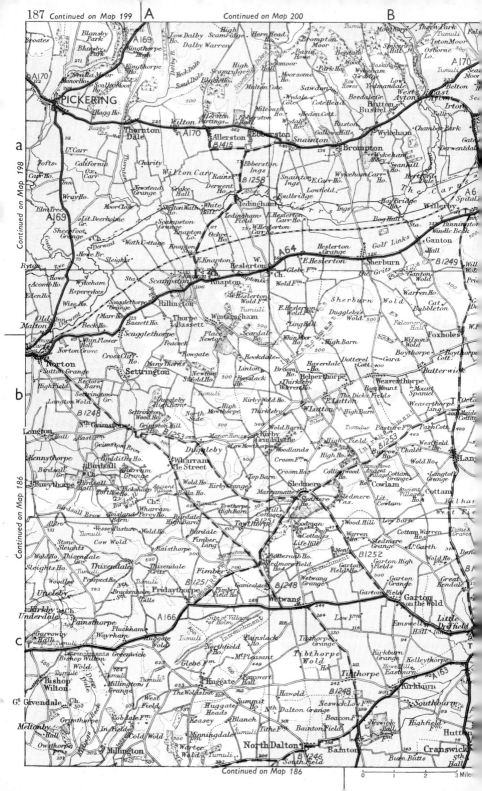

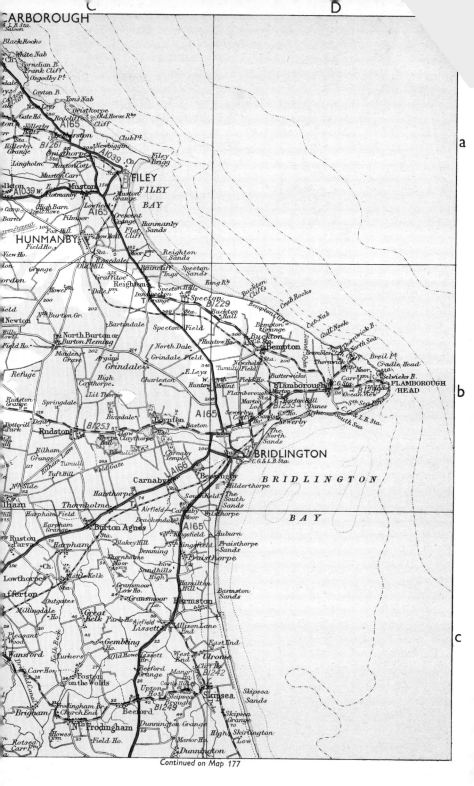

Continued on Map 177

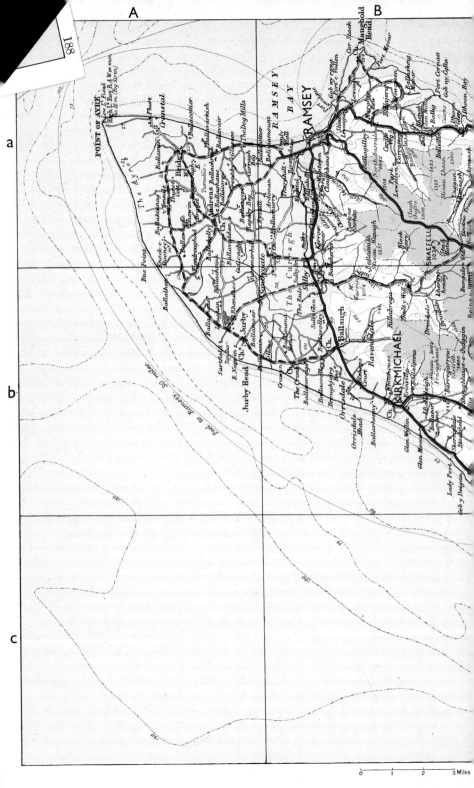

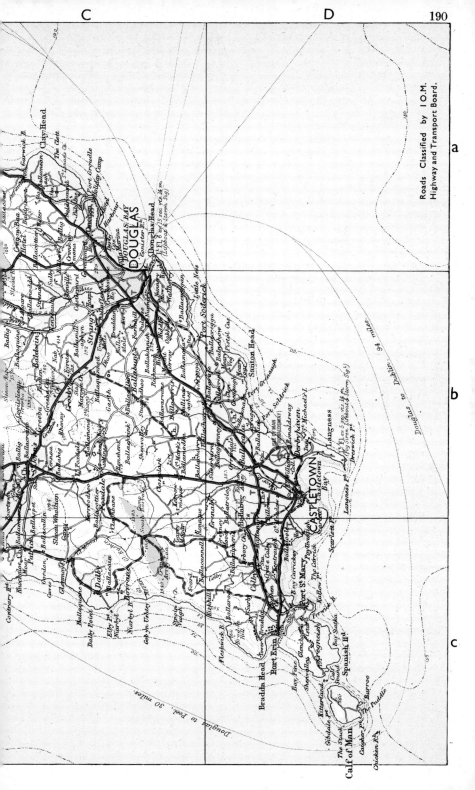

Roads Classified by I.O.M. Highway and Transport Board.

a

b

c

DOUGLAS BAY

DOUGLAS

Douglas Head

94 miles

Douglas to Dublin

Santon Head

CASTLETOWN

Castletown Bay

Langness

Port Erin

Bradda Head

Spanish Head

Calf of Man

The Stack

Chicken Rk.

Douglas to Peel, 30 miles.

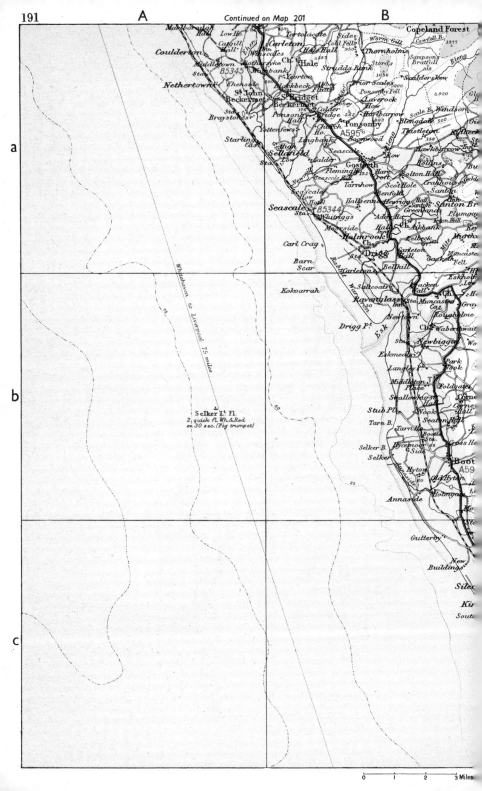

A

B

Copeland Forest

Cawfell B. 1377

Worm Gill

Tirtolacote Side

Cold Fell 950

Thornholme

Stords

Sampsons Brattull

Scalders How

Bleng

Marlborough Hall

Low Ho.

Cattell Hall

Carleton

Maubank

Coulderton

Bland

Whincodes

Middletown

Low

Gotherside

Hale Hall

Strudda Bank

Ch.

Hale

Scale B. Windsor

Prior Scales

Ponsonby Fell

Liverock How

Blengdale 500

Thistleton

Nethertown

Ehenside

Blackbeck

Ygorton

After Flatt

A595

Ponsonby

St. John Beckermet

St. Bridget Beckermet

Calder Bridge

Harbarrow

Hawkbarrow

Hollins

Bragston

Tottenfews

Ponsonby Hall

Church

Seascale

Row

High Sellafield

Langbank

Calder

Gosforth

Hare Croft

Bolton Hall

Craghouse

Santon

Starling Cas.

Newmill

Seascale Hall

Tarnhow

Scale Hole

Benfold

Henrigg

Hall

Santon Br.

Seascale Low Hotel

Hallsenna

Greenlands

Plumgar

Seascale

B5344

Whitriggs

Adar Ho.

Helbeck

Moorside

Hall

Airbank

Muncaster Fell

Carl Crag

Holmrook

Ch.

Drigg

Carleton Hall

Belhill

Gasketh

Barn Scar

Rabt. Carleton Ch.

Eskholm

Kokvarrah

Skilcoats

Macken Hall

Gh.

Ravenglass

Sta. Muncaster Cas.

Gray

Drigg P.

Newtown

Ch.

Roughholme

Wabercwait

Esk

Sta.

Newbiggin

Wo

Eskmeals

Park Nook

Langley P.

Middleton Place

Foldgates

Swallowhurst

Cor

Stub Pl.

Wook

Corney Hall

Tarn B.

Seaton Hall

Cross Ho.

Tarn Ho.

Bootle Sta.

Selker B.

Hycemoor Side

Boot

A59

Selker

Hyton

Old Hyton

Annaside

Holmgate

Ho

Gutterby

New Buildings

Sile

Kir

Soute

Selker Lt. Fl.
2 quick Fl. Wh. & Red
ex 30 sec. (Fog trumpet)

a

b

c

0   1   2   3 Miles

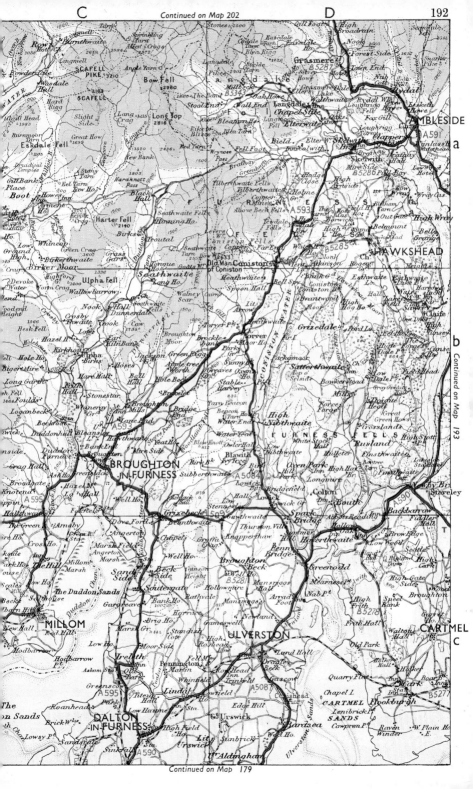

Continued on Map 193

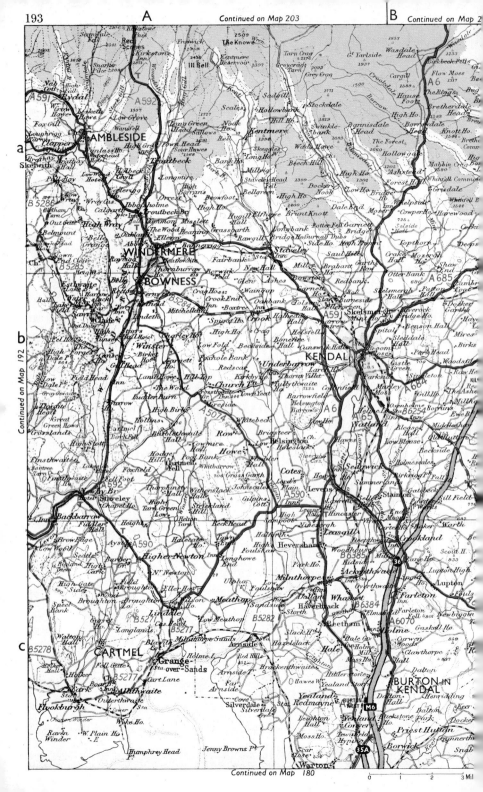

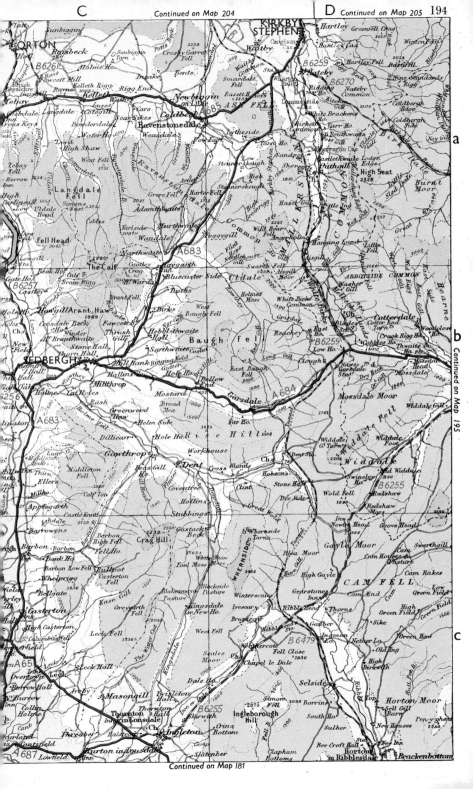

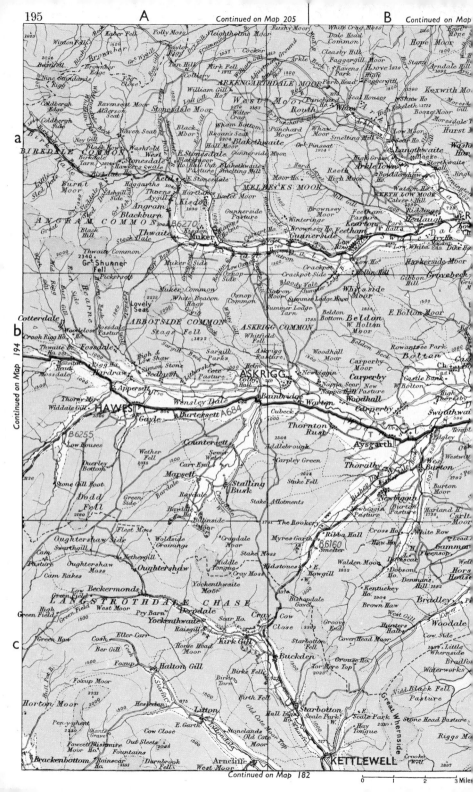

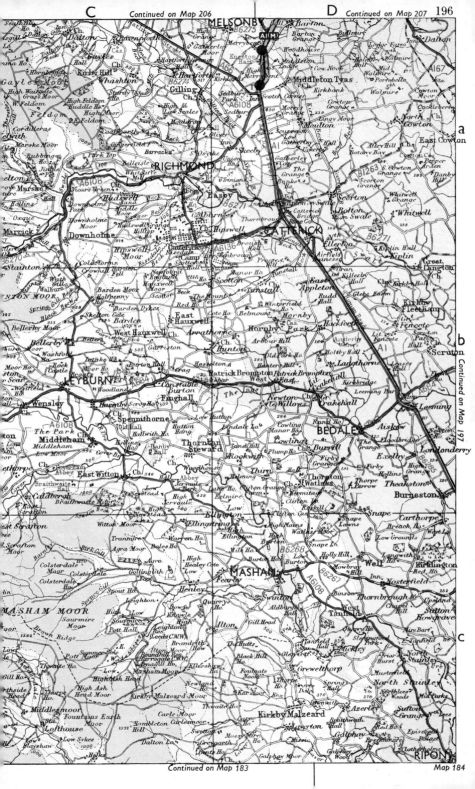

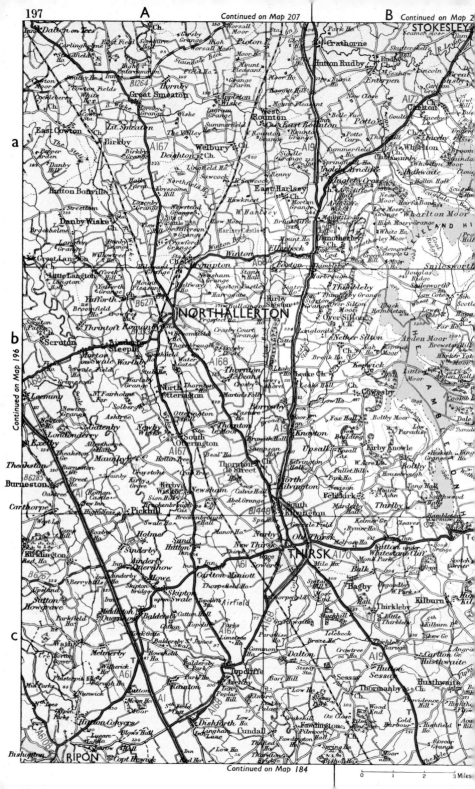

Continued on Map 207
Continued on Map 2
Continued on Map 196

A   B

STOKESLEY

Dalton on Tees   Crathorne   Hutton Rudby

Great Smeaton   Appleton Wiske   West Rounton   East Rounton   Potto   Carlton   Whorlton

East Cowton   Birkby   Welbury   Deighton   Ingleby Cross   Hutkwaite   Wharlton Moor

Danby Wiske   East Harlsey   Osmotherley   Arden Moor

Great Langton   Winton   Brompton   Foxton   Snilesworth

NORTHALLERTON   Kirby Sigston   Thimbleby   Over Silton   Nether Silton   Kepwick

Scruton   Steeple   Warlaby   Thornton le Beans   Leake   Cowesby   Kirby Knowle   Boltby

Leeming   North Otterington   Thornton le Moor   Knayton   Upsall

Londonderry   Exelby   South Otterington   Thornton le Street   North Kilvington   Felixkirk   Thirlby

Maunby   Kirby Wiske   Newsham   Abel Grange   South Kilvington

Theakston   Burneston   Carthorpe   Pickhill   Newby   Old Thirsk   THIRSK

Kirklington   Sinderby   Ainderby Quernhow   Howe   Skipton bridge   Carlton Miniott   Sowerby   Bagby   Kilburn

Sutton Howgrave   Skipton upon Swale   Baldersby   Thirkleby   Hutton Sessay   Husthwaite

Wath   Melmerby   Baldersby St James   Dalton   Thormanby   Carlton Husthwaite

Hutton Conyers   Rainton   Topcliffe   Asenby   Sessay   Highfield

RIPON   Dishforth   Cundall   Fawdington

3 Miles

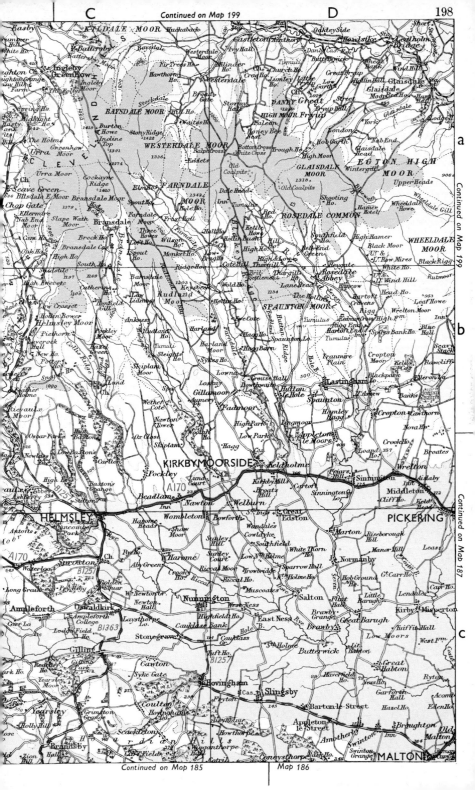

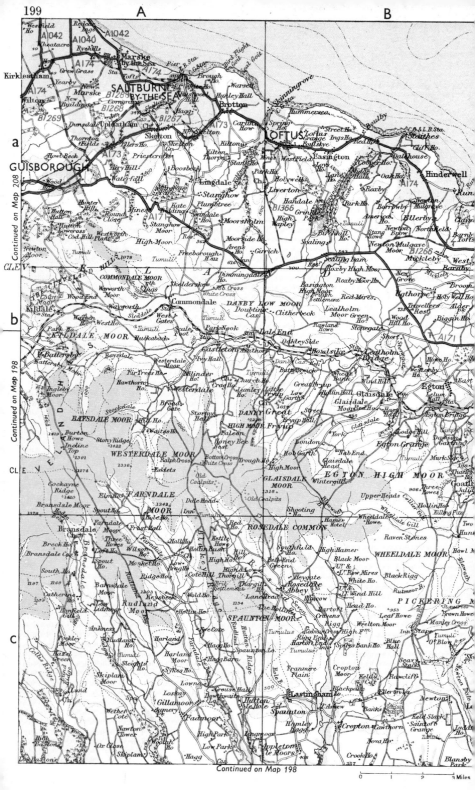

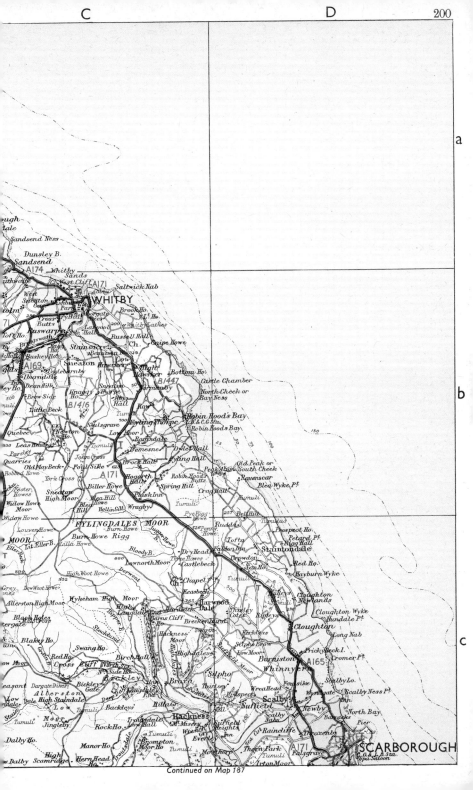

a

b

c

Sandsend Ness
Dunsley B.
Sandsend
A174 Whitby Sands
West Cliff A171
WHITBY
Saltwick Nab
West Sneaton
Cross Butts
Ashburn
Ruswarp
Briggswath
Larpool Hall
Brook Ho.
Lt. Ho.
Whitby Lathes
A169
Stainsacre
Hawsker
Ch.
Snipe Howe
Sneaton
Low Hawsker
High Hawsker
Botton Ho.
B1416
B1447
Castle Chamber
Krawby Ho.
Sneaton Grange
North Cheek or Bay Ness
Brow Side
Little Beck
Parnsdale
Fyling Thorpe
Robin Hood's Bay
Quebec
Mulgrave Low Moor
Newton Ho.
Demesne
Fyling Hall
B. & C. G. Sta.
Leas Head
Parsley Quarries
John Cross
Dale Hall
Old Peak or South Cheek
Old May Beck
Foul Sike
Brock Hall
Robin Hood's Butts
Ravenscar
York Cross
A171
Hogarth Hall
Crag Hall
Blea Wyke Pt.
Easter Howes
Sneaton High Moor
Biller Howe
Spring Hill
Widow Howe Moor
Blea Hill Howe
Hellin Gill
Flask Inn
Widow Howe
Blea Hill
Wragby
Pye Rigg Howe
Bell Hill
Louven Howe
FYLINGDALES MOOR
Ruskit
Prospect Ho.
MOOR
Lt. Eller B.
Burn Howe
Lilla Howe
Burn Howe Rigg
Juggar Howe
Penty Howe
Tofta
Petard Pt.
Rigg Hall
Bloody B.
Dry Heads
Kaldendun
Crowdon
Staintondale
High Woot Howe
Lownorth Moor
Three Howes
Castlebeck
Fan Ho.
Red Ho.
Derwent
Hayburn Wyke
Grey
Low Woot Howe
Ch.
Chapel Ft.
Keasbeck
Allerston High Moor
Wykeham High Moor
Langdale End
Hardwick Dale
Harwood Dale
Cotes
Ripleys
Cloughton Newlands
Black Hoes
Blakey Ho.
High Hipper B.
Barns Cliff Ho.
Breckenbreugh
Kirkless
Cloughton Wyke
Hundale Pt.
Stackhull
Hackness Moor
Silpho Brow
Cloughton
Long Nab
Red Ho.
Cross Cliff
Birch Hall
Highdalesis
Low Moor
Prickyback I.
Cromer Pt.
Dargate Dikes
Bickley Gate
N. Side Ho.
Bickley
Broxa
Burniston
Whinnye
A165
Scalby Lo.
Scalby Ness Pt.
Allerston Low High Staindale
Lindale End
Thirley
Silpho
Wrea Head
Fowl Sike
Warngate
Inn
High Dalby
Tumuli Backleys
Killdale
Prospect Hall
Scalby Nabs
Newby
North Bay
Dalby Ho.
Rock Ho.
Low Hall
Hackness
Mt. Misery
Suffield
Raincliffe
Barracks
Pier
High Dalby
Scamridge
Hern Head Ho.
Manor Ho.
Brompton Moor Ho.
Wrench
Everley
Sea Cut
Throxenby
A171
Falsgrave
SCARBOROUGH
C. & L. B. Sta.
Spa Saloon
Thorn Park
Irton Moor

Continued on Map 187

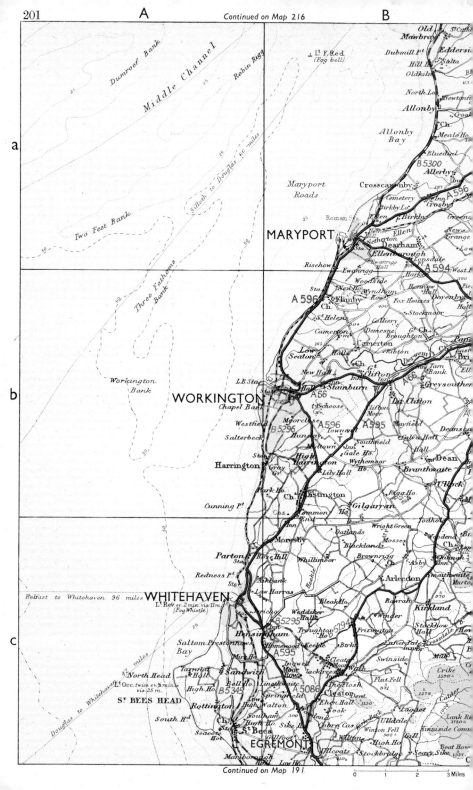

Continued on Map 216

A

B

a

b

c

Dumroof Bank

Middle Channel

Robin Rigg

Lt F. Red
(Fog bell)

Silloth to Douglas 60 miles

Two Feet Bank

Three Fathoms Bank

Workington Bank

Maryport Roads

Roman Sⁿ

MARYPORT

Risehow

Ewanrigg

A 596

Woodside

St Helens

Ch.

Cameron

Low
Seaton

New Hall

L.B. Sta.

WORKINGTON

Chapel Bank

Westfield

Salterbeck

Sta.

Harrington

A 596

B 5296

A 595

Moorclose

Hunday

Midtown

High
Harrington

Gray
Gr.

Park Ho.

Cunning P^t

Ch.

Distington

Cas.

Common
End

Inn

Moresby

Parton

Rose Hill

Redness P^t

Sta.

Akbank

Low Harras

WHITEHAVEN

Belfast to Whitehaven 96 miles

Lt Rev. ev. 2 min. vis. 11m¹
(Fog Whistle)

Hensingham

Saltom
Bay

Prestonhows

Mirehs.

B 5295

Whillimoor

Keekle

Homewood

Ingwell
Moor
Row

B 5345

Springfield

North Head

Lt Occ. twice ev. 5 mins.
vis. 25 m.

Tarnflat
Hall

Sandwith

Bell Ho.

Linethwaite

High Ho.

St BEES HEAD

South H^d

Douglas to Whitehaven 42 miles

Seacote
Hot.

Rottington

Ch.

St Bees
Sta.

High Ho.

Southam

Sike Ho.

EGREMONT

Marlborough
Ho.

Low Ho.

Old
Mawbray

St Cuth

Dubmill P^t

Edderst

Hill B

Salta

Oldkiln

North Lo

Newton

Allonby

Ch.

Meals Ho.

*Allonby
Bay*

Bluedial

B 5300

Allerby

Crosscanonby

Cemetery

Birkby Lo

Inn
Crosby

A 596

Greens

New
Grange

Low

Ellen

Birkby

Netherton

Helen

Dearham

A 594

Ellenborough

Ewanrigg
Hall

Harke

West I

Lonsdale

New Ho.

Wyndham
Row

Hennow
Hall

Dovenby

Hall

Flimby

Fox Houses

400

Colliery
Demesne

Stockmoor

Broughton

Gt Ch.

Camerton

Ribton

Derwent

Pap

Gt
Clifton

Inn

Tarn
Bank

Bri

Ell

A 66

Greysouther

Stainburn

A 56

Schoose

Dean

Clifton
Moor

Lit. Clifton

Mayfield

Townend

T

Inn

Gale Ho.

Southfield

Wythemoor

Haile Hall

Deansca

Dean

Lily Hall

Branthwaite

Ullock

Gilgarran

Rigg Ho.

Todhol

Woodend

B

Oatlands

Wright Green

Mosses

Blacklands

Brownrigg

Ch.

Ch.

Asby

Whinnah
Inn

Arlecdon

Smaithwaite

Murto

Bleak Ho.

Rawrah

Winder

Kirkland

Frizington

Stockhow
Hall

Crossdale

Mill

A 594

Ennerdale

Troughton
Hall

Birks

Cleator
Moor

Swinside

Crike
1598

Caldei

Lank Ri

A 595

Moor
Row

Jacktree

Flosh

Flat Fell

Ennerdale

Wrath

Cleator

Winton Fell

Ulldale

Uldale

Eben Hall

Nook

Cobra Cas.

A 5086

Gill

Boat How

Whitto

High Ho.

Stockbridge

Grillfoot

Otcoats

Continued on Map 191

0   1   2   3 Miles

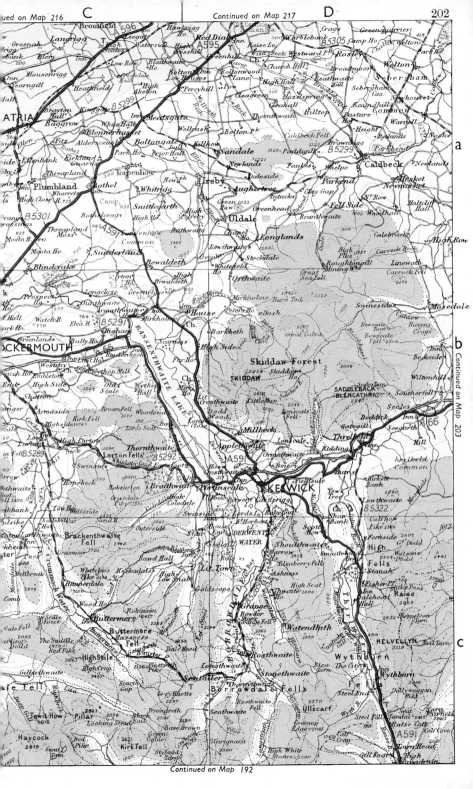

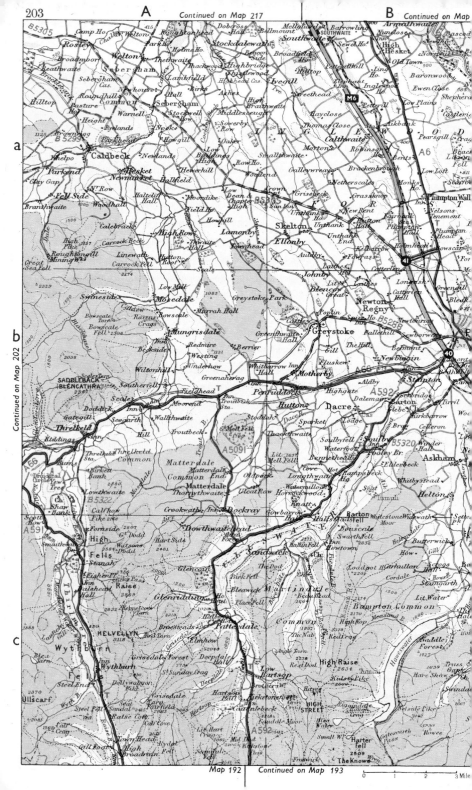

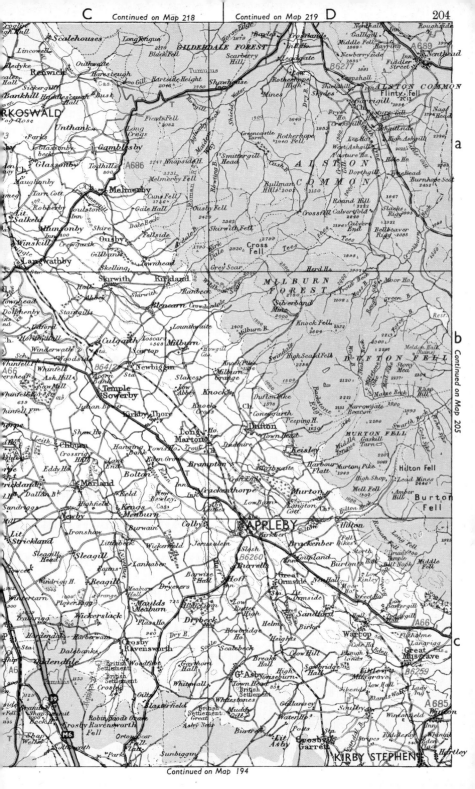

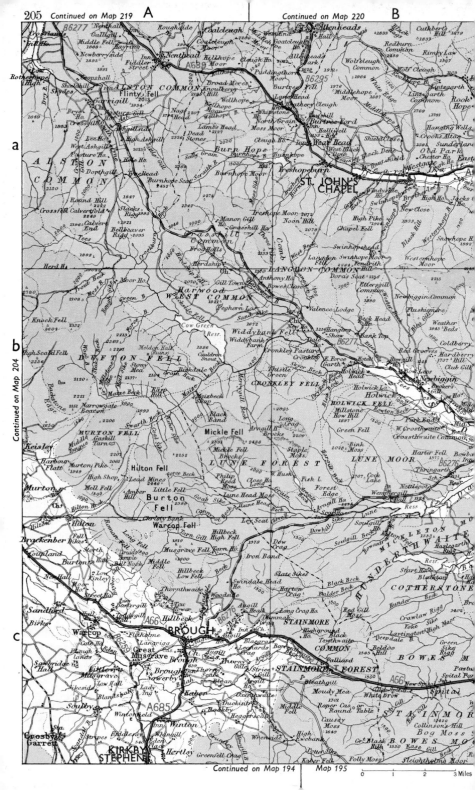

Continued on Map 219

Continued on Map 220

Continued on Map 204

ALSTON COMMON

ALSTON COMMON

DUFTON FELL

WEST COMMON

CRONKLEY FELL

MURTON FELL

MICKLE FELL

LUNE FOREST

HILTON FELL

BURTON FELL

WARCOP FELL

LUNE MOOR

HOLWICK FELL

ST. JOHN'S CHAPEL

LANGDON COMMON

Nenthead

Flinty Fell

Garrigill

West Water Head

Ireshopeburn

Harwood

Newbiggin Common

Newbiggin

Holwick

Keisley

Murton

Hilton

Brackenber

Coupland

Sandford

Birks

Warcop

Great Musgrave

BROUGH

Little Musgrave

Soulby

Crosby Garrett

KIRKBY STEPHEN

Winton

STAINMORE COMMON

STAINMORE FOREST

STAINMOR

BOWES MO

COTHERSTONE

Allenheads

Rook Hope

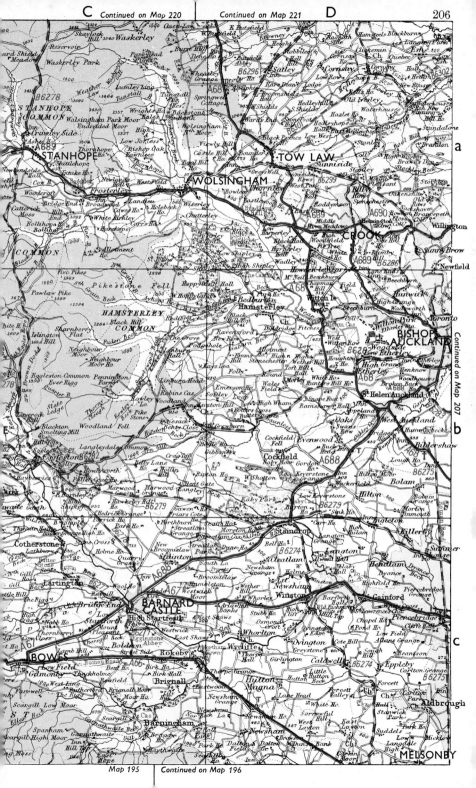

Continued on Map 207

a

b

c

STANHOPE

STANHOPE

TOW LAW

WOLSINGHAM

CROOK

Newfield

Sunny Brow

Willington

HAMSTERLEY

HAMSTERLEY
COMMON

BISHOP
AUCKLAND

New Etherley

Helen Auckland

West Auckland

Bildershaw

Cockfield

Bolam

Evenwood

Raby Park

Hilton

A688

Staindrop

Killerby

Gainford

Piercebridge

BARNARD
CASTLE

BOWES

Rokeby

Caldwell

Eppleby

Aldbrough

Hutton
Magna

Barningham

Newsham

MELSONBY

Map 195   Continued on Map 196

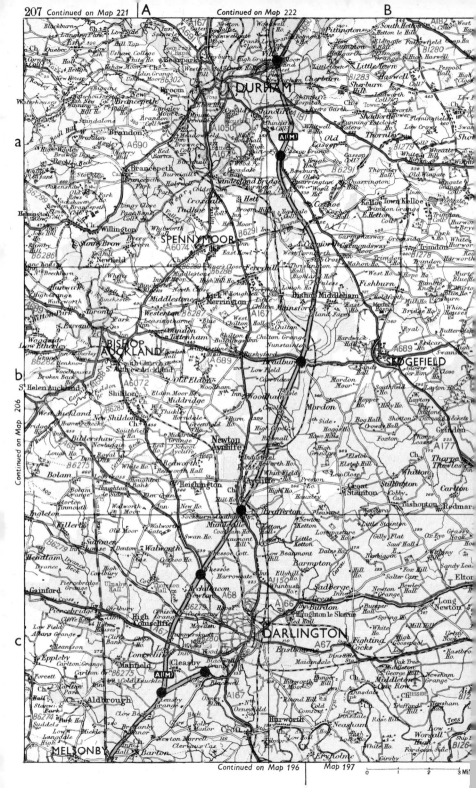

Continued on Map 206

DURHAM

SPENNYMOOR

BISHOP AUCKLAND

SEDGEFIELD

DARLINGTON

MELSONBY

0   1   2   3 Mi

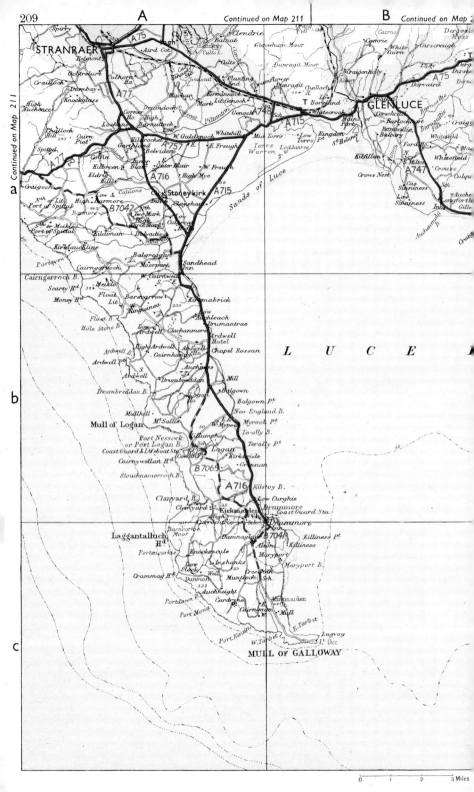

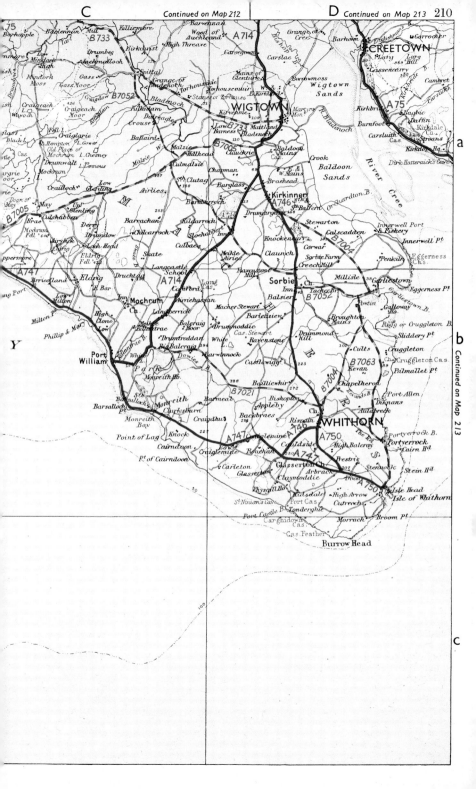

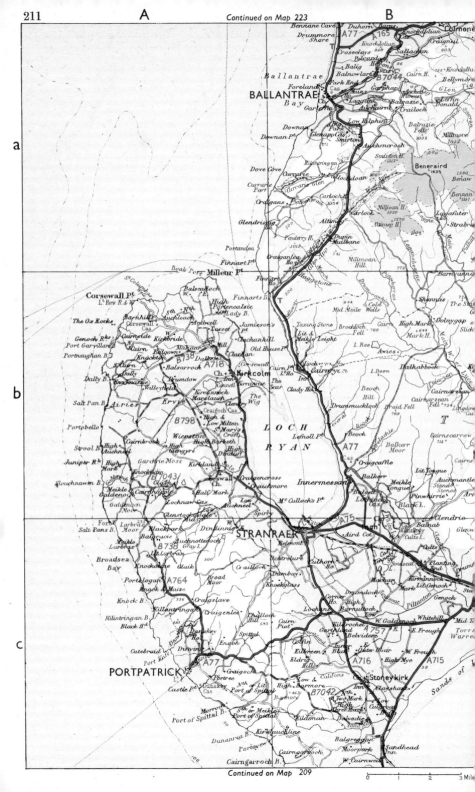

Continued on Map 223

a

b

c

Bennane Cave
Drummore Shore
A77
Duhorn Barns
165
Knockdolian Cas.
Colmone
Craigneil
603
Crosednys
Polcardoch
859
Knockdolian
86
Sallochan
Knockdhu
Ballymore
Glen
Tig
255
Balig
Balnowlart
B7044
Cairn H.
Lennan
Park End
Glen
Downan
Forelands
Garghap
Mains
Laggan
Auchairne
Balrazie
Crailoch
Ballanlea
Bay
Gart
Cly.
Park
Low Kilphin
Balrazie
Fells
1032
Millmore
Fas²
Downan
Glenapp Cas.
Smirton
Auchencrosh
871
Smirton H.
1213
Dove Cove
Kilantringan
Benan
Currarie
Ulloch Doan
Tullochdoan
1360
1157
Beneraird
1435
Currarie
Port
Currarie Glen
Carloch
1054
Craigans
Balloch hraie
Carloch
Milljoan H.
1320
Altimeg
1270
Bennan
Glendrissaig
Altimeg
Altimeg H.
1094
Logafater
Portandea
Pendarry H.
1013
Dupin
Mulbane
741
Strabra
Craiganlea
Ho.
Finnart P.
Glen App
Millmoan
Hill
772
Barnvannoch
Milleur Pt
Beoch Port
Fonrartg
590
Haggiestone
Main

Corsewall Pt
Lt. Rev F. & W.
St Columba's
Balscalloch
W.
High
Portencalzie
Lady B.
Finnarts B.
Finnarts
B.
Mid Moile Wells
544
Cold
Moile
Shannies
The Sku
72
The Ox Rocks
Barnhill
Corsewall
Cas.
5th
Auchleach
Arbwell
Cassel
Jamieson's
Pt
Taxing Stone
Broddock
Fell
769
Cairn
High Mark
1644
Mark H.
Dolnygap
Slick
Genoch Rks
Port Garryllarr
Corsewall
Cairn
Kirkbride
Makaar
Clachanhill
Old House P.
L. Ree
Awies
Portnaughan B.
Knockton
B738
A718
Dalkeer
Iron Mill
Clachan
Upalaywyn
Cairnycross
L. Doon
Dalkabbeoch
Cairn
Balgowan
Balsarroch
Brumdow
Ch.
Kirkcolm
Corsewall
L. Ho.
Beoch
Hill
Cairncross
Cairnarzean
Fell
734
Dally B.
S.Cairn
Dally
Knocknasie
Valleyfield
The
Kirminnoch
Marsleuch
Clenry
Ranned
Corsewall
The
Scar
Cladyscar
Cladyscar
Drummuckloch
Braid Fell
769
Airies
Ervie
B798
High &
Low Milton
St Mary's
Croft
The
Wig
LOCH
Beoch
Cairnscarrow
731
Salt Pan B.
Portobello
Cairnbrook
Wigtown
High
Glengyre
High Barbeth
RYAN
Lefnoll Pt
Balcerr
Moor
Cairns
Lit. Yeague
Auchmantle
Stands
Stones
Juniper Rks
High
Auchneel
Gardryne Moss
Kirkland
A77
Craigcaffie
Cas.
Balkerr
Meikle
Tongue
Slouchnawen B.
Meikle
Galdenoch
B7043
Clashy
Knockdoon
Corswall
Ch.
Craigencross
Craichmore
Innermessan
Budscar
Lochinch
Cas.
Black L.
Pinwhirrie
Arr
Galdenoch
Moor
Cairnhandy
Lochnaw Cas.
Half Mark
Low
Auchneel
McCulloch's Pt
Glenstockdale
Spiny
Fort Kelly
Salt Pans B.
Mid
Blackpark
Dinduff
A75
Aird Cot.
White L.
Balnab
Clendrie
Glenw
Meikle
Larbrax
B738
Balgracie
Auchnotteroch
Gray L.
STRANRAER
Belmont
Cults
Cults
High Larbrax
500
Achtralure
Soulseat
L.
Planting
End
Drumb
Broadsea
Bay
Knockielie
A764
Glaik
Broad
Moor
Crailoch
Dambay
Culhorn
Ho.
Markan
Kirminnock
Lit Genoch
Genoch
Portlogan
Knock Maize
Knocklass
Corner
Ho.
High
Drumdoch
Barnultoch
Low
W. Galdenoch
Piltanton
Whitehill
Mid T
356
Killantringan B.
Killantringan
Craigslave
Craigenlea
Challoch
533
Cairn
Pilot
Lochans
Kilrochet
E.
Garthland
Belvidere
A757
Gutts Blair
High Mye
Low
Blair
W. Freugh
E. Freugh
A715
Torrs
Warre
Kilintringan B.
Black Hd.
Dinvin
Ho.
Enoch
Spittal
Clifton
Kilbreen
Kildrag
Hills
A716
Catebraid B.
Dinvin
Port Kale
PORTPATRICK
A77
Craigoch
Portree
High Barmore
1463
Low Caldons
Two Mark
High
Three Mark
Inn
STONEYKIRK
Classhann
Sands of
Castle Pt.
Dunskey
Cas.
Nth or Lit.
Port of Spittal
Nth
Balmore
B7042
Dalvadie
Sanda
Morroch
Sth or Meikle
Port of Spittal
Kildonan
Port of Spittal B.
Balgreggan
Moorpark
Sandhead
Inn
Dunanrea B.
Kirkmacline
Poriow
Cairngarroch
Balgreggan
W. Cairnwell
Cairngarroch B.

Continued on Map 209

0   1   2   3 Mile

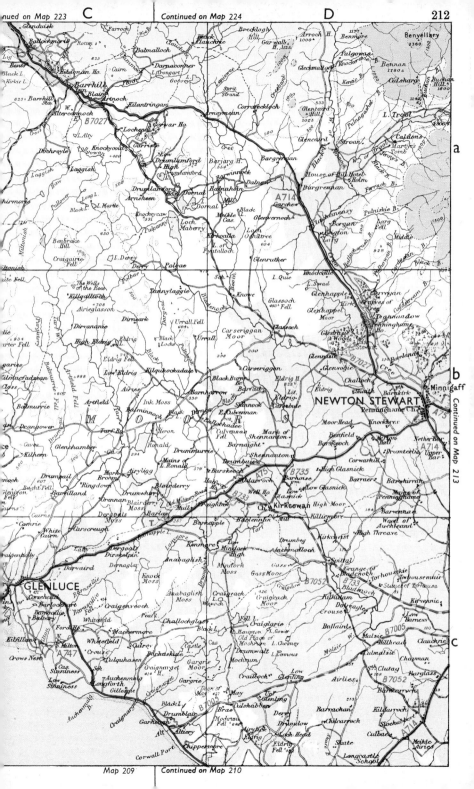

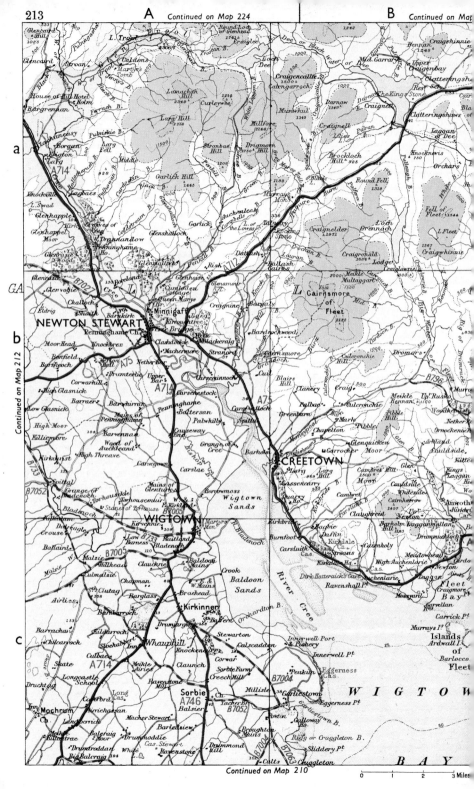

Continued on Map 225
Continued on Map 226
Continued on Map 215

A769   Scroggy Hall   Knocklearn   Nether Glaisters   Auchenhay   Shalloch
Greenlaw Holm   Knockmark   Barmark   Auchenhill   Knowe   Margreig   Glenkiln
Ken loch ld   BALMACLELLAN   Lowes Loch Marnhoul   Caldow Gibbshill   Chapel   Crogo Water   Croft   Auchenhay   Lochenkit   Peartree
A762   Summerhill   Barlay   Black Arvie   Howemuir   Corsock   Drumhumphry   Lochenlair   Nethertown
A713   Highpark   Corse   Glenhead Hill   Corsock L.   Kirkland   A712   Brooklands   A75   Crocketford or Ninemile Bar
Lochside   KenErvie Nether Dullarg   Billy Shiel   Poundland   Glenlair   Vargley   Auchenreoch Loch   Auchengibbet   Fell
Nether Eryce   Barend   Over Laggan   Nether Glenlay   Shore Share   Lairdlaugh   Springholm   Meikle Kirkland   B. & W. Glen Arm
Bennan   Drumrash   Craigmure   Nether Laggan   Greentrae   Glenroan   KIRKPATRICK DURHAM   B794   Ch.   Inn   Barr   Frotthead Blaiket Mains   Blackford
Airds of Kells   Whitehill   Parton Ch.   Redcroft   Auchendoly   Browdale   Doon of Urr   Chapperkyle   Garnarth   Hermitage   Midtown
Drumglass Earlshill   Mains Buckraw   Blairmire   Hillowtown   Balgerran   Largnean   OLD BR. or URR   Kings Grange   Chapelton   Hardgate
Uloch   L. Dee   Fincarco   Livingstone   Cogarth   Airds   Bridgenally   Drybragh   Nottar   RHUGH of URR   Redcastle
CROSSMICHAEL   Urr Ch.   Newfield   Torrkatrine
Summerhill   Uroch   Parkhall   Clarebrand   Ernmuine   Dunjarg   Moat of Urr
Lochenbreck   Kennel   Woodhall   Drumclive Park   Burnbrae   Garroch   Blackerne   Scraggiehill   Firth Head   Edingham Park   A711
Black Hill   Lochenbreck   Gatehouse   Duinance   Edgarton   LAURIESTON   Abbeyland   Glenlochar   Greenlaw   Springfield   Pinespie Heaths   W. & E. Logan   Meikle Knox
Darngarroch   Anstool   Up Lairdmannoch   B795   Drumtane   Bargatton   Abbey Spearport   Greenlaw Tower   A713   Threave   CASTLE DOUGLAS   Buittle Place   Barhill   A745
L. Mannoch   Kirkconnell   Glenloo   Bargatton   Barnboard Lodge   Nemerhall   Carlingwark Lochbank   A736   New Bank   Little Buittle   DALBEATTIE   A710
Michela   Kirkconnell Moor   High Barcaple   BRIDGE of DEE   Balannan   Dildawn   Kelton Ch.   Rhonehouse or Kelton Hill   Gelston   Breoch   B777   Castlegower   Buittle Ch.   Kirkennan   A710
Culcagrie   Calcagrie L.   Trostrie   Bascaple   Barnesoul   Argrennan   Auchlaine   Ingleston   Gelston Cas.   Boreland   Barshaw   Gardenholm   Richorn
HOUSE LEET   Meadowpark   New Mills   Ringford   Meikle Lochdougan   Mayfield   Irieland   B736   Glenverrach   Palnackie   Brighnex
Mains of Twynholm   Valleyfield   Largs Ho.   Tarff Sta.   Netherthird Reservoir   Over Jankins   Whitehill   Screel Potterland   Old Tower   Orchardton
Littleton   Radfield   A762   Nether Lochdougan   Bangorm Foresthill   Screel   Holm
Burnwhinnock   Gatehill   TWYNHOLM   Ch.   Cumstown   Black Stockerton   Nether Linkins   Foresthill   Orchardton Ho.   Rough
A75   Conchieton   Ingleston   TONGLAND   Lit. Sypland   Bareloy Hill   Glenhead   Mains of Collin   Abbey of Torr   Collin
Standing Stone   Campbellton   Janefield   Low Boreland   Kinny Liggate   Balgreddan   Auchencairn
A755   Auchenlarie   High Newton   B727   Loch Fergus   Barcloy   KIRKCUDBRIGHT   Park Ho.   Culnaightrie   Drumfans   Auchenfad   Auchencairn Bay   Balcary
B727   Boreland High Newton   Nun Mills The Doon   St. Mary's Isle   Auchengool   High & Low Banks   E. & W. Kirkcarswell   Hazelfield   Airds   BALCARY Pt.
Borgue   Culreoch   Grange   Milton   North Milton   A711   Overlaw   Dundrennan Abbey   Bankhead   Rascarrel   Rascarrel Bay   Balcary Pt. Airds Pt.
Cairnyhill   Milton Sands   Balig   Chapelton   Rerwick Ch.   Barlocco   Castle Muir Pt.   Barlocco B.
Brighouse   Balmangan   Townhead   Drummore   Dunrod   Gistinggwood   Netherlaw   Port Mary   Port Mary Ho.
Ross   Balmangan   Torrs   Balmae   Howwell   Corra Hill   Mullock   Abbey Head

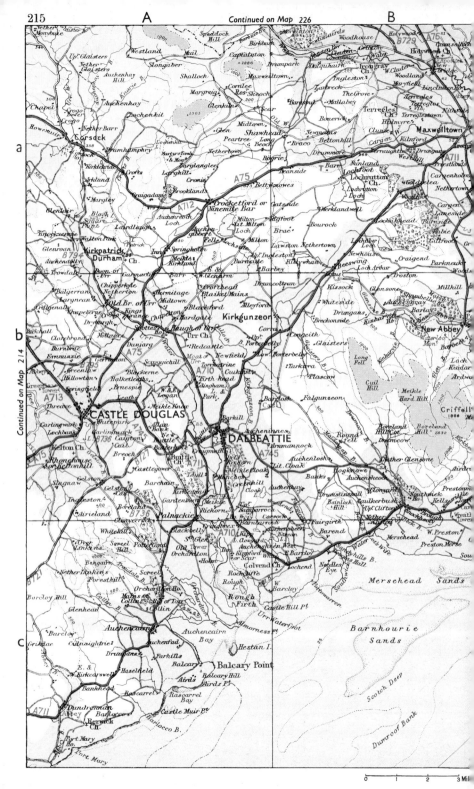

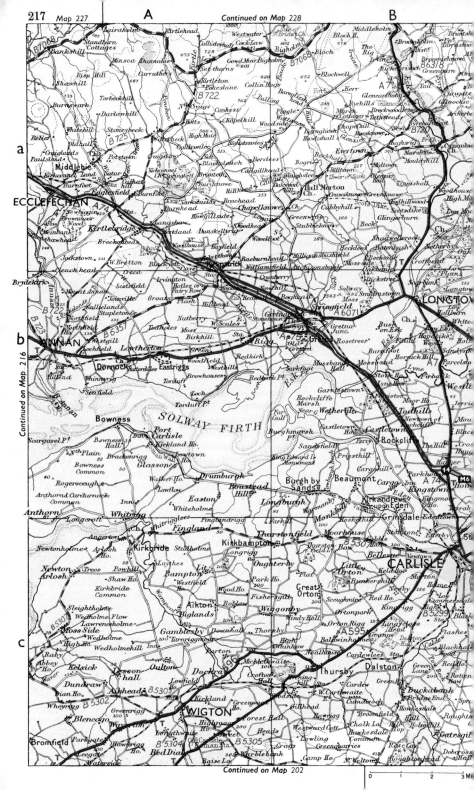

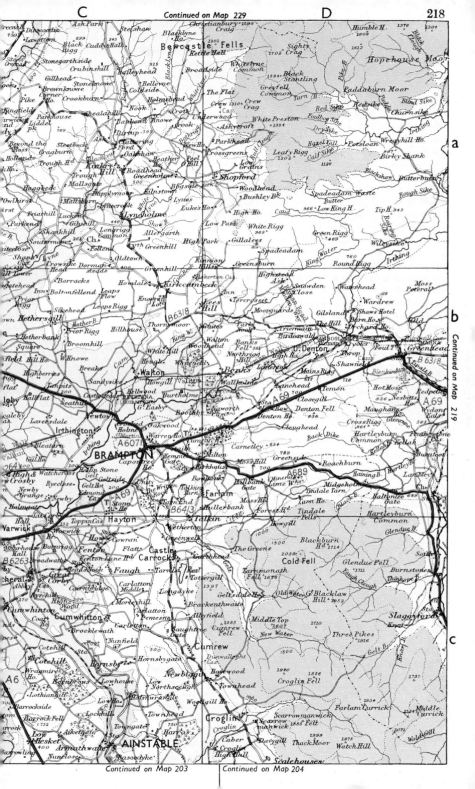

Continued on Map 219

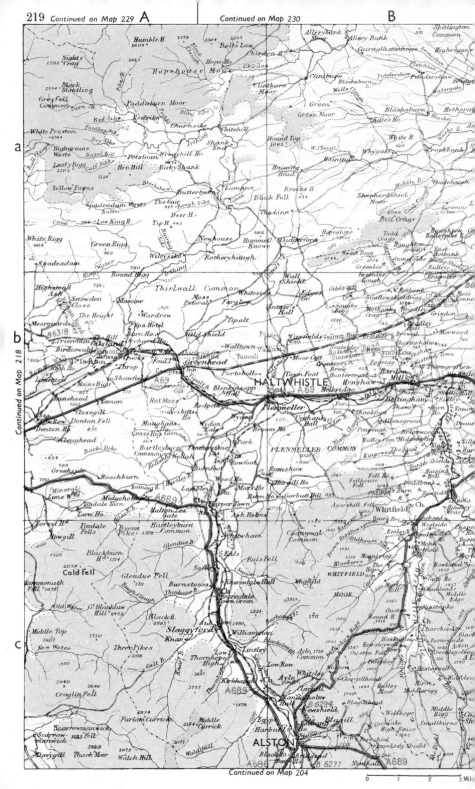

Continued on Map 218

Shitlington Common
Allerybank Moor   Allery Bank   951
Humble H. 1378   1304   1295   Botts Law   Chirdon Ha   Cairnglastenhope   Swinesbae   Highrigg
1608   1615   Hope Ho   Pundershaw   Watergate
Sighty Craig 1702   Black Haugh   Hopehouse Moor   Chirdon   Clinburn   Blackburn   Punder   Punolershaw   Brigg
1594   Blacklawton   Chirburn   Blackaburn L.   Hetherin
Black Stanting   Greyfell Common   Tarn   Paddaburn Moor   Blind Sike   Clinburn Moor   Wells Cleugh   Green   Blackaburn   Blacka
White Preston 2384   Red Sike   Recliven   Green Moor   Green Moor   Kate's Ho   Works B.
Highrains Waste   Footbog   Dry Sike   Churnsike   Whitehill   White H. 810   Whygate   Crookbank
Leafy Rigg 1202   Hazel Gill   Irthing   Shank End   Round Top 1045   W. Cleugh   Middle B   Gnatclough
Calf Sike   1126   Hen Hill   Birky Shank   Raining   Shepherdshiel   East Hotbank   Ridley
Yellow Fawns   Blackshaw   Lampert   Hainin Head   Brocks H 954   Moor   1089   Houghton   Halleypike
Spadeadam Waste   Butter   The Gair 915   Rough Sike   Linen   The Linn   Hopealone   green   East Hotbank
Caud 366   Low King H   Beer H.   Tip H. 943   866   Bell Crags   Todd 1908   Crags   Broomlee
White Rigg 968   Green Rigg   889   Burning   Newhouse   Hummel Knowe   Cuderford   Sweet Rigg   1094   Stonefields   Ridley   Broomlee
Spadeadam   Water   Wileysike   Rotheryhaugh   780   Greenlee   Greenlee
King   Round Rigg   Irthing   Wall Shield   Greenlee   Greenlee Cough
Highstead Ash 718   Thirlwall Common   Whiteside   Edges   Gibbs Hill   W. Rothank   Moss
Snowden Close   Moscow   818   Farglow   Intne's   Gn.   Saughy   Gallows   Hotbank   Chenne   B6
The Height 671   Wardrew   Tipalt   Hall   Rigg   Crag   Bradley   Grindon
Moorguards   Spa Hotel   1230   Hotbank   Crag   Bradley   Grindon
B6318   Burn Ho   Old Shield   Fosse   Carvfields   Vallum Inn   Seatsides   Once Brewed   Chesterholme 913   Westend   Morwood   760
Thirlwall Castle   Orchard Ho   Walltown   Tumuli   Moor Cott   VINDOL   Barden   Mill   Moordale
Birdoswald   BOGL   Croods   Foul T   Greenhead   Portobello   Town Foot   Crow   Hunterc   Fogrigg   Westend   Ch   748
Denton   Throp   Shawfield   Tipalt B   Blenkinsopp   Ford   Renshaw   Thorngrafton   Whi
HALTWHISTLE   A69   Milkridge   Bellingham
A69   Bleatarn   Hall   Plenmeller   Uthank   Hall   Shankfoot   Shaws   Burn   Vauce
Mains Rigg 617   Lemon   700   Hot Moss   Nesbitts   Wydon   Broom Ho   Penyeugh   Briarwood   Midgehome   Silly
Low Row   Denton Fell 836   Maughans   Ho   Wydon Eals   Ridley   Kingswood   The Steel   Har
Denton Ho   Cross Rigg   Glenearn   Park   PLENMELLER   COMMON   984   Hunter Shields
Fleughead   Back Dike   Hartleyburn Common   Kellah   Rowfoot   Ramshaw   Fell Ho   1045   Paddaban   Hanging Hall
834   799   Greenside   Roachburn   Hartley   Burnfoot   Wood Ho   Moss Ho   Iho H Ho   Garbutt Hell   Fellhouse Fell   1041   Child's Burn   Ravensh
700   Raining B   Lambley   Agarhill Fell   Westside
Mineral Lime Wks   Midgeholme   Haltwhistle   Upper Town   Retm Ho   1009   Whitfield   Ch   Lanehead
Tarn Ho   Tindale Tarn   Haltm Lea Gate   Sta   Ash Holme   Bears Bridge   Monk   Byrn
Forest H   Tindale Fells   Byers   Hartleyburn Common   1349   1385   Dewgrange   Ernley   Chape
Howgill   Pike 1502   Glendue B   Whitwham   Copeywood   1491   Reed   Oldhouse   Hawksteel   Ch   A6
1500   Common   1541   Mansrigg   1233   Middle Edge
Cold Fell   Blackburn Ha 1714   Eals   Eals Fell   Sontes   1506   Whitfield   The Hope   Cote Ho   Gate Ho   1437
2039   Glendue Fell   Saptee   WHITFIELD   Carr   1360   Marley   Ninebanks
Tummomath Fell 1878   Rough Cleugh   1711   Burnstones   Thirlwall   Koaresdale Hall   MOOR   Hill   1363   1365   Charcehead
Old Water   Gt Blacklaw Hill 1952   Thinhope   Town Green   Ouston   Round H   1614   Haskugleg   Greenleyeton   Aston   769
Black H. 1585   Sta   1480   Williamston   1524   1711   1500   Outon Fell   Fairplay   A
Middle Top 1607   1710   Knar   Slaggyford   Barhaugh   1632   Keirsleywell   Houston Fell   Heslewell
New Water   Three Pikes 1916   Thornhope High   Row   Intley   Low Row   Aylee 1719   Common   Slinshow Rigg   1347   1618   Hesleywell
1500   1940   1856   1757   Kirkhaugh   Ch   Ayle   Whitlee   Moscow   Ch   1757
Croglin Fell   Gelt B   1570   Claygill   Handtholm   Blacklough   Galley   Hirst   Welt
Scarrowmanwick   Farlam Currick   2154   Middle Currick   Egap   Harburst   Blagill   B6294   Newshield   Onlake   Smallburns
Sedrowmanwick   1685   2071   ALSTON   Gossip   High Raise 1262   Middle Bigg
Davygill   Thack Moor 1989   1975   Wold Gill   Blackaburst   Blackhall   Our Lady Shield   Ch   Northhall   A689
Watch Hill   A686   A6277   A689

0   1   2   3 Mil

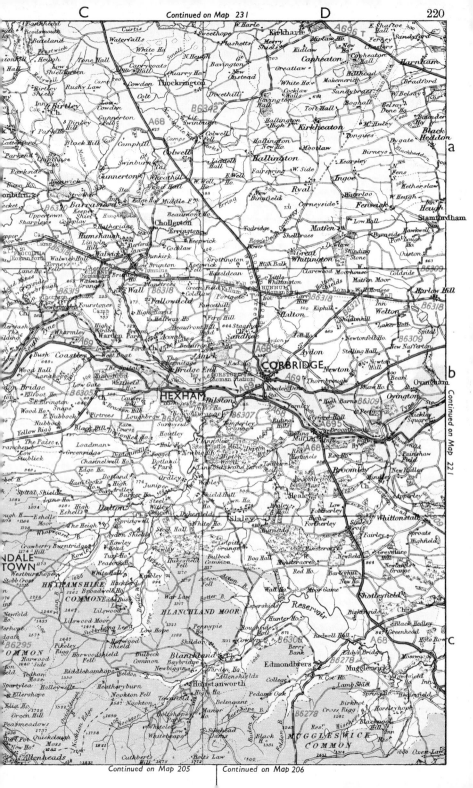

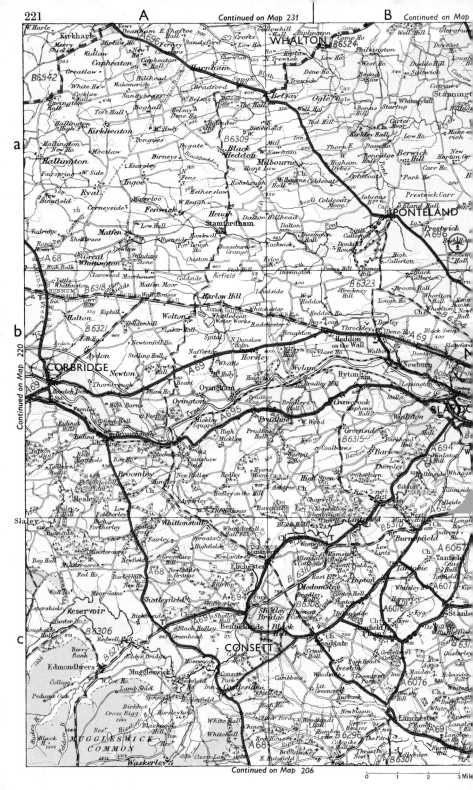

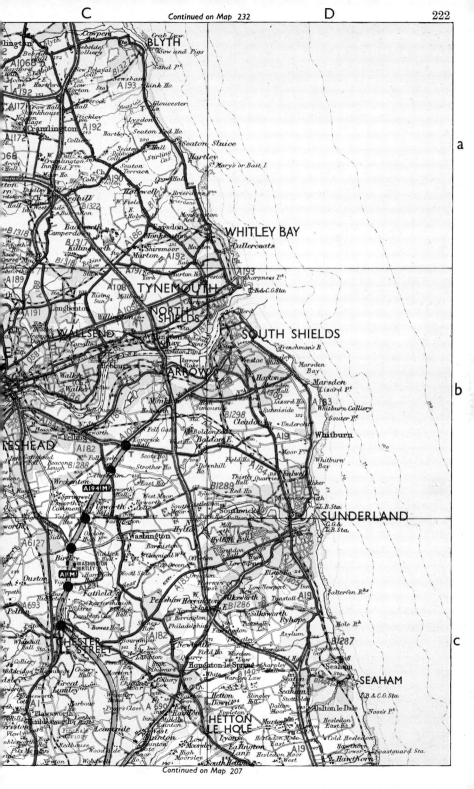

A

B

a

b

c

300

200

100

Bridgend
Port Rager
Dunure
Dunure Ps
Dhndu
Mill
Dunure
Mains
Drumshang
T
Drumshang L.
Isle Port
Knoweside
Red. Moss
Castlehill
Hume
Balchriston
Culzean
Bay
Bonnyvgleo
Machrins
Wood
Culzean
Croyside
Thornaton
Bawin Pts
Ardlochan
Glenfui
N. Mains
Maidenhead
Bay
Mortiston
Auchenblan
Douglas
Jamestown
Kirkoswald
Maidens
Maidens
Ch.
Blanfield
Merkland
Turnberry Pt.
Turnberry
Warren
Shanter
Minnybae
Craigdow L.
Lt. Fl. ev. 12 sec.
A719
Turnberry
Balkenna
Low Park
Turnberry
Bay
Lodge
Craigenton
Brest Rks.
Milton
Drumbeg
Glenhead
Balkennal
Isle
Chapelton
Nettleton
Kirk H.
Newlan
Matthews Port
Townhead
Nth. Threave
Dowhill Port
Dowhill
Cass
Drummuck
Wallace
A77
Sady Bank
Fardenreoch
Blair
Kilgrammie Ho.
Farden
Dunnymuck
Plantinhead
High
Craighead
Dunston
Burnside
Curroh
Balgarth
Moss
Chapeldonan
Boghead
Killochan
Bargarran
Girvan
A741
Grangeston
Hadmill
Mains
Knoch
Camregan
Brackenbrae
Camp
Padhill
Brae
GIRVAN
Red. L⁵.
Houdston
Knockgerran
Knockgerran
Sta.
Saugh H.
Green
Shallochpin
Horse Rk.
Glendouine
Tralorg
Tralodden
Baldatchie
Woodland
Black Neuk
A714
Laggan
Barbae
Brocklooh
B734
Woodland
Ardmillan
Pinmacher
Kirkland H.
Ardwell Bk.
Ardwell
Daily
Auchensoul
Kirkdominoe
Balkeachy
Dalquhairn H.
A77
Grey H.
Piabain H.
Pinmore
Sta.
Daldowie
Clachriston
Authlewan
Cairnhill
Mealde Letterpin
Kilpatrick
Pinclanty
Currarie
Millenderdale
Ballygmorrie
Strald
Barod
Knockbrain
Fell H.
B734
Lendalfoot
Aldons
Pinmore Mains
Knockodhar
Carleton Port
Knockdaw
Bargain H.
Glake
Mark
Carleton
Fisher
Knockdaw H.
Daljarroch
Lt. Pinmore
Garleffin
Bellymore
Balsalloch
Knockorystal
Pinwherry
Docherneil
Balcreuchan Port
Grundland
Clady
Dochernie
Craigannoyhie
Cairn
Boag
N. &
Craig Ho.
Dangart
Pinwherry
Muckfoot
Bennane Hd.
Bennane
Balbaird
Garnaburn
Dalreoch
Altcraig
Glenduisk
Bennane Cave
Duhorn
Kirkhill
Stinchar
A765
Drummore
Shore
Knockdolian
Colmonell
Auchenclery
Craigbrae
A714
Ballochmorton
Roseclays
Craigneil
Reuthal
Craigdoo
Rotten
Polcardoch
Sallachan
L. Lig
Kilahrennie
Barbour
Balig
Cairn H.
Wheeb
Bens
BALLANTRAE
B7044
Park End
Kilahrennie
Glenover
Kirke L.
Ballantrae
Bay
Balnowlart
Garphar
Bellymae
Shiel H.
A77
Mains
Glen
Liglea
Cairn
Barrhill

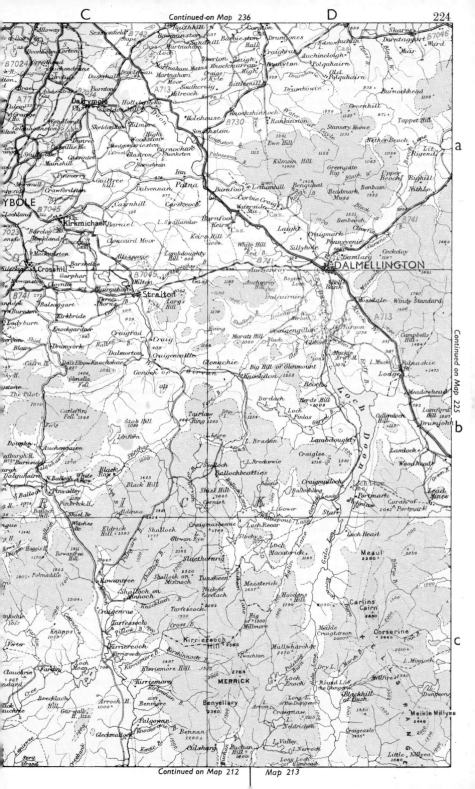

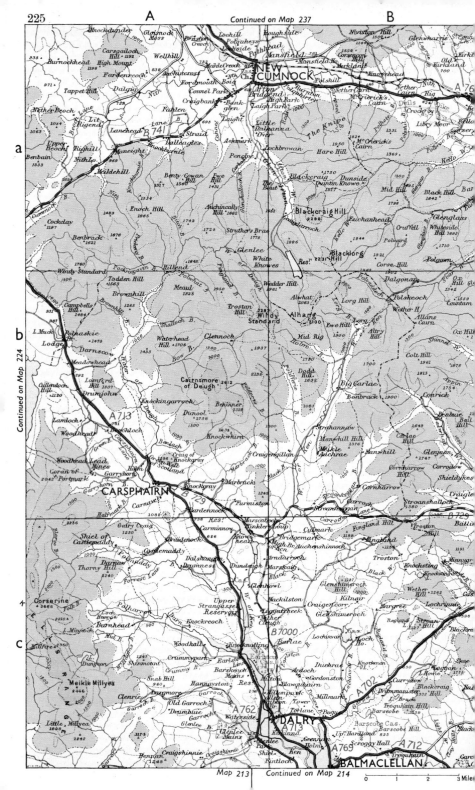

Continued on Map 237

A

B

a

Continued on Map 224

b

c

NEW CUMNOCK

B 741

A 76

Blackcraig Hill 2298

Windy Standard

Cairnsmore of Deugh 2612

A 713

CARSPHAIRN

B 729

Corserine 2668

Meikle Millyea 2446

Little Millyea 1899

B 7000

B 729

A 702

DALRY

A 762

A 713

A 769

A 712

BALMACLELLAN

Map 213 | Continued on Map 214

0   1   2   3 Miles

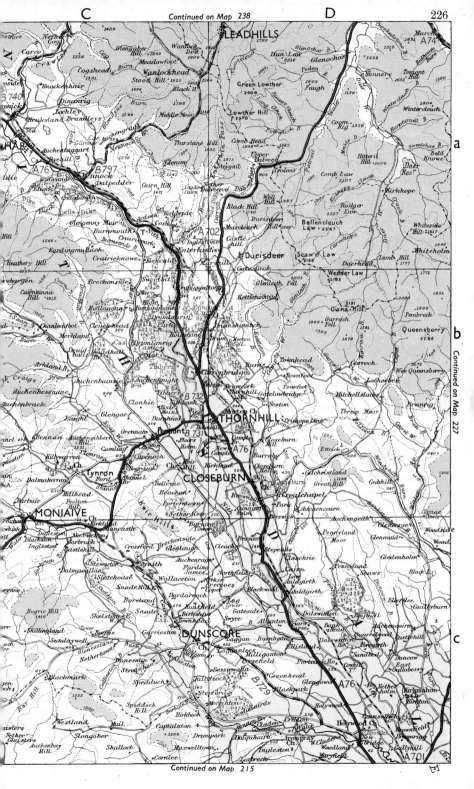

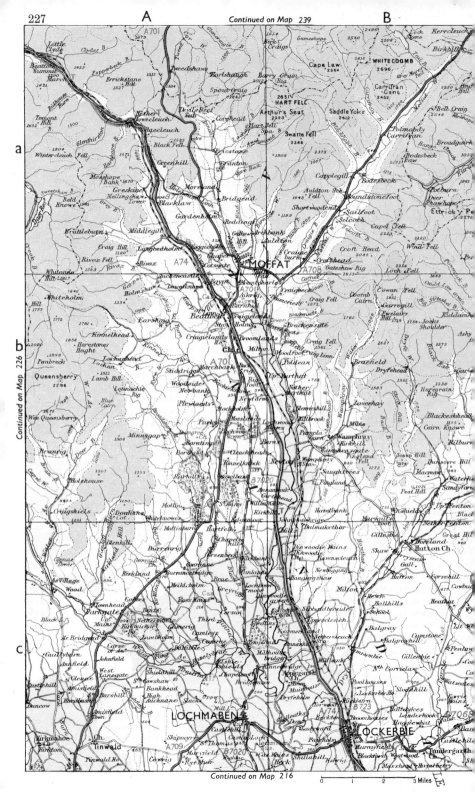

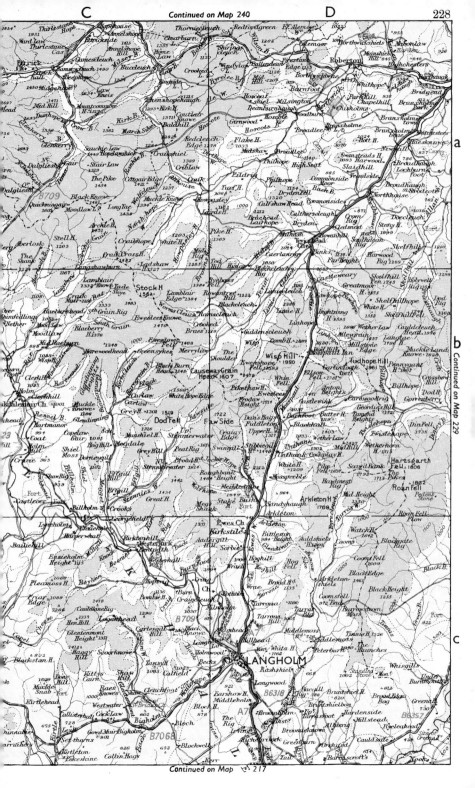

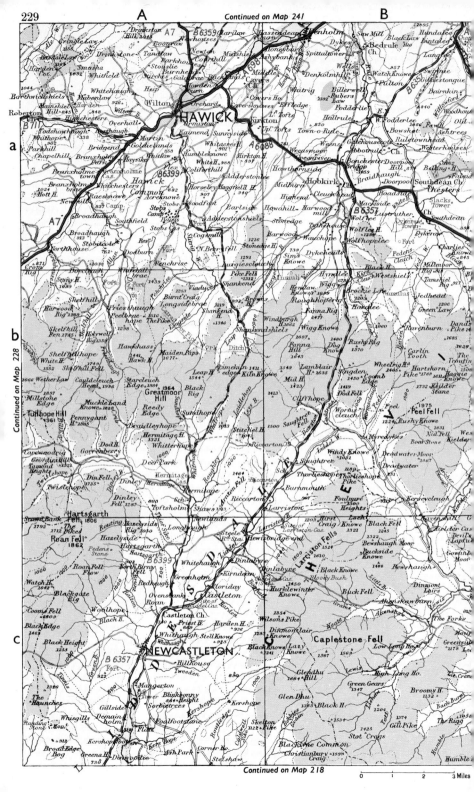

Continued on Map 241

A

B

a

Continued on Map 228

b

c

HAWICK

HOBKIRK

NEWCASTLETON

Caplestone Fell

Feel Fell

Hartsgarth

Continued on Map 218

0   1   2   3 Miles

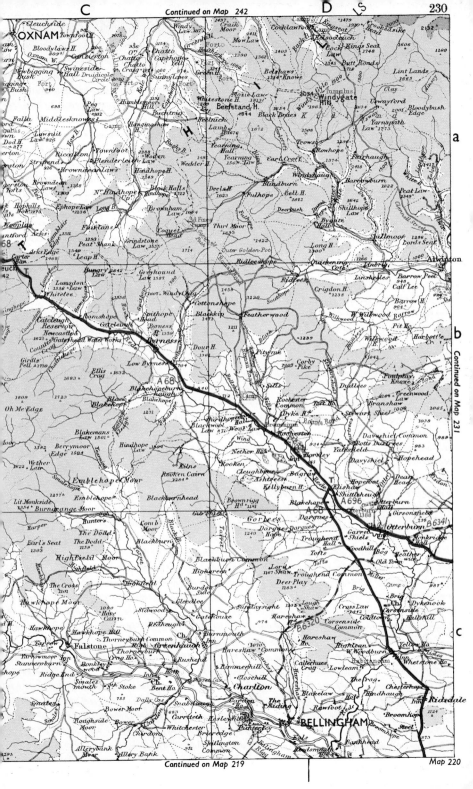

OXNAM

a

b

Continued on Map 231

c

Map 220

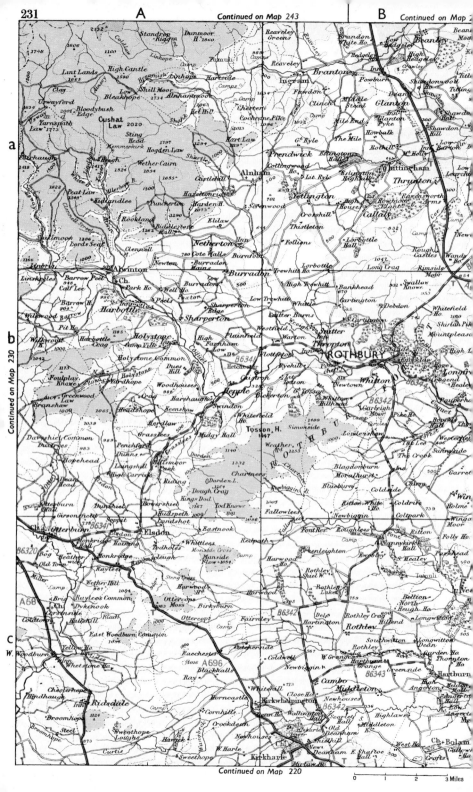

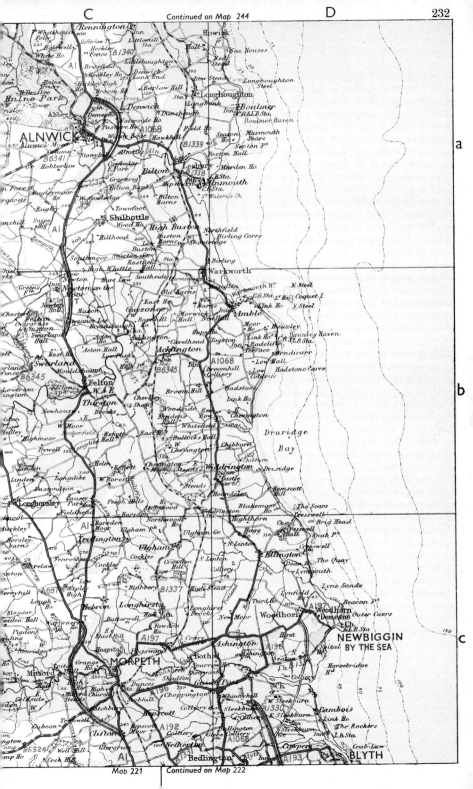

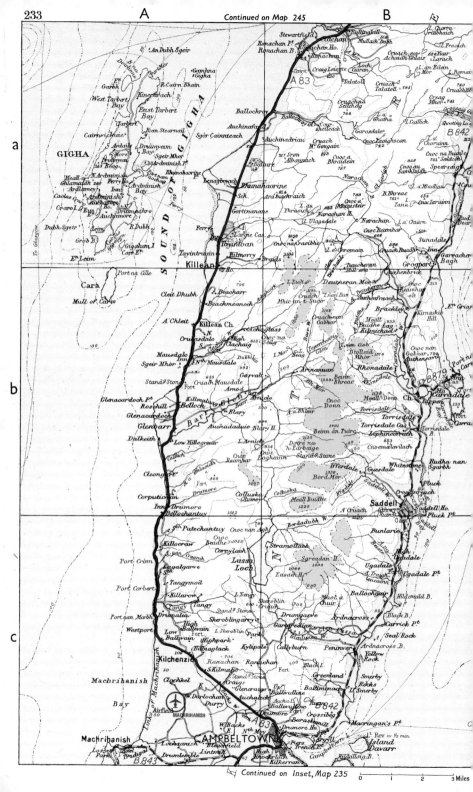

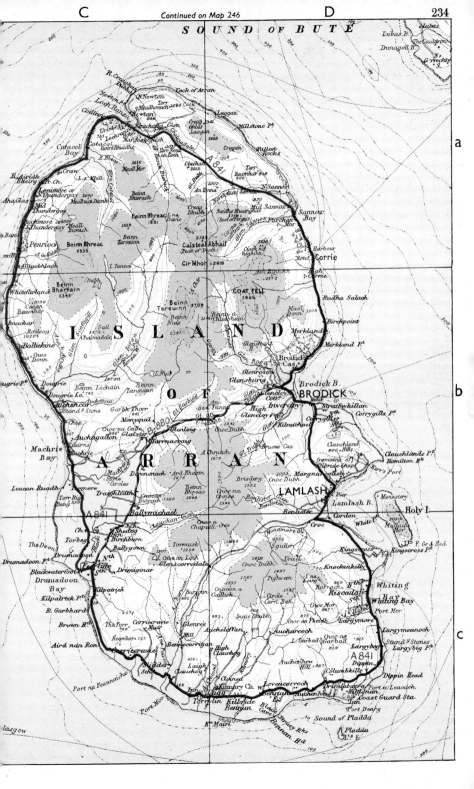

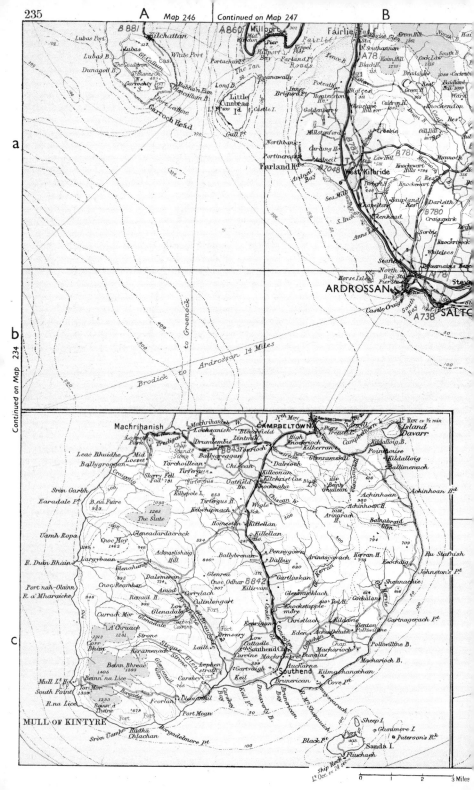

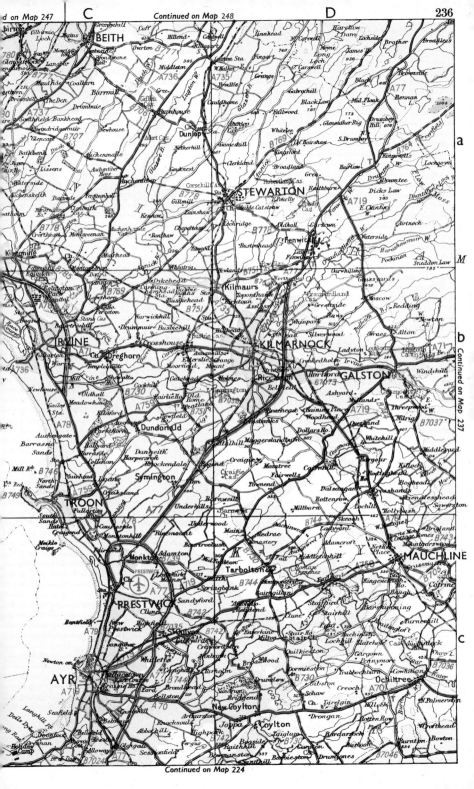

d on Map 247

a

M

Continued on Map 237

b

c

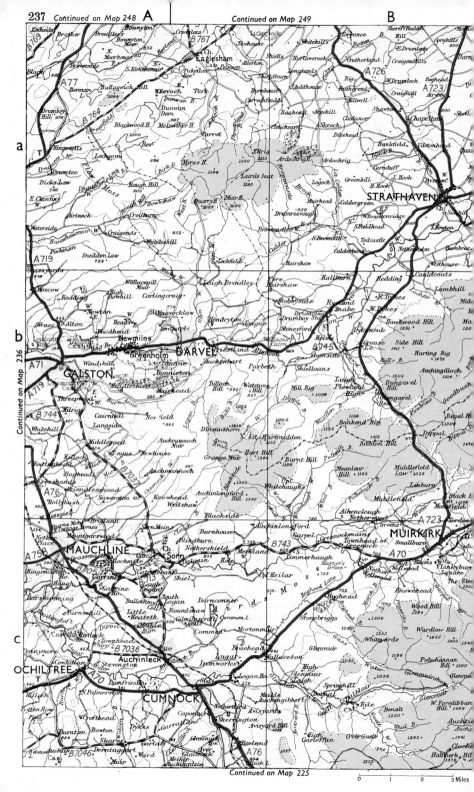

Continued on Map 236

0   1   2   3 Miles

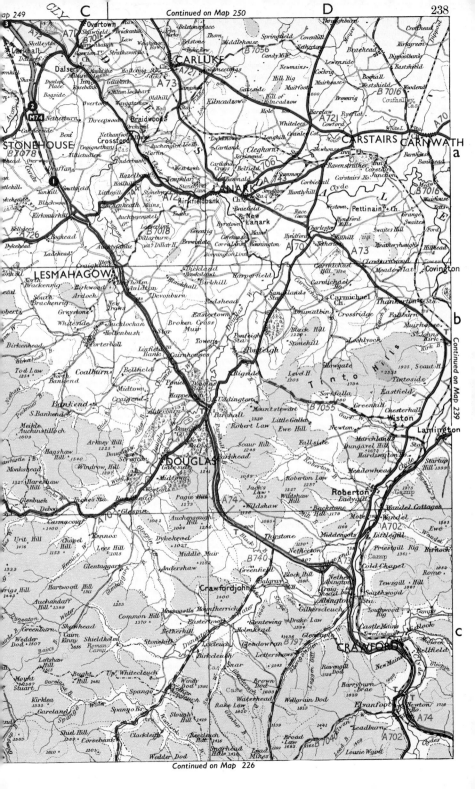

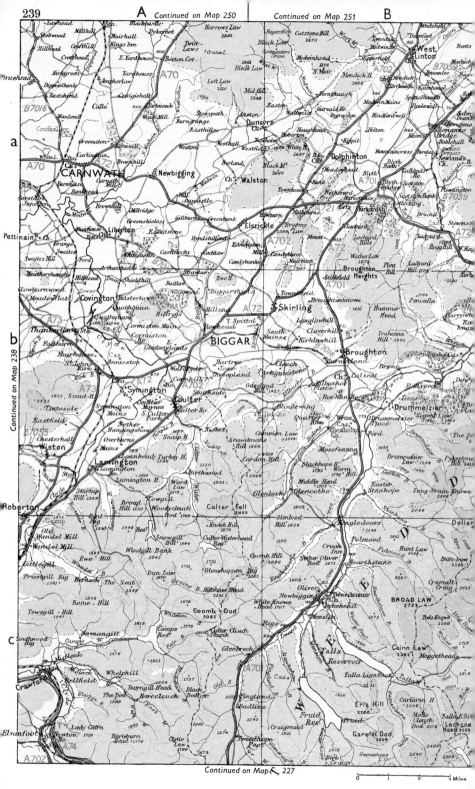

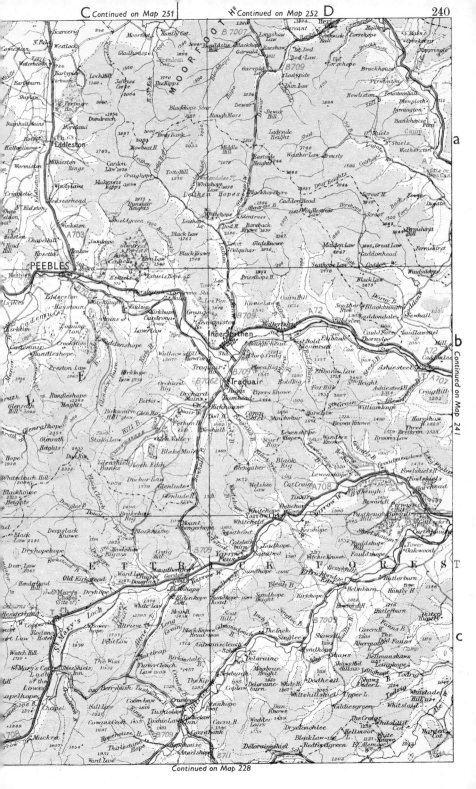

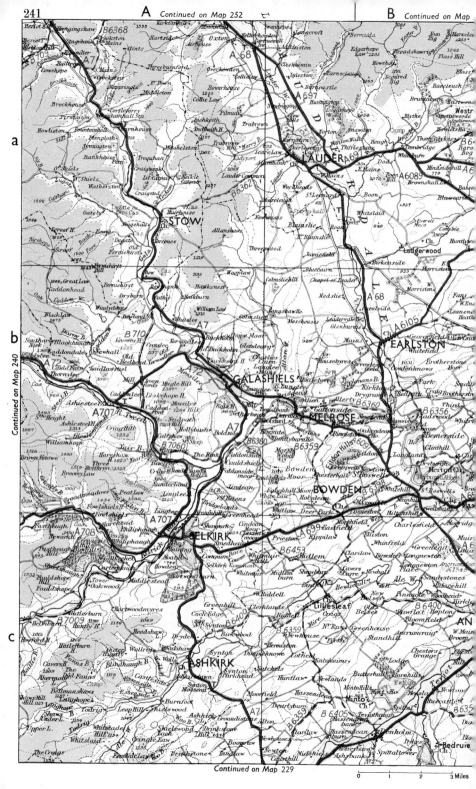

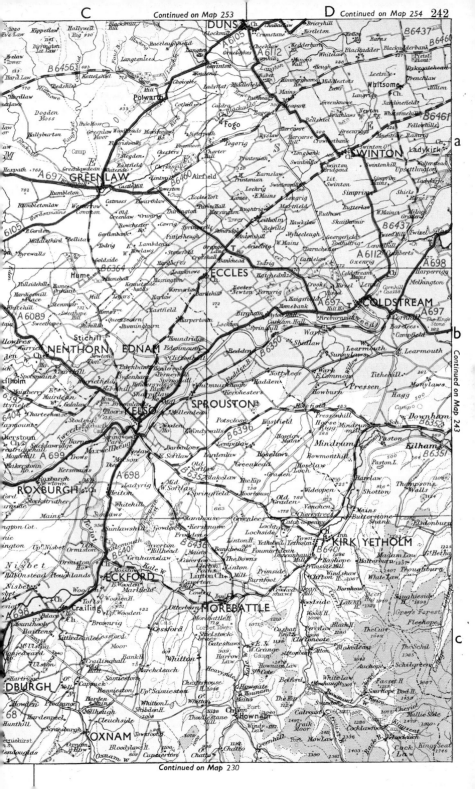
Continued on Map 230
Continued on Map 243

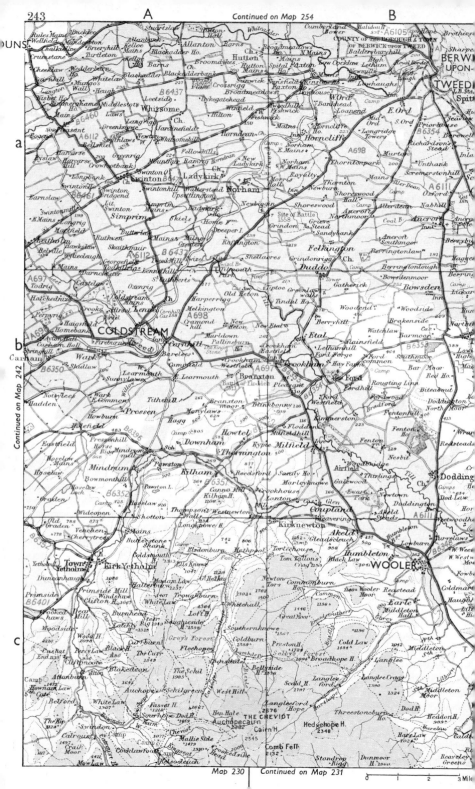

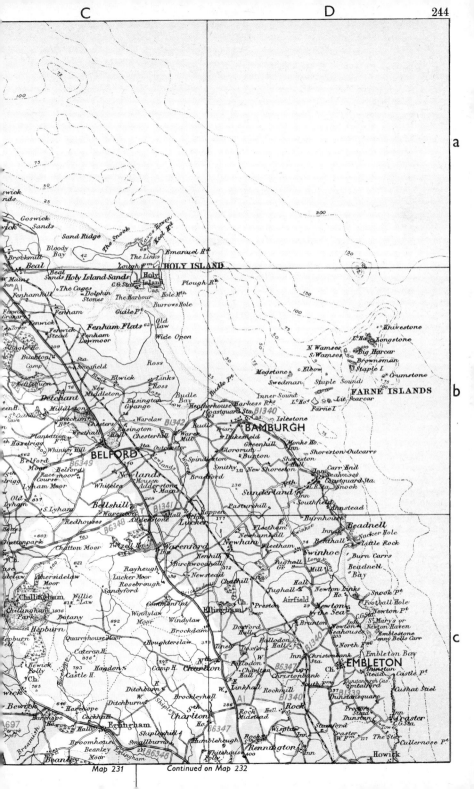

C   D

a

Goswick Sands
Sand Ridge
Bloody Bay
Beal
The Links
Emanuel Ho
HOLY ISLAND
Holy Island Sands
Holy Island
Fenhamhill
The Cages
Dolphin Stones
The Harbour
Plough Ro
Hole Mo
Burrows Hole

Fenham Flats
Wide Open
Old Law

Fenham Lowmoor
Ross

Knivestone
Longstone
N. Wamses
S. Wamses
Big Harcar
Brownsman
Staple I.
Crumstone

Megstone
Swedman
Elbow
Staple Sound
FARNE ISLANDS
Scarcar

Links
Ross
Bamburgh
Belford
Newlands
Bellshill
Warenton

b

Detchant
Easington
Chesterhill
Ware Mill
Budle Bay
Heatherhouse
Harkess Rks
Inner Sound
L.Ho.
Farne I.
Islestone

BAMBURGH
Glororum
Greenhill
Buxton
Monks Ho.
Shoreston Outcarrs

Smithy
New Shoreston
Shoreston Hall
Carr End
Seahouses
Coastguard Sta.
Snook
Southfield
Armstead

Sunderland
Pasturehill
Burnhouse
Beadnell
Nacker Hole
Little Rock

Lucker
Fleetham
Benthall
Swinhoe
Burn Carrs
Beadnell Bay

Warenford
Newham
Newstead
Tughall
Mill
Snook Pt
Football Hole
Newton Pt

Chillingham
Hepburn
Ellingham
Preston
Newton Links
Airfield
Newton by the Sea
St. Mary's or Newton Haven

Charlton
Doxford Hall
Fallodon
Christonbank
Brunton
Embleton Bay
Embleton

Eglingham
Ditchburn
Rock
Rock Midstead
Dunstan
Craster
Howick

c

Map 231

Continued on Map 232

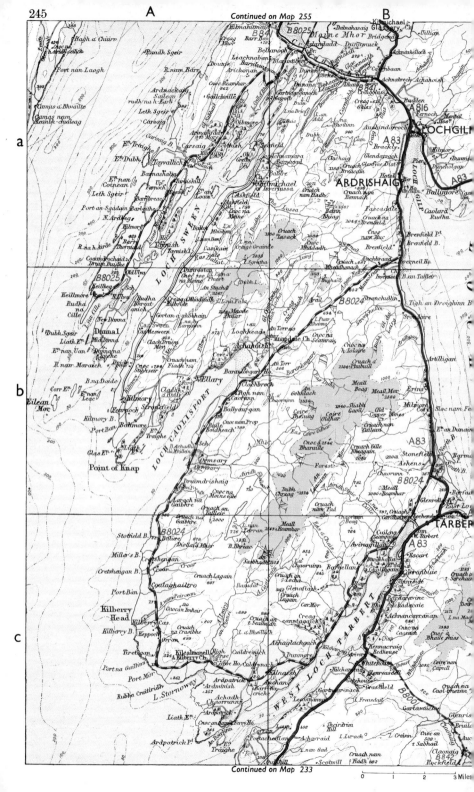

Continued on Map 255

A

B

LOCHGILP

ARDRISHAIG

TARBERT

WEST LOCH TARBERT

LOCH SWEEN

LOCH CAOLISPORT

a

b

c

Tayvallich

Keillmore

Danna I.

Kilmory

Point of Knap

Eilean Mor

Kilberry Head

Kilberry B.

Port Ban

Port na Gallion

Ardpatrick P.

Kilberry Ch.

Ashens

Stonefield

Whitehouse

Dunmore

A83

A816

A83

B8025

B8024

B8024

B8025

B8024

B841

B841

Continued on Map 233

0   1   2   3 Miles

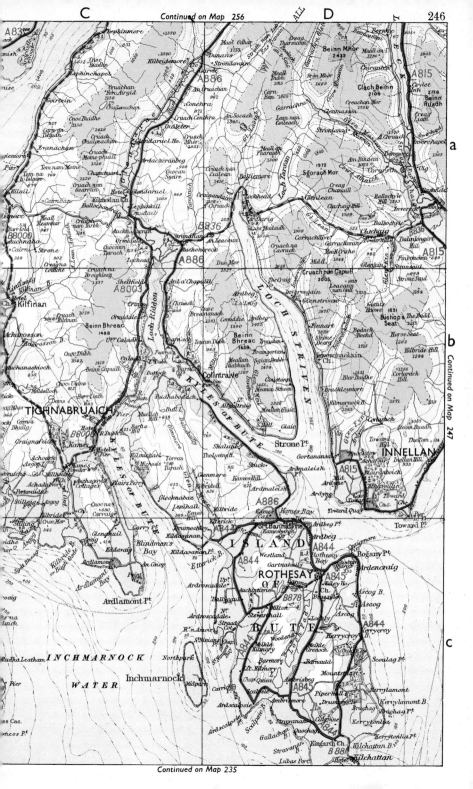

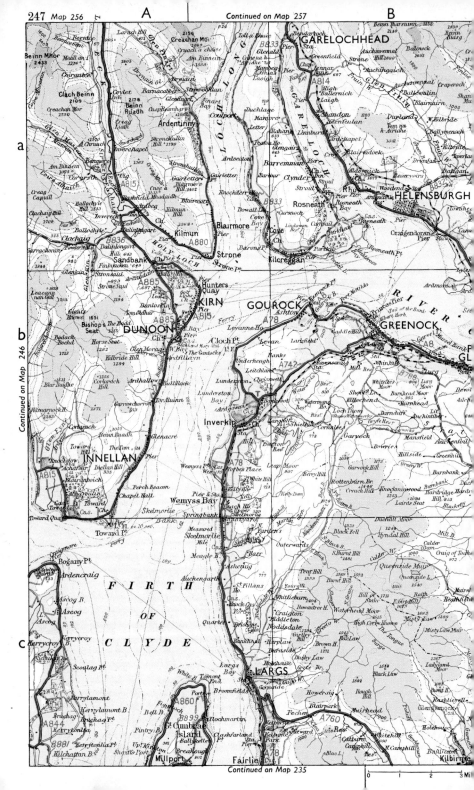

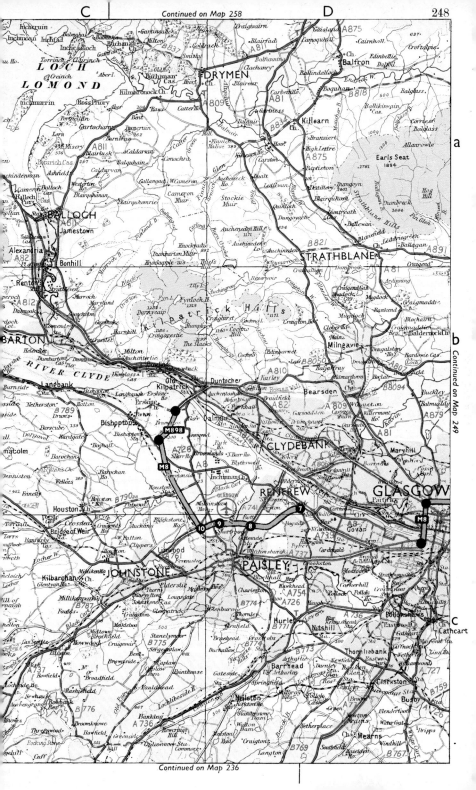

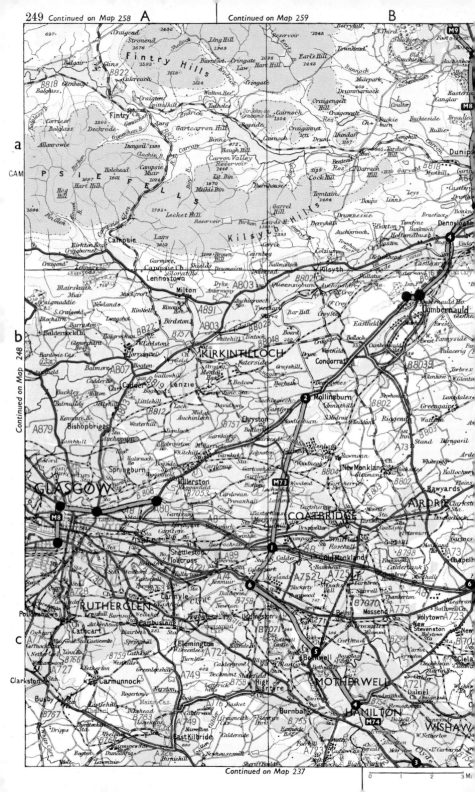

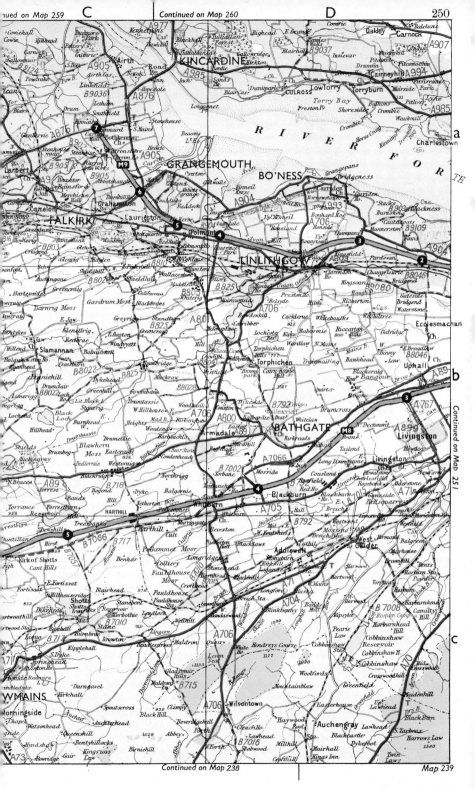

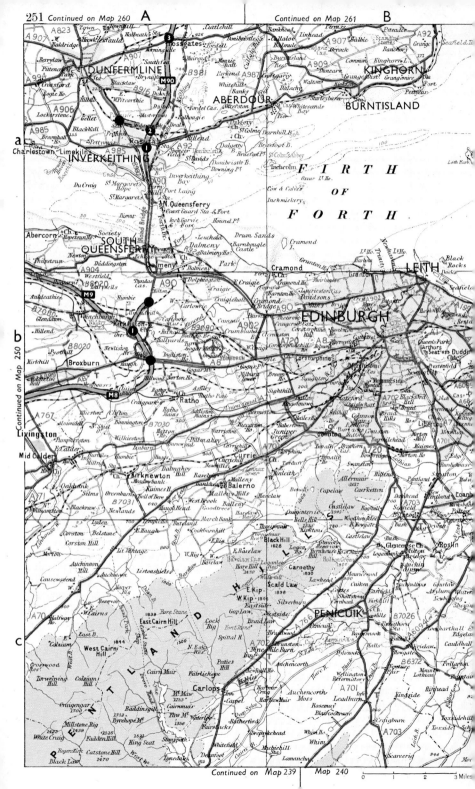

Continued on Map 260

A

Continued on Map 261

B

a

DUNFERMLINE

ABERDOUR

KINGHORN

BURNTISLAND

Charlestown · Limekilns

INVERKEITHING

ROSYTH

SOUTH QUEENSFERRY

Abercorn

DALMENY

Cramond

F I R T H

O F

F O R T H

LEITH

b

Continued on Map 250

Broxburn

KIRKLISTON

EDINBURGH

CORSTORPHINE

Livingston

Mid Calder

Ratho

KIRKNEWTON

BALERNO

CURRIE

COLINTON

ROSLIN

PENICUIK

c

West Cairn Hill

East Cairn Hill

P E N T L A N D

Carlops

Scald Law

Continued on Map 239

Map 240

0   1   2   3 Miles

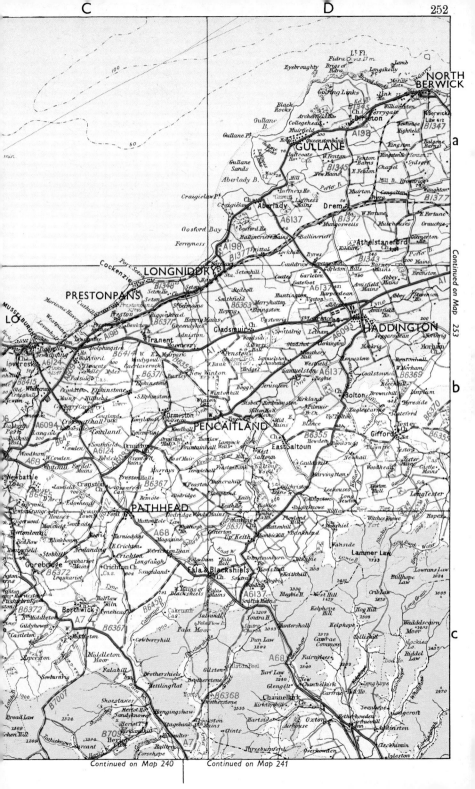

a

b

c

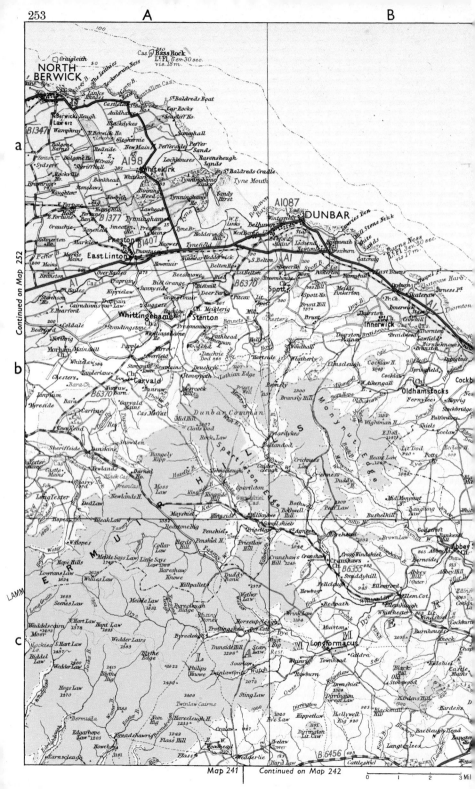

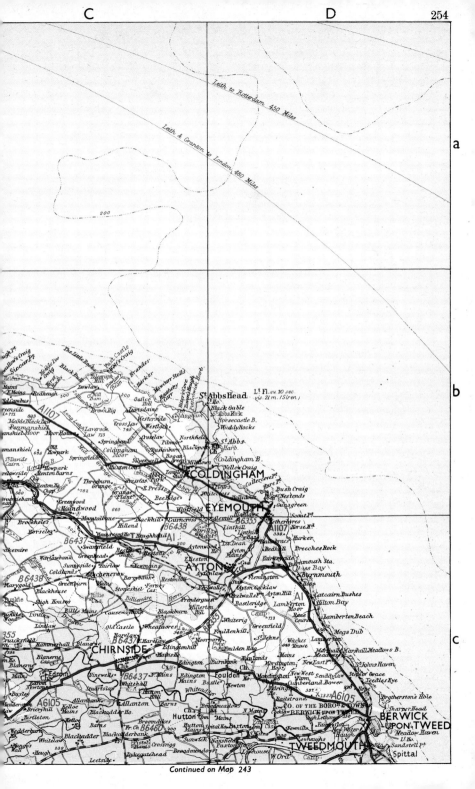

a

Leith to Rotterdam 450 Miles

Leith & Granton to London, 480 Miles

200

b

Leith to Rotterdam 450 Miles

St AbbsHead
Lt Fl. ev. 10 sec
vis. 21 m. (Siren.)
Lt Ho.

Black Gable
St Abbs Kirk
Horsecastle B.
Widdy Rocks

Northfield
St Abbs
Blackpotts
Harb.
Mid Row

COLDINGHAM
Coldingham B.

EYEMOUTH

Bush Craig
Nestends
Gunsgreen
Scout Pt.

A1107
Netherbyres
Horse Hd.
Hurker
Breeches Rock

B6355
Linthead
Linthill
Lit. Dean
Redhill
Burnerdale

Eyemouth Sta.
Hiss Bay
BURNMOUTH
Ross

Catcairn Bushes
Hilton Bay

AYTON

Lamberton
Moor
Ross
Court

Lamberton Beach

c

CHIRNSIDE

Megs Dub
Lamberton

Marshall Meadows B.

St Johns Haven
Stone Grace
Needles Eye

A6105

BERWICK UPON TWEED

TWEEDMOUTH

BERWICK
UPON TWEED
Lt. Ho.
Sandstell Pt.
Spittal

Brotherston's Hole
Sharper Head
Meadow Haven

Continued on Map 243

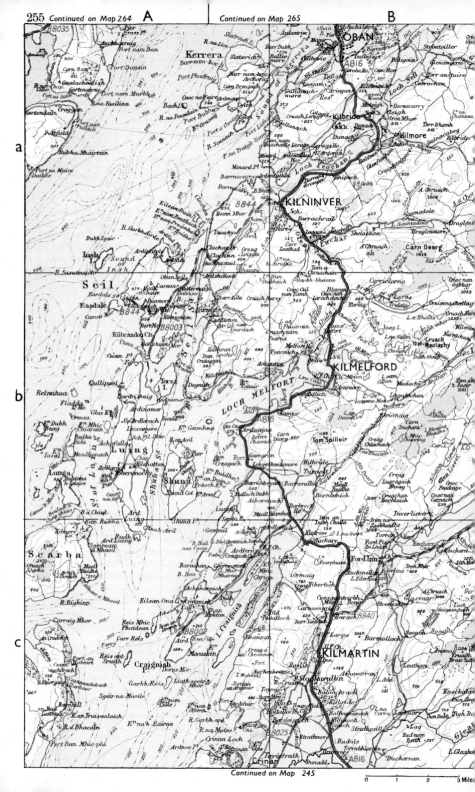

0   1   2   3 Miles

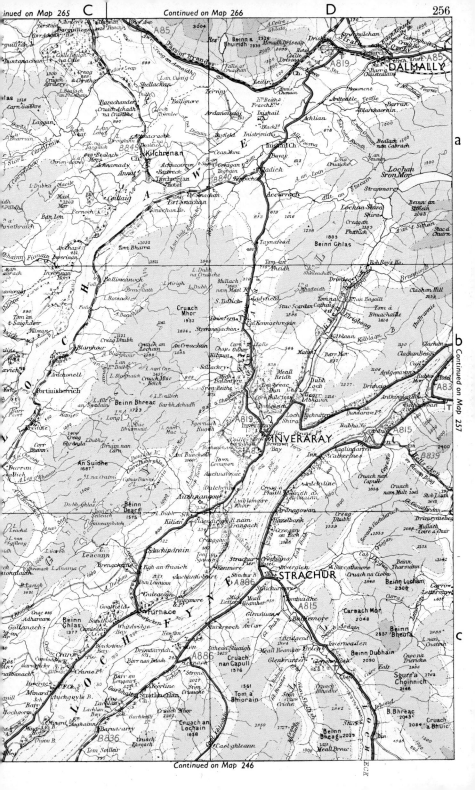

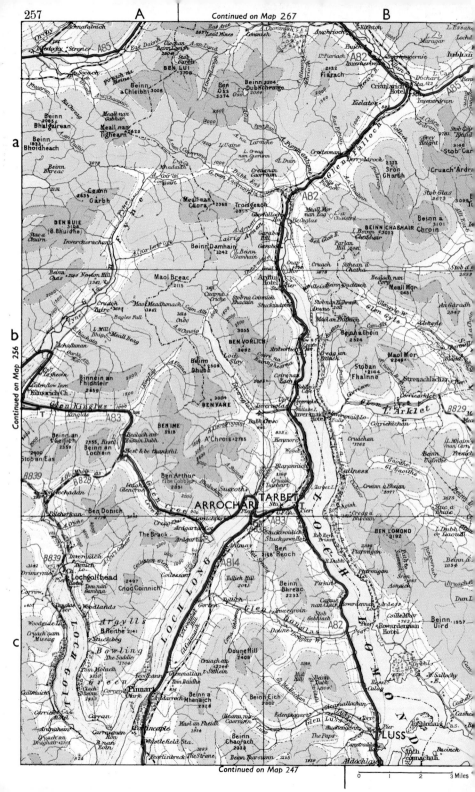

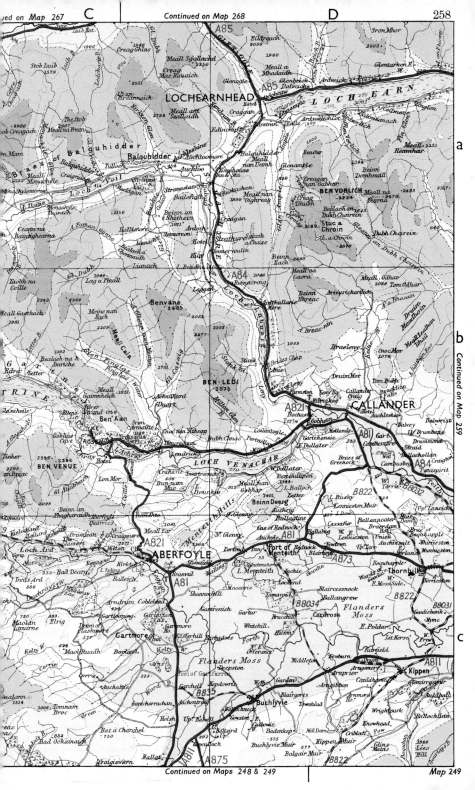

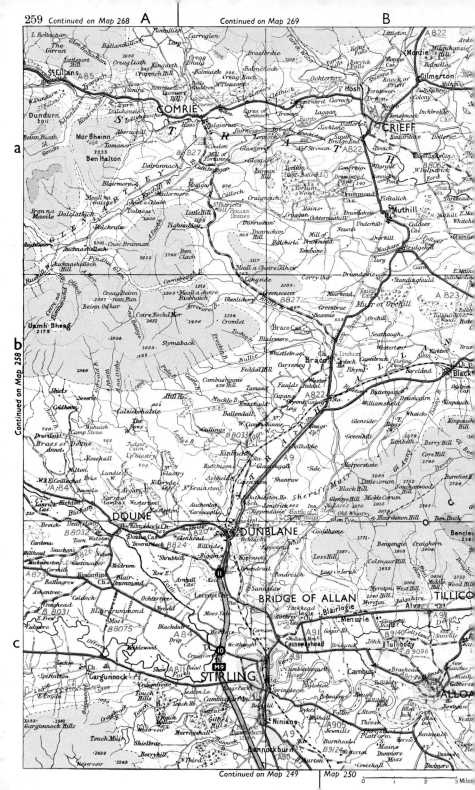

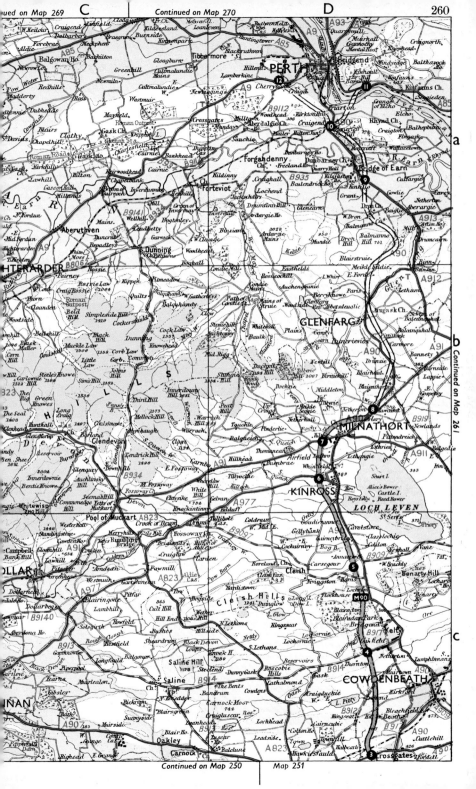

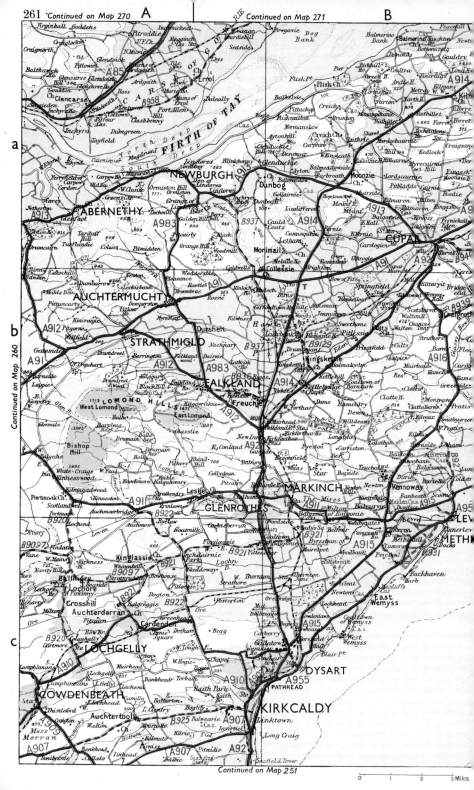

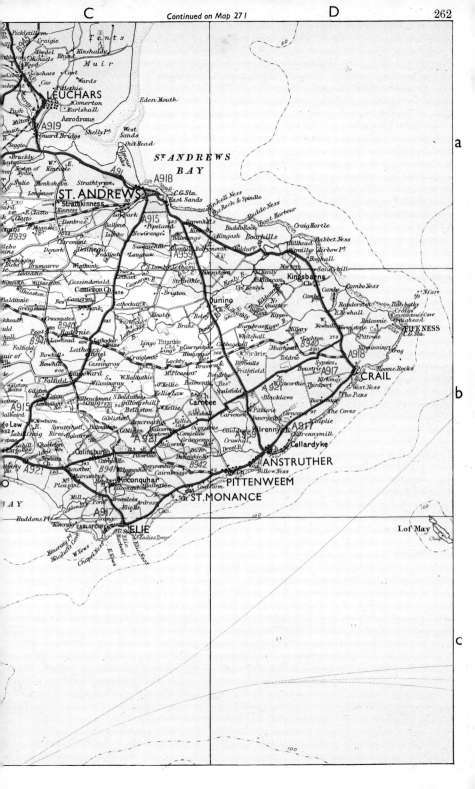

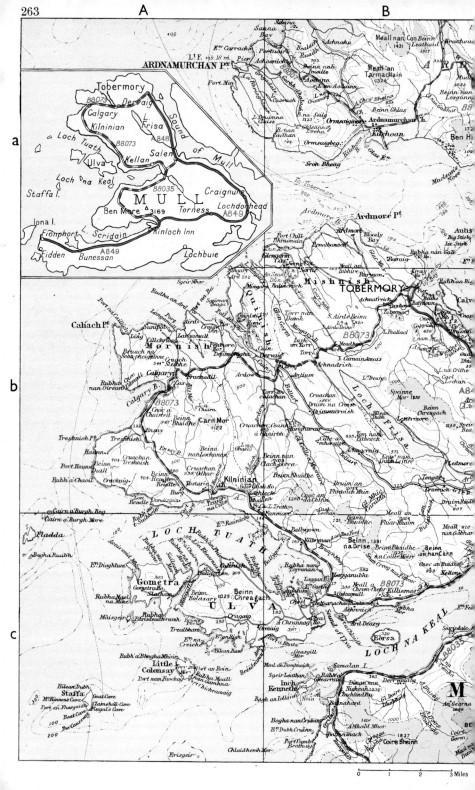

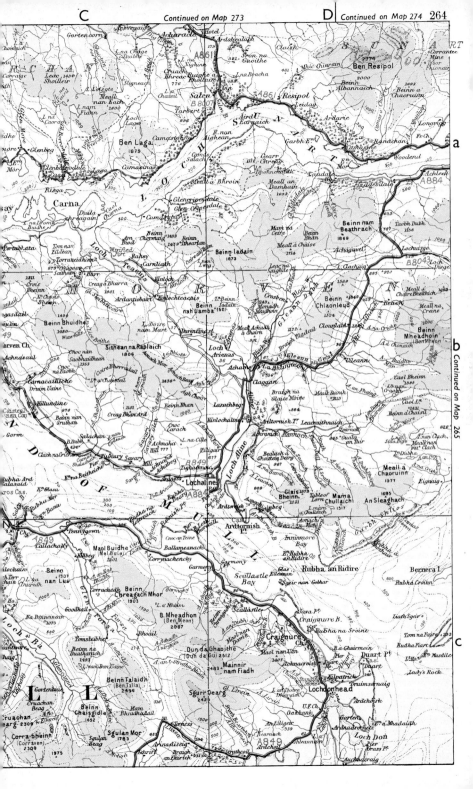

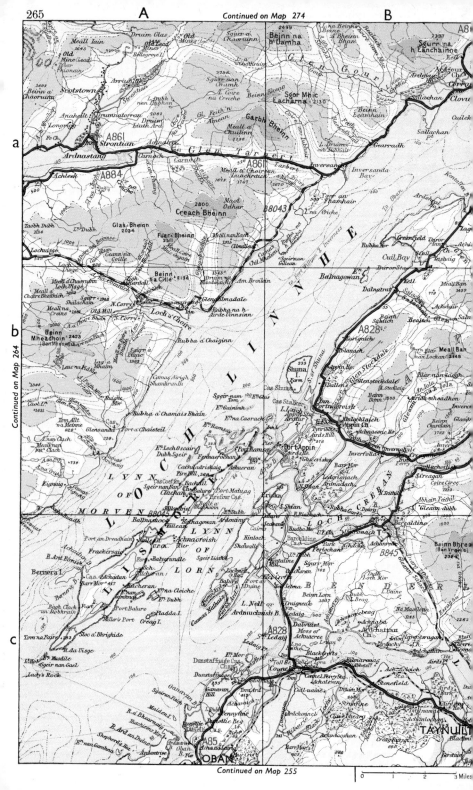

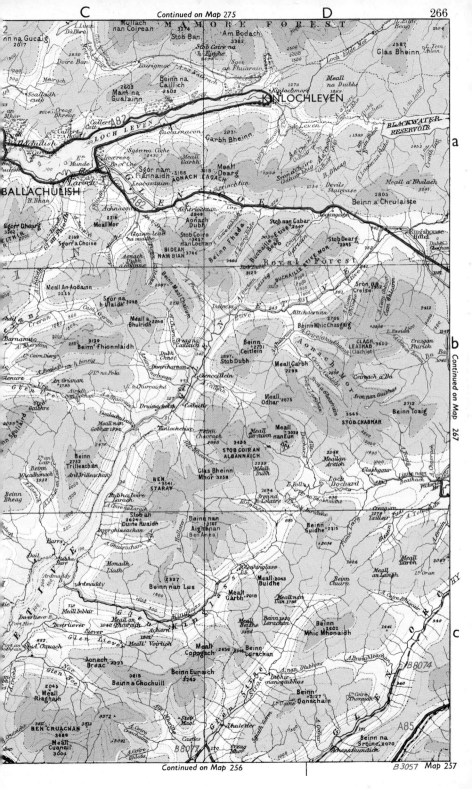

266

a

Continued on Map 267

b

c

MAMORE FOREST
Mullach nan Coirean
Stob Ban 3274
Am Bodach 3382
Stob Coire na h'Eirghe 3424
Sgor an Fhuarain
Loch Eilde Mor
Glas Bheinn 1587
Meall na Duibhe 1869
Beinn na Caillich 2502
Mam na Gualainn 2603
KINLOCHLEVEN
Kinlochmore
Loch Leven 1273
A82
LOCH LEVEN
Caolasnacon
Garbh Bheinn
BLACKWATER RESERVOIR
Callert
Sgorr na Ciche
Inveree Bn of Coe
Sgor nam Fiannaidh 3168
AONACH EAGACH
Meall Garbh
Meall Dearg
Stron choire Odhar bhig
Beinn a Chrulaiste 2805
Devils Staircase
BALLACHULISH
B. Bhan
Invercoe
Leacantuim
Aonach Dubh
Aghadh
Meall Mor
A82
GLEN COE
Aonach Dubh
Stob nan Cabar 2547
Kingshouse Hotel
Aonach Dubh a'ghlinne
Stob Coire nan Lochan 3657
BIDEAN NAM BIAN 3766
Beinn Fhada
Buchaille Etive Beag
Stob Dearg 3345
Royal Etive Forest
Meall An Aodainn 2225
Sgor na h'Ulaidh 3258
Meall a'Bhuiridh 3636
BUCHAILLE ETIVE MOR
Sron na Creise
Clach Leathad 3602
Creagan Fhirich
Beinn Fhionnlaidh 3139
Beinn Mhic Chasgaig
An Grianan 1795
Dubh Chnoc
Beinn Ceitlein 2791
Stob Dubh 2897
Meall Garbh 2299
Aonach Mor
Beinn Toaig 2712
Druimachoish
Gleann
Kinlochetive
Beinn Chaorach 2018
Glencoilein
Meall Odhar 2875
STOB CHABHAR 3565
Stob Ghabhar
Beinn Trilleachan 2752
Ard Trilleachan 1922
STOB COIR AN ALBANNAICH 3425
Meall nan Eun
Meall Tarsuinn
Loch Dochard
Beinn Bheag
Glas Bheinn Mhor 3258
Sron a'Lolaire
Stob an Duine Ruaidh 2698
Beinn nan Aighenan 3141 Ben Anea
Beinn Suidhe 2215
Meall Garbh
Monadh Liath
Beinn nan Lus 2327
Clashgour
Meall an Laraigh 2087
Meall Inbhir
Clashinglass Lb.
Meall 2043 Buidhe
Beinn Chuirn
Beinn Mhic Mhonaidh 2602
Glen Liever
Meall an Fhiudair 1942
Meall Voirligh
KINGLASS
Meall nan Caorach
Meall Bethe
Beinn Larachan
Aonach Breac 2323
Meall Copagach 2656
Beinn Larachan
Beinn Eunaich 3242
Beinn a'Chochuill
Beinn Donachain 2127
BEN CRUACHAN 3689
Meall Cuanail 3004
Stob Maol
Castles
Beinn na Sroine 2070
B8074
A85
B3057 Map 257

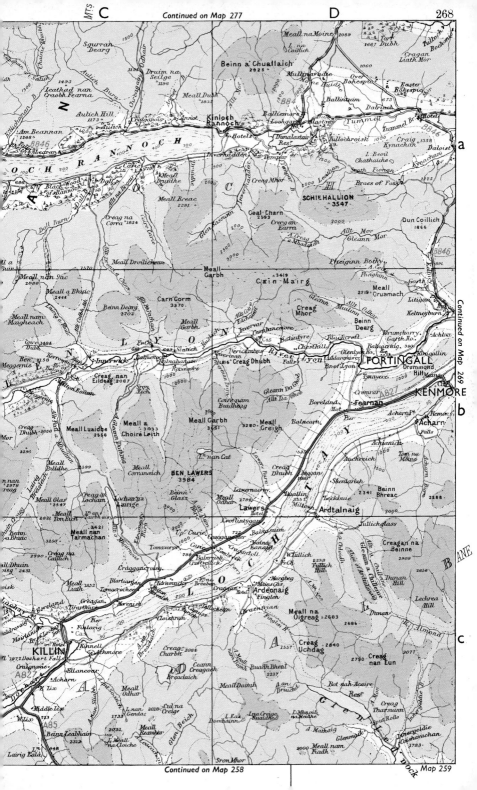

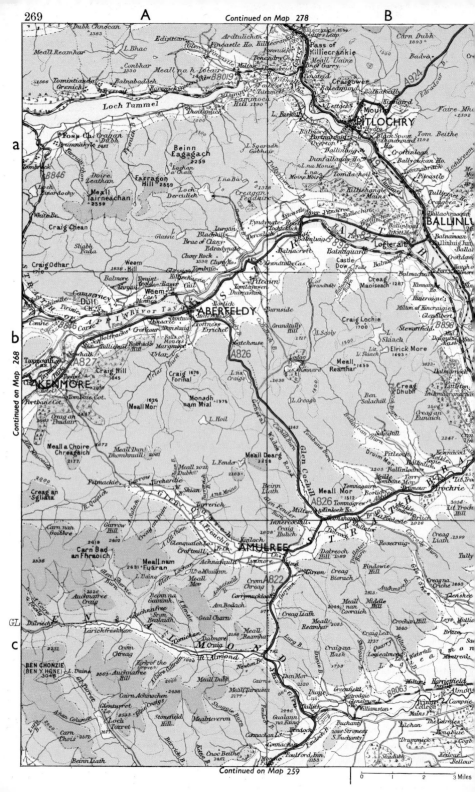

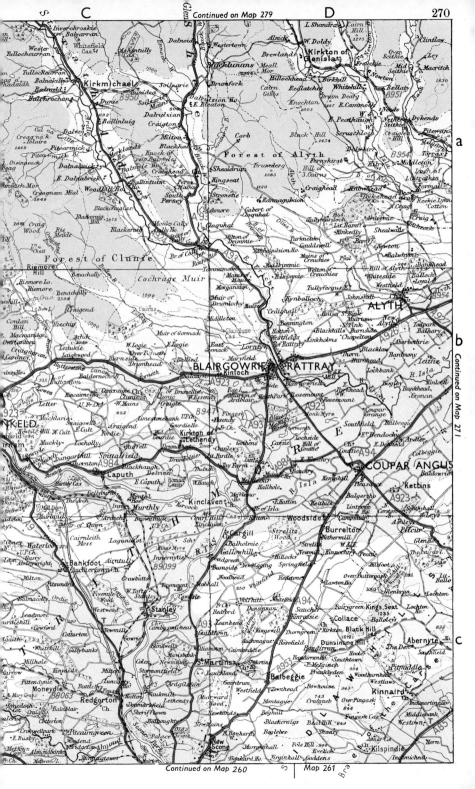

C

D

a

Continued on Map 271

b

c

Inver-chroskie
Balyarran
Wester
Tullochcurran
Dalnoid
Westerton
L. Shandra
Cairn
Hill
1273
Clintlaw
Whitefield
Cas.
Ashintully
Dalnoid
Brewlands
Buchanans
Meall
Mor
Hillockhead
Cairn
Gibbs
W. Doldy
Kirkton of
Glenisla
Bellaty
Over Scithie
Ley
Frauchie
Newton
Mid
Saithie
Macritch
1630
B951
Kirkmichael
Dunie
B950
Soilzarie
Soilzarie
Mains
Dalrulzion Ho.
E. Bleaton
Drumfork
Birkhill
Whitehills
Drum Dearg
Knockton
1605
E. Cammock
W.
Peathaugh
Scruschloch
Neuks
Dykends
Craigen
Hill
Over
Seithie
Torras
Formal
Pitewan
Balnakilly
Ashintully
Cas.
1290
Ballinluig
Milton
Blackhall
Knock of
Balmyle
Dalrulzion
Craigton
Corb
Black Hill
1454
Forest of Alyth
E. Gannochy
B954
Middleton
Reekie
Lyon
Cotton
Pitcarmick
Dalreoch
Merklands
Ho.
Woodhill Ho.
E. Dalnabreck
Balmyle
Ballintuim
Peter
Macks
South
Persey
Shealdrum
Kingseat
1220
Drumderg
2283
Hill of
3 Cairns
Pernyhirst
Craighead
Ardminn
Kilry
Laundin
Craig
Creag
Creagnam Meal
1842
Blackcraigas
Ashmore
Gabert of
Cloquhat
Cally B.
Craighead
Hutcheson
Craig
Craig
Wood
Craignam Mial
Blackcraig
Hill 1673
Blackeraig
Cally Ho.
Cloquhat
Olive B.
Gullyhardoch
Lit. Bamff
Kinkelly
Shealwalls
Forest of Clunie
Br. of Colla
Roshinloch
Milton of
Drimmie
Parkneuk
Gauldswell
Bamff
Newton
Balwhymie
Riemore
Benachally
Cochrage Muir
Mains of
Drimmie
Mid Drimmie
Mains of
Creuches
Welton of
Creuches
Hill of Alyth
Whiteside
Westside
Balloch
Loyal
Riemore Lo.
Riemore
Benachally
1594
Morganstan
Muir of
Drumlochy
Tullyfergus
Fullyfergus E.
Johnstone
B954
ALYTH
A927
Conlan
Hill
Dow L.
Craigend
Aldclune
Cairns
Middleton
Glasclune
Cas.
Craighall
Kinballoch
Hill of St. Fink
Blacklaw
Murton
St. Fink
New
Alyth
A926
Talporn
Bamff
Over Ashmore
Craigbriach
Lethendy
Drumhead
W. Logie
Over Fernach
E. Logie
East
Maryfield
Lornty
Hatton
Westfields
Rattray
Blackhills
Linkholms
Burnside
Chapelton
Aberbothrie
Blacklaw
Bardmony
Leittie
U. Fr. Ch.
Cas.
BLAIRGOWRIE
Kinloch
RATTRAY
Burnhead
Lochbank
Borgie
Bankhead
Cronan
Kinloch
R. Isla
TKELD
Hill Cult
W. Mains
Cinerracht Ch.
Cas.
Tr. of Drumellie
W. Essendy
Clunie
Cas.
Craigie
Rae L.
Wharton of
Ardblair
Side
Blairgowrie Ho.
Heath Park
Rosemount
Rosemount
Parkhead
B947
Limestonebank
Ess of Gourdie
Kirkton of
Lethendy
Drumlie
Pitfoddels
Craigend
Cairle Ho.
Craigie
Essendy
Fr. Ch.
Newmyln
Lunan B.
Bleaty
Gothens
Carsie
Stormouth
Hill of Rossie
Cas.
Kinmyre
Monk Myre
A923
E. Bendochy
E. Drimmie
Newhouse
Coupar
Grange
Balbrogie
COUPAR ANGUS
Caputh
Dungarthill
Spittalfield
Drumsleid
Thornton
Cully Ho.
Auldness
Jordie
Ballied
Bleaty
Owens
Drumbuie
Easter Furdie
Tay Farm
Meikleour
Halholme
Bauchry
Coupar
Grange
A94
E. Bendochy
Anchor
Colbeggie
Balgersho
Pleasance
Kettins
Muckle-
Nether
Mill Dam
The Arch
Gellyburn
Ardoch
Murthly
Kinclaven
Cas.
W. Haugh
Meikleour
Hallhole
E. Hatton
Keithick
Kemphill
Campmuir
Lintrose
Corston
Spittyhall
Leys
Murthly
Cargill
Balholmie
Gallowhill
Strelitz
Wood
Strelitz
Woodside
Newmill
Burrelton
Nethermill
Ashley
Pitcur
Lit.
Ballo
Bankfoot
Auchtergaven Ch.
Aickmuir
Innernytie
Gallowhill
Burnside
Newbigging
Springfield
Kinpoch
Peattie
Hillfoot
Over Buttergask
Glen Ho.
Lochton
Pitsundie
Crawbutts
Raemyre
Robhall
Woodhead
Whitefield
Redstone
Lawton Ho.
Fivemile
Wood
W. Tofts
Stanley
Campsie
Lit.
Ballo
Balmacolly
Ordie
Leadmore
Coturton
Newmill
Westwood
Blindwell
Mavisbank
Camdeddie
Wolfhill
Redford
Dunsinnan
Whitelaws
Kingswell
Rosefield
Kinrossie
Sauchie
Kirkton
Fairygreen
Collace
Dunsinane Hill
Black Hill
Kings Seat
1235
Ballaley's
Abernyte
Millhole
Kinvaird
Milton
Colen
Stormontfield
St. Martins
Gairdrum
Bandirran
Southtown
Woodhurnhead
Westlaws
Pitmiddle
Whitefield
Leadmore
Gorford
Coturton
Ardgilzean
Westfield
Balbeggie
Saucher
St. Marys
Moncydie
Redgorton
Ch.
Waukmill
Denmarkfield
Sheriftown
Muirward
Wood
Newlands
Boghall
Blackcraigs
Over Fingask
Fingask Cas.
Middlebank
Westown
Kilspindie
New
Scone
Old
Scone
Murrayshall
Firginhull
Pole Hill
344
Evelick
Shanry
Kinnaird
Inchmartine
Horn

Map 261

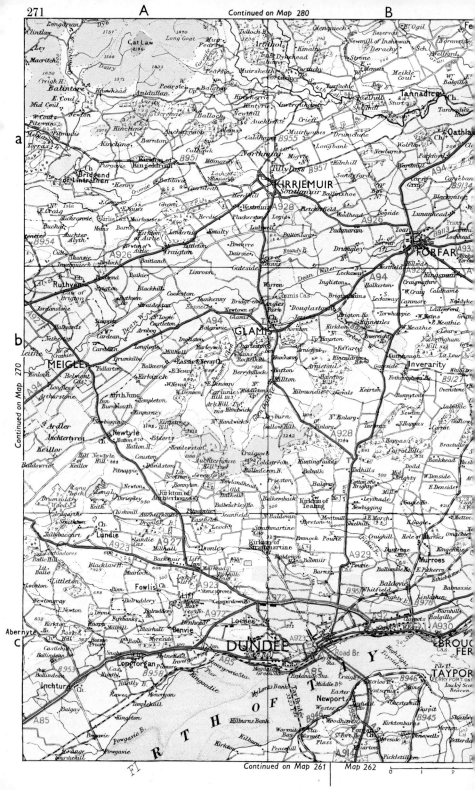

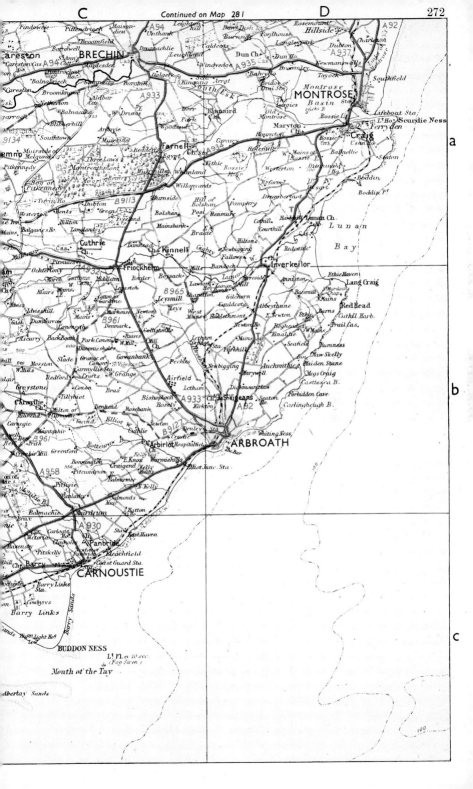

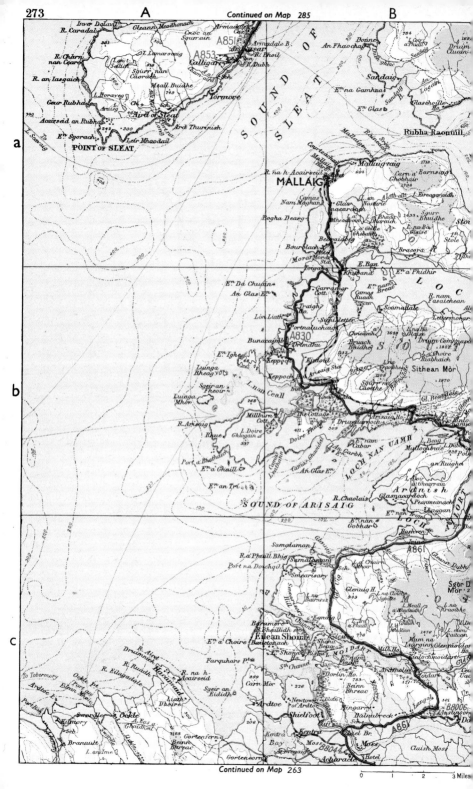

Continued on Map 285

A

B

a

b

c

Iver Dalavil
R. Caradal
Gleann Meadhonach
Armadale C²
A851
A853
Cnoc an Sgurrain
Armadale B.
Knock Cas.
T. Phoill
Calligarry
R. Dubh
Smirisary
Loch Lamarsaig
Spurr nan Caorach
L'nit Sellet
Meall Buidhe
Tormore
Geur Rubha
L. Horavey
L. Aruisg
Schenaval
Ard of Sleat
Acairseid an Rubha
Ard Thurinish
Leir Mhaodail
E⁰ Sgorach
POINT OF SLEAT

SOUND OF SLEAT

An Fhaochag
Doune
Drum Cluain
E⁰ na Gamhna
Sandaig
Sandaig
Glaschoille Ho.
Rubha Raonuill
E⁰ Glas

R. na h'Acairseid
MALLAIG
Mallaigvaig
Carn a' Earnsaig
Chobhair
L. Eireagaraidh
Sgurr Bhuidhe
Camas Nam Maghan
Glas Eilean
An Vasterie
L. na Ba Glaise
L⁰ Stole
Bogha Dearg
Bourblach
Bracora
Benlraigbeg
Morar Mon² Sta.
E. Ban
E⁰ nam Breac
R. nam Fasaichean
E⁰ Da Chuirn
An Glas E⁰
Garradhor Cott.
Camas Ruadh
Scamadale
Lettermorar
Loch
Lon Liath
Traigh Ho.
Sgùil Sletter
Chrieanh
Druim Comhnard
Luinga Bheag
Portnaluchaig
Bunacaimb
Ormsaig
Keppoch
Kinloid
Brunach Buidhe
La Choire Riabhach
E⁰ Ighe
Keppoch Ho.
Arisaig Sta.
Sithean Mòr
Sgeir an Fheoir
Luinga Mhòr
L. nan Ceall
Sgurr na Caoithe
Millburn Cott.
The Cottage
Arisaig Ho.
R. Arisaig
Rhue
L. Doire Ghlogain
Doire Shuege
Druimindarroch
Beag
E⁰ nan Uabar
Mullochbuie
Port a' Bhathaidh
Comas Lischaum
An Garbh
LOCH NAN UAMH
Ardnish
E⁰ a' Ghaill
An Glas E⁰
Glasnacardoch
E⁰ an Trì
R. Chaolais
E⁰ nan Eun

SOUND OF ARISAIG

LOCH
AILORT
A861

Samalaman I.
R. a' Phuill Bhig
Samalaman
Port na Doighil
Smearisary
Glenuig
Gleniug H.
Ardtoe I.
Branault
Kilmory
Swordle
Ockle
E⁰ a' Choire
Eilean Shona
Baramore
Bailetonach
E⁰ Shona
Risga
Farquhar's Pt.
Sh. Channel
Carn Mòr
Ardtoe
Newtown of Ardtoe
Shielfoot
Kentra Bay
Arivegaig
Gorteneorn
Kentra Moss
Mingarry
Balnabreck
Shiel Br.
Achaderry
Moss
Hotel
B8044
A861
B8006

Continued on Map 263

0   1   2   3 Miles

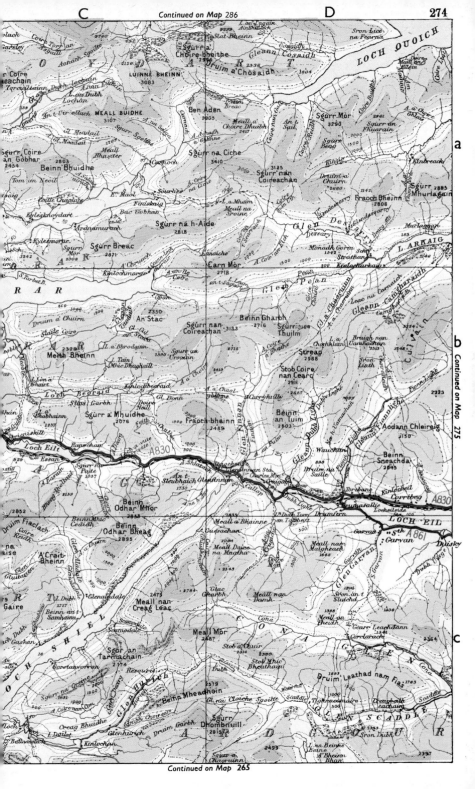

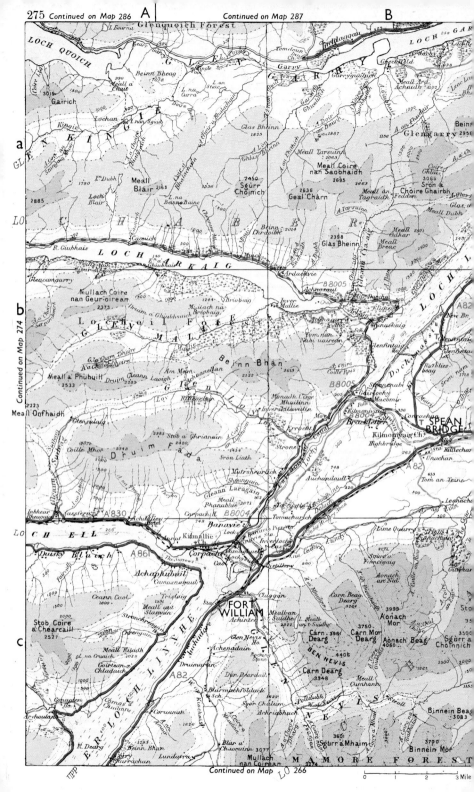

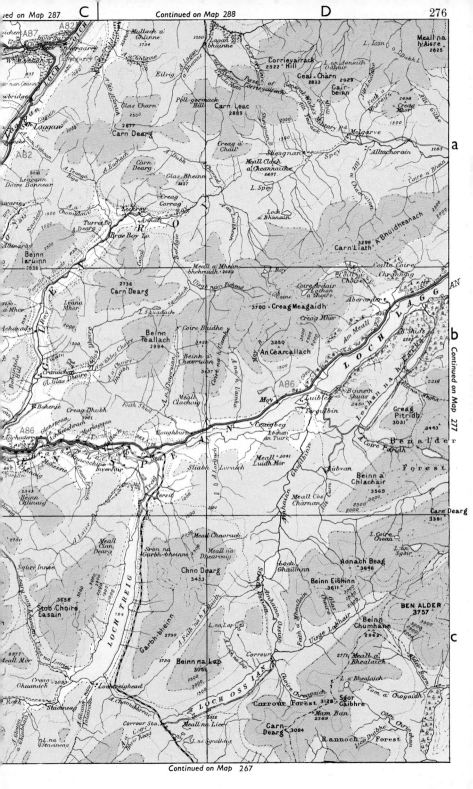

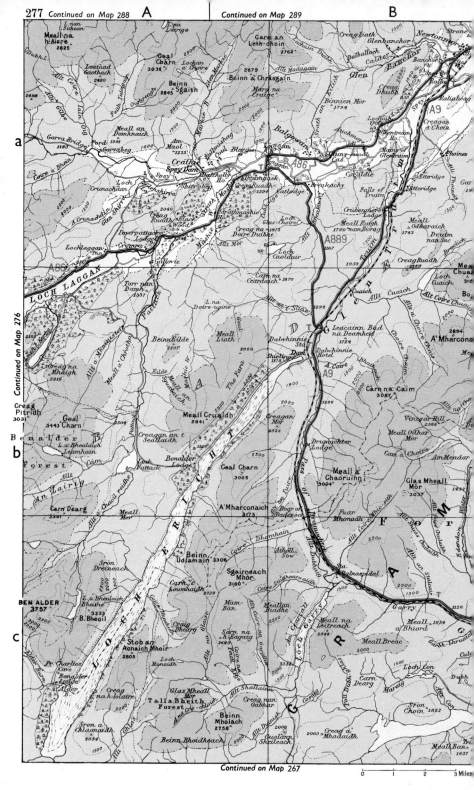

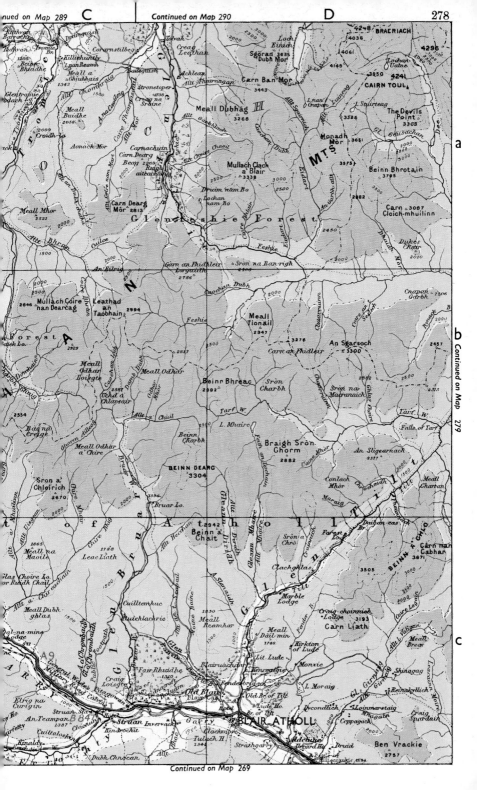

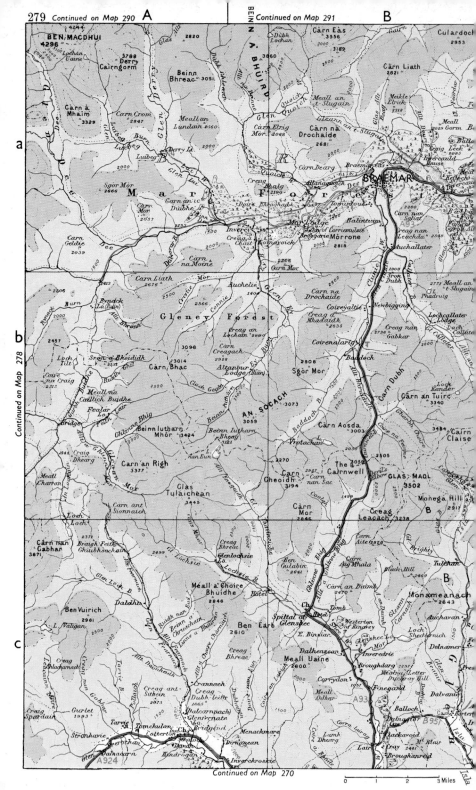

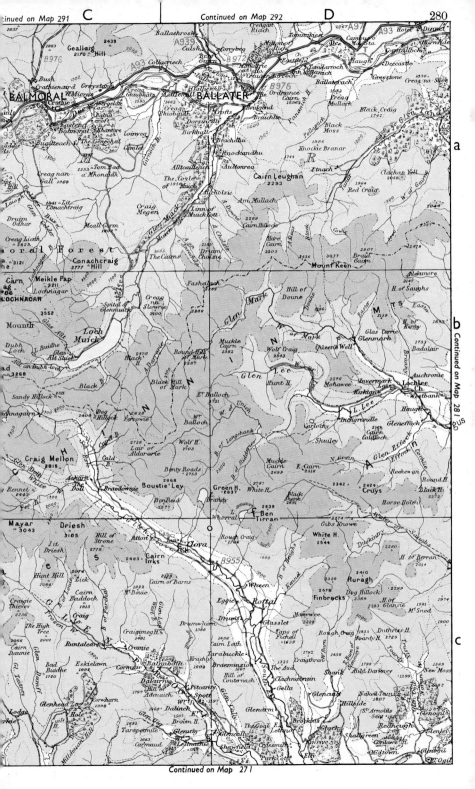

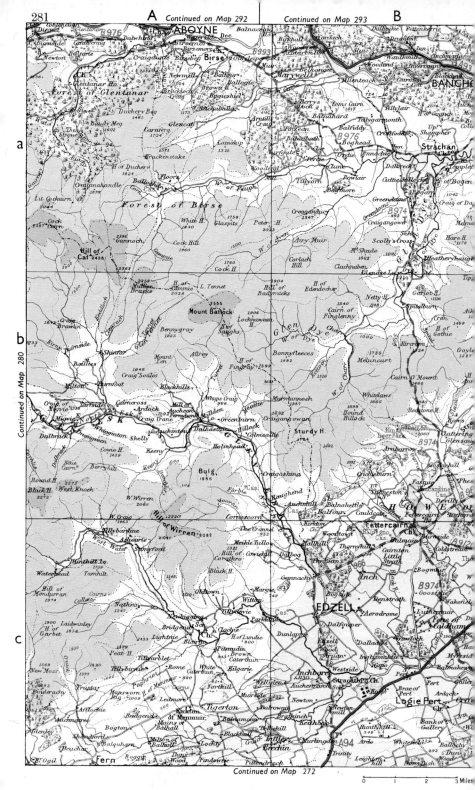

281

Continued on Map 280

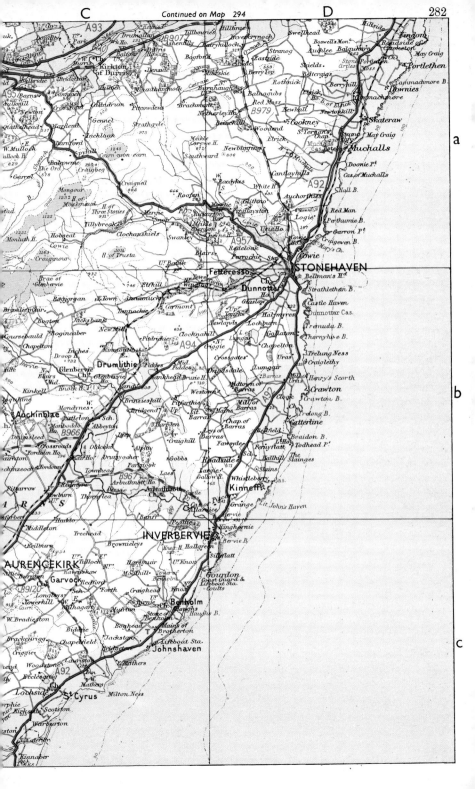

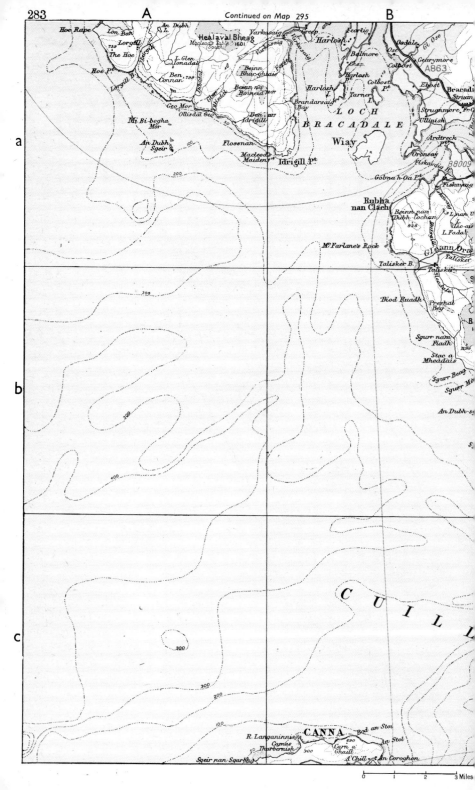

Continued on Map 295

A

B

a

Hoe Rape

Lon Bah

Lorgill

The Hoe

Hoe P^t.

Largill R.

An Dubh L.

Healaval Bheag
Macleod's Table (South) 1601

Varkasaig

Varkasaig

Greep

Ecarlie

Harlosh

Ben Connar

L. Glen Ionadal

Beinn Bhac-ghais

Beinn na Boineid 720?

Ben. 717
Idrigill

Ballmore
Chap.

Harlosh
Chap.

Harlosh
P^t.

Colbost
P^t.

Oisdale

Gearymore

Colbost

Ebost

Struanmore Fr.

A863

Bracad:
Struan

Geo Mor

Ollisdal Beo

Ossdal

Mi Bi-bogha Mor

An Dubh Sgeir

Flossnan

Macleod's Maidens

Brandarsaig Bay

Tarner

Idrigill P^t.

LOCH
BRACADALE

Wiay

Ullinish

Ardtreck
P^t.

Oronsay

Fiskavaig B.

B8009

100

200

Gôbna h-Oa P^t.

Rubha
nan Clach

Fiskavaig

Beinn nam
Dubh-lochan
828

L. nan U
Ulic-ail
L. Fada

McFarlane's Rock

Gleann Oraa

Talisker B.

Talisker

Talisker

b

300

300

400

Biod Ruadh

Preshal
Beg

Sgurr nam
Fiadh

Stac a
Mheadais

Sgurr Beag

Sgurr Mo

An Dubh-sg

c

C U I L L

200

300

200

100

CANNA

R. Langaninnis

Camas
Tharberush

Sgeir nan Sgarbh

Carn a'
Ghaill

A'Chill

Bod an Stol

An Stol

An Coroghon

0   1   2   3 Miles

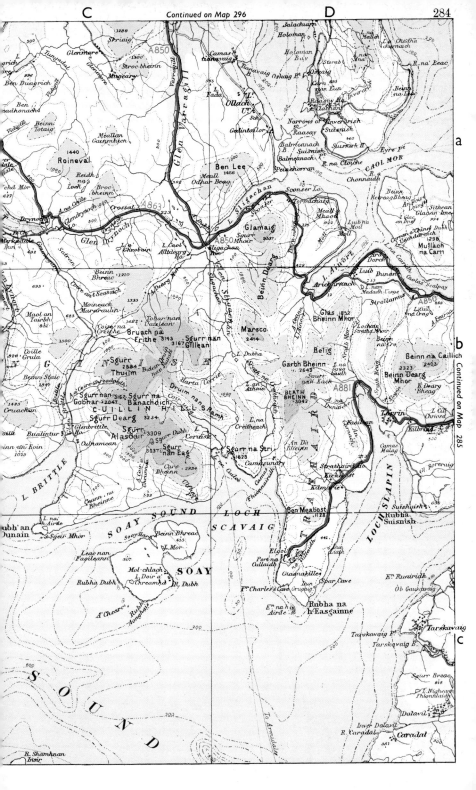

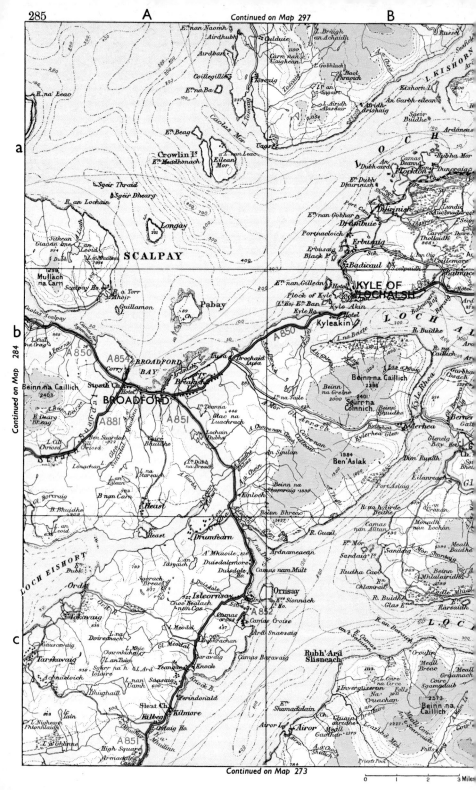

a

Continued on Map 284

b

c

Eᵗ nan Naomh
Airdhubh
Airdban
Coillegillie
Toscaig
Eᵗ na Ba
Eᵗ Beag
Crowlin Iˢ
Eᵗ Meadhonach
Eilean Mor
Sgeir Thraid
Sgeir Dhearg
R. an Lochain
Longay
Sithean
Glasan Ime
L. an Leoid
Dubh
La Chaimn
Mullach
na Carn
Scalpay Ho.
Guillamon
SCALPAY
Pabay
Caolas Scalpay
A 850
A 851
BROADFORD
BAY
Corry
Ardnish
BROADFORD
Beinn na Caillich
Strath Ch.
A 881
A 851
Ben Suardal
Coire
Bhuidhe
Lochan
Dubha
Heast
B nan Carn
Heast
Drumfearn
A' Mhaoile
Duisdalemore
Dukdale
Ho.
Ord
Isleornsay
Ornsay
A 852
Tokavaig
Camas Croise
Tarskavaig
Knock
Achnacloich
Teangue
Knock B.
Ferindonald
Sleat Ch.
Kilbeg
Kilmore
Ostaig Ho.
High Square
Armadale
Cas.
A 851

L. KISHORN
Maol
Fhraoich
Kishorn L.
An Garbh-eilean
Sgeir
Buidhe
Rubha Mor
Duncraig
L O C H
Erbusaig
Black Fᵗ
Badicaul
KYLE OF
LOCHALSH
Drumbuie
Plockton
Eᵗ nan Gillean
Hotel
Plock of Kyle
Kyle Akin
Kyle Ho.
Hotel
KYLEAKIN
Beinn na Caillich
Beinn
na Greine
Sgurr na
Coinnich
Ben Aslak
Kylerhea
Kylerhea Glen
Din Ruadh
Kinloch
Beinn na
Sgamraig
Beinn Bhreac
R. Guail
Ardnameacan
Camas nam Mult
Camas
nan Alltan
Sandaig
Eᵗ Mor
Sandaig Iˢ
Beinn
Mhialairidh
Rudha Caob
Chlamrau
R. Buidhe
Glas E.
Rubh' Ard
Slisneach
Invergusseran
Beinn na
Caillich
Eᵗ
Shamadalain
Airor Iˢ
Airor

0   1   2   3 Miles

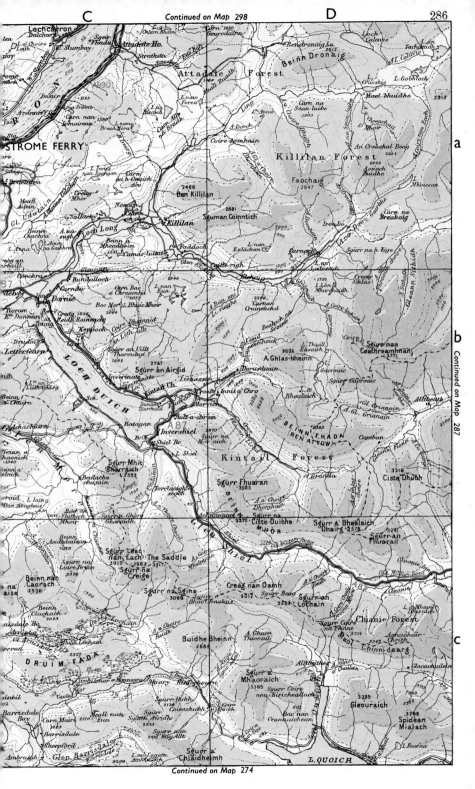

Continued on Map 287

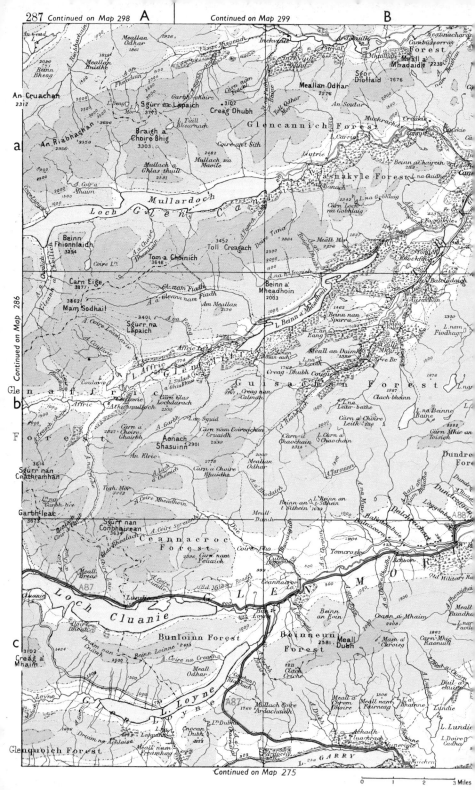

Continued on Map 286

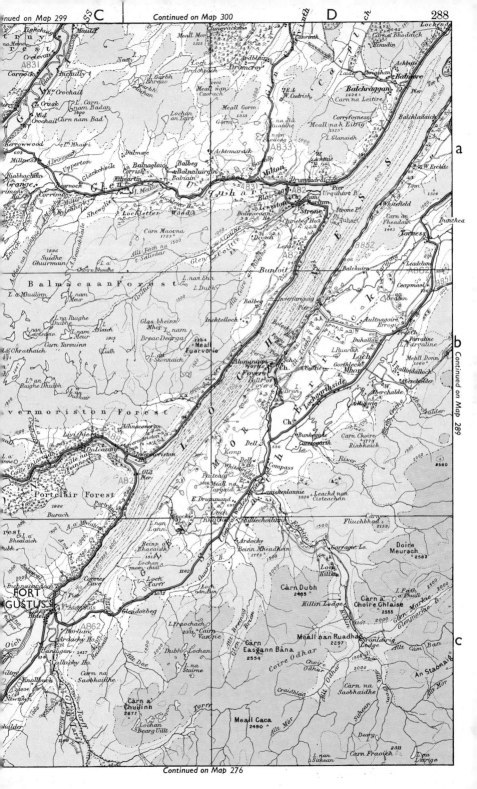

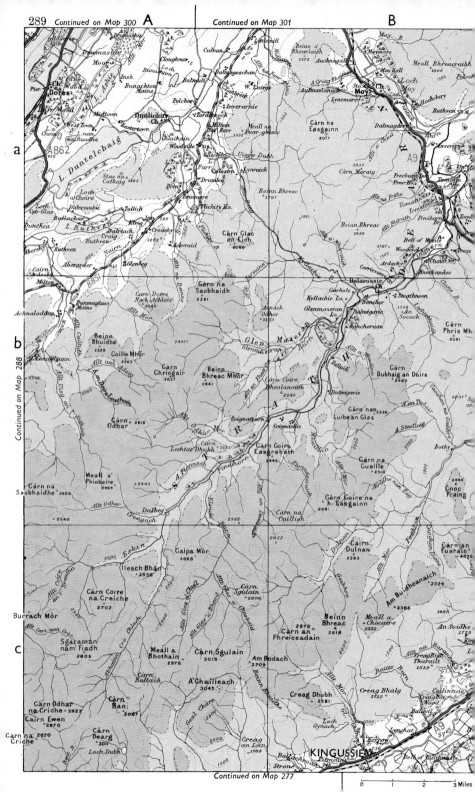

Continued on Map 288

a

b

c

Moy
Loch Moy

Càrn na Easgainn
2017

Càrn Moraig
1832

Beinn Bhreac
1797

A9

Càrn Clach an Eich
2086

Freeburn Inn

Tomatin

Dell of Wyvis
Woodend

Dalmagarry

Invereen

Corrievorrie

Dalarossie Ch.

Càrn Phris Mh.
2021

Càrn na Saobhaidh
2321

Garbole

Kyllachie Lo.

Glennamxeran Lo.

An Socach

Banchor

Dalmigavie

Dunchoruan

Beinn Bhuidhe
2329

Coille Mhòr
2203

Càrn Chriogair
2637

Beinn Bhreac Mhòr
2641

Glen Mazeran

Tulloch

Càrn Dubhaig an Doire
2462

Càrn Odhar
2618

Coignafearn

Coignashie

Càrn Coire Bhealanaich
2240

Càrn nan Luibe an Glas
2326

Meall a' Phiobaire
2464

Lechtar Dhubh

Càrn
2133

Càrn Coire Easgrabath
2449

Càrn na Cuaille
2319

Cnoc Fraing
2444

Càrn na Saobhaidhe
2658

Dalbeg

Càrn Coire na h-Easgainn
2591

Càrn na Caillich

Càrn an Fuarain
2270

Calpa Mòr
2668

Ileach Bhàn
2538

Càrn Sgulain
2606

Càirn Dulnan
2393

Am Buidheanach
2324

Burrach Mòr

Càrn Coire na Creiche
2702

Càrn an Fhreiceadain
2878

Beinn Bhreac
2618

Meall a' Chocaire
2332

An Suidhe
1755

Sgaraman nam Fiadh
2805

Meall a' Bhothain
2975

Càrn Sgulain
3015

Am Bodach
2709

Creag Bhalg
1712

Collintuie

Càrn Odhar na Criche
2927

Càrn Ban
3087

A'Chailleach
3045

Creag Dhubh
2581

Loch Gynack

Càrn Ewen
2870

Càrn na Criche

Càrn Dearg
3011

Geal Charn

Creag an Loin
1788

KINGUSSIE

Loch Dubh

Dores

L. Ashie

L. Duntelchaig

A862

L. Ruthven

B851

Dalcrombie

Aberarder

Dunmaglass Mains

Achnaloddan

0   1   2   3 Miles

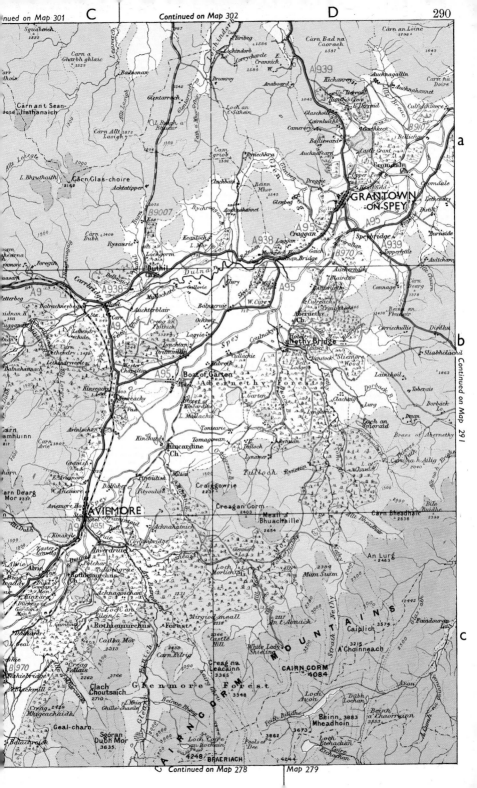

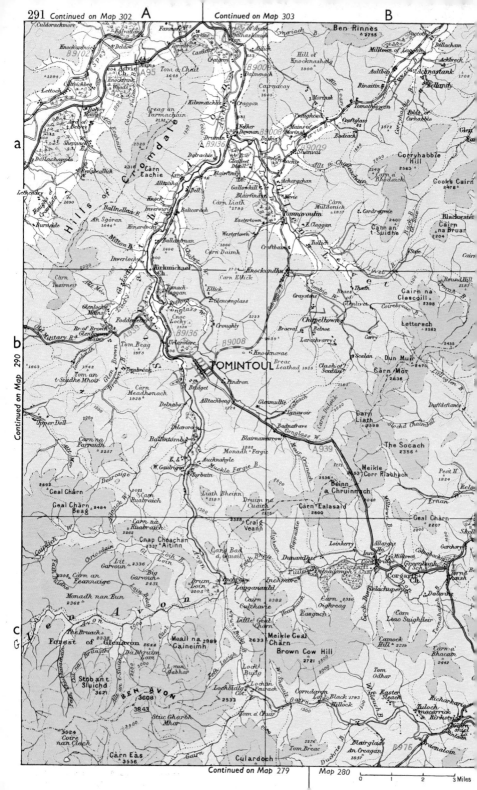

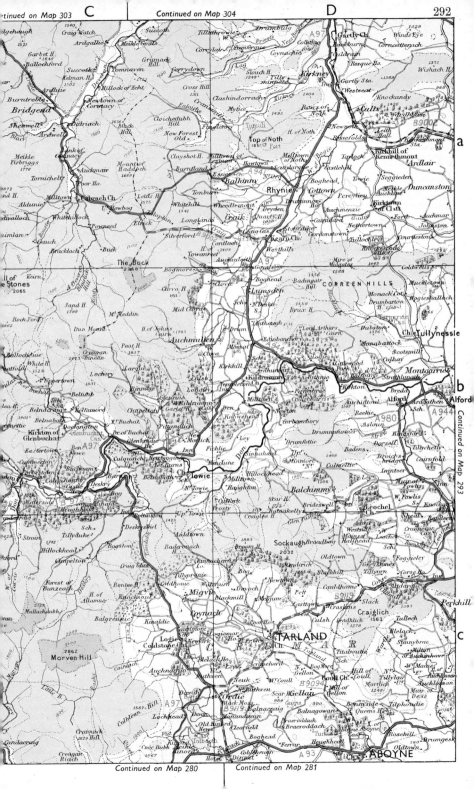

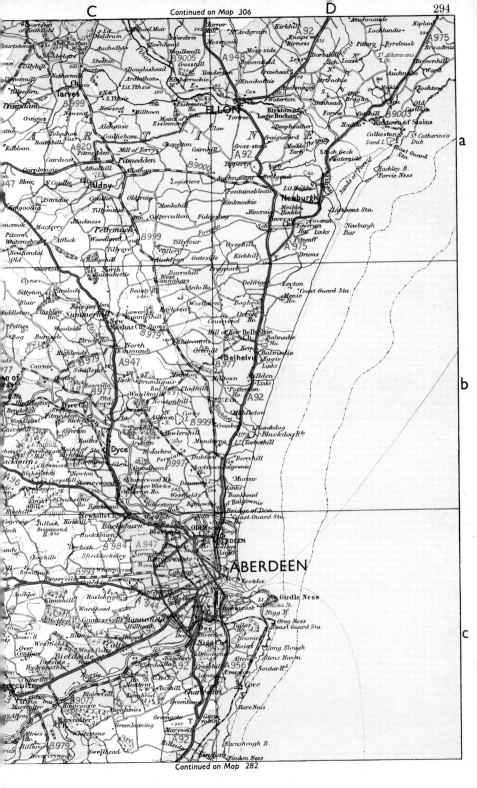

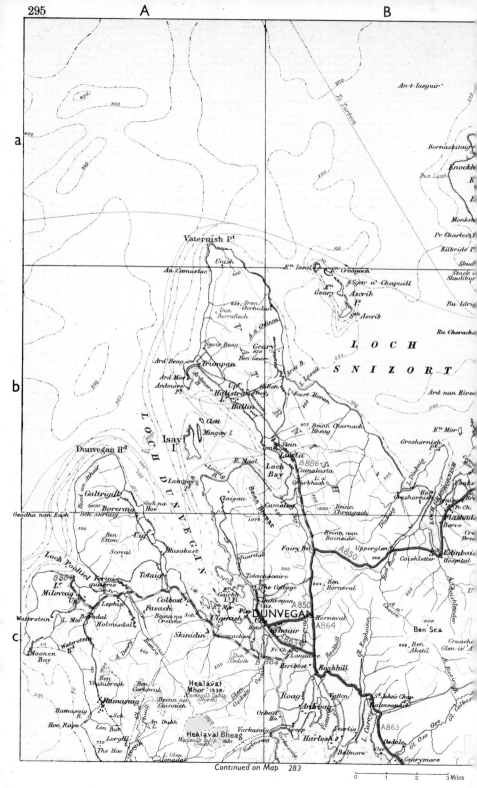

Continued on Map 283

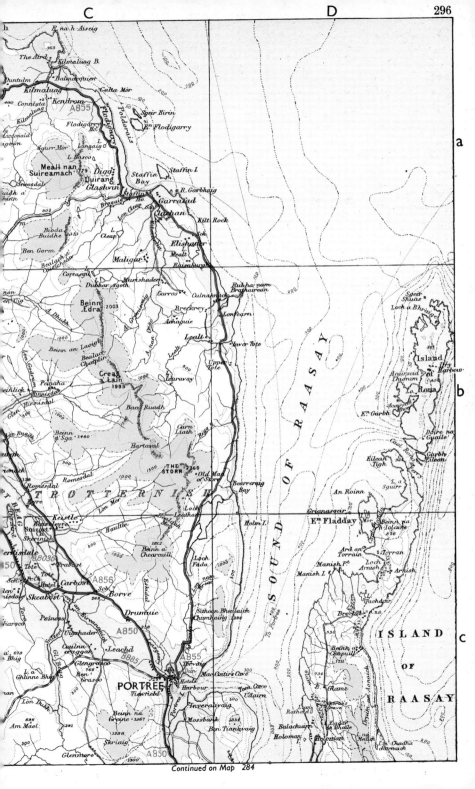

a

b

c

SOUND OF RAASAY

Island
of
Rona

ISLAND
OF
RAASAY

TROTTERNISH

PORTREE

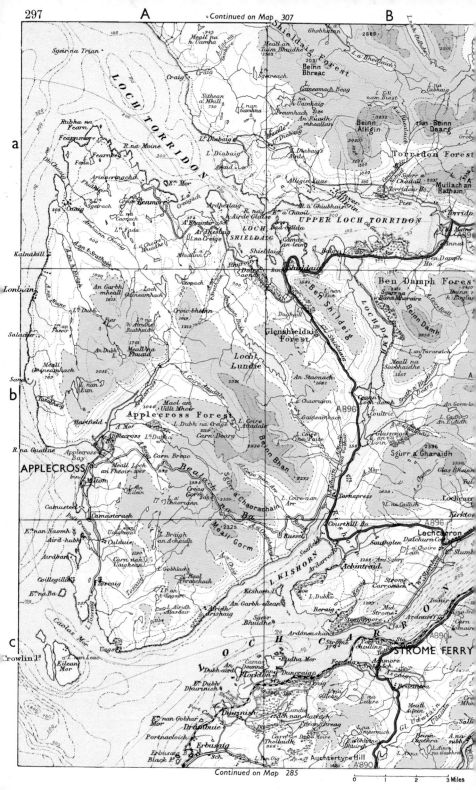

A
B

Continued on Map 307

a

b

c

Sgeir na Trian

LOCH TORRIDON

Rubha na Fearn
Fearnmore
Fearnbeg
R. na Moine
Fada
Arinacrinachd
Fuaigh
Lr. Diabaig
L. Diabaig
Amad
Craig Craig
Craig
Sithean a' Mhill 730
Ln. Gamhna
L. nan Gamhna

Kenmore
Cr. Mor
Creagach
L. Diabaig
Beag
L. Diabaigs Airde
Alligin Shuas

Meall na h' Uamha
Sgearach
Beinn Bhreac
Meall an Tuirc Bhuidhe
L. na Gaineamhach Beag
L. na Uamhaig
Freumhach
An Ruadh mheallan
L'n. na Vamhaig

L. a' Ghobhainn
L. a' Bhealaich

Beinn Alligin
3232

Beinn Dearg

Torridon Forest

Ardheslaig
A' Bhainte
Ard' reilaig
Ln. a Creige
L' na Caorach
R. nan Airde Glaise
R. na Chaoil
R. a' Ghiubhais
Bad Callda
Camas an-leum
Torridon Ho.
Pier
Mullach an Rathain

Kalnakill

An t-Srathan

Kenmore

LOCH SHIELDAIG
Shieldaig
Rhu-ard
Doire aonar
Inn.
Shieldaig

UPPER LOCH TORRIDON

Torridon
Annat
Dan. Damph Ho.

Ben Damph Forest
Sgurra Bana Mhoraire
3251

Beinn Damh
2958

Lonbain

An Garbh mheall
1615

L. Gaineamhach

Ceopach

Creag bheinn
1610

Glensheildaig Forest

Ben Shieldaig

Loch Damh

Salachie
Sand

L. Dubh
Fiar L.
L'n. an Fheoir
An t-Abruidhe Riabhaidh
1701
Meall na Fhuaid
An Dubh L.

Meall Gaineamhach 763

L. nan Eun
2051

Loch Lundie
Coire Attadale

An Staonach
1682
Gaineamhach
L. Coire na Paire

L. a' Chaorann
Ceann Loch-damh
Coultrie
L. an Turararaich

Meall na Sarbhaidhe
1107

L. Turararaich
Seoch a' Bhadhaich Dearg

Tisabaig

Applecross
Maol an Uillt Mhoir
1044
L. Dubh na Creige
Carn Dearg
Beinn Bhan
1836

L. Coire Attadale
Beinn Bhan
2232

Applecross Forest

Hartfield
A' Mor
Applecross
L'n. Dubha
Carn Breac

Loch Kishorn

Sgurr a' Chaorachain
2539

Creag nan Arr

L. Coire nan Arr

Sgurr a' Gharaidh
2396
Glas Bheinn

Tornapress
1638
L. na Cailleach
Lochrain

R. na Guailne
Applecross Bay
Milton
Inn.
Meall Loch an Fheoir 1063

Bealach nan Ba
Creag Gorm
1994

L. an Eilean
L. a' Chaorunn

Carn Breac

Courthill Ho.
A896
Kirkton

APPLECROSS

Camusteel

Meall Gorm
2325

Russel
L.
Seafield
Lochcarron
Dalchurn Cott.

Camasterach

E. nan Naomh
Aird-dubh
Uags

L. Braigh an Achaidh
L. Gobhlach
Maol Chrobhach
Russel

Ardarroch
Dalchurn Cott.
Slumbay

Airdbain

Oilduie

Carn nah' Uaghean
1190

An Sgor
Southglen
Achintraid
1285

L. a' Choire Leith

Coillegillie

Toscaig

L. nan Sagairt
Keshorn

Loch Kishorn

Strome Carronach

E. na Ba
Toscaig
1156

An Garbh-eilean
Sgeir Bhuidhe

L. Dubha
Reraig
1297
Mid-Strome
Ardnarff
Sta.
A890

Crowlin Is.
Eilean Mor
L. nan Leac
Uags

Caolas Mor

Ardonsaskan
C.Strome
Strome Castle

Rudha Mor

STROME FERRY

Caolas Mor

LOCH CARRON

Camas Deanna
Inn.
Plockton
Duncraig

Creag Chollin
Feorsa
Ardmore
Sch.
Ascoy
Achmore
Duirinish

V
Dubh-aird
E. Dubh Dhuirinish

Duncraig Craig

L. na Leitire
Braeintra
Meall Alpin

Portnacloich
Drumbuie
E. nan Gobhar Mor

Lundie
L'n nan Marrach
L. na Smeoraich
Gl. Udalain
A. na Subh

Erbusaig
Black F.
Erbusaig B.
Sch.

Drum
Tholladh
868

Camas Dearg
Moire

L. a' Ghlinne Bhig
L. Lapra

Beinn Chaohra

Auchtertyre Hill
1481
A890

L. na Oig

Continued on Map 285

0   1   2   3 Miles

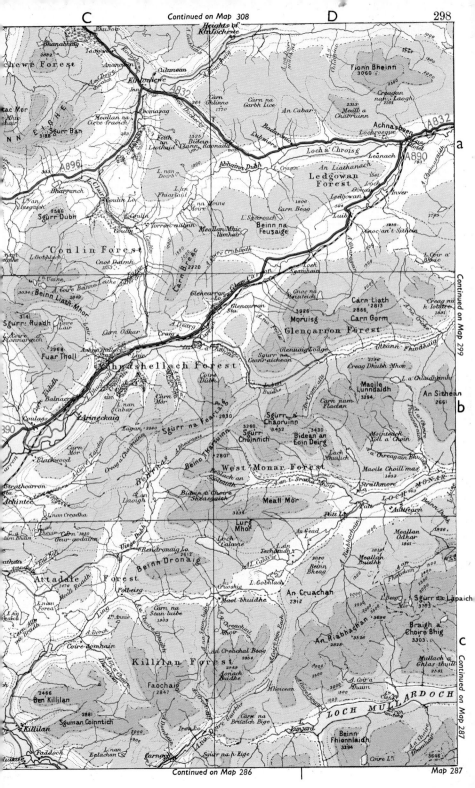

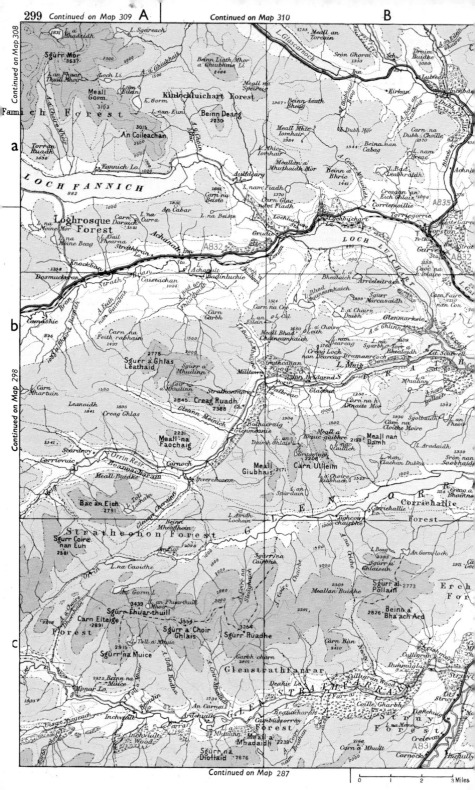

Continued on Map 308

Continued on Map 298

a

b

c

Sgùrr Mòr
3637

Meall na
Torcain

Meall an
Toll Mhor

A' a' Bhadaidh
1831

L. Sgeireach

L. Glascarnoch

Meall
Gorm
3103

Sròn Ghorm
1353

Kinlochluichart Forest

Benn Liath Mhor
a' Ghiubhas Li
2464

Beinn Liath
Bheag
1967

Drùim
Buidhe
1086

L. a'
Ghiubhais

L. Bad an
Lùbean

Kirkan

L. nan Eun

Benn Deang
2230

Meall na
Speireig

Dubh Mor

Càrn na
Dubh a' Choille
1570

L. Eilein

L. Gorm

An Coileachan
3015

Meall Mhic
Iomhair
1584

Benn na
Cabag

L. nan
Breac

Achnis

Torran
Ruadh
1636

L. Mhic
Iomhair

Meallan a' Mhuthaidh Mòr

Beinn a'
Bhrìc
1441

L. Bad
Leabhraidh

LOCH FANNICH
882

Càrn na
Beiste

Carn Glac
nant Fiadh

Creadan an
Eich Ghlais
1086

Corriemoillie

A835

Loghrosque
Forest

Càrn
Daraich
1521

An Cabar
1831

L. na Beiste

Lochluich
S

Lochluichart Stn.

Torriegorrie

Garve
Stn

A832

L. Dail
Fhearna

Knockbon

Strathbran
Lo

Achanalt
Sta.

Achanalt

Grudie

LOCH LUICHART

Càrn
1355

Caoc an
L. Iolaire

A832

Strat

Bosmucyrar
1358

Causeachan
1024

Badinluichie

Bhealaich

Arrolsitrach

Càrn Faire
nan Con

Camashie
824

Càrn na
Feith rabhain
1437

Càrn
Garbh

L. an
Eilein

L. Cal

Càrn na Cne

L. Bhad
Ghuineamhaich

Càrn
Marcasaidh
1399

Glenmarksie

Sgurr a' Ghlas
Leathaid
2778

Sgurr a'
Mhuilinn

Cou a'
Mhuilinn

Meall Bhad
Chleancamhaich

L. a' Choire
Leith

L. nan
Dearcag
1650

Creag Loch
nan Dearcag

L. a' Chairn
Duibh

L. Sgarbh
1760

Torr a'
Bheallaidh

Drumaneroch

L. Meig

L. Scatwell

Leanaidh
1841

Creag Ghlas
1895

Strathanmore

Milltown

Glaismore

Carn na h
Ainaite Mor
1252

Creag Ruadh
2388

Gleann Meinich

Carnoch
2845

Càrn
Mharluin

Spardroy
1541

Corrievuic

Orrin Resr
Beannacharan

Meall na
Faochaig
2231

Balnacraig
Glenmeanie

Meall a'
Bhuc-gaibhre
1904

Meall a'
Bhuc-gaibhre
2198

Meall nan
Damh

Sgotbaidh
1936

Càrn na
Cloiche Moire

L. Aradaidh
1339

Sròn nan
Saobhaide

Meall Buidhe

Inverchoran

Meall
Giubhais
2171

Càrn Ulleim

Creaganaidh
2208

L. an
Cuilloch

L. nan
Clachan Dubha

Bac an Eich
2791

Toll Lochan

Beinn
Mheadhoin
2098

L. an
Spardain

L. a' Choire
Riabhaich
1529

Corriehallie
Lo

Corriehallie
Forest

Stratheonon Forest

L. na Caoidhe

L. Airidh
Loohain

Tighcoun
chaighre

Sgurr Coire
nan Euh
2581

Orrin

Ag. Gorm L.

L. an Fhuarthuill

Loch na
Shealphaich

Sgurr na
Caoibhe

L. Beag
2393

An Gormloch

Sgùrr a'
Chlaisein

L. Coire a
Chuibe

Meallan Buidhe

Sgurr al
Pollain
2773

Erch
Fo

Sgùrr Fhuar-thuill
3439

Sgurr a' Choir
Ghlais
3554

Sgurr Ruadhe
3254

2391

2505

2826

Beinn a'
Bha ach Ard

Càrn Eiteige
2891

Forest

Toll a' Mhuic
2915

Càrn Bàn
2410

Sgurr na Muice

Garbh charn

Culligran

Runmaigleas

Mònar Lo
1535

Beinn na
Muice
2222

Glenstrathfarrar

Culligran Wood

Deanie Lo

STRATHFARRAR

Farro

Lightchaig
Wood

Struy
Stn

Uisge Misgeach

Inchvuilt

An Carnach
1734

Inchvuilts
Wood

Beannacharan
Forest

Caille Gharbh

STRUY

Forest

Creve

Carnock

Farral

Sgùrr na
Diollaid
2676

L. a'
Mhaillie

Meall a'
Mhadaidh
2239

Càrn a' Mhuilt

3 Miles

0   1   2

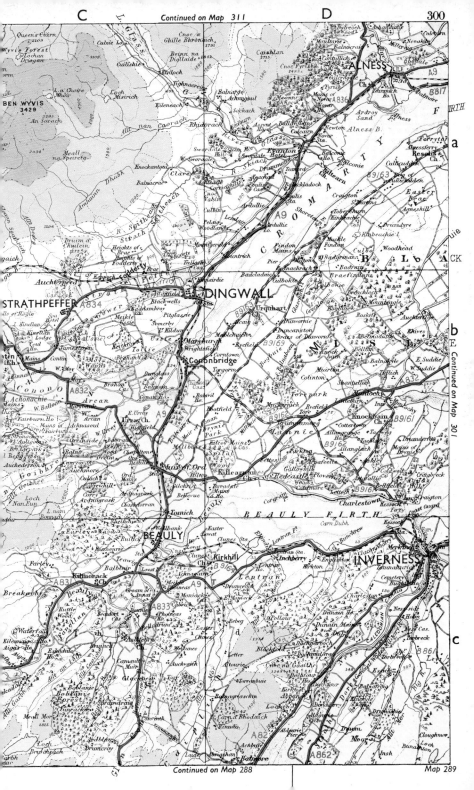

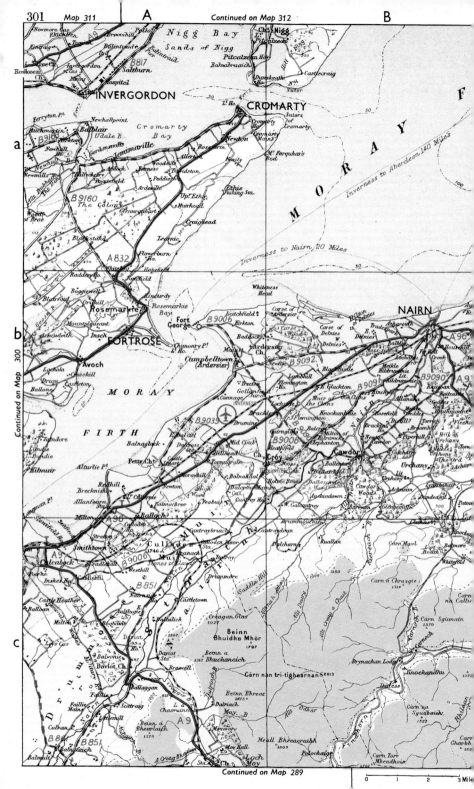

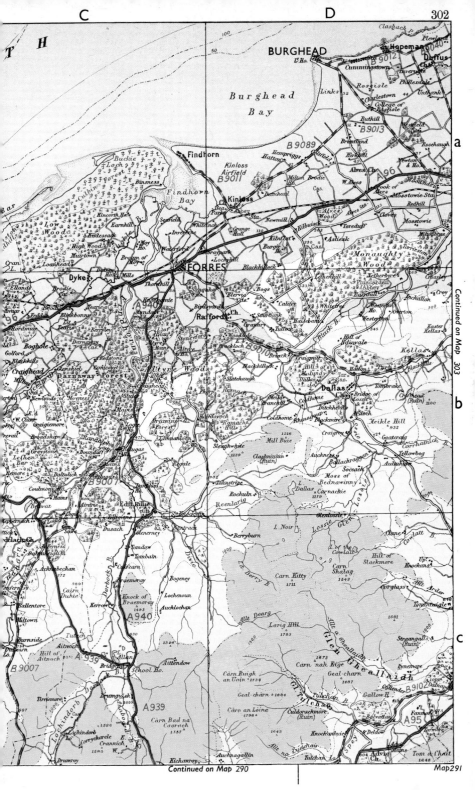

T H

BURGHEAD

Burghead
Bay

B 9012
Hopeman
Duffus

Clashach P.
Plewland
B 9040
Inverugie
Phillakdale
Unthank

Lt. Ho.
Cummingstown
Rossisle
Charlestown
College of
Roseisle
Links

Buthill
Brailland
Kirkhill
Newton
Ho.

Westfield
Rosehaugh

B 9013
B 9089
Hempriggs
Hatton
Duffield
Alves Ch.
W. Alves

A96

a

Findhorn
Kinloss
Airfield
B 9011

Milton Brodie
Ho.
Damhead

Mosstowie Sta.
Redhill
Mosstowie
Milnduff

Findhorn
Bay
Kinloss
Sea
Park
Kinloss
Sta.

Newmill
Alves
Wood
Alves Sta.
Cloves

Buckie
Loch
Binsness
Colbin
Forest
Kincorth Ho.
Seafield
Whitecairn
Ironcyne
Waterford
Grange
Hall
Kilbuiack
Kilbuiet
Taredull
Astiesk

Monaughty
Wood

Low
Wood
High Wood
Murtown
Moy
Ho.
Brodie of
Moy
Moraypark
Lochyhill

Burgie
Ho.
Cas.
Nethethill
Pluscarden
Abbey
Barhill

Storrystown
Crossley
Croy

Dyke
Mills
Thornhill
Blackhillock
Bogs

Califer
Westerton
Ho.
Westerton
Overton
Dickallan
Easter
Kellas

Brodie
Cas.
Sanquhar
Bilnyards
Blervie
Ho.
Southbank
Hazlebank
Black B.
Hill of
Eduvale
Kellas
Blackhills

FORRES
A940
RAFFORD Ch.
Granary
Tullock
Hatton
Park

Kirkbarns
Le Poure
Berryley
Stonefor

Stotfield
Woodside
W. Blackloch
Breach
Craignell
Hill of
Mulundy
Dallas
Tar   Hill

Dallas Ch.
Tombrake

B 9010

Darnaway Forest
Glenshiel
Redstone
Conicavel
Tyrie Woods
Burghead
Blackhillock
Slatehaugh
Meikle
Branchill
Coldhome
Bridge of
Lossie

Meikle Hill
932
Goatcraig

Craighead
Mills
Newlands of
Moyness
Mains
Log
Irriannie
Forest
Limannoch
Haldayroch
Ramach
Hills
Coldhome
Rhinno
Blackmuir
Ditchheads

Craigrow
Corrhatnach R.
Yellowbog
Aultskeoch

b

Broadshaw
Greystone
Randolph
Doundaff
Reaple
Sleighwhite
Mill Buie
1216
Clashniniau
(Ruin)
Auchness
Ballachvraggon
Socaach
Moss of
Bednawinny
Carnachie

Coulmont
Mains
Airdrie
Earn Fillie
Billyclew
Dunphail
Johnstripe
Rochuln
Reenlarig
L.
Dallas

Glenerney
Relugas
Bridgeford

Benbar
Glenernie
Kintrach

Berryburn
Rendassie
L. Noir
L. of the
Cowlair
Clune
Cowlatt B.

B 9007
Tomdow
Tombain
Cairn
Dubh
Calcfearn
Braemoray
Bogeney
Lochenoun
Auchlochan
Carn Kitty
1711
Carn
Shalag
1543
Hill of
Slackmore
Corglass
Upr.
Knockans

Hill of
Aitnoch
Kerrow
Achnabechan
Knock of
Braemoray
1493
Larig Hill
1783
Carn nah Eige
1873
Geal-charn
1487
Strangall's
(Ruin)
Rynemore
Tomantoulie
A 95

Hill of
Aitnoch
A939
Allan
Aittendow
School Ho.
Bridge B.
Carn Ruigh
an Uain 1734
Geal-charn
1644
Tulchan B.
Gallow H.
B 9102
Finlarg
Delphrot

c

B 9007
Burnside
Miltown
Ballentore
Tirriemore
Drumguash
A 939
Carn Bad na
Caorach 1557
Carn an Loine
1798
Knockawuddy
Belvaddan
Deldow
Advie
Ch.
Fanmore
Tom a' Chait
1648

Corrycharcle
Crannich
Drumroy
Lochindorb
Kichamroy
Auchnagallin
Tulchan La.

Continued on Map 303

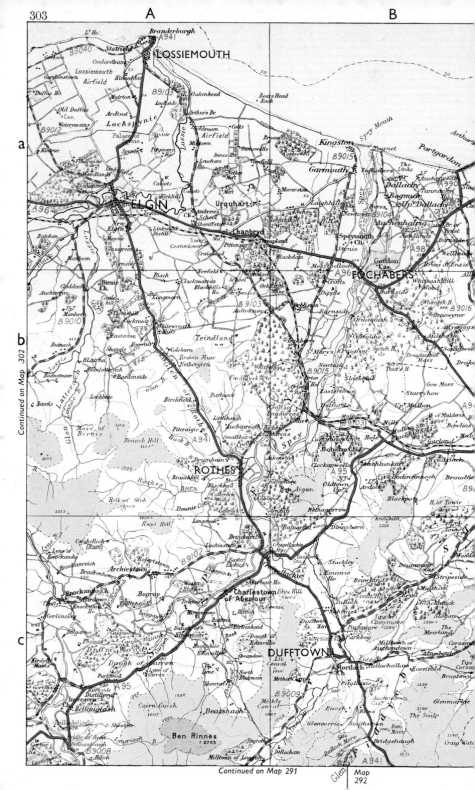

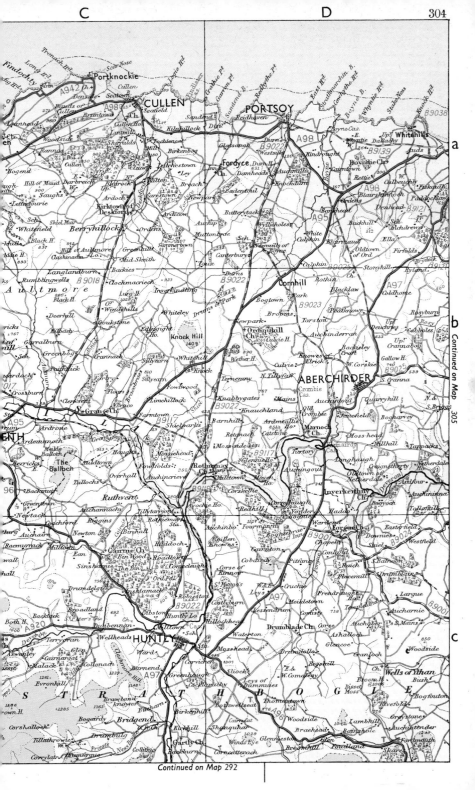

a

b

c

Continued on Map 305

Continued on Map 292

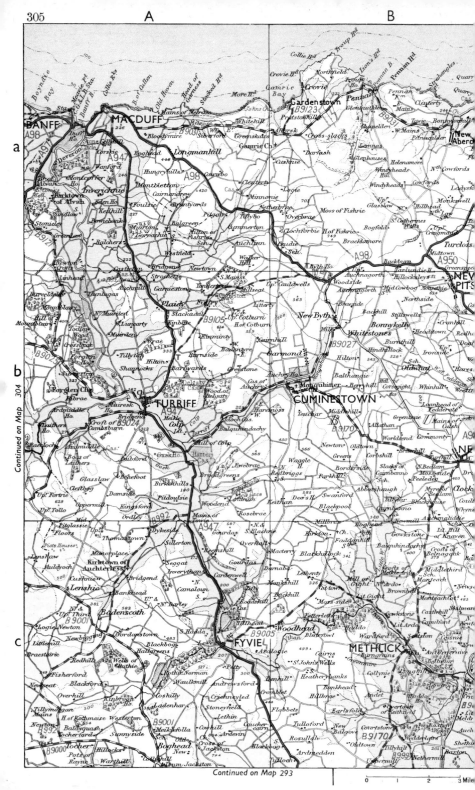

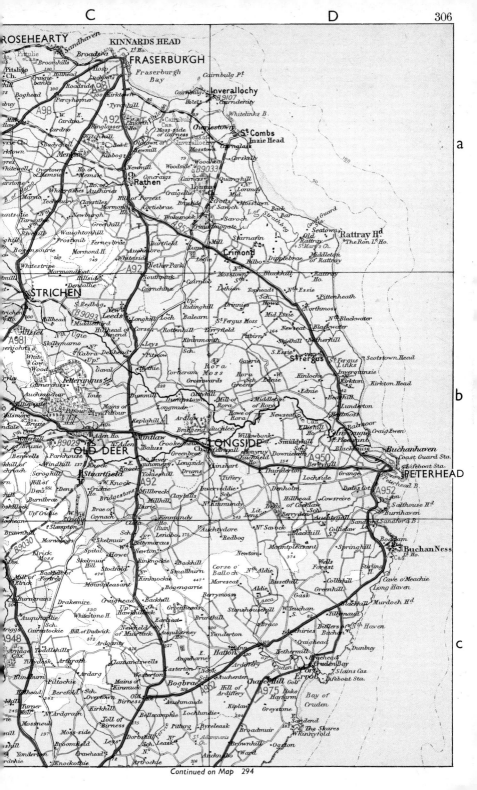

Continued on Map 294

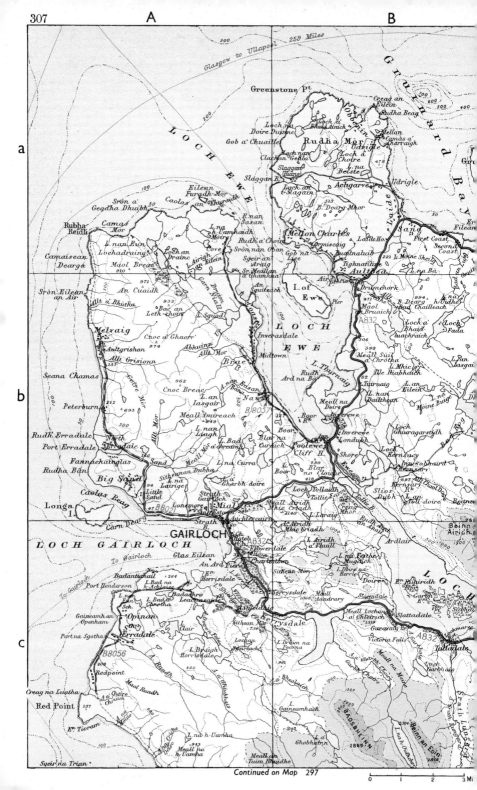

A   B

a

b

c

Continued on Map 297

0   1   2   3 Mi

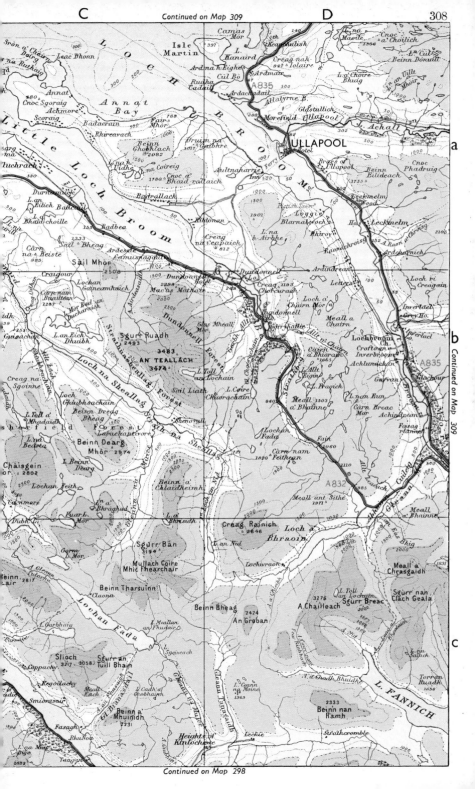

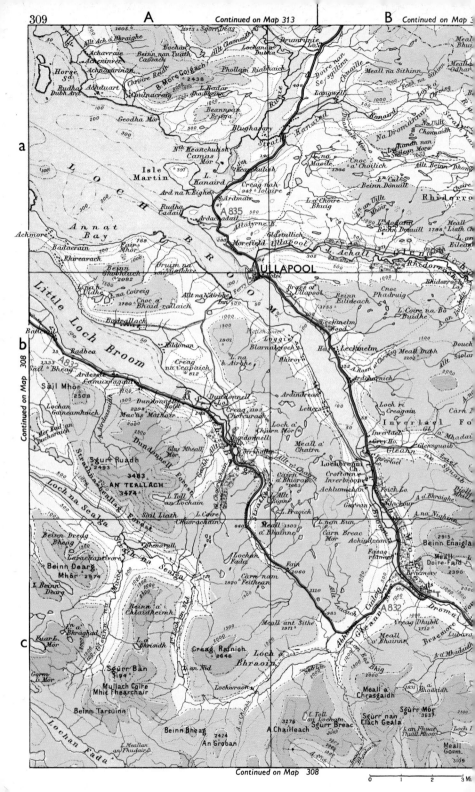

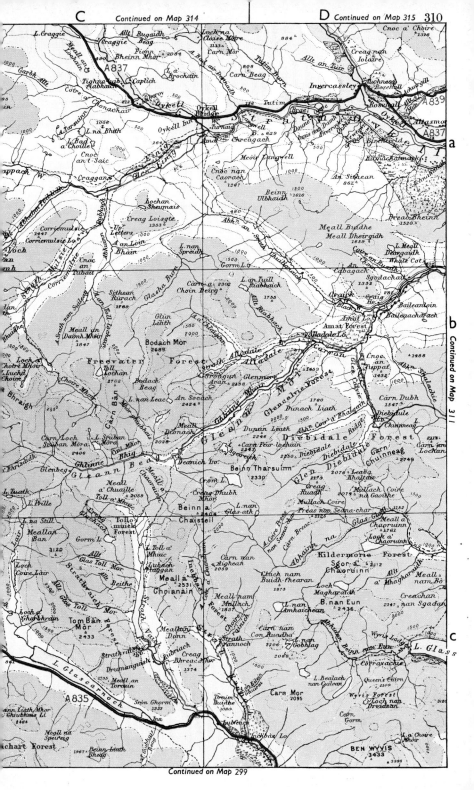

Continued on Map 311

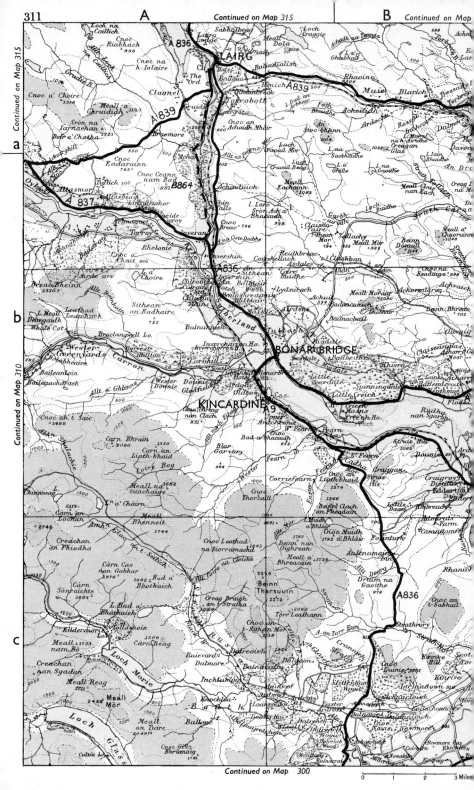

Continued on Map 315

Continued on Map 310

a

DORNOCH FIRTH

b

c

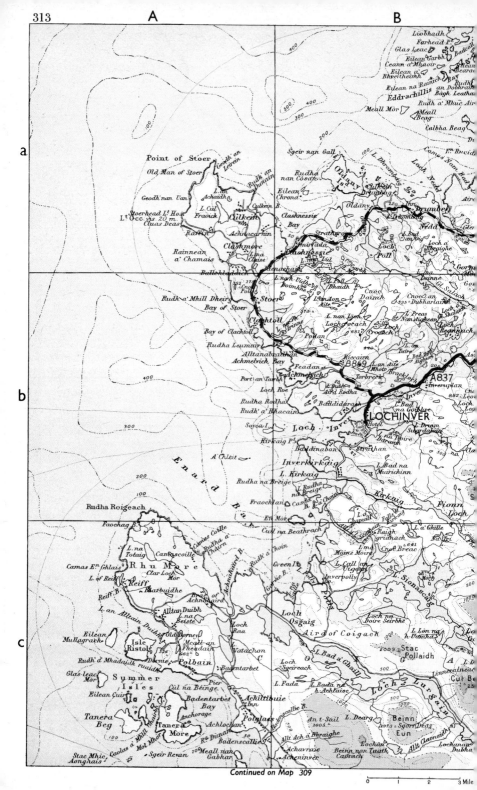

A B

a

b

c

Liobhadh
Farhead P.
Glas Leac
Eilean Garbh
Ceann a'Mhaoir
Eilean a'
Bhreitheimh
Eilean na Rainich
Eilean Beara
Rudh'
a'Mhuc Air
Eddrachillis
Bagh Leathan
Meall Mör
Meall Beag
Calbha Beag

Point of Stoer
Old Man of Stoer
Geodh'nan Uan
Stoerhead Lt Ho.
Lt Occ. ev. 20 m.
Clas Deas

Sgeir nan Gall
Rudha nan Cosair
Eilean Chrona
Oldany Is.
Culkein B.
Clashnessie Bay
Strathan
Culkein Drumbeg
Oldany
Drumbeg
Nedd
L. Dromabeg

L. Dhrombau
Loch Nedd
Camas Nam Faur
Badcall

Rudh' an Dunain
L. an Achaidh
L. Cul Fraoch
Achnacarnin
Clashmore
L. na Claise
Balchladich
Raffin
Clashnessie
Clashnessie Bay
Strathcroy
Amiadale
L. na Guil

L. Poll
Loch Poll

Rudh' a'Mhill Dheirg
Bay of Stoer
Stoer
Clachtoll
Bay of Clachtoll
Rudha Leumair
Alltanabradhan
Achmelvich Bay
Port an Tairbh
Loch Roe
Rudha Rodha
Rudh' a'Bhacain

Cnoc Poll
L. nan Uidh
Doimhe
Landon Aile
Pollan
Feadan
Achmelvich
Aird Rodha
Baildidarach

Cnoc an
Daimh
Cnoc an
Dubharlann
L. nan Lion
Loch Crocach
Loch Crocach
Riccairn
L. an ulte Mhor
Torbreck
Brackloch
Inverkiran
A837

L. Preas
Nan Uigheam
L. Beannach
Loch Shaladale
Loch a'
Ghille
Inveruplan

LOCHINVER
Hotel

Soyea I. Loch Inver
Kirkaig Pt
Baddinaban
Inverkirkaig
A'Chleit L. Kirkaig
Rudha na Breige
Rudh' na Breige
Fraochlan
Eir Mor

Strathan
L. Bad na Muirchinn
L. Rudha
na Breige
Casda
L. na
Doire
Druighi
L. Dram
Sugardaban
Loch na
Doire Seirbhe

Rudha Roigeach

Enard Bay

Kirkaig
Fionn
Loch

Faochag B.
L. na Totaig
Camascoille
Camas Coille
Rudha a'
Chairn
Camas E.n
Ghlais
Rhu More
Clar Loch Mor
L. of Reiff
Reiff
Reiff B.
Garbuidhe
L. an Altain Duibh
Allt an Duibh
L. na
Beiste
Dornie
Old Dornie
Eilean Mullagrach
Isle Ristol
Dornie
Rudh' a'Mhadaidh
ruadh
Polbain
Glas leac Mor
Summer Isles
Cul na Beinge
Eilean Cuirc
Tanera Beg
Tanera More
Coolas a'Mhill Mhoir
Mol Mhor
Sgeir Revan
Stac Mhic
Aonghais
Meall nan Gabhan
Achlochan
Badenscallie
Achininver

Cul na Beathrach
Rudh a'Thoin
Green I.
Goirbe B.
Loch Achnahaird
Achnahaird B.
Loch Osgaig
Loch Raa
Vatachon
Meall an Fheadain
Badentarbet
Pier
Badentarbet Bay
Anchorage
Achiltibuie Inn
Polglass
Badenscallie B.
An t-Sail
Allt Ach a'Bhraighe
Beinn nan Tuath

Aird of Coigach
Raigh griamach
Cnoc Breac
L. na
Moine Moire
L. Call an
Uigean
Inverpolly
L. Bad a'Ghaill
Loch Sgeireach
L. Fada
L. Bada na h Achlaise
L. Dearg
Lochan
Beinn nan Cairach
Loch Lurgain
Loch na
Doire Seirbhe
Stac Pollaidh
Cul Be
Linnerineac
Beinn Eun
Lochan Dubha
Allt Claonaidh

Continued on Map 309

0 1 2 3 Mile

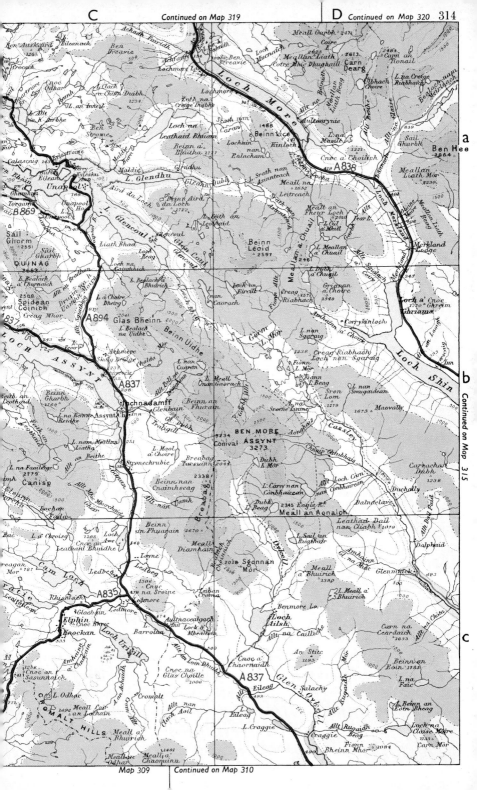

Meall Garbh 2471
Coire

Meallan Liath
Coire Mhic Dhughaill
Carn an Tionail
Carn Dearg

L. na Creige Riabhaich
Bealach nan Meirleach

Loch More

Ben Auskard
Eileanach

Achadh Fairidh
Ben Dreavie

Ben Stereavie
Loch Merkland

Loch
Muchaulh

Aultanrynie

Ben Hee

Cnoc Odhar
Branch

L. an Inneil
L. Clach a' Chin Dubh

Loch nan

Leathaid Bhuain

Beinn Stroine
Maldie

Beinn Leoid

Unapool
Kylesku

L. Glendhu

Aird da Loch

Loch Glencoul

Glencoul

Beinn Uidhe

A894 Glas Bheinn

Lochinver

A837

Inchnadamph

Beinn an Fhurain

BEN MORE
ASSYNT
3273

Conival

Breabag

Canisp

Meall an Aonaich

Elphin

A835

Ledmore

Loch Urigill

Knockan

A837

Loch Assynt

LOCH ASSYNT

Quinag

Continued on Map 315

Ben Hee 2864

Merkland Lodge

Loch a' Chnoc Ghriama

Loch Shin

a

b

c

Map 309   Continued on Map 310

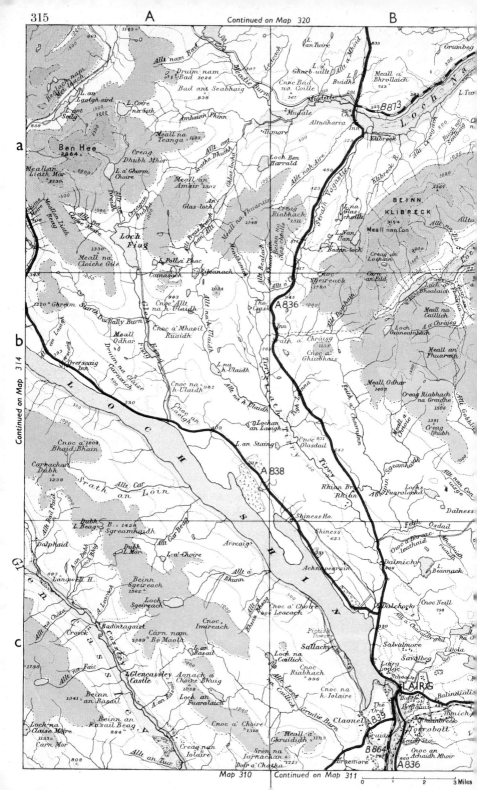

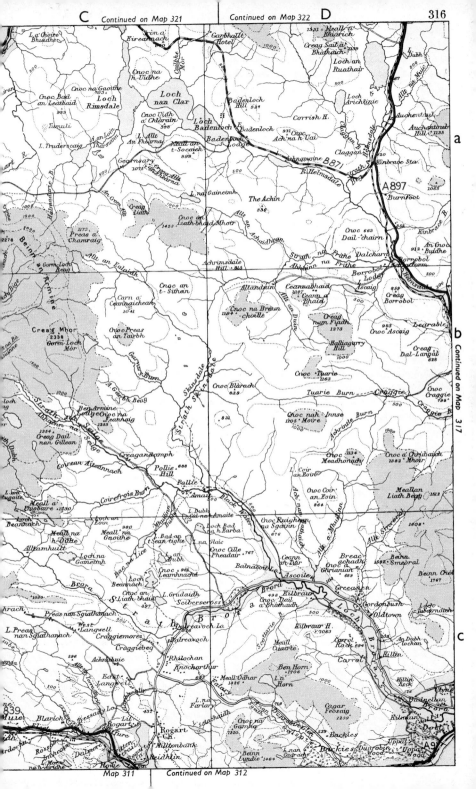

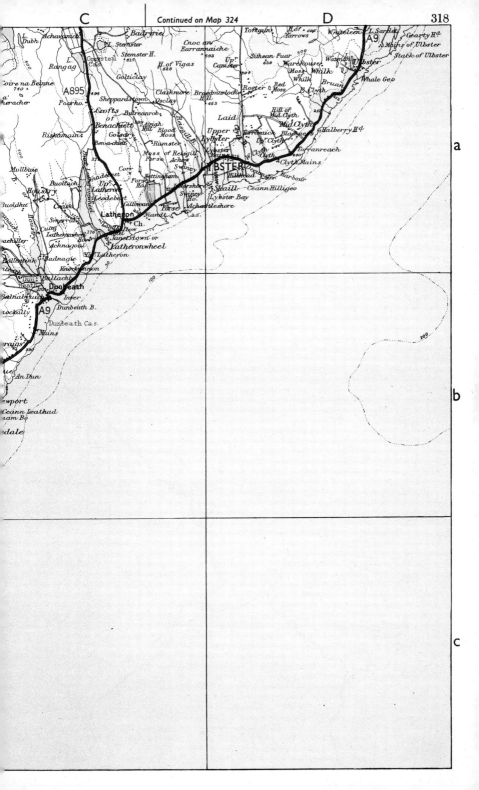

C
D

a

b

c

L. Dubh
Achavanich
L. Stemster
Rangag
Greystell Cas.
Stemster H.
Badryrie
Cnoc an
Earranaiche
Toftgun
H. of
Yarrows
Whiteleen
L. Sarelet
A9
Gearty Hd.
Mains of Ulbster
Stack of Ulbster
Coire na Beinne
a'
heracher
A895
Pourho.
Golticlay
Clashmore
Oschay
Sheppards town
H. of Vigas
Sithean Fuar
Up.
Canister
Braedmarloch
Hill
Warehouse
Moss
Whilk
Watenan
Ulbster
Whale Geo
Riskamain
Crofts of
Benachielt
Golsary
Bulreanrob
Strigh
Hill
Blood
Moss
Rumster
Bensa-chielt
Laid
Upper
Lybster
Roster
Red
Moss
E. Clyth
Bruan
Hill of
Mid. Clyth
Garrowick
Blaingeys
Up. Clyth
Mid Clyth
Halberry Hd.
Mullbuie
Buoltach
Corr
Moss of Reisgill
Achow
Swiney
Forse
Lybster
Clyth
Clyth Mains
Torranreach
Housry
Buoldhu
Creag
Smerral
Upr.
Latheron
Leodebest
Nottingham
Forse
Hd.
BSTER
Mill head
Roster
Harbour
Achastleshore
Cas.
Clyth
Skail
Lybster Bay
Ceann Hilligeo
Latheron
Ch.
Latheronwheel
Janetstown or
W. Latheron
Knockinnon
Langwell
Houstry
Latheron
Badnagie
Knockinnon
Dunbeath
Inver
Dunbeath B.
Dunbeath Cas.
A9
Mains
An Dun
wport
Ceann Leathad
dale

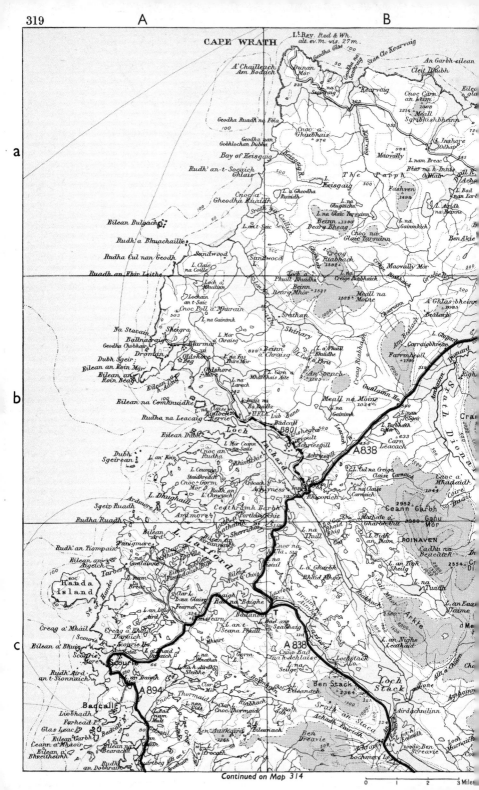

A

B

CAPE WRATH

Lt. Rev. Red & Wh.
alt. ev. m. vis. 27 m.

a

b

c

A' Chailleach
Am Bodach

Dunan
Mór

L. na
Searbhag

Kearvaig

An Garbh-eilean

Cleit Dhubh

Eilcc
ola

Cnoc Carn
an Leim

Geodha Ruadh na Fòla

Geodha nan
Gobhlochan Dubha

Bay of Keisgaig

Rudh' an-t-Socaich
Ghlais

Cnoc a'
Gheodha Ruaidh

Cnoc a'
Ghubhais

L. Inshore
Oldhar

Maovally

L. nam Breac

Fiar na h-Innis
Odhar

L. Bad
nam Eart

Fashven

L. na Glaic Tarsuinn

L. na Glaic Tarsuinn

L. Airidh
na-Beinne

Beinn
Dearg Bheag

Choc na
Glaic Tarsuinn

L. na
Gainmhich

Ben Akie

Creag
Riabhach

Maovally Mór

Eilean Bulgach

Rudh' a' Bhuachaille

Rudha Cul nan Geodh

Ruadh an Fhir Leithe

Sandwood

Sandwood

L. Clais
na Coille

Phuill Bhuidhe

Creig Riabhach

Beinn
Dearg Mhór

Meall na
Moine

A' Ghlas-bheinn

Lochan
an-t-Saic

Cnoc Poll a' Mhurain

Na Stacain

Sheigra

L. na Gainmh

Srathan

Shinary

Am Beallach

Corraigbhreac

Ballnacra

Geodha Chobhair

Droman

Larmor

Oldshore
Beg

L. Mór
Chraisg

L. na Fas
Thire Mór

Beinn
a' Chraisg

L. a'Phuill

L. Coir' a' Phris

Farmheall

Dubh Sgeir

Eilean an Roin Mór

Eilean an
Roin Beag

Oldshore

L. na
Larach

Carn a
Mhadhais Aile

An Speach

Gualainn Ho

Eilean nan
Sgeir

L. Turbhail
Mór

Eilean na Comhnaidhe

Rudha na Leacaig

Balloch
Nerier

L. na Claise

Innis na
Ba Buidhe

HFCA Lùb Bana

Meall na Moine

L. na
Gainmh

Carn
Leacach

Cnoc a'
Mhuidaidh

Droman

Eilean Dubh

Dubh
Sgeirean

L. an' Roin

L. Mór Ceann
an t-Saile

Cnoc a'
Rudha

Rhuinchie

Badcall

Sheghas

Achresgill

Achresgill

A 838

L. Cul na Creige
Claise

Carnaich

L. na Claise
Carnaich

Ceann Garbh

Cnoc a'
Mhuidaidh

Coirc
Duail

L. Ceuman
Smallhodach

Cnoc a' Gorm

Crocach

Ardvreck

Garbh
Bheil

Mor

Sgeir Ruadh

L. Dhughaill

Ardmore

Rudh' an
L. Chreagach

Ceathramh Garbh

Forthsachie

Rhiconich

L. na
Thuill

Mathach

ROINAVEN

Rudha Ruadh

Ardmore

Skerricha

L. na Gleann

L. o' Gharbh

Ghairbh-Bhil

L. Eildh
an Fhuin

2554

Cadhu na
Beucaich

Rudh' an Tiompan

Eilean
Breacachadh

Cnoc na
Uilla

Bhaid Mhor

L. na Tigh
Sheilg

Crair

Dri

Fanigmore

L. na
Cuddanne

Popple

L. na
Chroil

Laxford
Bridge

Drain
na
Druimbe

Sail Mhor

Arkle

L. an Eas
Uaime

Eilean an
Aigich

Tarbert

L. nam
Braic

Eilean
Fionnladh Mhóir

Eilean
Port G' Choit

Duartmore

L. na
Tuaith

d Me

Handa
Island

Sea of Handa

Clar L.
na Glaise

Baigh

L. na
Baighe

Badanloch

L. an t-
Seana Phuill

Bad ang
Sealbhaig

Laxford

Lochstack

Lo

Airdchuilinn

Creag a' Mhail

Creag a'Bhuill
D'ardaich

L. na
Mhathar

Corrn

Cnoc Bad
na h-achdlaise

L. an Nighe
Leathad

Eilean a' Bhuic

Scourie

Scourie
More

Cnoc na h' airidh
Sleibhe

A 838

L. na
Sedge

Lochstack
Lo

L. an Nigho
Leathad

Rudh' Aird-
an-t-Sionnaich

A 894

L. na Bainn

Clar L.
nam Mial

Cnoc Thormaid

L. Doinris

L. Erisanach

Ben Stack

Loch
Stack

Cho

Badcall

Liobhadh

Farhead P.

Glas Leac

L. Bad an
Mial

Cnoc Thormaid

Rabhach

Srath an
Staca

Achadh Poirish

Airdchuilinn

Ben
Dreavie

Ceann a'Mhaoir

Eilean Garbh

Eilean na
Bearachd

Broigh

L. nan
Cnoc

Eileanach

Ben
Dreavie

L. Ealadh

Ben
Dreavie

Loch
Muchuidh

Co

Eilean
Bhreitheuin

Rudh'
an Dobhran

Furtbeg

Crodich

Lochmore Lo

Continued on Map 314

0   1   2   3 Miles

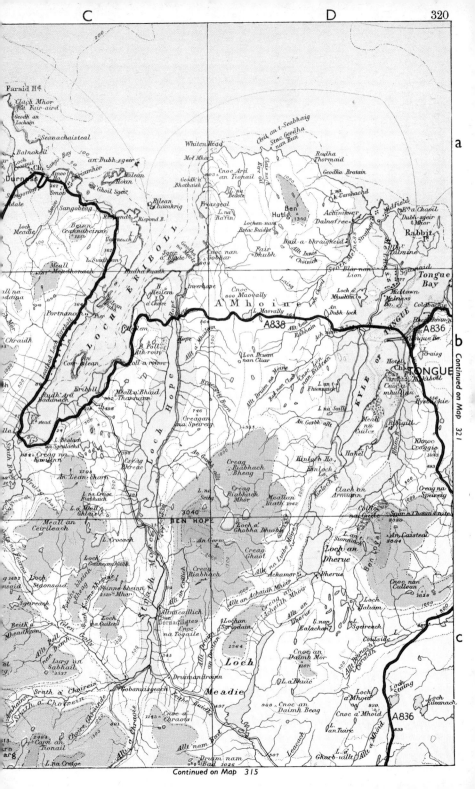

a

Continued on Map 321

b

c

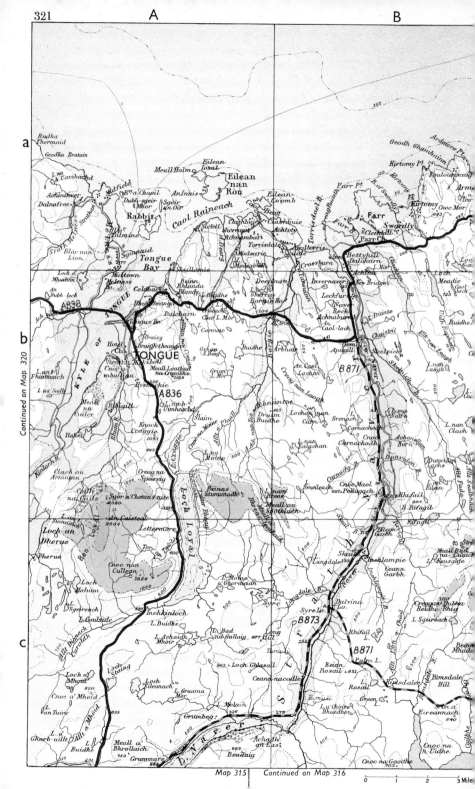

A   B

a

b

c

Continued on Map 320

Rudha Thormaid
Geodha Bratain
L. na h'Tamhachd
Achninver
Dalnafree
Midfield
Mg a'Chanil
Dubh sgeir Mhòr
An Innis
Sgeir an Oir
Rabbit I.
Meall Halm
Eilean Iosal
Eilean nan Ròn
Eilean Coomb
Caol Raineach
Caol Beag
Meall Halm
Sletell
Skerray
Achnambat
Clashburn
Clashbuie
Achtoty
Torrisdale
Modsarie
Modsarie
Achna Chanil
An Innis

Geodh Ghamhainn
Kirtomy Pt
Ardmore Pt
Poulouriscaig
Kirtomy
Kirtomy
Cnoc Mòr
843
Farr Pt
B. of Swordly
Farr
Swordly
Cleitchill
Farr Ch.
L. Gai
Arm

Torrisdale B.
Torrisboll
Bettyhill
Dalharn
Achina
Crossburn
Achadh
New Bridge
Invernaver
Leckfurin
Naver Rock
Achnabourin
An Caol-loch
Dùnte
L. Mòr
L. Meadie
Gaol-loch
725
Buidhe
Alle nan Fcagh

An Dubh loch
Loch a'Mhuilinn
Tongue Bay
Midtown
McIness
Coldbackie
Pheadtheangu
Dalcharn
Beinn Bhlanda
Blandy
L. Buidhe
Deepburn
Borgie Ho.
Skerray
604

A838
Ach nan
Tongue Ho.
Braigh theangu
Varrich
Cnoc a'mhuilinn
Meall Leathad na Craoibhe
2208
Clar L. Mòr
Cornaig
L. Beag
Grian L. Mòr
L. Buidhe
Arbhair
Crech nan Laogh
Iom Apagill
B 871
Chaisteil
Skelpick
Skelpick L.
L. nan Laogh

KYLE OF TONGUE
L. an Fhiunnaich
L. na Saille
Hotel
TONGUE
Dùn Dornadilla
Hysbackie
A 836
Meòir na Cialce
Hakel
Ribigill
Knock Craggie
1093
An mh-Uimheachd
Slaim
493
Creag na Speireig
Cumna Moine
Lon a'Phuill
L. na Moine
Druim Buidhe
L. nan Cam
Lochan nan
615
An Caol Lochan
Smeileach
Carnachadh
Carnachadh
Sronach
Achanloch Burn
Dunviden
Achadh Mòr
441
L-na Waba
L. nan Clach
Dunviden Lochs
L. nan Eilean

Kinloch R.
Clach an Armuinn
Coille na Cuile
Stronchrubie
An Caisteal
2601
Sgor a'Chaisnite
2320
Beinns Stumanadh
L. nam Breac
Ben Loyal
Loch Loyal
Meall an Spothaidh
Ard na Feannaig
Cnoc Maol Pollagach
697
Rhifail
964
B. Rifagil
Rhingill
L. Eilean

Loch an Dherue
Dherue
Ben Loyal
Cnoc nan Cullean
1828
Lettermore
Torr Tarbh
400
L. Hakel
L. Sgeireach
Allt Dhonach Cortalich
L. Coulside
Inchkinloch
L. Buidhe
L. Achaidh Mhòir
Bad na Gallaig
Sru Hill
Long Hill
Syre
Longdale
Skail
Langdale
123
Inshlampie
Ceann Garbh
Eilean Garbh
Meall Bad na Cuaic
L. Reusgite
Creagan Dubha Reidhe Bhig
L. Sgeireach
Strom

Loch a'Mhoid
Cnoc a'Mhoid
L. an Tuire
B 873
Syre Lo.
Dalvina Lo.
Rhifail L.
B 871
Palm L.
Beinn Rosail
851
L. Rosail
Rimsdale
Rimsdale Hill
Beinn Mhaide

L. a'Ghorb-uillt
L. Buidhe
418
Meall a'Bhrollaich
753
Grummare
262
Achadh an Eas
Beadaig
Grumbeg
326
L. Molach
L. na Gruama Mòr
L. Gruama Mòr
Ceannacoille
L. Ghasail
Tamasi
365
278
Ron a'Choire Bhuidhe
Eunsii
Green L.
Cnoc na h'Uidhe
Cnoc na Gaoithe
703
Eirean L.

RIVER NAVER
RIVER STRATHNAVER

0   1   2   3 Mile

Map 315   Continued on Map 316

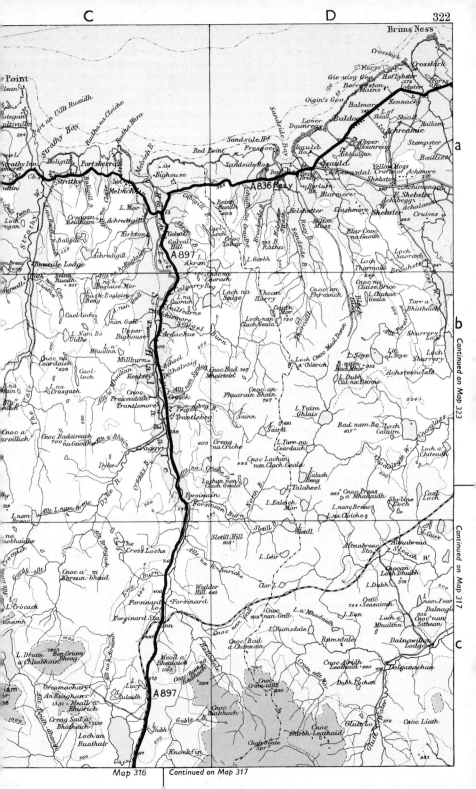

Continued on Map 323

Continued on Map 317

Map 316

Continued on Map 317

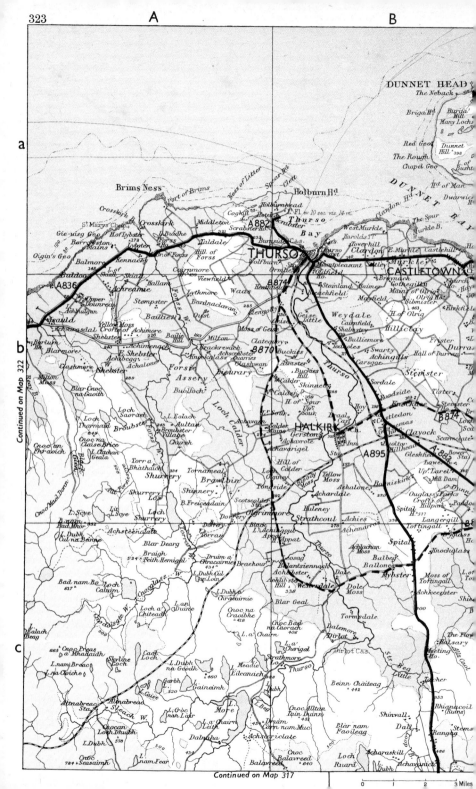

A

B

a

DUNNET HEAD
The Neback

Briga H⁴

Burra'
Hill
Many Lochs

Red Geo

Dunnet
Hill 398

The Rough

Chapel Geo

L. of Bushta

DUNNET BAY

Hd of Man

Dwarwic

Brims Ness

Crosskirk

Crosskirk

St Marys Chap.

H. of Lybster

Gie-vasg Geo

Borrowston
Mains

Lybster

Br. of Forss

Middleton

Scrabster Ho

Maldale

Hill of
Forss

Port of Brims

Ness of Litter

Spear Hd.

Coghill

Clett

Holburnhead

Scrabster
Cas.

Holburn Hd

Thurso
Bay

WestMurkle

Harolds T.

Clardon

DUNNET BAY

The Spur

Murdle B.

Oigin's Geo

Balmore

Buldoo

A836

Upper
Dounreay

Achulgin

Kennacly

Hof Lybster

Viewfield

Lythmore

Waas

Bardnaclavan

THURSO

Wolfburn

Ormlie

Mountpleasunt

Oldfield

B874

Stainland

Beachfield

Dainer

Harolds T.

Clardon

Murkle

E.Murkle

Castlehill

CASTLETOWN

Gothegills

Mains of Olrig

Olrig Ho

Sibmister

Kirkfield

Church

Weydale

Cairnmore

Gallowhill

Isauld

Achsarsdal

Shebster

Achreamie

Hallam

E.Shebster
Achabegg

Croft of
Achimore

Stempster

Bailieq

Milton

Hill of Forss

Moss of Geise

Geise
Little

Cainholet

Weydale

Cairnside

Shabbsay

Bulliemore

Carsgoe

Swarty
Achingills

Hilliclay

Stemster

Frister

Durra

Barnlore

Blarmore

Clashmore

Achalone

Skelpick

Crofts of Achimore

Knockglass

Bailie
Hill

Claskman

B870

Clategvry

Buckies

Aumster

Buckies
Hill

H. of Sour

Calder

Skinnet

Sordale

Roadside

Tister

Stemster

Achingill

Milton
Moss

Blar Cnoc
na Gaoth

Loch
Saorach

Bubiloch

Forss

Assery

Loch
Tharmaid

Cnoc na
Claise Brice

Cnoc an
Fhr-aoich

L.Clachan
Geala

L.Ealach

Broubster
Village

Church

Achvarin

Up. Sour

M. Sour

Calder
Mains

Gerston

Achvarigel

Hill of
Calder

HALKIRK

Inn

A895

Georemas

B874

Westerdale

Wag

Castledon

Clayock

Scotmas

Scarmclate

A882

Bower
Stat.

Up. Larel

L. Skye

Torr a
Bhathaidh

Broubster
Shurrery

Brawlbin

Tornameal

Shinnery

B.Freiceadain

Scotscalder

Loch
Ogueye

Hill of
Calder

Bloody
Moss

Yellow
Moss

Achardale

Achalone

Barniskirk

Spital

Hillpark

Mill Dam

Ouglassy Locks
Crofts of
Paddon

Cnoc na Maoil Doire

L.Skye
Litl.
L.Skye

Loch
Shurrery

Dorrery

Olgrimore

Strathcoul

Buleney

Achies

Achanarras

Spital

Toftingall

Langergill

Nottingall

Knockglass

Cul na Beinne

Bad nam Ba

Loch
Calum

Achsteenalate

Torran

Blar
Dearg

Braigh
Feith Hemigal

Druim a
Characa

Braehour

L.Achingoul
Appat

Appat

Losag

Achlibster

Achlibster
Hill

Westerdale

Dale

Ballone

Balbeg

Myster

Achuchan
Moss

Dole
Moss

Moss of
Toftingall

Achkeepster

Knocknain

Loch na
Craoibhe

L.Dubh a
Ghreacmie

L.Dubh Cùl
Loch Loin

L.Dubh a
Chiteadh

L.an
Duire

Cnoc na
Craoibhe

Blar Geal

Tormsdale

Dalemore

Dirlot

The Flow

Hd. Sary

Meeting
Ho.

L.Ealach
Beag

Cnoc Preas
a'Mhanaidh

L.nam Breac

L.na Cloiche

Skyline
Loch

Cagh
Loch

L.Dubh
na Geodh

Meadie
Eileanach

L.Ghòc
nan Làar

L.a'Chàirn
Leith

L.Beg

L.Dubh

L.a'Chairn

Strathmore

L.Cherigal

Cnoc Bad
na Caorach

Beinn Chàiteag

Cnoc Alltan
Ruin Dunn

The Flow

Shinvall

Dall

Stems

Ranga

Altnabreac
Sta.

Altnabreac
Sleoach

Chocàn
Loch Dhuibh

L.Dubh

L.Gòc
nan Liar

Dalnaha

Achsariclate

Cnoc
Balavreed

Blar nam
Faoileag

Loch
Ruard

Acharaskill

Achavanich

Rhianacoil
(Ruins)

Tacher

Cnoc
Seasaimh

L.nam Fear

Balavreed

Continued on Map 322

b

c

Continued on Map 317

0 1 2 3 Miles

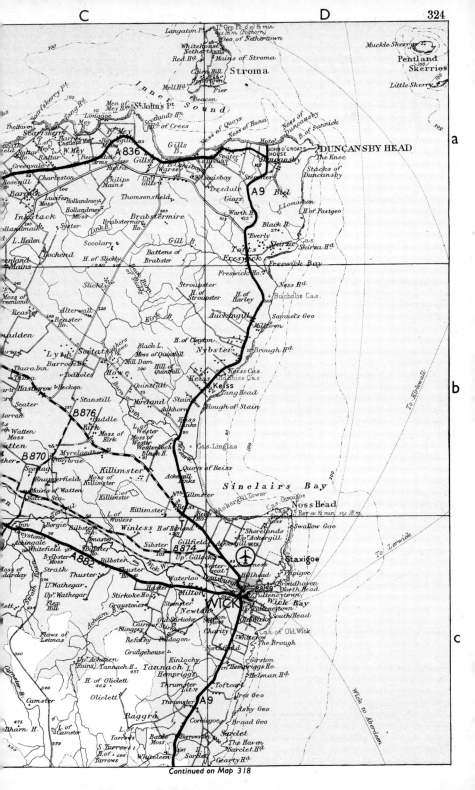

C　　　　　D

Langaton Pt.
L'. Gp. Fl : 6 ev 2 min.
vis 16 m. (Foghorn)
Geo of Nethertown
Muckle Skerry
Pentland
Skerries
Whitehouse
Nethertown
Red Hd.
Mains of Stroma
Stroma
Little Skerry
Cairn Hill
Uppertown
Pier
Mell Hd.
Beacon

Scartskerry Pt.
Inner
Sound
Men of
Mey Es.
St John's Pt.
Scotlands Hd.
Ness of Quoys
Ness of Huna
Ness of
Duncansby
B. of Sannick
The Haven
Harrow
Scarfskerry
Lyth Ho.
Mey
Longoe
Hd. of Crees
Ness of
Duncansby
DUNCANSBY HEAD
W. Mey
Castle of Mey
Bernsdale
Arms
Gills
Gills
B.
Hotel
Huna
John O'Groats
HOUSE
The Knee
Rattar
A836
E. Canisbay
Seater
Stacks of
Duncansby
Greengate
Charleston
Rigifa
Philips
Mains
Up. Canisbay
Warse
Whimsbay
Stemster
A9
Biel
Barrock
Lucifer
Moss
Hollandmey
Thomsons field
Tresdale
Giars
Warth H.
L. of Fastgeo
Inkstack
Hollandmey
Moss
Seater
Brabstermire
Ho.
Brabstermire
Gill B.
Black H.
Everly
Skirza
Gas.
Skirza Hd.
L. Heilen
Lochend
Scoolary
Battens of
Brabster
Hd. of Slickly
Tarts
Freswick
Freswick Bay
Pentland
Mains
Slickly
Alterwall
Reaster
Ho.
Stroupster
H. of
Stroupster
H. of
Harley
Freswick Ho.
Ness Hd.
Bucholie Cas.
Reaster
Kirk B.
Auckingill
Samuel's Geo
Lyth
Sortat
Barrock Ho.
Milltown
Brough Hd.
Black L.
Moss of Quintfall
Nybster
Thura Inn
Todholes
Hecken
Mill Dam
Hill of
Quintfall
Keiss
Keiss Cas.
Old Keiss Cas.
Hasbrow
Seater
Stanstill
Quintfall
Mireland
Keiss
Tang Head
B876
Puddle
Kirk
Moss of
Kirk
Sink horn
Rough of Stain
Myrelandhorn
B870
Westerloch
Black H.
Cas. Linglas
Scrabster
Knowerfield
Moss of
Killimster
Killimster
Quoys of Reiss
Mains of Watten
L. of
Killimster
Ackergill
Links
Sinclairs Bay
Watten Sta.
Killimster
Nth. Killimster
Ackergill Tower
Noss Head
Rev ev ½ min : vis 18 m.
Inn
Bargie
L. of
Winless
Reiss
Ho.
Gas.
Grangoe
Swallow Goe
Kilbster
Sta.
Winless
H. of Harland
Shorelands
Up. Ackergill
WICK
Cystones
Achingale
Whitefield
Sibster
Lynaster
Bilbster
Gillfield
Up. Gillock
Westerseat
North Head
A882
Bilbster
Moss
Bilbster
Thuster
Ho.
B874
Up. Gillock
Ackergill
Airness
Staxigoe
Strath
Thuster
Waterloo
Cowsburgh
Westerseat
Hillhead
Papigoe
Broadhaven
South Head
Thuster
Haster
A99
Pulteneytown
L'. Wathegar
Milton
WICK
Up. Pulteneytown
Wick Bay
Up. Wathegar
Stirkoke Ho.
Newton
Ness
Old Wick
Fleet
Hill
Graystones
Stemster
Old Stirkoke
Charity
Cas. of Old Wick
Cairn of Stirkoke
Whiterow
The Brough
Blingery
Refadly
Pildagon
Northfield
Grudgehouse
Kinlochy
Girston
Hempriggs Ho.
Helman Hd.
Up. Achairn
(Ruins)
Tannach H.
Hempriggs
Tannach
Thrumster
Ires Geo
Ashy Geo
H. of Oliclett
Thrumster
Litt.
A9
Camster
Oliclett
Broad Geo
Sarclet
Raggra
Yarrows
Cornigoe
Borrowston
Sarclet Hd.
L. of
Camster
S. Yarrows
H. of
Yarrows
Badle
Whiteleen
Sarclet
The Haven
Gearty Hd.

To Lerwick
To Aberdeen
Wick to Aberdeen

a

b

c

Continued on Map 318

325

EXPLANATION OF INDEX

THE letters following the page number indicate the Map Square in which the place is situated. Large letters are shown at the top of the Map Section and small letters down the sides.

For Example **STRATFORD-ON-AVON** Page **91** Sq. **Aa**

is found on page 91 under square **A** and along square **a**.

WEATHER REGIONS

This map shows the various gale-warning areas made so familiar by the B.B.C.
The figures below each name indicate the average number of days a year on which a gale blows.

INDEX

COUNTY ABBREVIATIONS

Beds.	Bedfordshire
Berks.	Berkshire
Bord.	Borders Region
Bucks.	Buckinghamshire
Cambs.	Cambridgeshire
Cen.	Central Region
Ches.	Cheshire
Cleve.	Cleveland
Corn.	Cornwall
Cumb.	Cumbria
Derby.	Derbyshire
Dev.	Devon
Dors.	Dorset
Dum/Gall.	Dumfries & Galloway Region
Dur.	Durham
E. Sus.	East Sussex
Fife	Fife Region
Glos.	Gloucestershire
Gramp.	Grampian Region
Gt. Lon.	Greater London
Gt. Man.	Greater Manchester
Gwyn.	Gwynedd
Hants.	Hampshire
Hf/Wor.	Hereford & Worcester
Herts.	Hertfordshire
Highl.	Highland Region
Humb.	Humberside
I.O.M.	Isle of Man
I.O.W.	Isle of Wight
Lancs.	Lancashire
Leics.	Leicestershire
Lincs.	Lincolnshire
Loth.	Lothian Region
Mers.	Merseyside
M. Glam.	Mid Glamorgan
Norf.	Norfolk
N'hants.	Northamptonshire
N'land	Northumberland
N. Yorks.	North Yorkshire
Notts.	Nottinghamshire
Oxon.	Oxfordshire
Som.	Somerset
S. Glam.	South Glamorgan
S. Yorks.	South Yorkshire
Staffs.	Staffordshire
Strath.	Strathclyde Region
Suff.	Suffolk
Sur.	Surrey
Tay.	Tayside Region
Ty/We.	Tyne & Wear
Warks.	Warwickshire
W. Glam.	West Glamorgan
W. Mid.	West Midlands
W. Sus.	West Sussex
W. Yorks.	West Yorkshire
Wilts.	Wiltshire

PAGE SQ.
ABBAS COMBE, *Som.* 35 Bb
Abberley, *Hf/Wor.* 108 Db
Abberley Common, *Hf/Wor.* 108 Db
Abberton, *Essex* 78 Db
Abberton, *Hf/Wor.* 109 Bc
Abbess Roding, *Essex* 77 Ac
Abbey Cwmhir, *Powys* 105 Bb
Abbey Dore, *Hf/Wor.* 87 Bb
Abbey St. Bathans, *Bord.* 253 Bc
Abbey Town, *Cumb.* 216 Dc
Abbots Bickington, *Dev.* 12 Ca
Abbots Bromley, *Staffs.* 147 Bc
Abbotsbury, *Dors.* 17 Bb
Abbotsford, *Bord.* 241 Bb
Abbotsham, *Dev.* 29 Bc
Abbotskerswell, *Dev.* 14 Cc
Abbots Langley, *Herts.* 75 Ac
Abbots Leigh, *Avon* 50 Da
Abbots Lench, *Hf/Wor.* 110 Cc
Abbotsley, *Cambs.* 95 Bb
Abbots Morton, *Hf/Wor.* 110 Cc
Abbots Ripton, *Cambs.* 115 Bc
Abbots Salford, *Warks.* 90 Da
Abbots Worthy, *Hants.* 39 Ab
Abbotts Ann, *Hants.* 38 Ca
Abdon, *Salop* 108 Ca
Abenhall, *Glos.* 89 Ac
Aber, *Gwyn.* 156 Db
Aberaman, *M. Glam.* 86 Cc
Aberangell, *Powys* 122 Da
Aber Arad, *Dyfed* 83 Bb
Aberavon, *W. Glam.* 65 Aa
Aberayron, *Dyfed* 101 Ab
Aberbargoed, *M. Glam.* 67 Ab
Abercanaid, *M. Glam.* 86 Dc
Abercarn, *Gwent* 67 Ab
Aberchirder, *Gramp.* 304 Db
Abercorn, *Loth.* 251 Aa
Abercrave, *Powys* 85 Bb
Abercych, *Dyfed* 83 Ab
Abercynon, *M. Glam.* 66 Da
Aberdare, *M. Glam.* 86 Cc
Aberdaron, *Gwyn.* 139 Ac
Aberdeen, *Gramp.* 294 Cc
Aberdour, *Fife* 251 Aa
Aberdovey, *Gwyn* 121 Bb
Aberedw, *Powys* 104 Db
Abererch, *Gwyn.* 140 Cb
Aberfeldy, *Tay* 269 Ab
Aberffraw, *Gwyn.* 155 Bc
Aberford, *W. Yorks.* 184 Dc
Aberfoyle, *Cen.* 258 Cc
Abergavenny, *Gwent* 67 Ba
Abergele, *Clwyd.* 158 Ca
Abergorlech, *Dyfed* 84 Db
Abergwesyn, *Powys* 103 Ba
Abergwili, *Dyfed* 64 Ca
Abergwynfi, *W. Glam.* 65 Ba
Abergynolwyn, *Gwyn.* 121 Ba
Aberhafesp, *Powys* 123 Bc
Aberkenfig, *M. Glam.* 65 Bb
Aberlady, *Loth.* 252 Da
Aberlemno, *Tay.* 272 Ca
Aberllefenni, *Gwyn.* 122 Ca
Aberllynfi, *Powys* 87 Ab
Abernant, *Dyfed* 83 Bc
Abernant, *M. Glam.* 86 Cc
Abernethy, *Tay.* 261 Aa
Abernyte, *Tay.* 270 Dc
Aberporth, *Dyfed* 83 Aa
Aberscross, *Highl.* 312 Ca
Abersoch, *Gwyn.* 139 Bc
Abersychan, *Gwent* 67 Ba
Abertillery, *Gwent* 67 Aa
Aberthin, *S. Glam.* 66 Db
Aber-tridwr, *M. Glam.* 66 Da
Aberuthven, *Tay* 260 Ca
Aberyscir, *Powys* 86 Ca
Aberystwyth, *Dyfed* 101 Ba

PAGE SQ.
Abingdon, *Oxon.* 72 Db
Abinger, *Sur.* 41 Bb
Abington, *N'hants.* 113 Ac
Abington, *Strath.* 238 Dc
Abington Pigotts, *Cambs.* 95 Bc
Ab Kettleby, *Leics.* 130 Da
Ablington, *Glos.* 70 Da
Abney, *Derby.* 163 Ab
Aboyne, *Gramp.* 281 Aa
Abram, *Gt. Man.* 170 Cc
Abridge, *Essex* 58 Da
Abson, *Avon* 51 Aa
Abthorpe, *N'hants.* 93 Aa
Aby, *Lincs.* 154 Ca
Acaster Malbis, *N. Yorks.* 185 Bc
Acaster Selby, *N. Yorks.* 185 Ac
Accrington, *Lancs.* 171 Aa
Achahoish, *Strath.* 245 Ab
Achanalt, *Highl.* 299 Aa
Achaphubuil, *Highl.* 275 Ac
Acharacle, *Highl.* 264 Ca
Acharn, *Tay.* 268 Db
Achiltibuie, *Highl.* 313 Ac
Achintee, *Highl.* 298 Cb
Achintraid, *Highl.* 285 Ba
Achnasheen, *Highl.* 298 Da
Achnastank, *Gramp.* 291 Ba
Achreamie, *Highl.* 322 Da
Achurch, *N'hants.* 114 Ca
Ackenthwaite, *Cumb.* 193 Bc
Acklam, *N. Yorks.* 186 Ca
Ackleton, *Salop* 126 Dc
Acklington, *N'land* 232 Cb
Ackton, *W. Yorks.* 174 Cb
Ackworth Moor Top, *W. Yorks.* 174 Cb
Acle, *Norf.* 120 Ca
Acocks Green, *W. Mid.* 110 Da
Acol, *Kent* 46 Da
Acomb, *N'land* 220 Cb
Acomb, *N. Yorks.* 185 Ab
Aconbury, *Hf/Wor.* 88 Cb
Acre, *Lancs.* 171 Aa
Acrise, *Kent* 28 Ca
Acton, *Ches.* 160 Db
Acton, *Ches.* 145 Ba
Acton, *Gt. Lon.* 57 Bb
Acton, *Hf/Wor.* 109 Ab
Acton, *Staffs.* 146 Db
Acton, *Suff.* 98 Cc
Acton Beauchamp, *Hf/Wor.* 89 Aa
Acton Burnell, *Salop.* 125 Bb
Acton Green, *Hf/Wor.* 89 Aa
Acton Round, *Salop* 126 Cc
Acton Scott, *Salop* 125 Ac
Acton Trussell, *Staffs.* 127 Ba
Acton Turville, *Avon* 69 Bc
Adbaston, *Staffs.* 146 Cc
Adber, *Dors.* 35 Ab
Adderbury, *Oxon* 92 Db
Adderley, *Salop* 145 Bb
Addiewell, *Loth.* 250 Dc
Addingham, *W. Yorks.* 183 Ab
Addington, *Bucks.* 93 Bc
Addington, *Kent* 43 Ba
Addington, *Sur.* 42 Da
Addlestone, *Sur.* 41 Aa
Addlethorpe, *Lincs.* 154 Da
Adel, *W. Yorks.* 184 Cc
Adforton, *Hf/Wor.* 107 Ab
Adisham, *Kent* 46 Cb
Adlestrop, *Glos.* 91 Bc
Adlingfleet, *Humb.* 176 Cb
Adlington, *Lancs.* 170 Cb
Admaston, *Salop* 126 Ca
Admaston, *Staffs.* 128 Ca
Admington, *Warks.* 91 Aa
Adsborough, *Som.* 33 Bb

PAGE SQ.
Adstock, *Bucks.* 93 Bb
Adstone, *N'hants.* 93 Aa
Adversane, *W. Sus.* 23 Ba
Adwalton, *W. Yorks.* 173 Aa
Adwell, *Oxon.* 73 Bb
Adwick le Street, *S. Yorks.* 174 Dc
Adwick-on-Dearne, *S. Yorks.* 174 Cc
Affpuddle, *Dors.* 18 Ca
Agglethorpe, *N. Yorks.* 196 Cb
Aigburth, *Mers.* 159 Bb
Aike, *Humb.* 177 Aa
Aikshead, *Cumb.* 217 Ac
Aikton, *Cumb.* 217 Ac
Ailey, *Hf/Wor.* 87 Ba
Ailsworth, *Cambs.* 115 Aa
Ainderby Quernhow, *N. Yorks.* 197 Ac
Ainderby Steeple, *N. Yorks.* 197 Ab
Aingers Green, *Essex* 79 Bc
Ainsdale, *Mers* 169 Ab
Ainstable, *Cumb.* 218 Cc
Ainsworth, *Gt. Man.* 171 Ab
Aintree, *Mers.* 169 Bc
Aird of Sleat, *Highl.* 273 Aa
Airdrie, *Strath.* 249 Bb
Airmyn, *Humb.* 175 Ba
Airor, *Highl.* 285 Bc
Airth, *Cen.* 250 Ca
Aisby, *Lincs.* 152 Cb
Aisholt, *Som.* 33 Bb
Aiskew, *N. Yorks.* 196 Db
Aislaby, *Cleve.* 207 Bc
Aisthorpe, *Lincs.* 166 Cb
Akeld, *N'land* 243 Bc
Akeley, *Bucks.* 93 Bb
Akenham, *Suff.* 99 Ac
Alberbury, *Salop* 124 Da
Albert Street, *Clwyd* 144 Ca
Albourne, *W. Sus.* 24 Cb
Albrighton, *Salop* 126 Db
Albrighton, *Salop* 125 Ba
Alburgh, *Norf.* 119 Bc
Albury, *Herts.* 76 Cb
Albury, *Oxon.* 73 Ab
Albury, *Sur.* 41 Ab
Alcaston, *Salop* 107 Ba
Alcester, *Warks.* 110 Cc
Alciston, *E. Sus.* 25 Bc
Alcombe, *Som.* 48 Cb
Alconbury, *Cambs.* 115 Ac
Alconbury Weston, *Cambs.* 114 Db
Aldborough, *Norf.* 137 Ba
Aldborough, *N. Yorks.* 184 Da
Aldborough Hatch, *Gt. Lon.* 58 Db
Aldbourne, *Wilts.* 53 Ba
Aldbrough, *Humb.* 178 Cb
Aldbrough, *N. Yorks.* 206 Da
Aldbury, *Herts.* 74 Da
Aldcliffe, *Lancs.* 180 Db
Aldclune, *Tay.* 278 Dc
Aldeburgh, *Suff.* 100 Dc
Aldeby, *Norf.* 120 Cb
Aldenham, *Herts.* 57 Aa
Alderbury, *Wilts.* 37 Bb
Alderford, *Norf.* 137 Ac
Alderholt, *Dors.* 37 Bc
Alderley, *Glos.* 69 Bb
Alderley Edge, *Ches.* 161 Bb
Aldermaston, *Berks.* 55 Ab
Aldermaston Wharf, *Berks.* 55 Ab
Alderminster, *Warks.* 91 Ba
Aldersey Green, *Ches.* 144 Da
Aldershot, *Hants.* 56 Cc
Alderton, *Glos.* 90 Db
Alderton, *N'hants.* 93 Ba

PAGE SQ.
Alderton, *Suff.* 80 Ca
Alderton, *Wilts.* 69 Bc
Alderwasley, *Derby.* 148 Da
Aldford, *Ches.* 144 Da
Aldham, *Essex* 78 Cb
Aldham, *Suff.* 79 Aa
Aldingbourne, *W. Sus.* 23 Ac
Aldingham, *Cumb.* 179 Ba
Aldington, *Hf/Wor.* 90 Da
Aldington, *Kent* 28 Ca
Aldon, *Salop* 107 Ba
Aldreth, *Cambs.* 96 Ca
Aldridge, *W. Mid.* 128 Cb
Aldringham, *Suff.* 100 Db
Aldsworth, *Glos.* 71 Aa
Aldwark, *Derby.* 148 Ca
Aldwark, *N. Yorks.* 184 Da
Aldwick, *W. Sus.* 23 Ac
Aldwinkle St. Peter, *N'hants.* 114 Ca
Aldworth, *Berks.* 54 Da
Alethorpe, *Norf.* 136 Db
Alexandria, *Strath.* 248 Ca
Alfington, *Dev.* 15 Ab
Alfold, *Sur.* 41 Ac
Alford, *Gramp.* 292 Db
Alford, *Lincs.* 154 Ca
Alford, *Som.* 35 Aa
Alfreton, *Derby.* 149 Ba
Alfrick, *Hf/Wor.* 108 Dc
Alfriston, *E. Sus.* 25 Bc
Algarkirk, *Lincs.* 133 Ba
Alhampton, *Som.* 35 Ba
Alkborough, *Humb.* 176 Cb
Alkerton, *Oxon.* 92 Cb
Alkham, *Kent* 28 Da
Alkmonton, *Derby.* 148 Cb
Allaston, *Glos.* 69 Aa
All Cannings, *Wilts.* 52 Db
Allendale Town, *N'land* 220 Cc
Allenheads, *N'land* 205 Ba
Allensmore, *Hf/Wor.* 88 Cb
Aller, *Som.* 34 Cb
Allerby, *Cumb.* 201 Ba
Allerford, *Som.* 48 Cb
Allerston, *N. Yorks.* 187 Aa
Allerthorpe, *Humb.* 186 Cb
Allerton, *Mers.* 160 Ca
Allerton, *W. Yorks.* 172 Da
Allerton Bywater, *W. Yorks.* 174 Ca
Allerton Mauleverer, *N. Yorks.* 184 Db
Allesley, *W. Mid.* 111 Aa
Allestree, *Derby.* 148 Db
Allexton, *Leics.* 131 Bc
Allhallows, *Kent* 60 Cc
Allington, *Kent* 44 Ca
Allington, *Lincs.* 151 Bb
Allington, *Wilts.* 37 Ba
Allington, *Wilts.* 52 Db
Allington, *Wilts.* 52 Ca
Allithwaite, *Cumb.* 193 Ac
Alloa, *Cen.* 259 Bc
Allonby, *Cumb.* 201 Ba
Allowenshay, *Som.* 16 Da
All Saints and St. Nicholas, *Suff.* 119 Bc
All Stretton, *Salop* 125 Ac
Alltmawr, *Powys* 104 Db
Allt-wen, *W. Glam.* 85 Ac
Allweston, *Dors.* 35 Bc
Almeley, *Hf/Wor.* 87 Ba
Almer, *Dors.* 18 Da
Almington, *Staffs.* 146 Cc
Almondbury, *W. Yorks.* 172 Db
Almondsbury, *Avon* 68 Dc
Alne, *N. Yorks.* 184 Da
Alness, *Highl.* 300 Da
Alnham, *N'land* 231 Aa
Alnmouth, *N'land* 232 Ca

	PAGE	SQ
Alnwick, *N'land*	232	Ca
Alperton, *Gt. Lon.*	57	Ab
Alphamstone, *Essex*	78	Ca
Alpheton, *Suff.*	98	Cb
Alphington, *Dev.*	14	Da
Alpington, *Norf.*	119	Ba
Alport, *Derby.*	163	Ac
Alresford, *Essex*	79	Ac
Alrewas, *Staffs.*	128	Ca
Alsager, *Ches.*	146	Ca
Alsop-en-le-dale, *Derby.*	148	Ca
Alston, *Cumb.*	219	Bc
Alstone, *Glos.*	90	Db
Alstonfield, *Staffs.*	148	Ca
Alston Sutton, *Som.*	50	Cc
Altarnun, *Corn.*	7	Aa
Altham, *Lancs.*	171	Aa
Althorne, *Essex*	60	Ca
Althorpe, *Humb.*	176	Cc
Altofts, *W. Yorks.*	174	Ca
Alton, *Derby.*	163	Bc
Alton, *Hants.*	39	Ba
Alton, *Staffs.*	147	Bb
Alton Barnes, *Wilts.*	53	Ab
Alton Pancras, *Dors.*	18	Ca
Alton Priors, *Wilts.*	53	Ab
Altrincham, *Gt. Man.*	161	Ba
Alva, *Cen.*	259	Bc
Alvanley, *Ches.*	160	Cb
Alvaston, *Derby.*	149	Ac
Alvechurch, *Hf/Wor.*	110	Cb
Alvediston, *Wilts.*	36	Bb
Alveley, *Salop*	108	Da
Alverdiscott, *Dev.*	30	Cc
Alverston, *I.O.W.*	21	Bc
Alverthorpe, *W. Yorks.*	173	Bb
Alverton, *Notts.*	151	Ab
Alvescot, *Oxon.*	71	Bb
Alveston, *Glos.*	69	Ac
Alveston, *Warks.*	110	Dc
Alvingham, *Lincs.*	168	Ca
Alvington, *Glos.*	68	Db
Alwalton, *Cambs.*	115	Ab
Alwington, *Dev.*	29	Bc
Alwinton, *N'land*	230	Da
Alwoodley Gates, *W. Yorks.*	184	Cc
Alyth, *Tay.*	270	Db
Ambergate, *Derby.*	148	Da
Amber Hill, *Lincs.*	153	Bc
Amberley, *Glos.*	69	Bb
Amberley, *W. Sus.*	23	Bb
Amble, *N'land*	232	Db
Amblecote, *W. Mid.*	109	Ba
Ambleside, *Cumb.*	192	Da
Ambleston, *Dyfed*	82	Cc
Ambrosden, *Oxon.*	93	Ac
Amcotts, *Humb.*	176	Cb
Amersham, *Bucks.*	74	Db
Amesbury, *Wilts.*	37	Ba
Amington, *Staffs.*	128	Db
Amlwch, *Gwyn.*	155	Ba
Ammanford, *Dyfed*	64	Da
Amotherby, *N. Yorks.*	198	Da
Ampfield, *Hants.*	38	Dc
Ampleforth, *N. Yorks.*	198	Cc
Ampney Crucis, *Glos.*	70	Da
Ampney St. Mary, *Glos.*	70	Da
Ampney St. Peter, *Glos.*	70	Db
Amport, *Hants.*	38	Ca
Ampthill, *Beds.*	94	Db
Ampton, *Suff.*	98	Ca
Amroth, *Dyfed*	62	Db
Amulree, *Tay.*	269	Bc
Ancaster, *Lincs.*	152	Cb
Ancroft, *N'land*	243	Ba
Ancrum, *Bord.*	241	Bc
Anderby, *Lincs.*	154	Da
Andersfield, *Som.*	33	Bb
Anderson, *Dors.*	18	Da
Anderton, *Ches.*	160	Db
Andover, *Hants.*	38	Da
Andreas, *I.O.M.*	189	Aa
Angelbank, *Salop*	108	Ca
Angersleigh, *Som.*	33	Bc
Angle, *Dyfed*	61	Bb
Angmering, *W. Sus.*	23	Bb
Angram, *N. Yorks.*	195	Aa
Angram, *N. Yorks.*	185	Ab
Anick, *N'land*	220	Cb
Anlaby, *Humb.*	176	Da
Anmer, *Norf.*	135	Bb
Annan, *Dum/Gall.*	216	Db
Annesley, *Notts.*	149	Ba
Annesley Woodhouse, *Notts.*	149	Ba
Annfield Plain, *Dur.*	221	Bc
Ansford, *Som.*	35	Ba
Ansley, *Warks.*	128	Dc
Anslow, *Staffs.*	148	Ca
Anstey, *Hants.*	39	Ba
Anstey, *Herts.*	76	Ca
Anstey, *Leics.*	129	Ba
Ansty, *Dors.*	36	Bb
Ansty, *Warks.*	111	Ba
Anthorn, *Cumb.*	216	Db
Antingham, *Norf.*	137	Bb
Antony, *Corn.*	8	Ca
Anwick, *Lincs.*	153	Ac
Anwoth, *Dum/Gall.*	213	Bb
Apethorpe, *N'hants.*	132	Cc
Apeton, *Staffs.*	127	Aa
Apley, *Lincs.*	153	Aa
Apperknowle, *Derby.*	164	Cb
Apperley, *Glos.*	90	Cb
Apperley Bridge, *W. Yorks.*	183	Bc
Appersett, *N. Yorks.*	195	Ab
Appleby, *Cumb.*	204	Dc
Appleby, *Humb.*	176	Db
Appleby Magna, *Leics.*	129	Ab
Applecross, *Highl.*	297	Ab
Appledore, *Dev.*	30	Cb
Appledore, *Kent*	27	Bb
Appledore Heath, *Kent*	27	Bb
Appledram, *W. Sus.*	22	Da
Appleford, *Oxon.*	72	Dc
Applegarth, *Dum/Gall.*	227	Bc
Appleshaw, *Hants.*	53	Bc
Applethwaite, *Cumb.*	202	Db
Appleton, *Ches.*	160	Db
Appleton, *Oxon.*	72	Cb
Appleton-le-Moor, *N. Yorks.*	198	Db
Appleton-le-Street, *N. Yorks.*	198	Db
Appleton Roebuck, *N. Yorks.*	185	Ac
Appleton Wiske, *N. Yorks.*	197	Aa
Appletree, *N'hants.*	92	Da
Appletreewick, *N. Yorks.*	182	Db
Appley, *Som.*	33	Ac
Apsley End, *Beds.*	75	Aa
Aquhythie, *Gramp.*	293	Bb
Aquila, *W. Yorks.*	173	Aa
Arbeadie, *Gramp.*	281	Ba
Arbirlot, *Tay.*	272	Cb
Aborfield, *Berks.*	55	Bb
Arbroath, *Tay.*	272	Db
Archdeacon Newton, *Dur.*	207	Ac
Archiestown, *Gramp.*	303	Ac
Ardbeg, *Strath.*	246	Dc
Ardeley, *Herts.*	76	Ca
Ardelve, *Highl.*	286	Cb
Ardentinny, *Strath.*	247	Aa
Ardgour, *Highl.*	265	Ba
Ardingly, *W. Sus.*	24	Da
Ardington, *Oxon.*	72	Cc
Ardlair, *Gramp.*	292	Ca
Ardleigh, *Essex*	79	Ab
Ardler, *Tay.*	271	Ab
Ardley, *Oxon.*	92	Dc
Ardlui, *Strath.*	257	Bb
Ardminish, *Strath.*	233	Aa
Ardmore, *Strath.*	263	Ba
Ardnastang, *Highl.*	265	Aa
Ardoyne, *Gramp.*	293	Aa
Ardrishaig, *Strath.*	245	Ba
Ardroag, *Highl.*	295	Bc
Ardrossan, *Strath.*	235	Bb
Ardsley, *S. Yorks.*	174	Cc
Ardtalnaig, *Tay.*	268	Db
Ardtoe, *Highl.*	273	Bc
Areley Kings, *Hf/Wor.*	109	Ab
Arford, *Hants.*	40	Ca
Arglam, *Humb.*	186	Cc
Argoed, *Gwent.*	67	Ab
Arinakaig, *Highl.*	298	Cb
Arkendale, *N. Yorks.*	184	Da
Arkesden, *Essex*	76	Cb
Arkholme, *Lancs.*	180	Da
Arkle Town, *N. Yorks.*	195	Ba
Arksey, *S. Yorks.*	174	Dc
Arkwright Town, *Derby.*	164	Cc
Arle, *Glos.*	90	Cc
Arlecdon, *Cumb.*	201	Bc
Arlesey, *Beds.*	75	Ba
Arleston, *Salop*	126	Cb
Arley, *Warks.*	128	Dc
Arlingham, *Glos.*	69	Aa
Arlington, *Dev.*	30	Da
Arlington, *E. Sus.*	25	Ab
Arlington, *Glos.*	71	Aa
Armadale, *Highl.*	321	Ba
Armadale, *Loth.*	250	Cb
Armathwaite, *Cumb.*	203	Ba
Arminghall, *Norf.*	119	Bb
Armitage, *Staffs.*	128	Ca
Armitage Bridge, *W. Yorks.*	172	Bb
Armscote, *Warks.*	91	Ba
Armston, *N'hants.*	114	Da
Armthorpe, *S. Yorks.*	174	Dc
Arncliffe, *N. Yorks.*	182	Ca
Arne, *Dors.*	19	Ab
Arnesby, *Leics.*	130	Cb
Arnfield, *Derby.*	162	Da
Arnisdale, *Highl.*	286	Cb
Arnold, *Humb.*	177	Bb
Arnold, *Notts.*	149	Bb
Arnside, *Cumb.*	193	Ac
Arowry, *Clwyd*	159	Bc
Arpinge, *Kent.*	28	Ca
Arram, *Humb.*	177	Ab
Arrathorne, *N. Yorks.*	196	Bb
Arreton, *I.O.W.*	21	Bc
Arrington, *Cambs.*	95	Bb
Arrochar, *Strath.*	257	Ab
Arrow, *Warks.*	110	Ca
Arthington, *W. Yorks.*	184	Cc
Arthingworth, *N'hants.*	113	Aa
Arundel, *W. Sus.*	23	Ac
Ascog, *Strath.*	246	Dc
Ascot (Royal), *Berks.*	56	Cb
Ascott, *Warks.*	91	Bb
Ascot under Wychwood, *Oxon.*	71	Ba
Asenby, *N. Yorks.*	197	Ac
Asfordby, *Leics.*	130	Da
Asgarby, *Lincs.*	152	Db
Asgarby, *Lincs.*	153	Bb
Ash, *Kent*	43	Ba
Ash, *Kent*	46	Cb
Ash, *Som.*	33	Bc
Ash, *Som.*	34	Dc
Ash, *Sur.*	56	Cc
Ashampstead, *Berks.*	54	Da
Ashbourne, *Derby.*	148	Cb
Ashbrittle, *Som.*	33	Ac
Ashburton, *Dev.*	13	Bc
Ashbury, *Berks.*	71	Bc
Ashbury, *Dev.*	12	Db
Ashby, *Humb.*	176	Cc
Ashby, *Suff.*	120	Db
Ashby by Partney, *Leics.*	154	Cb
Ashby-cum-Fenby, *Humb.*	167	Bb
Ashby de la Launde, *Leics.*	152	Ca
Ashby-de-la-Zouch, *Leics.*	129	Ba
Ashby Folville, *Leics.*	130	Db
Ashby Magna, *Leics.*	112	Ca
Ashby Parva, *Leics.*	112	Ca
Ashby Puerorum, *Lincs.*	153	Ba
Ashby St. Ledgers, *N'hants.*	112	Cb
Ashchurch, *Glos.*	90	Cb
Ascombe, *Dev.*	14	Db
Ashcott, *Som.*	34	Da
Ashdon, *Essex*	97	Ac
Ashe, *Hants.*	54	Dc
Asheldham, *Essex*	60	Da
Ashen, *Suff.*	97	Bc
Ashendon, *Bucks.*	73	Ba
Ashfield, *Suff.*	99	Bb
Ashfield Gr., *Suff.*	99	Ba
Ashford, *Dev.*	30	Cb
Ashford, *Derby.*	163	Ac
Ashford, *Gt. Lon.*	56	Db
Ashford, *Kent*	27	Ba
Ashford Bowdler, *Salop*	107	Bb
Ashford Carborell, *Salop*	107	Bb
Ashill, *Dev.*	15	Aa
Ashill, *Norf.*	118	Ca
Ashill, *Som.*	34	Cc
Ashingdon, *Essex*	60	Ca
Ashington, *N'land*	232	Dc
Ashington, *Som.*	35	Ab
Ashington, *W. Sus.*	23	Bb
Ashkirk, *Bord.*	241	Ac
Ashleworth, *Glos.*	89	Bc
Ashley, *Cambs.*	97	Ab
Ashley, *Ches.*	161	Bb
Ashley, *Hants.*	38	Db
Ashley, *Kent*	46	Cb
Ashley, *N'hants.*	113	Aa
Ashley, *Staffs.*	146	Cc
Ashley, *Wilts.*	51	Ba
Ashley Green, *Bucks.*	74	Db
Ashling, *W. Sus.*	22	Da
Ash Magna, *Salop*	145	Bb
Ashmanhaugh, *Norf.*	138	Cc
Ashmansworth, *Hants.*	54	Cc
Ashmore, *Dors.*	36	Bb
Ashmore Green, *Berks.*	54	Db
Ashover, *Derby.*	163	Bc
Ashow, *Warks.*	111	Ab
Ash Parva, *Salop*	145	Bb
Ashprington, *Dev.*	10	Ca
Ash Priors, *Som.*	33	Ab
Ashreigney, *Dev.*	31	Ab
Ashridge, *Herts.*	74	Da
Ashtead, *Sur.*	41	Ba
Ashton, *Corn.*	2	Bb
Ashton, *Hf/Wor.*	108	Cc
Ashton, *N'hants.*	114	Da
Ashton, *Som.*	34	Cb
Ashton, *Strath.*	247	Bb
Ashton Common, *Wilts.*	52	Cb
Ashton in Mäkerfield, *Gt. Man.*	170	Cc
Ashton Keynes, *Wilts.*	70	Db
Ashton-u.-Hill, *Glos.*	90	Cb
Ashton-u.-Lyne, *Gt. Man.*	171	Bc
Ashton-on-Mersey, *Gt. Man.*	161	Ba
Ashurst, *Kent*	25	Ab
Ashurst, *Hants.*	38	Cc
Ashurst, *W. Sus.*	24	Cb
Ashwater, *Dev.*	12	Cb
Ashwell, *Herts.*	95	Bc
Ashwell, *Som.*	34	Cc
Ashwellthorpe, *Norf.*	119	Ab
Ashwick, *Som.*	35	Ab
Ashwicken, *Norf.*	135	Bc
Askern, *S. Yorks.*	174	Db
Askerswell, *Dors.*	17	A
Askett, *Bucks.*	73	B
Askham, *Cumb.*	203	B
Askham, *Notts.*	165	E
Askham Bryan, *N. Yorks.*	185	A
Askham Richard, *N. Yorks.*	185	A
Askrigg, *N. Yorks.*	195	B
Askwith, *N. Yorks.*	183	B
Aslackby, *Lincs.*	152	C
Aslacton, *Norf.*	119	A
Aslockton, *Notts.*	150	D
Aspall, *Suff.*	99	A
Aspatria, *Cumb.*	202	C
Aspenden, *Herts.*	76	C
Aspley Guise, *Beds.*	94	C
Asselby, *Humb.*	175	B
Assington, *Suff.*	78	D
Astbury, *Ches.*	161	B
Asterby, *Lincs.*	153	A
Asterley, *Salop*	124	D
Asthall, *Oxon.*	71	B
Asthall Leigh, *Oxon.*	71	B
Astley, *Hf/Wor.*	108	C
Astley, *Salop*	125	B
Astley, *Warks.*	111	A
Astley Abbotts, *Salop*	126	C
Aston, *Ches.*	145	B
Aston, *Clwyd*	159	B
Aston, *Derby.*	163	A
Aston, *Hf/Wor.*	107	B
Aston, *Herts.*	75	B
Aston, *Oxon.*	71	B
Aston, *S. Yorks.*	164	C
Aston, *Staffs.*	146	C
Aston, *W. Mid.*	128	C
Aston Abbotts, *Bucks.*	94	C
Aston Blank, *Glos.*	91	A
Aston Botterell, *Salop*	108	C
Aston Cantlow, *Warks.*	110	C
Aston Clinton, *Bucks.*	74	C
Aston Eyre, *Salop*	126	C
Aston Fields, *Hf/Wor.*	109	B
Aston Flamville, *Leics.*	129	E
Aston Ingham, *Hf/Wor.*	89	A
Aston juxta Mondrum, *Ches.*	145	E
Aston le Walls, *N'hants.*	92	C
Aston Magna, *Glos.*	91	A
Aston-on-Carrant, *Hf/Wor.*	90	C
Aston-on-Clun, *Salop*	107	A
Aston Rowant, *Oxon.*	73	B
Aston Sandford, *Bucks.*	73	E
Aston Somerville, *Hf/Wor.*	90	L
Aston Subedge, *Glos.*	91	A
Aston Tirrold, *Oxon.*	72	C
Aston-upon-Trent, *Derby.*	149	I
Aston Upthorpe, *Oxon.*	72	I
Astrop, *N'hants.*	92	C
Astwick, *Beds.*	95	I
Astwith, *Derby.*	164	C
Astwood, *Bucks.*	94	C
Astwood Bank, *Hf/Wor.*	110	C
Aswarby, *Lincs.*	152	L
Aswardby, *Lincs.*	154	C
Atcham, *Salop*	125	I
Athelhampton, *Dors.*	18	I
Athelington, *Suff.*	99	I
Athelney, *Som.*	34	C
Athelstaneford, *Loth.*	252	L
Atherington, *Dev.*	30	L
Atherstone, *Som.*	34	C
Atherstone-on-Stour, *Warks.*	91	A
Atherton, *Gt. Man.*	170	L
Atlow, *Derby*	148	C
Attadale, *Highl.*	286	C
Attenborough, *Notts.*	150	C
Atterby, *Lincs.*	166	C
Atterton, *Leics.*	129	A
Attleborough, *Norf.*	118	L
Attleborough, *Warks.*	111	I
Attlebridge, *Norf.*	137	I
Atwick, *Humb.*	178	C
Atworth, *Wilts.*	52	C
Auberrow, *Hf/Wor.*	88	C
Aubourn, *Lincs.*	152	C
Auchencairn, *Dum/Gall.*	214	L
Auchengray, *Strath.*	250	L
Auchenhalrig, *Gramp.*	303	I
Auchinblae, *Gramp.*	282	C
Auchincruive, *Strath.*	236	C
Auchinleck, *Strath.*	237	I
Auchleven, *Gramp.*	293	C
Auchnangoul, *Strath.*	256	C
Auchterarder, *Tay.*	260	C
Auchterderran, *Fife*	260	L
Auchtermuchty, *Fife*	260	C
Auchterneed, *Highl.*	300	C
Auchtertool, *Fife*	260	L
Auchtertyre, *Tay.*	271	A
Auckengill, *Highl.*	324	L
Auckley, *S. Yorks.*	175	I
Audenshaw, *Gt. Man.*	171	I
Audlem, *Ches.*	145	C
Audley, *Staffs.*	146	C
Audmore, *Staffs.*	126	C

Place	PAGE	SQ
Audnam, *Staffs.*.	109	Ba
Aughertree, *Cumb.*	202	Da
Aughton, *Humb.*.	186	Cc
Aughton, *Lancs.*.	169	Bc
Aughton, *S. Yorks.*	164	Ca
Aughton, *Wilts.*	53	Bc
Auldearn, *Highl.*.	302	Cb
Aulden, *Hf/Wor.*	107	Bc
Ault Hucknall, *Derby*	164	Cc
Aunsby, *Lincs.*	152	Db
Aust, *Avon*	68	Dc
Austerfield, *S. Yorks.*	165	Aa
Austonley, *W. Yorks.*	172	Dc
Austrey, *Warks.*.	128	Db
Austwick, *N. Yorks.*	181	Ba
Authorpe, *Lincs.*.	168	Ca
Avebury, *Wilts.*.	52	Da
Aveley, *Essex*	58	Db
Avening, *Glos.*	70	Cb
Averham, *Notts.*.	150	Da
Aveton Gifford, *Dev.*	9	Bb
Aviemore, *Highl.*	290	Cb
Avington, *Berks.*	54	Cb
Avington, *Hants.*	39	Ab
Avoch, *Highl.*	301	Ab
Avon, *Hants.*	19	Bb
Avon, *Wilts.*	52	Ca
Avonbridge, *Loth.*	250	Cb
Avon Dassett, *Warks.*	92	Ca
Avonmouth, *Avon*	68	Ba
Awliscombe, *Dev.*	15	Ab
Awre, *Glos.*	69	Aa
Axford, *Wilts.*	53	Bb
Axbridge, *Som.*	50	Cb
Axminster, *Dev.*.	16	Cb
Axmouth, *Dev.*	16	Cb
Aycliffe, *Dur.*	207	Ab
Aydon, *N'land*	220	Db
Aylburton, *Glos.*.	68	Cb
Ayle, *N'land*	219	Bc
Aylesbeare, *Dev.*.	15	Ab
Aylesbury, *Bucks.*	74	Ca
Aylesby, *Humb.*	167	Ba
Aylesford, *Kent*	44	Ca
Aylestone, *Leics.*.	130	Cc
Aylmerton, *Norf.*	137	Ba
Aylsham, *Norf.*	137	Bb
Aylton, *Hf/Wor.*.	89	Ab
Aymestrey, *Hf/Wor.*	107	Bb
Aynho, *N'hants.*.	92	Db
Ayot St. Lawrence, *Herts.*	75	Bb
Ayot St. Peter, *Herts.*	75	Bb
Ayr, *Strath.*	236	Cc
Aysgarth, *N. Yorks*	195	Bb
Ayston, *Leics.*	131	Bc
Aythorpe Roding, *Essex.*	77	Ab
Ayton, *Bord.*	254	Dc
Azerley, *N. Yorks.*.	196	Dc
BABBACOMBE, *Dev.*	10	Da
Babcary, *Som.*	35	Ab
Babington, *Som.*.	51	Ac
Babraham, *Cambs.*	96	Db
Babworth, *Notts.*	165	Ab
Bach, *Hf/Wor.*	87	Ba
Backbarrow, *Cumb.*	192	Db
Backe, *Dyfed*	63	Aa
Backford, *Ches.*	159	Bc
Backies, *Highl.*	312	Ca
Backwell, *Avon*	50	Ca
Baconsthorpe, *Norf.*	137	Aa
Bacton, *Hf/Wor.*.	87	Bb
Bacton, *Norf.*	138	Cb
Bacton, *Suff.*	98	Da
Bacup, *Lancs.*	171	Ab
Badbea, *Highl.*	317	Bb
Badbury, *Wilts.*.	53	Aa
Badby, *N'hants.*.	112	Cc
Baddesley Ensor, *Warks.*	128	Dc
Baddiley, *Ches.*	145	Ba
Badenscoth, *Gramp.*	305	Ac
Badger, *Salop*	126	Dc
Badgeworth, *Glos.*	90	Cc
Badgworth, *Som.*	50	Cc
Badicaul, *Highl.*	285	Ba
Badingham, *Suff.*	100	Cb
Badlesmere, *Kent*	45	Ab
Badley, *Suff.*	99	Ab
Badryrie, *Highl.*	318	Ca
Badsey, *Hf/Wor.*	90	Da
Badsworth, *W. Yorks.*	174	Cb
Badwell Ash, *Suff.*	98	Da
Bagborough, *Som.*	33	Aa
Bagby, *N. Yorks.*	197	Bc
Bag Enderby, *Lincs.*	153	Ba
Bagendon, *Glos.*.	70	Da
Baggrow, *Cumb.*	202	Ca
Bagillt, *Clwyd*	159	Ab
Baginton, *Warks.*	111	Bb
Bagley, *Salop*	144	Dc
Bagmore, *Hants.*	39	Ba
Bagnall, *Staffs.*	146	Cb
Bagnor, *Berks.*	54	Cb
Bagshaw, *Derby*	162	Ab
Bagshot, *Sur.*	56	Cb
Bagstone, *Avon*	69	Ac
Bagthorpe, *Norf.*	135	Bb
Bagthorpe, *Notts.*	149	Ba
Bagworth, *Leics.*.	129	Bb
Baildon, *W. Yorks*	183	Bc
Bailiff Bridge, *W. Yorks.*	172	Da
Baillieston, *Strath.*	249	Ac
Bainbridge, *N. Yorks.*	195	Bb
Bainsford, *Cen.*	250	Ca
Bainton, *Humb.*	187	Bc
Bainton, *N'hants.*	132	Db
Bainton, *Oxon.*	92	Dc
Baker Street, *Essex*	59	Ab
Bakewell, *Derby.*	163	Ac
Bala, *Gwyn.*	142	Db
Balbeggie, *Tay.*.	270	Dc
Balblair, *Highl.*	301	Aa
Balby, *S. Yorks.*.	174	Db
Balchraggan, *Highl.*	288	Da
Balcombe, *W. Sus.*	24	Da
Baldernock, *Strath.*	248	Db
Baldersby, *N. Yorks.*	197	Ac
Balderstone, *Lancs.*	170	Da
Balderton, *Notts.*	151	Ba
Baldock, *Herts.*	75	Ba
Baldwin, *I.O.M.*.	190	Cb
Bale, *Norf.*	136	Da
Balerno, *Loth.*	251	Ab
Balfron, *Cen.*	248	Da
Balgowan, *Highl.*	277	Ba
Balhalgardy, *Gramp.*	293	Ba
Balham, *Gt. Lon.*	57	Bc
Balhinny, *Gramp.*	292	Da
Balintore, *Highl.*.	312	Dc
Balintore, *Tay.*.	271	Aa
Balk, *N. Yorks.*	197	Bc
Balkholme, *Humb.*	175	Bc
Balking, *Oxon.*	71	Bc
Ball, *Salop*	144	Cc
Ballabeg, *I.O.M.*.	190	Dc
Ballachulish, *Highl.*	266	Ca
Ballantrae, *Strath.*	211	Ba
Ballasalla, *I.O.M.*	190	Db
Ballater, *Gramp.*	280	Da
Ballaugh, *I.O.M.*	189	Bb
Ballidon, *Derby*	148	Ca
Ballimore, *Strath.*	246	Ca
Ballingdon, *Suff.*	98	Cc
Ballingham, *Hf/Wor.*	88	Bb
Ballingry, *Fife*	261	Ac
Ballinluig, *Tay.*.	269	Ba
Balloch, *Highl.*	301	Ab
Balloch, *Strath.*	248	Ca
Ballymichael, *Strath.*	234	Cb
Balmacara, *Highl.*	285	Bb
Balmaclellan, *Dum/Gall.*	214	Ca
Balmaghie, *Dum/Gall.*	214	Cb
Balmer Heath, *Salop*	144	Dc
Balmerino, *Fife*	261	Ba
Balmoral, *Gramp.*	280	Ca
Balmore, *Highl.*	288	Da
Balnaguard, *Tay.*	269	Ba
Balquhidder, *Cen.*	258	Ca
Balsall, *W. Mid.*	110	Da
Balscott, *Oxon.*.	92	Cb
Balsham, *Cambs.*	97	Ab
Baltonsborough, *Som.*	35	Aa
Bamber Bridge, *Lancs.*	170	Ca
Bamburgh, *N'land*	244	Db
Bamford, *Derby.*	163	Ab
Bamfurlong, *Glos.*	90	Cc
Bampton, *Cumb.*	203	Bc
Bampton, *Dev.*	32	Da
Bampton, *Oxon.*.	71	Bb
Banavie, *Highl.*	275	Ac
Banbury, *Oxon.*	92	Cb
Banchory, *Gramp.*	281	Ba
Banc-y-felin, *Dyfed*	63	Ba
Banc-y-ffordd, *Dyfed*	84	Cb
Bandodle, *Gramp.*	293	Ac
Banff, *Gramp.*	305	Aa
Bangor, *Dyfed*	83	Ab
Bangor, *Gwyn.*	156	Db
Bangor-is-y-coed, *Clwyd*	144	Db
Banham, *Norf.*	118	Db
Bankend, *Dum/Gall.*	216	Ca
Bankend, *Strath.*	238	Cb
Bankfoot, *Tay.*.	270	Da
Bankhill, *Cumb.*.	204	Ca
Bank Newton, *N. Yorks.*	182	Ab
Banks, *Cumb.*	218	Db
Banks, *Lancs.*	169	Bc
Banningham, *Norf.*	137	Bb
Bannister Green, *Essex*	77	Ab
Bannockburn, *Cen.*	259	Bc
Banstead, *Sur.*	42	Ca
Banwell, *Avon*	50	Cc
Bapchild, *Kent*	45	Ac
Barabaraville, *Highl.*	312	Ca
Barber Booth, *Derby.*	162	Db
Barby, *N'hants.*.	112	Cc
Barcheston, *Warks.*	91	Bb
Barcombe, *St. Ag.*.	25	Ab
Barden, *N. Yorks.*	196	Cb
Bardfield Saling, *Essex*	77	Bb
Bardney, *Lincs.*.	153	Aa
Bardon, *Leics.*.	129	Bb
Bardon Mill, *N'land*	219	Bb
Bardsey, *W. Yorks.*	173	Bc
Bardwell, *Suff.*.	98	Da
Bare, *Lancs.*	180	Ca
Barewood, *Hf/Wor.*	107	Ac
Barford, *Norf.*.	119	Aa
Barford, *Warks.*.	111	Ac
Barford St. John, *Oxon.*	92	Cb
Barford St. Martin, *Wilts.*	37	Ab
Barford St. Michael, *Oxon.*	92	Cb
Barfreston, *Kent*	46	Cc
Bargoed, *M. Glam.*	67	Ab
Barham, *Cambs.*.	114	Db
Barham, *Kent*	46	Cc
Barham, *Suff.*	99	Ac
Barholm, *Lincs.*.	132	Db
Barkby, *Leics.*	130	Db
Barkby Thorpe, *Leics.*	130	Db
Barkestone, *Leics.*	151	Ac
Barkham, *Berks.*.	55	Bb
Barking, *Gt. Lon.*	58	Cb
Barking, *Suff.*	99	Ac
Barkingside, *Gt. Lon.*	58	Da
Barkisland, *W. Yorks.*	172	Db
Barkston, *Lincs.*	152	Cb
Barkston, *N. Yorks.*	184	Dc
Barkway, *Herts.*.	76	Ca
Barlaston, *Staffs.*	146	Db
Barlavington, *W. Sus.*	23	Ab
Barlborough, *Derby.*	164	Cb
Barlby, *N. Yorks.*	175	Aa
Barlestone, *Leics.*	129	Bb
Barley, *Herts.*	96	Cc
Barley, *Lancs.*.	182	Cc
Barleythorpe, *Leics.*	131	Bb
Barling, *Essex*	60	Db
Barlings, *Lincs.*.	166	Dc
Barlow, *Derby.*.	163	Bb
Barlow, *N. Yorks.*	175	Aa
Barlow, *Ty/We.*.	221	Bb
Barmburgh, *S. Yorks.*	174	Cc
Barmby on the Marsh, *Humb.*	175	Aa
Barmby on the Moor, *Humb.*	186	Cb
Barmer, *Norf.*	135	Bb
Barmouth, *Gwyn.*	121	Ba
Barmpton, *Dur.*	207	Bc
Barmston, *Humb.*	188	Cc
Barnack, *Cambs.*	132	Db
Barnacle, *Warks.*	111	Ba
Barnard Castle, *Dur.*	206	Cc
Barnardiston, *Suff.*	97	Bc
Barnards Green, *Hf/Wor.*	89	Ba
Barnby, *Suff.*	120	Db
Barnby Dun, *S. Yorks.*	174	Dc
Barnby in the Willows, *Notts.*	151	Ba
Barnby Moor, *Notts.*	165	Ab
Barnet, *Gt. Lon.*	57	Ba
Barnetby-le-Wold, *Humb.*	176	Dc
Barney, *Norf.*	136	Db
Barnham, *Suff.*	118	Cc
Barnham, *W. Sus.*	23	Ac
Barnham Broom, *Norf.*	118	Da
Barningham, *Dur.*	206	Cc
Barningham, *Suff.*	118	Cc
Barnoldby le Beck, *Humb.*	167	Ba
Barnoldswick, *Lancs.*	182	Cc
Barns Green, *W. Sus.*	23	Bb
Barnsley, *Glos.*	70	Da
Barnsley, *S. Yorks.*	173	Bc
Barnstaple, *Dev.*.	30	Db
Barnston, *Essex*	77	Ab
Barnston, *Notts.*	150	Dc
Barnt Green, *Hf/Wor.*	110	Cb
Barnwell All Saints, *N'hants.*	114	Ca
Barnwell St. Andrew, *N'hants.*	114	Ca
Barnwood, *Glos.*.	90	Cc
Barr, *Strath.*	223	Bb
Barrasford, *N'land*	219	Bb
Barremman, *Strath.*	247	Ba
Barrhead, *Strath.*	248	Dc
Barrhill, *Strath.*	212	Ca
Barrington, *Cambs.*	96	Cc
Barrington, *Som.*	34	Cc
Barrmill, *Strath.*	248	Cc
Barrock, *Highl.*	324	Ca
Barrow, *Leics.*	131	Ab
Barrow, *Salop*	126	Cc
Barrow, *Suff.*	98	Cb
Barrowby, *Lincs.*	151	Bc
Barrowden, *Leics.*	131	Ac
Barrowford, *Lancs.*	182	Cc
Barrow Gurney, *Avon*	50	Cc
Barrow Haven, *Humb.*	176	Da
Barrow-in-Furness, *Cumb.*	179	Aa
Barrow-on-Trent, *Derby.*	148	Dc
Barrow Street, *Wilts.*	36	Ca
Barrow-upon-Humber, *Humb.*	176	Da
Barrow-upon-Soar, *Leics.*	130	Ca
Barry, *S. Glam.*	49	Ac
Barry, *Tay.*	272	Cc
Barsby, *Leics.*.	130	Db
Barsham, *Suff.*.	120	Cb
Barston, *W. Mid.*	110	Da
Bartestree, *Hf/Wor.*	88	Da
Barthomley, *Ches.*	146	Ca
Bartley Green, *W. Mid.*	110	Ca
Bartlow, *Cambs.*.	97	Ac
Barton, *Cambs.*	96	Cb
Barton, *Ches.*	144	Da
Barton, *Cumb.*	203	Bb
Barton, *Dev.*	10	Da
Barton, *Glos.*	90	Dc
Barton, *Hants.*	20	Cb
Barton, *Lancs.*	169	Ac
Barton, *N. Yorks.*	196	Da
Barton, *Oxon.*	72	Da
Barton, *Warks.*	91	Aa
Barton Bendish, *Norf.*	117	Aa
Barton Blount, *Derby.*	148	Cc
Barton End, *Glos.*	69	Bb
Barton Green, *Staffs.*	128	Ca
Barton Hartshorn, *Bucks.*	93	Ab
Barton-in-Fabis, *Notts.*	150	Cc
Barton-in-the-Beans, *Leics.*	129	Bb
Barton-in-the-Clay, *Beds.*	75	Aa
Barton-le-Street, *N. Yorks.*	198	Dc
Barton-le-Willows, *N. Yorks.*	186	Ca
Barton Mills, *Suff.*	97	Ba
Barton-on-Irwell, *Gt. Man.*	161	Ba
Barton-on-the-Heath, *Warks.*	91	Bb
Barton Seagrave, *N'hants*	113	Bb
Barton Stacey, *Hants.*	38	Da
Barton St. David, *Som.*	34	Db
Barton Town, *Dev.*	30	Da
Barton Turf, *Norf.*	138	Cb
Barton-under-Needwood, *Staffs.*	128	Da
Barton-upon-Humber, *Humb.*	176	Db
Barugh, *S. Yorks.*	173	Bc
Barwell, *Leics.*	129	Bc
Barwick-in-Elmet, *W. Yorks.*	184	Dc
Baschurch, *Salop*	125	Aa
Basford, *Hf/Wor.*	150	Cb
Basildon, *Berks.*	55	Aa
Basildon, *Essex*	59	Bb
Basing, *Hants.*	55	Ac
Basingstoke, *Hants.*	55	Ac
Baslow, *Derby.*	163	Bc
Bason Bridge, *Som.*	34	Ca
Bassaleg, *Gwent*	67	Bc
Bass Garth, *Humb.*	177	Bc
Bassingbourn, *Cambs.*	96	Cc
Bassingfield, *Notts.*	151	Ba
Bassingham, *Lincs.*	152	Ca
Bassus Green, *Herts.*	76	Ca
Baston, *Lincs.*	132	Db
Batchworth, *Herts.*	57	Aa
Batcombe, *Dev.*	17	Ba
Batcombe, *Som.*	35	Ba
Bath, *Avon*	51	Ab
Bathampton, *Avon*	51	Ab
Bathealton, *Som.*	33	Ac
Batheaston, *Avon*	51	Ba
Bathford, *Avon*	51	Ba
Bathgate, *Loth.*	250	Db
Bathley, *Notts.*	151	Ba
Bathpool, *Som.*	33	Ab
Bathway, *Som.*	50	Db
Batley, *W. Yorks.*	173	Aa
Batsford, *Glos.*	91	Ab
Battersby, *N. Yorks.*	198	Ca
Battersea, *Gt. Lon.*	57	Bb
Battle, *E. Sus.*	25	Bb
Battle, *Powys*	104	Cc
Battlefield, *Salop*	125	Ba
Battlesbridge, *Essex*	59	Ba
Battleton, *Beds.*	94	Dc
Battye Ford, *W. Yorks.*	173	Ab
Baughton, *Hf/Wor.*	90	Ca
Baughurst, *Hants.*	54	Db
Baumber, *Lincs.*	153	Aa
Baunton, *Glos.*.	70	Da
Baverstock, *Wilts.*	37	Ba
Bawburgh, *Norf.*.	119	Aa
Bawdeswell, *Norf.*	136	Da
Bawdrip, *Som.*	34	Ca
Bawdsey, *Suff.*	99	Cb
Bawtry, *S. Yorks.*	165	Aa
Baxterley, *Warks.*	128	Cb
Baydon, *Wilts.*	53	Ab
Bayfield, *Norf.*	136	Da
Bayford, *Herts.*	76	Cb
Bayford, *Som.*	35	Bb
Baylham, *Suff.*	99	Ac
Baynhall, *Hf/Wor.*	90	Ca
Baysham, *Hf/Wor.*	88	Bb
Baystonhill, *Salop*	125	Ba
Bayton, *Hf/Wor.*.	108	Db
Beach, *Avon*	51	Aa
Beachampton, *Bucks.*	93	Bb

	PAGE	SQ
Beachley, *Glos.*	68	Db
Beaconsfield, *Bucks.*	74	Cc
Beadlam, *N. Yorks.*	198	Cb
Beadnell, *N'land*	244	Dc
Beaford, *Dev.*	31	Ab
Beal, *N'land*	244	Ca
Beal, *N. Yorks.*	174	Da
Beambridge, *Ches.*	145	Ba
Beaminster, *Dors.*	16	Db
Beanacre, *Wilts.*	52	Ca
Beanley, *N'land*	231	Ba
Bearley, *Warks.*	110	Dc
Bear Park, *Dur.*	207	Aa
Bearsden, *Strath.*	248	Db
Bearsted, *Kent*	44	Ca
Bearstone, *Staffs.*	146	Cb
Beattock. *Dum/Gall.*	227	Ab
Beauchamp Roding, *Essex*	77	Ac
Beauchief, *S. Yorks.*	163	Bb
Beaufort, *Gwent*	67	Aa
Beaulieu, *Hants.*	20	Da
Beauly, *Highl.*	300	Cc
Beaumaris, *Gwyn.*	156	Db
Beaumont, *Cumb.*	217	Bb
Beaumont, *Essex*	79	Bb
Beausale, *Warks.*	110	Db
Beauworth, *Hants.*	39	Ab
Beaworthy, *Dev.*	12	Db
Beazley End, *Essex*	77	Ba
Beccles, *Suff.*	120	Cb
Beckbury, *Salop*	126	Db
Beckenham, *Gt. Lon.*	58	Cc
Beckermonds, *N. Yorks.*	195	Ac
Beckfoot, *Cumb.*	216	Cc
Beckford, *Hf/Wor.*	90	Cb
Beckingham, *Lincs.*	151	Ba
Beckingham, *Notts.*	165	Ba
Beckington, *Som.*	51	Bc
Beckley, *E. Sus.*	26	Da
Beckley, *Oxon.*	72	Da
Beck Row, *Suff.*	117	Ac
Beck Side, *Cumb.*	192	Cc
Becontree, *Gt. Lon.*	58	Db
Becontree Heath, *Gt. Lon.*	58	Db
Bedale, *N. Yorks.*	196	Db
Bedburn, *Dur.*	206	Db
Beddau, *M. Glam.*	66	Db
Beddgelert, *Gwyn.*	140	Da
Beddingham, *E. Sus.*	25	Ab
Beddington, *Gt. Lon.*	42	Ca
Bedfield, *Suff.*	99	Bb
Bedford, *Beds.*	94	Da
Bedhampton, *Hants.*	22	Ca
Bedingfield, *Suff.*	99	Ba
Bedingham, *Norf.*	119	Bb
Bedlington, *N'land*	222	Ca
Bedlinog, *M. Glam.*	86	Dc
Bedminster Down, *Avon*	50	Ab
Bedmond, *Herts.*	75	Ac
Bednall, *Staffs.*	127	Ba
Bedrule, *Bord.*	229	Ba
Bedstone, *Salop*	107	Ab
Bedwas, *M. Glam.*	67	Ac
Bedwellty, *Gwent*	67	Ab
Bedworth, *Warks.*	111	Ba
Beeby, *Leics.*	130	Db
Beechamwell, *Norf.*	117	Ba
Beechcliffe, *W. Yorks.*	183	Ac
Beech Hill, *Berks.*	55	Bb
Beechingstoke, *Wilts.*	52	Db
Beedon, *Berks.*	54	Da
Beedon Hill, *Berks.*	54	Da
Beeford, *Humb.*	188	Cc
Beeley, *Derby.*	163	Ba
Beelsby, *Humb.*	167	Bb
Beenham, *Berks.*	54	Db
Beer, *Dev.*	15	Bc
Beer Crocombe, *Som.*	34	Cc
Beer Hackett, *Dors.*	35	Ac
Beesby, *Lincs.*	154	Ca
Beeson, *Beds.*	95	Ac
Beeston, *Ches.*	145	Aa
Beeston, *Norf.*	136	Cc
Beeston, *Notts.*	150	Cc
Beeston, *W. Yorks.*	173	Ba
Beetham, *Cumb.*	193	Bc
Beetley, *Norf.*	136	Dc
Begbroke, *Oxon.*	72	Da
Begelly, *Dyfed*	62	Db
Beggarington Hill, *W. Yorks.*	173	Ba
Beggar Huish, *Som.*	33	Ac
Beguildy, *Powys*	106	Ca
Beighton, *Norf.*	120	Ca
Beighton, *S. Yorks.*	164	Cb
Beith, *Strath.*	236	Ca
Bekesbourne, *Kent*	46	Ca
Belan, *Powys*	124	Ca
Belaugh, *Norf.*	137	Ba
Belbroughton, *Hf/Wor.*	109	Ba
Belchalwell, *Dors.*	36	Ca
Belchamp Otton, *Essex*	97	Bc
Belchamp St. Pauls, *Essex*	97	Bc
Belchamp Walter, *Essex*	97	Bc
Belchford, *Lincs.*	153	Ba
Belford, *N'land*	244	Cb
Belgrave, *Leics.*	130	Cb
Belhelvie, *Gramp.*	294	Db
Bellasize, *Humb.*	176	Da
Belleau, *Lincs.*	154	Ca
Bellehiglash, *Gramp.*	303	Ac
Bell End, *Hf/Wor.*	109	Ba
Bellerby, *N. Yorks.*	196	Cb
Belle Vue, *Salop*	125	Bb
Belle Vue, *W. Yorks.*	173	Bb
Bellevue, *Cumb.*	217	Bb
Bellingham, *N'land*	230	Dc
Bellshill, *N'land*	244	Cb
Bellshill, *Strath.*	249	Bc
Belmesthorpe, *Leics.*	132	Cb
Belmont, *Gt. Lon.*	42	Ca
Belmont, *Lancs.*	170	Db
Belper, *Derby.*	148	Db
Belperlane End, *Derby.*	148	Da
Belsay, *N'land*	221	Ba
Belstead, *Suff.*	79	Ba
Belstone, *Dev.*	13	Aa
Beltinge, *Kent*	46	Ca
Beltingham, *N'land*	219	Bb
Beltoft, *Humb.*	175	Bc
Belton, *Humb.*	175	Bc
Belton, *Leics.*	131	Bc
Belton, *Lincs.*	152	Cb
Belton, *Norf.*	120	Da
Belvoir, *Leics.*	151	Bc
Bembridge, *I.O.W.*	22	Cb
Bemersyde, *Bord.*	241	Bb
Bemerton, *Wilts.*	37	Bb
Bempton, *Humb.*	188	Db
Benacre, *Suff.*	120	Dc
Benefield, *N'hants.*	114	Ca
Benenden, *Kent*	44	Cc
Benfieldside, *Dur.*	221	Ac
Bengeo, *Herts.*	76	Cb
Bengeworth, *Hf/Wor.*	90	Da
Benhall, *Suff.*	100	Cb
Beningbrough, *N. Yorks.*	185	Ab
Benington, *Lincs.*	154	Cc
Benington Sea End, *Lincs.*	154	Cc
Bennington, *Herts.*	76	Cb
Benniworth, *Lincs.*	167	Bc
Benson, *Oxon.*	73	Ac
Benthall, *Salop*	126	Cb
Bentley, *Hants.*	40	Ca
Bentley, *Humb.*	177	Ab
Bentley, *S. Yorks.*	174	Dc
Bentley, *Suff.*	79	Ba
Bentley, *Warks.*	128	Dc
Bentworth, *Hants.*	39	Ba
Benvie, *Tay.*	271	Ac
Bepton, *W. Sus.*	40	Cc
Berden, *Essex*	76	Da
Bere Alston, *Dev.*	8	Cb
Berechurch, *Essex*	78	Db
Bere Regis, *Dors.*	16	Db
Berkeley, *Glos.*	69	Ab
Berkhampsted, *Herts.*	74	Da
Berkley, *Som.*	51	Bc
Berkswell, *W. Mid.*	110	Da
Bermondsey, *Gt. Lon.*	58	Cb
Bernera, *Highl.*	285	Bb
Berners Roding, *Essex*	77	Ac
Bernisdale, *Highl.*	296	Cc
Berrick Salome, *Oxon.*	73	Ac
Berriedale, *Highl.*	318	Cb
Berriew, *Powys*	124	Ca
Berrington, *Salop*	125	Bb
Berrow, *Hf/Wor.*	89	Db
Berrow, *Som.*	49	Bc
Berrow Green, *Hf/Wor.*	108	Dc
Berry Brow, *W. Yorks.*	172	Db
Berry Hill, *Glos.*	68	Da
Berrynarbor, *Dev.*	30	Ca
Berry Pomeroy, *Dev.*	10	Cb
Berwick, *Dors.*	17	Ab
Berwick, *E. Sus.*	25	Ab
Berwick Bassett, *Wilts.*	52	Da
Berwick-on-Tweed, *N'land*	243	Ba
Berwick St. James, *Wilts.*	37	Ba
Berwick St. John, *Wilts.*	36	Db
Berwick St. Leonard, *Wilts.*	36	Db
Bescaby, *Leics.*	151	Bc
Besford, *Hf/Wor.*	90	Ca
Bessels Leigh, *Oxon.*	72	Da
Bessingby, *Humb.*	188	Cb
Bessingham, *Norf.*	137	Ba
Besthorpe, *Norf.*	118	Db
Besthorpe, *Notts.*	166	Ca
Beswick, *Humb.*	177	Aa
Betchworth, *Sur.*	42	Db
Bethersden, *Kent*	27	Aa
Bethesda, *Gwyn.*	140	Db
Bethlehem, *Dyfed*	85	Aa
Bethnal Green, *Gt. Lon.*	58	Cb
Betley, *Staffs.*	146	Ca
Betsham, *Kent*	44	Cb
Bettiscombe, *Dors.*	16	Ba
Bettisfield, *Chwyd*	144	Ab
Bettws, *Dyfed*	64	Db
Bettws, *Gwent*	67	Ac
Bettws, *M. Glam.*	66	Ca
Bettws Bledrws, *Dyfed*	84	Da
Bettws Cedewain, *Powys*	123	Bc
Bettws Disserth, *Powys*	104	Da
Bettws Evan, *Dyfed*	83	Ba
Bettws Garmon, *Gwyn.*	140	Da
Bettws-Gwerfil-Goch, *Clwyd*	143	Ab
Bettws-newydd, *Gwent*	67	Ba
Bettws-y-Coed, *Gwyn.*	157	Bc
Bettws-y-crwyn, *Salop*	106	Da
Bettws-yn-Rhos, *Clwyd*	158	Ca
Bettyhill, *Highl.*	321	Ba
Beverley, *Humb.*	177	Aa
Beverstone, *Glos.*	70	Cb
Bevington, *Glos.*	69	Ab
Bewaldeth, *Cumb.*	202	Ca
Bewdley, *Hf/Wor.*	108	Db
Bewholme, *Humb.*	177	Ba
Bewick, *N'land.*	244	Cc
Bexhill, *E. Sus.*	26	Db
Bexley, *Gt. Lon.*	58	Dc
Bexley Heath, *Gt. Lon.*	58	Dc
Bexwell, *Norf.*	117	Aa
Beyton, *Suff.*	98	Da
Bibstone, *Avon*	69	Ab
Bibury, *Glos.*	71	Ab
Bicester, *Oxon.*	92	Dc
Bickenhall, *Som.*	33	Bc
Bickenhill, *W. Mid.*	110	Da
Bicker, *Lincs.*	133	Aa
Bickerstaffe, *Lancs.*	169	Bc
Bickerton, *N. Yorks.*	184	Db
Bickington, *Dev.*	14	Cc
Bickington, *Dev.*	30	Cb
Bickleigh, *Dev.*	8	Db
Bickleigh, *Dev.*	32	Db
Bicknacre, *Essex*	90	Ba
Bicknoller, *Som.*	33	Aa
Bicknor, *Kent*	44	Cb
Bickton, *Hants.*	37	Bc
Bicton, *Dev.*	15	Ac
Bicton, *Salop*	125	Aa
Bicton Heath, *Salop*	125	Aa
Bidborough, *Kent*	43	Ab
Biddenden, *Kent*	27	Aa
Biddenham, *Beds.*	94	Da
Biddisham, *Som.*	50	Cb
Biddlesden, *Bucks.*	93	Ab
Biddlestone, *Wilts.*	52	Ca
Biddulph, *Staffs.*	146	Da
Bideford, *Dev.*	30	Cc
Bidford-on-Avon, *Warks.*	91	Aa
Bidston, *Mers.*	159	Ba
Bidwell, *Beds.*	94	Dc
Bielby, *Humb.*	186	Cc
Bieldside, *Gramp.*	294	Cc
Bierton, *Bucks.*	74	Ca
Bigbury, *Dev.*	9	Bb
Bigby, *Lincs.*	176	Dc
Biggar, *Cumb.*	179	Aa
Biggar, *Strath.*	239	Ab
Biggin, *Derby.*	148	Ca
Biggin, *N. Yorks.*	174	Da
Biggleswade, *Beds.*	95	Ac
Bighton, *Hants.*	39	Bb
Biglands, *Cumb.*	217	Ac
Bignor, *W. Sus.*	23	Ab
Bilborough, *Notts.*	150	Cb
Bilbrook, *Som.*	48	Db
Bilbrook, *Staffs.*	127	Ab
Bilbrough, *N. Yorks.*	185	Ac
Bilby, *Notts.*	165	Ac
Bildershaw, *Dur.*	206	Db
Bildeston, *Suff.*	98	Cb
Billericay, *Essex*	59	Ba
Billesdon, *Leics.*	131	Bb
Billesley, *Warks.*	110	Dc
Billingborough, *Lincs.*	133	Aa
Billinge, *Mers.*	170	Cc
Billingford, *Norf.*	99	Ba
Billingford, *Norf.*	136	Da
Billingham, *Cleve.*	207	Bc
Billinghay, *Lincs.*	152	Da
Billingley, *S. Yorks.*	174	Cc
Billingshurst, *W. Sus.*	23	Ab
Billingsley, *Salop*	108	Da
Billington, *Beds.*	94	Cc
Billockby, *Norf.*	138	Ca
Billy Row, *Dur.*	206	Da
Bilsby, *Lincs.*	154	Ca
Bilsington, *Kent*	27	Ba
Bilsthorpe, *Notts.*	165	Bb
Bilston, *W. Mid.*	127	Ab
Bilton, *Humb.*	177	Bb
Bilton, *N. Yorks.*	184	Db
Bilton, *N. Yorks.*	184	Da
Bilton, *Warks.*	112	Cb
Binbrook, *Lincs.*	167	Bb
Bincombe, *Dors.*	17	Bb
Binegar, *Som.*	51	Ac
Binfield, *Berks.*	56	Ca
Bingham, *Notts.*	150	Da
Bingley, *Gt. Man.*	171	Ac
Bingley, *W. Yorks.*	172	Db
Binham, *Norf.*	136	Da
Binley, *Hants.*	54	Cc
Binley, *W. Mid.*	111	Bb
Binsey, *Oxon.*	72	Da
Binstead, *I.O.W.*	21	Bb
Binsted, *Hants.*	40	Ca
Binsted, *W. Sus.*	23	Ac
Binton, *Warks.*	91	Aa
Bintree, *Norf.*	136	Db
Binweston, *Salop*	124	Db
Birch, *Essex*	78	Db
Birch, *Gt. Man.*	171	Bc
Bircham Newton, *Norf.*	135	Bb
Bircham Tofts, *Norf.*	135	Bb
Birchanger, *Herts.*	76	Db
Birchencliffe, *W. Yorks.*	172	Db
Bircher, *Hf/Wor.*	107	Bb
Birchgrove, *S. Glam.*	67	Ac
Birchgrove, *W. Glam.*	65	Aa
Birch Heath, *Ches.*	160	Dc
Birchington, *Kent*	46	Da
Bircholt Court, *Kent*	28	Ca
Birchover, *Derby.*	163	Ac
Birch Vale, *Derby.*	162	Da
Birdbrook, *Essex*	97	Bc
Birdham, *W. Sus.*	22	Da
Birdingbury, *Warks.*	111	Bb
Birdlip, *Glos.*	70	Ca
Birdsall, *N. Yorks.*	186	Ca
Birdsmoor Gate, *Dors.*	16	Db
Birdwell, *S. Yorks.*	173	Bc
Birdwood, *Glos.*	89	Bc
Birgham, *Bord.*	242	Db
Birkby, *Cumb.*	201	Ba
Birkby, *N. Yorks.*	197	Aa
Birkdale, *Mers.*	169	Ab
Birkenhead, *Mers.*	159	Ba
Birkenshaw, *W. Yorks.*	173	Aa
Birkin, *N. Yorks.*	174	Da
Birley, *N. Yorks.*	107	Bc
Birley Carr, *S. Yorks.*	163	Ba
Birling, *Kent*	44	Ca
Birlingham, *Hf/Wor.*	90	Ca
Birmingham, *W. Mid.*	110	Ca
Birnam, *Tay.*	270	Cb
Birse, *Gramp.*	281	Aa
Birstal, *W. Yorks.*	173	Aa
Birstall, *Leics.*	130	Cb
Birstwith, *N. Yorks.*	183	Bb
Birthorpe, *Lincs.*	133	Aa
Birtley, *Dur.*	222	Cc
Birtley, *Hf/Wor.*	107	Ab
Birtley, *N'land.*	220	Ca
Birtsmorton, *Hf/Wor.*	89	Bb
Birts Street, *Hf/Wor.*	89	Bb
Bisbrooke, *Leics.*	131	Bc
Biscathorpe, *Lincs.*	167	Ac
Bisham, *Berks.*	74	Cc
Bishampton, *Hf/Wor.*	109	Bc
Bishop Auckland, *Dur.*	206	Db
Bishopbridge, *Lincs.*	166	Da
Bishopbriggs, *Strath.*	249	Ab
Bishop Burton, *Humb.*	177	Aa
Bishop Middleham, *Dur.*	207	Bb
Bishop Monkton, *N. Yorks.*	184	Ca
Bishop Norton, *Lincs.*	166	Da
Bishopsbourne, *Kent*	46	Cb
Bishops Cannings, *Wilts.*	52	Db
Bishops Castle, *Salop*	106	Da
Bishops Caundle, *Dors.*	35	Bc
Bishops Cleeve, *Glos.*	90	Cb
Bishops Frome, *Hf/Wor.*	89	Aa
Bishops Hull, *Som.*	33	Bc
Bishops Itchington, *Warks.*	111	Ba
Bishops Lydeard, *Som.*	33	Bb
Bishops Norton, *Glos.*	89	Bb
Bishops Nympton, *Dev.*	31	Ba
Bishops Offley, *Staffs.*	146	Cb
Bishops Stortford, *Herts.*	76	Da
Bishops Sutton, *Avon*	39	Bb
Bishops Tachbrook, *Warks.*	111	Ac
Bishops Tawton, *Dev.*	30	Cb
Bishopsteignton, *Dev.*	14	Cc
Bishopstoke, *Hants.*	38	Dc
Bishopston, *Bucks.*	73	Ba
Bishopstone, *E. Sus.*	25	Ac
Bishopstone, *Hf/Wor.*	88	Ca
Bishopstone, *Wilts.*	37	Bb
Bishopstone, *Wilts.*	52	Cb
Bishop Sutton, *Avon*	50	Db
Bishops Waltham, *Hants.*	39	Aa
Bishop's Wood, *Staffs.*	127	Ab
Bishopsworth, *Avon*	50	Db
Bishop Thornton, *N. Yorks.*	184	Ca
Bishopthorpe, *N. Yorks.*	185	Ac
Bishopton, *Dur.*	207	Bb
Bishopton, *Strath.*	248	Cb
Bishop Wilton, *Humb.*	186	Ca
Bishton, *Gwent*	68	Ca
Bisley, *Glos.*	70	Ca
Bisley, *Sur.*	56	Cc
Bispham, *Lancs.*	179	Bc
Bittadon, *Dev.*	30	Ca
Bitteswell, *Leics.*	112	Ca
Bitterne, *Hants.*	38	Dc

	PAGE	SQ.
Bitteswell, *Leics.*	112	Ca
Bittles Green, *Dors.*	36	Cb
Bitton, *Avon*	51	Aa
Bix, *Oxon.*	73	Bc
Bixley, *Norf.*	119	Ba
Blaby, *Leics.*	130	Cc
Blackawton, *Dev.*	10	Cb
Blackborough, *Dev.*	15	Aa
Blackborough End, *Norf.*	135	Ac
Black Bourton, *Oxon.*	71	Bb
Blackboys, *E. Sus.*	25	Ba
Blackbrook, *Derby.*	148	Db
Blackbrook, *Mers.*	160	Da
Blackburn, *Gramp.*	294	Cb
Blackburn, *Lancs.*	170	Da
Blackburn, *Loth.*	250	Db
Blackdown, *Dev.*	8	Da
Blackdown, *Dors.*	16	Da
Blacker Hill, *S. Yorks.*	173	Bc
Blackford, *Salop.*	108	Ca
Blackford, *Som.*	35	Bb
Blackford, *Som.*	34	Ca
Blackford, *Tay.*	259	Bb
Blackfordby, *Leics.*	129	Aa
Blackheath, *Suff.*	100	Da
Blackheath, *W. Mid.*	109	Ba
Black Heddon, *N'land*	220	Da
Black Hill, *Dur.*	221	Bc
Blackhorse, *Avon*	51	Aa
Blackland, *Wilts.*	52	Da
Blackley, *Gt. Man.*	171	Bc
Blackley, *W. Yorks.*	172	Db
Blacklunans, *Tay.*	270	Da
Blackmanstone, *Kent*	27	Bb
Blackmoor, *Avon*	50	Cb
Black More Foot, *W. Yorks.*	172	Db
Blackmore, *Essex*	77	Ac
Blackmore End, *Essex*	77	Ba
Black Notley, *Essex*	77	Bb
Blackpool, *Dev.*	10	Db
Blackpool, *Lancs.*	179	Bc
Blackrod, *Gt. Man.*	170	Cb
Blackshaw, *Dum/Gall.*	216	Cb
Blackthorn, *Oxon.*	93	Ac
Blacktoft, *Humb.*	176	Ca
Black Torrington, *Dev.*	12	Da
Blacktown, *Gwent*	67	Bc
Blackwater, *I.O.W.*	21	Ac
Blackwaterfoot, *Strath.*	234	Cc
Blackwell, *Derby.*	149	Ba
Blackwell, *Warks.*	91	Ba
Blackwood, *Gwent.*	67	Ab
Blackwood Hill, *Staffs.*	147	Aa
Bladon, *Oxon.*	72	Ca
Bladon, *Som.*	34	Dc
Blaenau Ffestiniog, *Gwyn.*	141	Ba
Blaenavon, *Gwent*	67	Ba
Blaen-garw, *M. Glam.*	66	Ca
Blaenpenal, *Dyfed*	102	Cb
Blaenporth, *Dyfed*	83	Aa
Blaen-Rhondda, *M. Glam.*	86	Cc
Blaengwrach, *W. Glam.*	85	Bc
Blagdon, *Avon*	50	Db
Blagdon, *Som.*	33	Bc
Blagill, *Cumb.*	219	Bc
Blaina, *Gwent*	67	Aa
Blair Atholl, *Tay.*	278	Dc
Blairgowrie, *Tay.*	270	Db
Blairlogie, *Cen.*	259	Bc
Blairmore, *Strath.*	247	Aa
Blaisdon, *Glos.*	89	Ac
Blakebrook, *Hf/Wor.*	109	Aa
Blakedown, *Hf/Wor.*	109	Aa
Blakemere, *Hf/Wor.*	87	Ba
Blakeney, *Glos.*	69	Aa
Blakeney, *Norf.*	136	Da
Blakeshall, *Hf/Wor.*	109	Aa
Blakesley, *N'hants.*	93	Aa
Blakethwaite, *N. Yorks.*	195	Aa
Blanchland, *N'land*	220	Dc
Blandford, *Dors.*	36	Dc
Blandford St. Mary, *Dors.*	36	Dc
Blankney, *Lincs.*	152	Da
Blashford, *Hants.*	19	Ba
Blaston, *Leics.*	131	Bc
Blatherwycke, *N'hants.*	132	Cc
Blawith, *Cumb.*	192	Db
Blaxhall, *Suff.*	100	Cb
Blaxton, *S. Yorks.*	175	Ac
Blaydon, *Ty/We.*	221	Bb
Bleadney, *Som.*	34	Da
Bleadon, *Avon*	49	Bb
Blean, *Kent*	45	Bb
Bleasby, *Notts.*	150	Db
Bleasdale, *Lancs.*	180	Dc
Blechingley, *Sur.*	42	Cb
Bleddfa, *Powys*	106	Db
Bledington, *Glos.*	91	Bc
Bledlow, *Bucks.*	73	Bb
Blencarn, *Cumb.*	204	Cb
Blencogo, *Cumb.*	216	Dc
Blencow, *Cumb.*	203	Bb
Blendworth, *Hants.*	39	Bc

	PAGE	SQ.
Blennerhasset, *Cumb.*	202	Ca
Bletchenden, *Kent*	27	Aa
Bletchington, *Oxon.*	72	Da
Bletchley, *Bucks.*	94	Cb
Bletchley, *Salop*	145	Bc
Bletherston, *Dyfed*	62	Da
Blewbury, *Oxon.*	72	Dc
Blickling, *Norf.*	137	Ab
Blidworth, *Notts.*	150	Ca
Blidworth Bottoms, *Notts.*	150	Ca
Blindcrake, *Cumb.*	202	Ca
Blindley Heath, *Sur.*	42	Db
Blisland, *Corn.*	6	Da
Blisworth, *N'hants.*	93	Ba
Blithbury, *Staffs.*	128	Ca
Blockley, *Glos.*	91	Ab
Blofield, *Norf.*	120	Ca
Blo Norton, *Norf.*	118	Dc
Blore, *Staffs.*	148	Ca
Blossomfield, *W. Mid.*	110	Da
Blounts Green, *Staffs.*	147	Bc
Blowty, *Powys*	123	Bb
Bloxham, *Oxon.*	92	Cb
Bloxholm, *Lincs.*	152	Da
Bloxwich, *W. Mid.*	127	Bb
Bloxworth, *Dors.*	18	Da
Blubberhouses, *N. Yorks.*	183	Bb
Blue Anchor, *Som.*	48	Db
Blundeston, *Suff.*	120	Db
Blunham, *Beds.*	95	Ab
Blunsdon St. Andrew, *Wilts.*	71	Ac
Bluntington, *Hf/Wor.*	109	Bb
Bluntisham, *Cambs.*	115	Bc
Blurton, *Staffs.*	146	Db
Blyborough, *Lincs.*	166	Ca
Blyford, *Suff.*	100	Da
Blymhill, *Staffs.*	126	Db
Blyth, *N'land*	222	Ca
Blyth, *Notts.*	165	Ab
Blythburgh, *Suff.*	100	Da
Blythebridge, *Staffs.*	147	Ab
Blythemarsh, *Staffs.*	147	Ab
Blyton, *Lincs.*	165	Ba
Boarhills, *Fife*	262	Da
Boarhunt, *Hants.*	21	Ba
Boarstall, *Bucks.*	73	Aa
Boat of Garten, *Highl.*	290	Cb
Bobbing, *Kent*	44	Da
Bobbington, *Staffs.*	126	Dc
Bobbingworth, *Essex*	76	Dc
Bocking, *Essex*	77	Bb
Bocking Churchstreet, *Essex*	77	Bb
Bockleton, *Hf/Wor.*	108	Cc
Boddington, *Glos.*	90	Cc
Bodedern, *Gwyn.*	155	Bb
Bodenham, *Hf/Wor.*	107	Bc
Bodenham, *Wilts.*	37	Bb
Bodenham Moor, *Hf/Wor.*	88	Da
Bodewryd, *Gwyn.*	155	Ba
Bodfari, *Clwyd*	158	Db
Bodfean, *Gwyn.*	139	Bb
Bod-ffordd, *Gwyn.*	155	Bb
Bodham, *Norf.*	137	Aa
Bodham Street, *Norf.*	137	Aa
Bodiam, *E. Sus.*	26	Da
Bodicote, *Oxon.*	92	Cb
Bodle Street Green, *E. Sus.*	26	Cb
Bodmin, *Corn.*	6	Cb
Bodney, *Norf.*	117	Bb
Bodsham Gr., *Kent*	45	Bc
Bogbrae, *Gramp.*	306	Cc
Bogmuir, *Gramp.*	303	Ba
Bognor Regis, *W. Sus.*	23	Ac
Bolam, *Dur.*	206	Db
Bolam, *N'land.*	231	Bc
Bolberry, *Dev.*	9	Bc
Bolderston, *S. Yorks.*	163	Ba
Boldmere, *W. Mid.*	128	Cc
Boldre, *Hants.*	20	Db
Boldron, *Dur.*	206	Cc
Bole, *Notts.*	165	Ba
Bolehill, *Derby.*	148	Da
Bolehill, *S. Yorks.*	164	Cb
Bolham, *Dev.*	32	Db
Bolham, *Notts.*	165	Ab
Bollington, *Ches.*	162	Cb
Bolney, *W. Sus.*	24	Ca
Bolnhurst, *Beds.*	95	Ab
Bolsover, *Derby.*	164	Cc
Bolstone, *Hf/Wor.*	88	Db
Boltby, *N. Yorks.*	197	Bb
Bolton, *Cumb.*	204	Cb
Bolton, *Gt. Man.*	170	Dc
Bolton, *Humb.*	186	Cb
Bolton, *Loth.*	252	Db
Bolton, *N'land.*	231	Ba
Bolton Abbey, *N. Yorks.*	183	Ab
Bolton-by-Bowland, *Lancs.*	181	Bb
Boltongate, *Cumb.*	202	Ca

	PAGE	SQ.
Bolton-le-Sands, *Lancs.*	180	Da
Bolton-on-Dearne, *S. Yorks.*	174	Cc
Bolton-on-Swale, *N. Yorks.*	196	Da
Bolton Percy, *N. Yorks.*	185	Ac
Bolts Burn, *Dur.*	205	Ba
Bomere Heath, *Salop*	125	Ba
Bonar Bridge, *Highl.*	311	Bb
Bonawe, *Strath.*	265	Bc
Bonby, *Humb.*	176	Db
Bonchurch, *I.O.W.*	21	Bc
Bondleigh, *Dev.*	31	Bc
Bo'ness, *Cen.*	250	Da
Bonhill, *Strath.*	248	Ca
Boningale, *Salop.*	126	Db
Bonnington, *Kent*	27	Ba
Bonnybridge, *Cen.*	250	Ca
Bonnyrigg, *Loth.*	252	Cb
Bonnyton, *Gramp.*	293	Aa
Bonsall, *Derby.*	148	Da
Bontddu, *Gwyn.*	141	Bc
Bont-dolgadfan, *Powys*	122	Db
Bonvilston, *S. Glam.*	66	Db
Boot, *Cumb.*	192	Ca
Booth, *W. Yorks.*	172	Ca
Boothby Graffoe, *Lincs.*	152	Ca
Boothby Pagnell, *Lincs.*	152	Cc
Boothstown, *Gt. Man.*	170	Dc
Booth Town, *W. Yorks.*	172	Da
Bootle, *Cumb.*	191	Bb
Bootle, *Mers.*	159	Ba
Booton, *Norf.*	137	Ab
Boraston, *Salop*	108	Cb
Borden, *Kent*	44	Da
Border, *Som.*	35	Ba
Boreham, *Essex*	77	Bc
Boreham Street, *E. Sus.*	26	Cb
Boreraig, *Highl.*	285	Ac
Boreraig, *Highl.*	295	Ab
Borgue, *Dum/Gall.*	214	Cc
Borgue, *Highl.*	318	Cb
Borley, *Essex*	98	Cc
Boroughbridge, *N. Yorks.*	184	Da
Borough Green, *Kent*	43	Ba
Borrowash, *Derby.*	149	Bc
Borrowby, *N. Yorks.*	197	Bb
Borstal, *Kent*	44	Ca
Borth, *Dyfed*	121	Bc
Borth-y-Gest, *Gwyn.*	140	Db
Borwick, *Lancs.*	193	Bc
Bosbury, *Hf/Wor.*	89	Aa
Boscastle, *Corn.*	11	Ac
Boscaswell, *Corn.*	1	Ab
Boscombe, *Dors.*	19	Bb
Boscombe, *Wilts.*	37	Ba
Bosham, *W. Sus.*	22	Da
Bosherston, *Dyfed*	62	Cc
Bossall, *N. Yorks.*	186	Ca
Bossingham, *Kent*	45	Bc
Bossington, *Som.*	48	Cb
Boston, *Lincs.*	133	Ba
Boston Spa, *W. Yorks.*	184	Dc
Boswinger, *Corn.*	4	Da
Botcherby, *Cumb.*	217	Bc
Botesdale, *Suff.*	98	Da
Bothal, *N'land*	232	Cc
Bothamsall, *Notts.*	165	Ac
Bothel, *Cumb.*	202	Ca
Bothenhampton, *Dors.*	16	Db
Bothkennar, *Cen.*	250	Ca
Bothwell, *Strath.*	249	Bc
Botley, *Berks.*	72	Db
Botley, *Bucks.*	74	Db
Botley, *Hants.*	39	Ac
Botolph Claydon, *Bucks.*	93	Bc
Botolphs, *W. Sus.*	24	Cb
Bottesford, *Humb.*	176	Cc
Bottesford, *Leics.*	151	Bb
Bottisham, *Cambs.*	96	Db
Bottisham Lode, *Cambs.*	96	Da
Botus Fleming, *Corn.*	8	Cb
Boughrood, *Powys*	104	Db
Boughton, *N'hants.*	113	Ac
Boughton, *Norf.*	117	Aa
Boughton, *Notts.*	165	Ac
Boughton Aluph, *Kent*	45	Ac
Boughton Malherbe, *Kent*	44	Db
Boughton Monchelsea, *Kent*	44	Cb
Boughton Street, *Kent*	45	Bb
Bouldon, *Salop*	108	Ca
Boulge, *Suff.*	99	Bc
Boulmer, *N'land.*	232	Da
Boultham, *Lincs.*	166	Cc
Boulton, *Derby.*	149	Ac
Bourn, *Cambs.*	96	Cb
Bournbrook, *W. Mid.*	110	Ca
Bourne, *Lincs.*	132	Da
Bournemouth, *Dors.*	19	Bb
Bournheath, *Hf/Wor.*	109	Bb
Bournville, *W. Mid.*	110	Ca
Bourton, *Avon*	50	Cb
Bourton, *Dors.*	36	Ca

	PAGE	SQ.
Bourton, *Oxon.*	71	Bc
Bourton, *Salop*	126	Cc
Bourton on Dunsmore, *Warks.*	111	Bb
Bourton-on-the-Hill, *Glos.*	91	Ab
Bourton-on-the-Water, *Glos.*	91	Ac
Boustead Hill, *Cumb.*	217	Ab
Bouth, *Cumb.*	192	Db
Boveney, *Bucks.*	56	Ca
Boveridge, *Dors.*	37	Ac
Boverton, *S. Glam.*	66	Cc
Bovey Tracey, *Dev.*	14	Cb
Bovingdon, *Herts.*	74	Db
Bovington, *Dors.*	18	Db
Bow, *Dev.*	31	Bc
Bow Brickhill, *Bucks.*	94	Cb
Bowbridge, *Glos.*	70	Ca
Bowden, *Bord.*	241	Bb
Bower Ashton, *Avon*	50	Da
Bower Chalke, *Wilts.*	37	Ab
Bowerhill, *Wilts.*	52	Cb
Bower Hinton, *Som.*	34	Dc
Bowermadden, *Highl.*	324	Cb
Bowers Gifford, *Essex*	59	Bb
Bowertower, *Highl.*	324	Cb
Bowes, *Dur.*	206	Cc
Bowlers Green, *Sur.*	40	Da
Bowling, *Strath.*	248	Cb
Bowling Alley, *Herts.*	75	Ab
Bowness, *Cumb.*	216	Db
Bowness, *Cumb.*	193	Ab
Bowsden, *N'land*	243	Bb
Bowspring, *Glos.*	68	Db
Bow Street, *Dyfed*	121	Bc
Bow Street, *Norf.*	118	Db
Bowthorpe, *Norf.*	119	Aa
Box, *Wilts.*	51	Ba
Boxbush, *Glos.*	69	Ba
Boxford, *Berks.*	54	Ca
Boxford, *Suff.*	98	Dc
Boxgrove, *W. Sus.*	23	Ac
Boxley, *Kent*	44	Ca
Boxted, *Essex*	78	Da
Boxted, *Suff.*	97	Bc
Boxwell, *Glos.*	69	Bb
Boxworth, *Cambs.*	96	Ca
Boxworth End, *Cambs.*	96	Ca
Boyleston, *Derby.*	148	Cc
Boynton, *Humb.*	188	Cb
Boyton, *Corn.*	12	Cc
Boyton, *Suff.*	80	Da
Boyton, *Wilts.*	36	Da
Bozeat, *N'hants.*	113	Bc
Brabourne, *Kent.*	28	Ca
Bracadale, *Highl.*	283	Ba
Braceborough, *Lincs.*	132	Db
Bracebridge, *Lincs.*	166	Cc
Braceby, *Lincs.*	152	Cc
Bracewell, *Lancs.*	182	Cb
Brackenber, *Cumb.*	204	Dc
Brackenbottom, *N. Yorks.*	182	Ca
Brackenfield Green, *Derby.*	149	Aa
Brackenthwaite, *N. Yorks.*	184	Cb
Brackletter, *Highl.*	275	Bb
Brackley, *N'hants.*	92	Db
Bracknell, *Berks.*	56	Cb
Braco, *Tay.*	259	Bb
Bracon Ash, *Norf.*	119	Aa
Bradbury, *Dur.*	207	Bb
Bradden, *N'hants.*	93	Aa
Bradenham, *Bucks.*	74	Cb
Bradenstoke, *Wilts.*	70	Dc
Bradfield, *Berks.*	55	Aa
Bradfield, *Essex*	79	Bb
Bradfield, *Norf.*	137	Ba
Bradfield, *S. Yorks.*	163	Ba
Bradfield Combust, *Suff.*	98	Cb
Bradfield St. Clare, *Suff.*	98	Cb
Bradfield St. George, *Suff.*	98	Cb
Bradford, *Dev.*	12	Da
Bradford, *W. Yorks.*	172	Da
Bradford Abbas, *Dors.*	35	Ac
Bradford Leigh, *Wilts.*	51	Bb
Bradford-on-Avon, *Wilts.*	51	Bb
Bradford-on-Tone, *Som.*	33	Bc
Bradford Peverell, *Dors.*	17	Ba
Brading, *I.O.W.*	21	Bc
Bradley, *Derby.*	148	Cb
Bradley, *Hants.*	39	Ba
Bradley, *Hf/Wor.*	109	Bc
Bradley, *Humb.*	167	Ba
Bradley, *Staffs.*	127	Aa
Bradley, *S. Yorks.*	195	Bc
Bradley, *W. Mid.*	127	Bc
Bradley, *W. Yorks.*	172	Db
Bradley Green, *Som.*	33	Ba
Bradley Green, *Staffs.*	146	Da
Bradley-in-the-Moors, *Staffs.*	147	Bb
Bradlow, *Hf/Wor.*	89	Aa
Bradmore, *Notts.*	150	Cc
Bradney, *Som.*	34	Ca
Bradninch, *Dev.*	32	Dc
Bradnop, *Staffs.*	147	Ba
Bradpole, *Dors.*	16	Db

	PAGE	SQ.
Bradshaw, *Gt. Man.*	172	Dc
Bradshaw, *Lancs.*	170	Db
Bradway, *S. Yorks.*	163	Bb
Bradwell, *Bucks.*	94	Cb
Bradwell, *Derby.*	163	Ab
Bradwell, *Essex*	78	Cb
Bradwell, *Norf.*	120	Da
Bradwell Juxta Mare, *Essex*	78	Dc
Bradstone, *Dev.*	8	Ca
Bradworthy, *Dev.*	12	Ca
Braehead, *Strath.*	238	Da
Braemar, *Gramp.*	279	Ba
Brafferton, *Dur.*	207	Bb
Brafferton, *N. Yorks.*	184	Da
Brafield-on-the-Green, *N'hants.*	113	Bc
Bragbury, *Herts.*	75	Bb
Braidwood, *Strath.*	238	Ca
Brailsford, *Derby.*	148	Db
Braintree, *Essex*	77	Bb
Braiseworth, *Suff.*	99	Aa
Braithwaite, *Cumb.*	202	Cb
Braithwaite, *S. Yorks.*	174	Db
Braithwaite, *W. Yorks.*	182	Dc
Braithwell, *S. Yorks.*	164	Da
Brakenhall, *W. Mid.*	127	Ac
Bramber, *W. Sus.*	24	Cb
Bramcote, *Notts.*	149	Bc
Bramdean, *Hants.*	39	Bb
Bramerton, *Norf.*	119	Ba
Bramfield, *Herts.*	75	Bb
Bramfield, *Suff.*	100	Ca
Bramford, *Suff.*	79	Ba
Bramhall, *Gt. Man.*	162	Cb
Bramham, *W. Yorks.*	184	Dc
Bramhope, *W. Yorks.*	183	Bc
Bramley, *Hants.*	55	Ac
Bramley, *S. Yorks.*	164	Ca
Bramley, *Sur.*	41	Ab
Bramley, *W. Yorks.*	173	Ba
Brampford Speke, *Dev.*	32	Dc
Brampton, *Cambs.*	95	Ba
Brampton, *Cumb.*	204	Db
Brampton, *Cumb.*	218	Cb
Brampton, *Hf/Wor.*	88	Cb
Brampton, *Lincs.*	165	Bb
Brampton, *Norf.*	137	Bb
Brampton, *S. Yorks.*	174	Cc
Brampton, *Suff.*	120	Cc
Brampton Abbotts, *Hf/Wor.*	88	Db
Brampton Ash, *N'hants.*	113	Aa
Brampton Bryan, *Hf/Wor.*	107	Ab
Brampton-en-le-Morthen, *S. Yorks.*	164	Ca
Bramshall, *Staffs.*	147	Bc
Bramshaw, *Hants.*	38	Cc
Brams Hill, *Hants.*	55	Bb
Bramshott, *Hants.*	40	Cb
Bramstead Heath, *Staffs.*	126	Da
Bramwell, *Som.*	34	Db
Brancaster, *Norf.*	135	Ba
Brancepeth, *Dur.*	207	Aa
Branderburgh, *Gramp.*	303	Aa
Brandesburton, *Humb.*	177	Ba
Brandeston, *Suff.*	99	Bb
Brandiston, *Norf.*	137	Ab
Brandon, *Dur.*	207	Aa
Brandon, *Lincs.*	151	Bb
Brandon, *Suff.*	117	Bb
Brandon, *Warks.*	111	Bb
Brandon Parva, *Norf.*	118	Da
Brandsby, *N. Yorks.*	198	Cc
Branksome, *Dors.*	19	Bb
Bransby, *Lincs.*	166	Cb
Branscombe, *Dev.*	15	Bc
Bransdale, *N. Yorks.*	198	Ca
Bransford, *Hf/Wor.*	109	Ac
Bransgore, *Hants.*	20	Cb
Branston, *Leics.*	151	Bc
Branston, *Lincs.*	166	Dc
Branston, *Staffs.*	128	Da
Brant Broughton, *Lincs.*	151	Ba
Brantham, *Essex*	79	Bb
Branthwaite, *Cumb.*	201	Bb
Brantingham, *Humb.*	176	Ca
Branton, *N'land.*	231	Ba
Branton, *S. Yorks.*	175	Ac
Branxton, *N'land*	243	Ab
Brassington, *Derby.*	148	Da
Brasted, *Kent*	43	Aa
Bratoft, *Lincs.*	154	Cb
Brattleby, *Lincs.*	166	Cb
Bratton, *Wilts.*	52	Cc
Bratton Covelly, *Dev.*	12	Dc
Bratton Fleming, *Dev.*	30	Db
Bratton Seymour, *Som.*	35	Ba
Braughing, *Herts.*	76	Cb
Brauncewell, *Lincs.*	152	Ca
Braunston, *Leics.*	131	Bb
Braunston, *N'hants.*	112	Cb
Braunstone, *Leics.*	130	Cb
Braunton, *Dev.*	30	Cb
Brawby, *N. Yorks.*	198	Dc
Brawdy, *Dyfed*	61	Ba
Bray, *Berks.*	56	Ca
Braybrooke, *N'hants.*	113	Aa
Braydon, *Wilts.*	70	Dc
Brayford, *Dev.*	30	Db
Braythorn, *N. Yorks.*	184	Cb
Brayton, *N. Yorks.*	174	Da
Breadsall, *Derby.*	149	Ab
Breadstone, *Glos.*	69	Ab
Bread Town, *Wilts.*	53	Aa
Breage, *Corn.*	2	Cc
Bream, *Glos.*	68	Da
Bream Eaves, *Glos.*	68	Da
Breamore, *Hants.*	37	Bc
Brean, *Som.*	49	Bb
Brearton, *N. Yorks.*	184	Ca
Breaston, *Derby.*	149	Bc
Brechfa, *Dyfed*	84	Cc
Brechin, *Tay.*	272	Ca
Breckles, *Norf.*	118	Cb
Brecon, *Powys*	86	Da
Brede, *E. Sus.*	26	Db
Bredenbury, *Hf/Wor.*	108	Cc
Bredfield, *Suff.*	99	Bc
Bredgar, *Kent*	44	Da
Bredhurst, *Kent*	44	Ca
Bredicot, *Hf/Wor.*	109	Bc
Bredon, *Hf/Wor.*	90	Cb
Bredons Hardwick, *Hf/Wor.*	90	Cb
Bredons Norton, *Hf/Wor.*	90	Ca
Bredwardine, *Hf/Wor.*	87	Ba
Breedon on the Hill, *Leics.*	129	Ba
Breighton, *Humb.*	175	Ba
Breinton, *Hf/Wor.*	88	Ca
Bremhill, *Wilts.*	52	Ca
Bremhill Wick, *Wilts.*	52	Ca
Brenchley, *Kent*	43	Bb
Brendon, *Dev.*	47	Ab
Brendon Hill, *Som.*	48	Dc
Brenkley, *Ty/We.*	221	Ba
Brent Eleigh, *Suff.*	98	Dc
Brentford, *Gt. Lon.*	57	Ab
Brentingby, *Leics.*	131	Aa
Brent Knoll, *Som.*	49	Bc
Brent Pelham, *Herts.*	76	Da
Brentwood, *Essex*	59	Aa
Brenzett, *Kent*	27	Bb
Brereton, *Staffs.*	127	Ba
Brereton-cum-Smethwick, *Ches.*	161	Bc
Brereton Green, *Ches.*	161	Bc
Bressingham, *Norf.*	118	Dc
Bretby, *Derby.*	128	Da
Bretford, *Warks.*	111	Bb
Bretforton, *Hf/Wor.*	90	Da
Bretherton, *Lancs.*	169	Bb
Brettenham, *Norf.*	118	Cc
Brettenham, *Suff.*	98	Db
Bretton, *Clwyd*	159	Bc
Brewood, *Staffs.*	127	Ab
Bricklehampton, *Hf/Wor.*	90	Da
Bride, *I.O.M.*	189	Aa
Bridekirk, *Cumb.*	202	Cb
Bridell, *Dyfed*	82	Da
Bridestowe, *Dev.*	12	Dc
Bridford, *Dev.*	14	Ca
Bridge, *Kent*	46	Cb
Bridge End, *Dur.*	206	Cc
Bridge End, *Lincs.*	133	Aa
Bridge End, *Lincs.*	152	Dc
Bridge End, *N'land*	220	Cb
Bridgehampton, *Som.*	35	Ab
Bridgend, *Gramp.*	304	Ca
Bridgend, *Gramp.*	292	Cc
Bridgend, *M. Glam.*	66	Cb
Bridgend, *Tay.*	260	Da
Bridgend of Lintrathen, *Tay.*	271	Aa
Bridgeness, *Cen.*	250	Da
Bridge of Allan, *Cen.*	259	Ac
Bridge of Dee, *Dum/Gall.*	214	Cb
Bridge of Earn, *Tay.*	260	Da
Bridge of Weir, *Strath.*	248	Cc
Bridgerule East, *Dev.*	11	Bb
Bridge Sollers, *Hf/Wor.*	88	Ca
Bridge Trafford, *Ches.*	160	Cc
Bridge Yate, *Avon*	51	Aa
Bridgham, *Norf.*	118	Cc
Bridgnorth, *Salop*	126	Cc
Bridgtown, *Staffs.*	127	Bb
Bridgwater, *Som.*	34	Ca
Bridlington, *Humb.*	188	Db
Bridport, *Dors.*	16	Db
Bridstow, *Hf/Wor.*	88	Dc
Brierfield, *Lancs.*	182	Cc
Brierley, *Hf/Wor.*	107	Bc
Brierley, *S. Yorks.*	174	Cb
Brierley Hill, *W. Mid.*	109	Ba
Brigg, *Humb.*	176	Dc
Brigham, *Cumb.*	201	Bb
Brigham, *Humb.*	188	Cc
Brighouse, *W. Yorks.*	172	Da
Brighstone, *I.O.W.*	21	Ac
Brighthampton, *Oxon.*	72	Cb
Brightling, *E. Sus.*	26	Ca
Brightlingsea, *Essex*	79	Ac
Brighton, *E. Sus.*	24	Dc
Brightons, *Cen.*	250	Ca
Brights Leary, *Dev.*	30	Db
Brightwalton, *Berks.*	54	Ca
Brightwalton Gr., *Berks.*	54	Ca
Brightwell, *Oxon.*	72	Dc
Brightwell, *Suff.*	80	Ca
Brightwell Baldwin, *Oxon.*	73	Ab
Brignall, *Dur.*	206	Cc
Brigsley, *Humb.*	167	Bb
Brigstock, *N'hants.*	114	Ca
Brill, *Bucks.*	73	Aa
Brilley, *Hf/Wor.*	87	Aa
Brimfield, *Hf/Wor.*	107	Bb
Brimington, *Derby.*	164	Cb
Brimington Common, *Derby.*	164	Cc
Brimpsfield, *Glos.*	70	Ca
Brimpton, *Berks.*	54	Db
Brimscombe, *Glos.*	70	Cb
Brimshot, *Sur.*	41	Aa
Brimstage, *Mers.*	159	Bb
Brindle, *Lancs.*	170	Ca
Brindley Ford, *Staffs.*	146	Da
Bringhurst, *Leics.*	131	Bc
Brington, *Cambs.*	114	Db
Briningham, *Norf.*	136	Db
Brinkhill, *Lincs.*	154	Ca
Brinkley, *Cambs.*	97	Ab
Brinklow, *Warks.*	111	Ba
Brinkworth, *Wilts.*	70	Dc
Brinsea, *Avon*	50	Cb
Brinsley, *Notts.*	149	Bb
Brinsop, *Hf/Wor.*	88	Ca
Brinsworth, *S. Yorks.*	164	Ca
Brinton, *Norf.*	136	Da
Brisco, *Cumb.*	217	Bc
Brisley, *Norf.*	136	Dc
Brislington, *Avon*	51	Aa
Bristol, *Avon*	50	Da
Briston, *Norf.*	136	Db
Britford, *Wilts.*	37	Bb
Briton Ferry, *W. Glam.*	65	Aa
Britwell, *Oxon.*	73	Ac
Brixham, *Dev.*	10	Da
Brixton, *Dev.*	8	Dc
Brixton, *Gt. Lon.*	57	Bc
Brixton Deverill, *Wilts.*	36	Ca
Brixworth, *N'hants.*	113	Ab
Brize Norton, *Oxon.*	71	Ba
Broadbottom, *Gt. Man.*	162	Ca
Broad Campden, *Glos.*	91	Ab
Broad Chalke, *Wilts.*	37	Ab
Broad Clyst, *Dev.*	14	Da
Broadfield, *Herts.*	76	Ca
Broadford, *Highl.*	285	Ab
Broad Green, *Beds.*	94	Ca
Broad Green, *Hf/Wor.*	108	Dc
Broad Heath, *Hf/Wor.*	108	Db
Broadhembury, *Dev.*	15	Aa
Broadhempston, *Dev.*	10	Ca
Broad Hinton, *Wilts.*	53	Aa
Broadholme, *Lincs.*	166	Cc
Broadlay, *Dyfed*	63	Bb
Broad Marston, *Hf/Wor.*	91	Aa
Broadmayne, *Dors.*	18	Cb
Broadnymet, *Dev.*	31	Bc
Broad Oak, *Hf/Wor.*	88	Cc
Broadoak, *Dyfed.*	84	Dc
Broadoak, *Kent*	45	Bb
Broadstairs, *Kent*	46	Da
Broads, The, *Norf.*	138	Cb
Broadstone, *Dors.*	19	Ab
Broadstone, *Salop*	125	Bc
Broadwas, *Hf/Wor.*	108	Dc
Broadwater, *W. Sus.*	24	Cc
Broadway, *Dors.*	17	Bb
Broadway, *Dyfed*	63	Aa
Broadway, *Hf/Wor.*	90	Db
Broadway, *Som.*	34	Cc
Broadway, *Som.*	51	Ac
Broadwell, *Glos.*	91	Ac
Broadwell, *Oxon.*	71	Bb
Broadwell, *Warks.*	111	Bc
Broadwindsor, *Dors.*	16	Da
Broadwood Kelly, *Dev.*	31	Ab
Broadwood Widger, *Dev.*	12	Cc
Brobury, *Hf/Wor.*	87	Ba
Brockdish, *Norf.*	99	Ba
Brockenhurst, *Hants.*	20	Da
Brockford Str., *Suff.*	99	Ab
Brockhall, *N'hants.*	112	Dc
Brockham, *Sur.*	41	Bb
Brockhampton, *Glos.*	90	Cb
Brockhampton, *Glos.*	90	Dc
Brockhampton, *Hf/Wor.*	88	Db
Brock Holes, *W. Yorks.*	172	Db
Brocklesby, *Lincs.*	167	Aa
Brockley, *Suff.*	98	Cb
Brockley Green, *Suff.*	98	Cb
Brockton, *Salop*	106	Da
Brockton, *Salop*	124	Db
Brockton, *Salop*	125	Bc
Brockton, *Salop*	126	Db
Brockworth, *Glos.*	90	Cc
Brocton, *Staffs.*	127	Ba
Brodick, *Strath.*	234	Db
Brodsworth, *S. Yorks.*	174	Cc
Brokenborough, *Wilts.*	70	Cc
Bromborough, *Mers.*	159	Bb
Brome, *Suff.*	99	Aa
Bromeswell, *Suff.*	100	Cc
Bromfield, *Cumb.*	202	Ca
Bromfield, *Kent.*	44	Db
Bromfield, *Salop.*	107	Ba
Bromham, *Beds.*	94	Da
Bromham, *Wilts.*	52	Cb
Bromley, *Gt. Lon.*	58	Cc
Bromley, *Gt. Lon.*	58	Cb
Brompton, *Kent*	59	Bc
Brompton, *N. Yorks.*	197	Aa
Brompton, *N. Yorks.*	187	Ba
Brompton-on-Swale, *N. Yorks.*	196	Da
Brompton Ralph, *Som.*	33	Ab
Brompton Regis, *Som.*	48	Cc
Bromsberrow, *Glos.*	89	Bb
Bromsberrow Heath, *Glos.*	89	Bb
Bromsgrove, *Hf/Wor.*	109	Bb
Bromyard, *Hf/Wor.*	108	Cc
Brongest, *Dyfed*	83	Bb
Brongwyn, *Dyfed*	83	Ab
Bronington, *Clwyd*	145	Ab
Bronllys, *Powys*	87	Ab
Brook, *Dyfed*	63	Ab
Brook, *I.O.W.*	20	Dc
Brook, *Kent*	45	Bc
Brooke, *Leics.*	131	Bb
Brooke, *Norf.*	119	Bb
Brook End, *Beds.*	95	Aa
Brookend, *Glos.*	68	Db
Brook Foot, *W. Yorks.*	172	Da
Brookhouse, *S. Yorks.*	164	Da
Brookhouse Green, *Ches.*	146	Da
Brookland, *Kent*	27	Bb
Brooksby, *Leics.*	130	Da
Brooks Green, *W. Sus.*	23	Ba
Brook Street, *Kent*	27	Aa
Brookthorpe, *Glos.*	69	Ba
Broom, *Beds.*	95	Ac
Broom, *Dur.*	207	Aa
Broom, *Warks.*	91	Aa
Broome, *Hf/Wor.*	109	Ba
Broome, *Norf.*	120	Cb
Broomedge, *Ches.*	161	Aa
Broomfield, *Essex*	77	Bc
Broomfield, *Kent*	46	Ca
Broomfield, *Som.*	33	Bb
Broomfleet, *Humb.*	176	Ca
Broomley, *N'land*	220	Db
Brooms Ash, *Hf/Wor.*	89	Ac
Brooms Green, *Glos.*	89	Ab
Brora, *Highl.*	312	Da
Broseley, *Salop*	126	Cb
Brothertoft, *Lincs.*	153	Bc
Brotherton, *N. Yorks.*	174	Ca
Brotton, *Cleve.*	199	Aa
Brough, *Derby.*	163	Ab
Brough, *Highl.*	323	Ba
Brough, *Humb.*	176	Ca
Brough, *Notts.*	151	Ba
Broughall, *Salop.*	145	Bb
Brough Sowerby, *Cumb.*	205	Ac
Broughton, *Bord.*	239	Bb
Broughton, *Bucks.*	94	Cb
Broughton, *Cambs.*	115	Bc
Broughton, *Clwyd*	159	Bc
Broughton, *Hants.*	38	Cb
Broughton, *Humb.*	176	Dc
Broughton, *Lancs.*	170	Ca
Broughton, *M. Glam.*	66	Cc
Broughton, *N'hants.*	113	Bb
Broughton, *N. Yorks.*	182	Db
Broughton, *N. Yorks.*	198	Ca
Broughton, *N. Yorks.*	198	Dc
Broughton, *Oxon.*	92	Cb
Broughton Astley, *Leics.*	130	Cc
Broughton Beck, *Cumb.*	192	Dc
Broughton Comm., *Wilts.*	52	Cb
Broughton Gifford, *Wilts.*	52	Cb
Broughton Hackett, *Hf/Wor.*	109	Bc
Broughton-in-Furness, *Cumb.*	192	Cb
Broughton Poggs, *Oxon.*	71	Bb
Broughty Ferry, *Tay.*	271	Bc
Brough-under-Stainmore, *Cumb.*	205	Ac
Brown Candover, *Hants.*	39	Aa
Brownhills, *W. Mid.*	128	Cb
Brownsover, *Warks.*	112	Cb
Brownston, *Dev.*	9	Bb
Brox, *Sur.*	41	Aa
Broxa, *N. Yorks.*	200	Cc
Broxbourne, *Herts.*	76	Cc
Broxburn, *Loth.*	251	Ab
Broxholme, *Lincs.*	166	Cb
Broxted, *Essex*	77	Aa
Broyle Side, *E. Sus.*	25	Ab
Bruisyard, *Suff.*	100	Cb
Brumby, *Humb.*	176	Cc
Brumstead, *Norf.*	138	Cb
Brundall, *Norf.*	119	Ba

Brundish, *Suff.* . . 99 Ba
Brunstock, *Cumb.* . 217 Bb
Bruntcliffe, *W. Yorks.* . 173 Aa
Bruntingthorpe, *Leics.* . 112 Da
Brunton, *Wilts.* . . 53 Bc
Brushford, *Dev.* . . 31 Bb
Brushford, *Som.* . . 32 Da
Bruton, *Som.* . . 35 Ba
Bryanston, *Dors.* . 36 Cc
Bryants Puddle, *Dors.* . 18 Ca
Brydekirk, *Dum/Gall.* . 216 Da
Brymbo, *Clwyd* . . 144 Ca
Brympton, *Som.* . 34 Dc
Bryn, *M. Glam.* . . 67 Ab
Bryn, *Salop* . . 124 Ca
Bryn, *W. Glam.* . . 65 Ba
Brynamman, *Dyfed* . 85 Ab
Bryncethin, *M. Glam.* . 66 Cb
Bryncroes, *Gwyn.* . 139 Ac
Bryncurl, *Hf/Wor.* . 107 Ac
Bryneglwys, *Clwyd* . 143 Bb
Brynford, *Clwyd* . . 159 Ab
Bryngwran, *Gwyn.* . 155 Bb
Bryngwyn, *Gwent* . 68 Ca
Bryngwyn, *Powys* . 87 Aa
Brynkir, *Gwyn.* . . 140 Cb
Bryn-Mawr, *Gwent* . 67 Aa
Bryn Saddler, *M. Glam.* . 66 Db
Bryn Siencyn, *Gwyn.* . 156 Cc
Bubbenhall, *Warks.* . 111 Bb
Bubwith, *Humb.* . . 185 Bc
Buchanan, *Strath.* . 248 Ca
Buchanhaven, *Gramp.* . 306 Db
Buchlyvie, *Cen.* . . 258 Dc
Buckabank, *Cumb.* . 217 Bc
Buckden, *Cambs.* . . 95 Ba
Buckden, *N. Yorks.* . 195 Bc
Buckenham, *Norf.* . 120 Ca
Buckerell, *Dev.* . . 15 Ab
Buckfast, *Dev.* . . 10 Ca
Buckfastleigh, *Dev.* . 10 Ca
Buckhaven, *Fife* . . 261 Bc
Buckholt, *Gwent* . . 88 Cc
Buckhorn Weston,
Dors. . . . 36 Cb
Buckhurst Hill, *Essex* . 58 Ca
Buckie, *Gramp.* . . 303 Ba
Buckingham, *Bucks.* . 93 Ab
Buckland, *Bucks.* . . 74 Ca
Buckland, *Dev.* . . 30 Db
Buckland, *Glos.* . . 90 Db
Buckland, *Herts.* . . 76 Ca
Buckland, *Kent* . . 28 Da
Buckland, *Oxon.*. . 72 Cb
Buckland, *Sur.* . . 42 Cb
Buckland Brewer, *Dev.* . 29 Bc
Buckland Dinham,
Som. . . . 51 Bb
Buckland-in-the-Moor,
Dev. . . . 13 Bc
Buckland Monachorum,
Dev. . . . 8 Db
Buckland Newton,
Dors. . . . 18 Ca
Buckland Ripers,
Dors. . . . 17 Bb
Buckland St. Mary,
Som. . . . 16 Ca
Bucklebury, *Berks.* . 54 Db
Bucklesham, *Suff.* . 80 Ca
Buckley, *Clwyd* . . 159 Bc
Bucklow Hill, *Ches.* . 161 Ab
Buckminster, *Leics.* . 131 Ba
Bucknall, *Lincs.* . . 153 Aa
Bucknall, *Staffs.* . . 146 Db
Bucknell, *Oxon.* . . 92 Dc
Bucknell, *Salop* . . 107 Ab
Bucksburn, *Gramp.* . 294 Cc
Bucks Green, *W. Sus.* . 23 Ba
Bucks Mills, *Dev.* . . 29 Bc
Buckton, *Humb.* . . 188 Db
Buckworth, *Cambs.* . 114 Db
Budbrooke, *Warks.* . 111 Ac
Budby, *Notts.* . . 164 Dc
Bude, *Corn.* . . 11 Bb
Budleigh Salterton,
Dev. . . . 15 Ac
Budock, *Corn.* . . 2 Db
Buerton, *Ches.* . . 146 Ca
Bugbrooke, *N'hants.* . 112 Da
Buglawton, *Ches.* . . 161 Bc
Bugley, *Wilts.* . . 52 Cc
Bugthorpe, *Humb.* . 186 Db
Buildwas, *Salop* . . 126 Cb
Builth Wells, *Powys* . 104 Ca
Buittle, *Dum/Gall.* . 214 Bb
Bulby, *Lincs.* . . 132 Da
Bulford, *Wilts.* . . 37 Ba
Bulkeley, *Ches.* . . 145 Aa
Bulkington, *Warks.* . 111 Ba
Bulkington, *Wilts.* . 35 Ba
Bulldoo, *Highl.* . . 322 Da
Bulley, *Glos.* . . 89 Bc
Bullingham, *Hf/Wor.* . 88 Db
Bullington, *Hants.* . 38 Da
Bulmer, *Essex* . . 98 Ca
Bulmer, *N. Yorks.* . 185 Ba
Bulphan, *Essex* . . 59 Ab
Bulwell, *Notts.* . . 150 Cb
Bulwick, *N'hants.* . 132 Cc
Bunbury, *Ches.* . . 145 Ba

Bungay, *Suff.* . . 119 Bb
Bunloit, *Highl.* . . 288 Db
Bunny, *Notts.* . . 150 Ca
Buntingford, *Herts.* . 76 Ca
Bunwell, *Norf.* . . 119 Ab
Bunwell Street, *Norf.* . 119 Ab
Burbage, *Derby.* . . 162 Dc
Burbage, *Leics.* . . 129 Bc
Burbage, *Wilts.* . . 53 Bb
Burchetts Green,
Berks. . . . 56 Ca
Burcombe, *Wilts.* . 37 Ab
Burcot, *Hf/Wor.*. . 109 Bb
Burcot, *Oxon.* . . 72 Db
Burcott, *Bucks.* . . 94 Cc
Bures, *Essex* . . 78 Ca
Burford, *Oxon.* . . 71 Ba
Burford, *Salop* . . 108 Cb
Burgate, *Suff.* . . 99 Aa
Burgess Hill, *W. Sus.* . 24 Db
Burgh, *Suff.* . . 99 Bc
Burgh Apton, *Norf.* . 119 Ba
Burgh-by-Sands, *Cumb.* . 217 Bb
Burgh Castle, *Norf.* . 120 Da
Burghclere, *Hants.* . 54 Dc
Burghead, *Gramp.* . 302 Da
Burghfield, *Berks.* . 55 Ab
Burghill, *Hf/Wor.* . 88 Ca
Burgh-le-Marsh, *Lincs.* . 154 Db
Burgh Muir, *Gramp.* . 293 Bb
Burgh-next-Aylsham,
Norf. . . . 137 Bb
Burgh-on-Bain, *Lincs.* . 167 Bc
Burgh St. Margaret,
Norf. . . . 138 Dc
Burgh St. Peter,
Norf. . . . 120 Db
Burghwallis, *S. Yorks.* . 174 Db
Burham, *Kent* . . 44 Ca
Buriton, *Hants.* . . 40 Cc
Burleigh, *Berks.* . . 56 Cb
Burlescombe, *Dev.* . 33 Ac
Burley, *Leics.* . . 131 Bb
Burley Gate, *Hf/Wor.* . 88 Da
Burley-in-Wharfedale,
W. Yorks. . . 183 Bc
Burlton, *Salop* . . 144 Dc
Burmarsh, *Hf/Wor.* . 88 Da
Burmarsh, *Kent* . . 28 Ca
Burmington, *Warks.* . 91 Bb
Burn, *N. Yorks.* . . 174 Da
Burnage, *Gt. Man.* . 161 Ba
Burnaston, *Derby.* . 148 Dc
Burnby, *Humb.* . . 186 Dc
Burncross, *S. Yorks.* . 163 Ba
Burneston, *N. Yorks.* . 196 Db
Burnett, *Avon* . . 51 Aa
Burnham, *Bucks.* . . 56 Ca
Burnham, *Essex* . . 60 Da
Burnham Deepdale,
Norf. . . . 136 Ca
Burnham Norton, *Norf.* . 136 Ca
Burnham-on-Sea, *Som.* . 34 Ca
Burnham Overy, *Norf.* . 136 Ca
Burnham Thorpe, *Norf.* . 136 Ca
Burniston, *N. Yorks.* . 200 Ba
Burnley, *Lancs.* . . 171 Ba
Burnmouth, *Bord.* . 254 Dc
Burnopfield, *Dur.* . 221 Bc
Burnsall, *N. Yorks.* . 182 Da
Burntisland, *Fife* . . 251 Ba
Burnt Yates, *N. Yorks.* . 184 Ca
Burpham, *W. Sus.* . 23 Bb
Burradon, *N'land* . . 231 Ab
Burrells, *Cumb.* . . 204 Dc
Burrelton, *Tay.* . . 270 Dc
Burrill, *N. Yorks.* . 196 Db
Burringham, *Humb.* . 176 Cc
Burrington, *Avon* . . 50 Cb
Burrington, *Dev.* . . 30 Dc
Burrington, *Hf/Wor.* . 107 Bb
Burrough Green, *Cambs.* . 97 Ab
Burrough-on-the-Hill,
Leics. . . . 131 Ab
Burrowhill, *Sur.* . . 56 Db
Burry Port, *Dyfed* . 64 Cb
Burscough, *Lancs.* . 169 Bb
Burscough Bridge,
Lancs. . . . 169 Bb
Bursea, *Humb.* . . 175 Ba
Burshill, *Humb.* . . 177 Ba
Bursledon, *Hants.* . 21 Aa
Burslem, *Staffs.* . . 146 Da
Burstall, *Suff.* . . 79 Ba
Burstock, *Dors.* . . 16 Da
Burston, *Norf.* . . 119 Ac
Burstow, *Sur.* . . 42 Cb
Burstwick, *Humb.* . 178 Cb
Burtersett, *N. Yorks.* . 195 Ba
Burton, *Ches.* . . 159 Bb
Burton, *Ches.* . . 160 Ca
Burton, *Dyfed* . . 62 Cb
Burton, *Lincs.* . . 166 Ca
Burton, *Wilts.* . . 33 Ab
Burton, *Wilts.* . . 36 Ca
Burton Agnes, *Humb.* . 188 Db
Burton Bradstock,
Dors. . . . 16 Dc
Burton Coggles, *Lincs.* . 132 Ca
Burton Dassett, *Warks.* . 92 Ca

Burton Hastings,
Warks. . . . 111 Ba
Burton-in-Kendal,
Cumb. . . . 193 Bc
Burton-in-
Lonsdale, *N. Yorks.* . 181 Aa
Burton Joyce, *Notts.* . 150 Dc
Burton Latimer, *N'hants.* . 113 Bb
Burton Lazars,
Leics. . . . 131 Aa
Burton Leonard,
N. Yorks. . . 184 Ca
Burton-on-the-
Wolds, *Leics.* . 130 Ca
Burton Overy,
Leics. . . . 130 Dc
Burton Pedwardine,
Lincs. . . . 133 Aa
Burton Pidsea, *Humb.* . 178 Cb
Burton Salmon,
N. Yorks. . . 174 Ca
Burton's Green,
Essex . . . 78 Cb
Burton-upon-Stather,
Humb. . . . 176 Cb
Burton-upon-Trent,
Staffs. . . . 128 Da
Burtonwood, *Ches.* . 160 Da
Burtree Ford, *Dur.* . 205 Ba
Burwardsley, *Ches.* . 145 Aa
Burwarton, *Salop* . 108 Ca
Burwash, *E. Sus.* . 26 Ca
Burwell, *Cambs.* . . 97 Aa
Burwell, *Lincs.* . . 154 Ca
Bury, *Cambs.* . . 115 Bc
Bury, *Gt. Man.* . . 171 Bb
Bury, *Som.* . . 32 Da
Bury, *W. Sus.* . . 23 Ab
Bury St. Edmunds,
Suff. . . . 98 Ca
Burythorpe, *N. Yorks.* . 186 Ca
Busby, *Strath.* . . 248 Dc
Buscot, *Oxon.* . . 71 Bb
Bush Bank, *Hf/Wor.* . 88 Ca
Bushbury, *W. Mid.* . 127 Bb
Bushby, *Leics.* . . 130 Db
Bushey, *Herts.* . . 57 Aa
Busheyheath, *Herts.* . 57 Aa
Bushley, *Hf/Wor.* . 90 Cb
Buslingthorpe, *Lincs.* . 166 Db
Bussage, *Glos.* . . 70 Ca
Butcombe, *Avon* . . 50 Db
Butleigh, *Som.* . . 34 Db
Butleigh Wootton,
Som. . . . 34 Db
Butlers Marston,
Warks. . . . 91 Ba
Butley, *Suff.* . . 100 Cc
Buttercrambe, *N. Yorks.* . 186 Cb
Butterleigh, *Dev.*. . 32 Bb
Butterley, *Derby.* . 149 Ba
Buttermere, *Cumb.* . 202 Cc
Buttermere, *Wilts.* . 54 Cb
Buttershaw, *W. Yorks.* . 172 Da
Butterton, *Staffs.* . 147 Ba
Butterwick, *Lincs.* . 154 Cc
Butterwick, *N. Yorks.* . 187 Bb
Butterwick, *N. Yorks.* . 198 Dc
Buttington, *Powys* . 124 Cb
Butt Lane, *Staffs.* . 146 Da
Buttonoak, *Salop* . 108 Ca
Buxhall, *Suff.* . . 98 Db
Buxted, *E. Sus.* . . 25 Ca
Buxton, *Derby* . . 162 Dc
Buxton, *Norf.* . . 137 Bb
Buxton Heath, *Norf.* . 137 Bb
Bwlch, *Powys* . . 86 Da
Bwlch-gwyn, *Clwyd* . 144 Ca
Bwlch-y-cibau, *Powys* . 124 Ca
Bwlch-y-mynydd,
W. Glam. . . 64 Db
Bwllfa, *W. Glam.* . 64 Db
Byfield, *N'hants.*. . 92 Da
Byfleet, *Sur.* . . 41 Aa
Byford, *Hf/Wor.* . 87 Ba
Bygrave, *Herts.* . . 75 Ba
Byland Abbey,
N. Yorks. . . 197 Bc
Byley, *Ches.* . . 161 Ac
Bythorn, *Cambs.* . . 114 Cb
Byton, *Hf/Wor.* . 87 Ac
Byworth, *W. Sus.* . 23 Ab

CABOURNE, *Lincs.* . 167 Ab
Cadbury, *Dev.* . . 32 Dc
Cadder, *Strath.* . . 249 Ab
Caddington, *Beds.* . 74 Da
Cadeby, *Leics.* . . 129 Bb
Cadeby, *S. Yorks.* . 174 Db
Cadeleigh, *Dev.* . . 32 Db
Cadishead, *Gt. Man.* . 161 Aa
Cadley, *Wilts.* . . 53 Bb
Cadmore End, *Bucks.* . 73 Bb
Cadnam, *Hants.* . . 38 Cc
Cadney, *Humb.* . . 176 Cc
Cadoxton, *S. Glam.* . 66 Db
Cae-llwyn-grydd,
Gwyn. . . . 156 Dc
Caenby, *Lincs.* . . 166 Da
Caerau, *S. Glam.* . 49 Aa

Caergeiliog, *Gwyn.* . 155 Ab
Caergwrle, *Clwyd* . 144 Ca
Caerhun, *Gwyn.* . . 157 Ab
Caerleon, *Gwent* . . 67 Bb
Caernarvon, *Gwyn.* . 156 Cc
Caerphilly, *M. Glam.* . 67 Ac
Caersws, *Powys* . . 123 Bc
Caerwent, *Gwent* . 68 Cb
Caerwys, *Clwyd* . . 158 Db
Cainscross, *Glos.* . 69 Ba
Caio, *Dyfed* . . 84 Db
Cairneyhill, *Fife* . . 250 Da
Cairnryan, *Dum/Gall.* . 211 Bb
Caister-next-
Yarmouth, *Norf.* . 120 Da
Caister St. Edmunds,
Norf. . . . 119 Ba
Caistor, *Lincs.* . . 167 Ab
Calbourne, *I.O.W.* . 21 Ac
Calcot, *Glos.* . . 70 Da
Calcot Row, *Berks.* . 55 Aa
Calcutt, *Wilts.* . . 71 Ac
Caldbeck, *Cumb.* . . 202 Da
Caldbergh, *N. Yorks.* . 196 Cb
Caldecote, *Beds.* . . 95 Ac
Caldecote, *Cambs.* . 96 Cb
Caldecote, *Cambs.* . 114 Da
Caldecote, *Herts.* . 95 Bb
Caldecote, *N'hants.* . 93 Aa
Caldecote, *Warks.* . 129 Ac
Caldecott, *Leics.* . 131 Bc
Caldecott, *N'hants.* . 114 Cb
Calderbank, *Strath.* . 249 Bc
Calderbrook, *Gt. Man.* . 172 Cb
Caldercruix, *Strath.* . 250 Cb
Calder Grove, *W. Yorks.* . 173 Bb
Caldicot, *Gwent* . . 68 Cc
Caldwell, *N. Yorks.* . 206 Dc
Caldy, *Mers.* . . 159 Ab
Calgary, *Strath.* . . 263 Ab
Calke, *Leics.* . . 129 Ba
Callaly, *N'land* . . 231 Ba
Callander, *Cen.* . . 258 Db
Callestock, *Corn* . . 2 Da
Calligarry, *Highl.* . 273 Aa
Callington, *Corn.* . 7 Bb
Callingwood, *Staffs.* . 128 Da
Callow, *Derby.* . . 148 Da
Callow, *Hf/Wor.*. . 88 Cb
Callow End, *Hf/Wor.* . 89 Cb
Calmsden, *Glos.* . . 70 Da
Calne, *Wilts.* . . 52 Da
Calow, *Derby.* . . 164 Cb
Calstock, *Corn.* . . 8 Cb
Calstone Wellington,
Wilts. . . . 52 Da
Calthorpe, *Norf.* . 137 Bb
Calthwaite, *Cumb.* . 203 Ba
Calton, *Staffs.* . . 148 Ca
Calveley, *W. Yorks.* . 145 Ba
Calver, *Derby.* . . 163 Ab
Calverley, *W. Yorks.* . 183 Bc
Calverton, *Bucks.* . 93 Bb
Calverton, *Notts.* . 150 Cb
Calvo, *Cumb.* . . 216 Dc
Cam, *Glos.* . . 69 Bb
Camberley, *Sur.* . . 56 Cb
Camberwell, *Gt. Lon.* . 58 Cb
Camblesforth, *N. Yorks.* . 175 Aa
Cambo, *N'land* . . 231 Bc
Cambois, *N'land* . . 232 Dc
Camborne, *Corn.* . 2 Cc
Cambridge, *Cambs.* . 96 Db
Cambridge, *Glos.* . 69 Ba
Cambus, *Cen.* . . 259 Bc
Cambuslang, *Strath.* . 249 Ac
Cambusnethan, *Strath.* . 249 Bc
Camden Town,
Gt. Lon. . . 57 Bb
Camelford, *Corn.* . 11 Ac
Camelon, *Cen.* . . 250 Ca
Camely, *Avon* . . 50 Db
Camers Green, *Hf/Wor.* . 89 Bb
Camerton, *Avon* . . 51 Aa
Camerton, *Cumb.* . 201 Bb
Cammeringham, *Lincs.* . 166 Ca
Campbelltown, *Highl.* . 301 Aa
Campsall, *S. Yorks.* . 174 Db
Campsey Ash,
Norf. . . . 100 Cb
Camps Green,
Cambs. . . . 97 Ac
Campsie, *Strath.* . 249 Aa
Campton, *Beds.* . . 95 Ac
Camptown, *Bord.* . 241 Ba
Camserney, *Tay.* . 269 Ab
Canal Head,
Humb. . . . 186 Cb
Candlesby, *Lincs.* . 154 Cb
Cane End, *Oxon.* . 55 Ab
Canewdon, *Essex* . 60 Ca
Canford Magna,
Dors. . . . 19 Ab
Cannington, *Som.* . 34 Cb
Cannock, *Staffs.* . . 127 Bb
Cannock Wood,
Staffs. . . . 127 Ba
Canonbie, *Dum/Gall.* . 217 Ba
Canon Bridge, *Hf/Wor.* . 88 Ca
Canon Frome, *Hf/Wor.* . 89 Aa

Name	PAGE	SQ.
Canon Pyon, Hf/Wor.	88	Ca
Canons Ashby, N'hants.	92	Da
Canterbury, Kent	45	Bb
Cantley, Norf.	120	Ca
Cantley, S. Yorks.	174	Db
Canton, S. Glam.	49	Aa
Cantref, Powys	86	Da
Canvey I., Essex	59	Bb
Canwick, Lincs.	166	Cc
Cap-coch, M. Glam.	86	Cc
Capel, Kent	43	Bb
Capel, Sur.	41	Bc
Capel Arthog, Gwyn.	121	Ba
Capel Bettws Lleuca, Dyfed	102	Cc
Capel Coch, Gwyn.	156	Cb
Capel Colman, Dyfed	83	Ab
Capel Curig, Gwyn.	157	Ac
Capel Garmon, Gwyn.	157	Bc
Capel Gwynfe, Dyfed	85	Aa
Capel Hendre, Dyfed	64	Da
Capel-le-Ferne, Kent	28	Da
Capel Llanilltern, S. Glam.	66	Db
Capel-mawr, Gwyn.	155	Bb
Capel St. Andrew, Suff.	80	Da
Capel St. Mary, Suff.	79	Aa
Capel St. Silin, Dyfed	84	Ca
Capel Sion, Dyfed	102	Ca
Capenhurst, Ches.	159	Bb
Capheaton, N'land.	220	Da
Capland, Som.	34	Cc
Capston, Kent	44	Ca
Capton, Som.	33	Aa
Caputh, Tay.	270	Cb
Caradal, Highl.	273	Aa
Carbost, Highl.	284	Ca
Carbost, Highl.	296	Cc
Carbrooke, Norf.	118	Ca
Carburton, Notts.	164	Dc
Car Colston, Notts.	150	Db
Carcroft, S. Yorks.	174	Bc
Cardeston, Salop	125	Ab
Cardiff, S. Glam..	49	Aa
Cardigan, Dyfed	82	Da
Cardington, Beds.	95	Ac
Cardington, Salop	125	Bc
Cardinham, Corn.	6	Db
Cardle, I.O.M.	189	Ba
Cardow, Gramp.	303	Ac
Cardross, Strath.	248	Cb
Cardurnock, Cumb.	216	Db
Careby, Lincs.	132	Ca
Careston, Tay.	272	Ca
Carew Cheriton, Dyfed	62	Cb
Carew Newton, Dyfed	62	Cb
Carfin, Strath.	249	Bc
Cargill, Tay.	270	Dc
Cargo, Cumb.	217	Bb
Carhampton, Som.	48	Cb
Carisbrooke, I.O.W.	21	Ab
Cark, Cumb.	192	Dc
Carlaverock, Dum/Gall.	216	Ca
Carlby, Lincs.	132	Ca
Carleton, Cumb.	191	Ba
Carleton, Cumb.	218	Cc
Carleton, N. Yorks.	182	Db
Carleton, W. Yorks.	174	Cb
Carleton Forehoe, Norf.	118	Da
Carleton Rode, Norf.	119	Ab
Carleton St. Peter, Norf.	120	Ca
Carlingcott, Avon	51	Ab
Carlisle, Cumb.	217	Bc
Carlops, Loth.	251	Ac
Carlton, Beds.	114	Ca
Carlton, Cambs.	97	Ab
Carlton, Cleve.	207	Bb
Carlton, Leics.	129	Bb
Carlton, N. Yorks.	175	Ba
Carlton, N. Yorks.	197	Ba
Carlton, N. Yorks.	196	Cb
Carlton, Notts.	150	Cb
Carlton, S. Yorks.	173	Bc
Carlton, Suff.	100	Cb
Carlton, W. Yorks.	173	Ba
Carlton, W. Yorks.	183	Bc
Carlton Colville, Suff.	120	Db
Carlton Curlieu, Leics.	130	Dc
Carlton Husthwaite, N. Yorks.	197	Bc
Carlton-le-Moorland, Lincs.	151	Ba
Carlton Miniott, N. Yorks.	197	Ac
Carlton in Lindrick, Notts.	164	Db
Carlton-on-Trent, Notts.	165	Bc
Carlton Scroop, Lincs.	152	Cb
Carluke, Strath.	238	Ca
Carmarthen, Dyfed	63	Ba
Carmel, Dyfed	64	Da
Carmichael, Strath.	238	Db
Carmunnock, Strath.	249	Ac
Carmyle, Strath..	249	Ac
Carnaby, Humb..	188	Cb
Carnach, Highl.	266	Ca
Carnbee, Fife.	262	Cb
Carne, Corn.	4	Ca
Carnforth, Lancs.	180	Da
Carno, Powys	123	Ac
Carnock, Fife	250	Da
Carnoustie, Tay.	272	Cc
Carnwath, Strath.	238	Da
Carperby, N. Yorks.	195	Bb
Carr, S. Yorks.	164	Da
Carradale, Strath.	233	Bb
Carrbridge, Highl.	290	Cb
Carreglefn, Gwyn.	155	Ba
Carr Gate, W. Yorks.	173	Ba
Carriden, Cen.	250	Da
Carrington, Gt. Man.	161	Aa
Carrington, Lincs.	153	Bc
Carrington, Loth.	252	Cc
Carrog, Clwyd	143	Bb
Carron, Cen.	250	Ca
Carronbridge, Dum/Gall.	225	Ab
Carr Shield, N'land	219	Bc
Carr Ville, Dur.	207	Ba
Carshalton, Gt. Lon.	42	Ca
Carsington, Derby.	148	Da
Carsphairn, Dum/Gall.	225	Ab
Carstairs, Strath.	238	Da
Carthorpe, N. Yorks.	196	Dc
Cartmel, Cumb.	192	Dc
Cartworth, W. Yorks.	172	Dc
Cary Fitzpaine, Som.	35	Ab
Cascob, Powys	106	Db
Cashmoor, Dors.	36	Dc
Cassington, Oxon.	72	Ca
Castelldwyran, Dyfed	62	Da
Castell-y-bwch, Gwent	67	Bb
Casterton, Cumb.	194	Cc
Castle Acre, Norf.	135	Bc
Castle Ashby, N'hants.	113	Bc
Castle Bolton, N. Yorks.	195	Bb
Castle Bromwich, W. Mid.	128	Cc
Castle Bytham, Lincs.	132	Ca
Castlebythe, Dyfed	82	Cc
Castle Caereinion, Powys	124	Cb
Castle Camps, Cambs.	97	Ac
Castle Carlton, Lincs.	168	Ca
Castle Cary, Som.	35	Ba
Castle Carrock, Cumb.	218	Cc
Castle Church, Staffs.	127	Aa
Castle Combe, Wilts.	51	Ba
Castle Donington, Leics.	149	Bc
Castle Douglas, Dum/Gall.	214	Db
Castle Eaton, Wilts.	71	Ab
Castle Eden, Dur.	208	Ca
Castleford, N. Yorks.	174	Ca
Castle Frome, Hf/Wor.	89	Aa
Castle Gresley, Derby.	128	Da
Castle Hedingham, Essex	78	Ca
Castlemartin, Dyfed	61	Bc
Castle Morris Dyfed	81	Bb
Castlemorton, Hf/Wor.	89	Ab
Castle Rising, Norf.	135	Ab
Castleside, Dur.	221	Ac
Castle Thorpe, Bucks.	93	Ba
Castlethorpe, Humb.	176	Dc
Castleton, Bord.	229	Ac
Castleton, Derby.	163	Ab
Castleton, Gt. Man.	171	Ac
Castleton, Gwent	67	Bc
Castleton, N. Yorks.	198	Ca
Castletown, Cumb.	217	Bb
Castletown, Highl.	323	Ba
Castletown, I.O.M.	190	Db
Castley, N. Yorks.	184	Cc
Caston, Norf.	118	Cb
Castor, Cambs.	115	Aa
Catcliffe, S. Yorks.	164	Ca
Catcott, Som.	34	Ca
Catcott Burtle, Som.	34	Ca
Caterham, Sur.	42	Da
Catesby, N'hants.	112	Cc
Catfield, Norf.	138	Cb
Catforth, Lancs.	180	Dc
Cathcart, Strath..	248	Dc
Cathedine, Powys	87	Ac
Catherine Slack, W. Yorks.	172	Da
Catherington, Hants.	39	Bc
Catherston Leweston, Dors.	16	Cb
Catlowdy, Cumb.	218	Ca
Catmore, Berks.	54	Da
Caton, Lancs.	180	Da
Catrine, Strath.	236	Dc
Catsfield, E. Sus.	26	Cb
Catshill, Hf/Wor.	109	Bb
Cattal, N. Yorks.	184	Db
Catterall, Lancs.	180	Dc
Catterick, N. Yorks.	196	Da
Catterline, Gramp.	282	Db
Catterton, N. Yorks.	185	Ac
Catthorpe, N'hants.	112	Cb
Cattistock, Dors.	17	Ba
Catton, Norf.	137	Bc
Catton, N'land.	220	Cc
Catwick, Humb.	177	Ba
Catworth, Cambs.	114	Db
Caudle Green, Glos.	70	Ca
Cauldon, Staffs.	147	Ba
Cauldwell, Derby.	128	Da
Caundle Marsh, Dors.	35	Bc
Caunsall, Hf/Wor.	109	Aa
Caunton, Notts.	150	Da
Causewayhead, Cen.	259	Bc
Cavendish, Suff.	97	Bc
Cavenham, Suff.	97	Ba
Cavers, Bord.	229	Aa
Caversfield, Oxon.	92	Dc
Caversham, Berks.	55	Ba
Caverswall, Staffs.	147	Ab
Cavil, Humb.	175	Ba
Cawdor, Highl.	301	Bb
Cawkwell, Lincs.	153	Ba
Cawood, N. Yorks.	185	Ac
Cawsand, Corn.	8	Cc
Cawston, Norf.	137	Ab
Cawthorne, S. Yorks.	173	Bc
Cawthorpe, Lincs.	132	Da
Cawton, N. Yorks.	198	Cc
Caxton, Cambs.	95	Bb
Caynham, Salop	108	Cb
Caythorpe, Lincs.	152	Cb
Caythorpe, Notts.	150	Db
Cayton, N. Yorks.	188	Ca
Cefn Coed-y-Cymmer, M. Glam.	86	Cb
Cefn-cribwr, M. Glam.	65	Bb
Cefnllys, Powys	104	Da
Cefn-mawr, Clwyd	144	Cb
Ceidio, Gwyn.	139	Bb
Cellan, Dyfed	84	Da
Cellardyke, Fife.	262	Db
Cemmaes, Gwyn.	155	Ba
Cemmaes, Powys	122	Da
Cenarth, Dyfed	83	Ab
Ceres, Fife.	261	Bb
Cerne Abbas, Dors.	17	Ba
Cerney Wick, Glos.	70	Db
Cerrigceinwen, Clwyd	155	Bb
Cerrig-ydrudion, Clwyd	142	Da
Chaceley, Glos.	90	Ca
Chacewater, Corn.	2	Da
Chackmore, Bucks.	93	Ab
Chacombe, N'hants.	92	Da
Chadderton Fold, Gt. Man.	171	Bc
Chaddesden, Derby.	149	Ac
Chaddesley Corbett, Hf/Wor.	109	Bb
Chaddleworth, Berks.	54	Ca
Chadlington, Oxon.	91	Bc
Chadshunt, Warks.	92	Ca
Chadwell, Leics.	131	Aa
Chadwell Heath, Gt. Lon.	58	Db
Chadwell St. Mary, Essex	59	Ab
Chaffcombe, Som.	16	Ca
Chagford, Dev.	13	Ba
Chailey, E. Sus.	25	Aa
Chalbury, Dors.	19	Aa
Chaldon, Sur.	42	Ca
Chaldon Herring, Dors.	18	Cb
Chale, I.O.W.	21	Ac
Chalfield, Wilts.	52	Cb
Chalfont St. Giles, Bucks.	74	Dc
Chalfont St. Peter, Bucks.	74	Dc
Chalford, Glos.	70	Ca
Chalford, Wilts.	52	Cc
Chalgrave, Beds.	94	Dc
Chalgrove, Oxon.	73	Ab
Chalk, Kent	59	Ac
Challacombe, Dev.	47	Ab
Challock, Kent	45	Ac
Chalmington, Dors.	17	Ba
Chalton, Beds.	94	Dc
Chalton, Hants.	40	Cc
Chalvey, Berks.	56	Da
Chalvington, E. Sus.	25	Bb
Chandlers Ford, Hants..	38	Dc
Chantry, Som.	51	Ac
Chapel, Essex	78	Ca
Chapel Allerton, Som.	50	Cc
Chapel Allerton, W. Yorks.	184	Cc
Chapel Amble, Corn.	6	Ca
Chapelball, Strath.	249	Bc
Chapel Brampton, N'hants.	113	Ab
Chapel End, Essex	77	Ab
Chapel End, Warks.	129	Ac
Chapel-en-le-Frith, Derby..	162	Db
Chapel Haddlesey, N. Yorks.	174	Da
Chapel Hill, Gwent	68	Db
Chapel Hill, Lincs.	153	Ac
Chapel Knapp, Wilts.	52	Ca
Chapelknowe, Dum/Gall.	217	Aa
Chapel Lawn, Salop	106	Db
Chapel of Garioch, Gramp.	293	Ba
Chapel St. Leonards, Lincs.	154	Da
Chapel Stile, Cumb.	192	Db
Chapelton, Strath.	237	Ba
Chapeltown, Gramp.	291	Bb
Chapeltown, S. Yorks.	163	Ba
Chapmanslade, Wilts.	51	Bc
Chard, Som.	16	Ca
Chardstock, Dev.	16	Ca
Charfield, Glos.	69	Ab
Charfield Green, Avon	69	Ab
Charing, Kent	45	Ac
Charlbury, Oxon.	72	Ca
Charlcombe, Avon	51	Ba
Charlcotte, Salop	108	Ca
Charlcutt, Wilts.	52	Da
Charlecote, Warks.	111	Ac
Charles, Dev.	30	Db
Charleston, Gramp.	294	Cc
Charlestown, Corn.	6	Cc
Charlestown, Fife	250	Da
Charlestown, Highl.	300	Db
Charlestown, Highl.	306	Da
Charlestown of Aberlour, Gramp.	303	Ac
Charlesworth, Derby.	162	Ca
Charleton, Dev.	10	Cc
Charlinch, Som.	33	Ba
Charlton, Gt. Lon.	58	Cb
Charlton, Hants.	38	Ca
Charlton, Hf/Wor.	90	Da
Charlton, N'hants.	92	Db
Charlton, N'land.	230	Dc
Charlton, Oxon.	72	Cc
Charlton, Som.	51	Ac
Charlton, Som.	33	Bb
Charlton, W. Sus.	40	Cb
Charlton, Wilts.	53	Ac
Charlton, Wilts.	37	Bb
Charlton, Wilts.	70	Cc
Charlton, Wilts.	36	Db
Charlton Abbots, Glos.	90	Dc
Charlton Adam, Som.	35	Ab
Charlton Horethorne, Som.	35	Bb
Charlton Kings, Glos.	90	Cc
Charlton Mackrell, Som.	34	Db
Charlton Marshall, Dors.	18	Da
Charlton Musgrove, Som.	35	Ba
Charlton-on-Otmoor, Oxon.	72	Ca
Charlwood, W. Sus.	42	Cb
Charminster, Dors.	17	Bb
Charmouth, Dors.	16	Ca
Charndon, Bucks.	93	Ac
Charney Basset, Oxon.	72	Cb
Charsfield, Suff.	99	Bb
Charterhouse, Som.	50	Db
Chartham, Kent	45	Bb
Chartridge, Bucks.	74	Cb
Chart Sutton, Kent	44	Cb
Charwelton, N'hants.	92	Ca
Chase Terrace, Staffs..	127	Bb
Chasetown, Staffs.	128	Cb
Chastleton, Oxon.	91	Bc

	PAGE	SQ.
Chatburn, *Lancs.*	181	Bc
Chatham, *Kent*	59	Bc
Chatham Green, *Essex*	77	Bb
Chatteris, *Cambs.*	116	Cb
Chattisham, *Suff.*	79	Aa
Chatton, *N'land*	244	Cc
Chawleigh, *Dev.*	31	Bb
Chawston, *Beds.*	95	Ab
Chawton, *Hants.*	39	Ba
Chaxhill, *Glos.*	89	Bc
Cheadle, *Gt. Man.*	161	Ba
Cheadle, *Staffs.*	147	Bb
Cheam, *Gt. Lon.*	42	Ca
Cheapside, *Gt. Lon.*	56	Cb
Chearsley, *Bucks.*	73	Ba
Chebsey, *Staffs.*	146	Dc
Checkendon, *Oxon.*	55	Aa
Checkley, *Ches.*	146	Cb
Checkley, *Hf/Wor.*	88	Db
Checkley, *Staffs.*	147	Bb
Chedburgh, *Suff.*	97	Bb
Cheddar, *Som.*	50	Cb
Cheddington, *Bucks.*	74	Ca
Cheddleton, *Staffs.*	147	Aa
Cheddon Fitzpaine, *Som.*	33	Bb
Chedglow, *Wilts.*	70	Cb
Chedgrave, *Norf.*	120	Cb
Chedington, *Dors.*	16	Da
Chediston, *Suff.*	100	Ca
Chedworth, *Glos.*	70	Da
Chedzoy, *Som.*	34	Ca
Chelfham, *Dev.*	30	Db
Chellaston, *Derby.*	149	Ac
Chellington, *Beds.*	114	Cc
Chelmarsh, *Salop*	108	Da
Chelmondiston, *Suff.*	79	Ba
Chelmorton, *Derby*	162	Dc
Chelmsford, *Essex*	77	Bc
Chelsham, *Sur.*	42	Da
Chelsea, *Gt. Lon.*	57	Bb
Chelsfield, *Gt. Lon.*	43	Aa
Chelsworth, *Suff.*	98	Dc
Cheltenham, *Glos.*	90	Cc
Chelveston, *N'hants.*	114	Cb
Chelvey, *Avon*	50	Ca
Chelwood, *Avon*	51	Ab
Chelworth, *Wilts.*	70	Cb
Chelynch, *Som.*	51	Ac
Cheney Longville, *Salop*	107	Ba
Chenies, *Bucks.*	74	Db
Chepstow, *Gwent*	68	Db
Cherhill, *Wilts.*	52	Da
Cherington, *Glos.*	70	Cb
Cherington, *Warks.*	91	Bb
Cheriton, *Dyfed*	62	Cc
Cheriton, *Hants.*	39	Ab
Cheriton, *Kent*	28	Ca
Cheriton, *W. Glam.*	64	Cc
Cheriton Bishop, *Dev.*	14	Ca
Cheriton Cross, *Dev.*	14	Ca
Cheriton Fitzpaine, *Som.*	32	Cb
Cherrington, *Salop*	126	Ca
Cherry Burton, *Humb.*	177	Aa
Cherry Hinton, *Cambs.*	96	Db
Cherry Orchard, *Hf/Wor.*	109	Ac
Cherry Willingham, *Lincs.*	166	Dc
Chertsey, *Sur.*	56	Db
Cheselbourne, *Dors.*	18	Ca
Chesham, *Bucks.*	74	Db
Cheshunt, *Herts.*	76	Cc
Cheslyn Hay, *Staffs.*	127	Bb
Chessington, *Gt. Lon.*	41	Ba
Chester, *Ches.*	159	Bc
Chesterblade, *Som.*	35	Ba
Chesterfield, *Derby.*	164	Cc
Chester-le-Street, *Dur.*	222	Cc
Chesters, *Bord.*	229	Ba
Chesterton, *Cambs.*	96	Db
Chesterton, *Cambs.*	115	Ab
Chesterton, *Oxon.*	92	Dc
Chesterton, *Salop*	126	Dc
Chesterton, *Staffs.*	146	Da
Chesterton, *Warks.*	111	Bc
Cheswardine, *Salop.*	146	Cc
Cheswick, *N'land*	243	Ba
Chetnole, *Dors.*	35	Ac
Chettisham, *Cambs.*	116	Dc
Chettle, *Dors.*	36	Dc
Chetton, *Salop*	126	Cc
Chetwode, *Bucks.*	93	Ab
Chetwynd, *Salop*	126	Da
Chetwynd Aston, *Salop*	126	Da
Cheveley, *Cambs.*	97	Ab
Chevening, *Kent*	43	Aa
Chevington, *Suff.*	97	Bb
Chew Magna, *Avon*	50	Db
Chew Stoke, *Avon*	50	Db
Chewton Mendip, *Som.*	50	Dc
Chicheley, *Bucks.*	94	Ca
Chichester, *W. Sus.*	22	Da
Chickerell, *Dors.*	17	Bc
Chicklade, *Wilts.*	36	Da
Chickney, *Essex*	77	Aa
Chicksgrove, *Wilts.*	36	Da
Chiddingfold, *Sur.*	41	Ac
Chiddingly, *E. Sus.*	25	Bb
Chiddingstone, *Kent*	43	Ab
Chideock, *Dors.*	16	Db
Chidham, *Ches.*	22	Da
Chieveley, *Berks.*	54	Da
Chignal, *Essex*	77	Ac
Chignal Smealy, *Essex*	77	Ac
Chigwell, *Essex*	58	Da
Chigwell Row, *Essex*	58	Da
Chilbolton, *Hants.*	38	Da
Chilcomb, *Hants.*	39	Ab
Chilcompton, *Som.*	51	Ac
Chilcote, *Leics.*	128	Db
Childerditch Street, *Essex*	59	Aa
Childer Thornton, *Ches.*	159	Bb
Child Okeford, *Dors.*	36	Cc
Childrey, *Oxon.*	72	Cc
Child's Ercall, *Salop*	126	Ca
Childs Wickham, *Glos.*	90	Da
Childwall, *Mers.*	160	Ca
Chilfrome, *Dors.*	17	Ba
Chilham, *Kent*	45	Bb
Chilhampton, *Wilts.*	37	Ab
Chillaton, *Dev.*	12	Dc
Chillenden, *Kent.*	46	Cb
Chillesford, *Suff.*	100	Cc
Chillingham, *N'land.*	244	Cc
Chillington, *Dev.*	10	Cb
Chillington, *Som.*	16	Da
Chilmark, *Wilts.*	36	Da
Chilson, *Oxon.*	91	Bc
Chilstone, *Hf/Wor.*	88	Ca
Chilsworthy, *Dev.*	12	Ca
Chiltern Green, *Beds.*	75	Ab
Chilthorne Domer, *Som.*	34	Dc
Chilton, *Bucks.*	73	Aa
Chilton, *Oxon.*	72	Dc
Chilton, *Suff.*	98	Cc
Chilton Candover, *Hants.*	39	Aa
Chilton Cantelo, *Som.*	35	Ab
Chilton Foliat, *Wilts.*	53	Bb
Chilton Polden, *Som.*	34	Ca
Chilton Trinity, *Som.*	34	Ca
Chilvers Coton, *Warks.*	129	Ac
Chilwell, *Notts.*	149	Bc
Chilworth, *Hants.*	38	Dc
Chimney, *Oxon.*	72	Cb
Chingford, *Gt. Lon.*	58	Ca
Chinley, *Derby.*	162	Db
Chinnor, *Oxon.*	73	Bb
Chipley, *Som.*	33	Ac
Chipnall, *Staffs.*	146	Cc
Chippenham, *Cambs.*	97	Aa
Chippenham, *Wilts.*	52	Ca
Chipperfield, *Herts.*	74	Db
Chipping, *Herts.*	76	Ca
Chipping, *Lancs.*	181	Ac
Chipping Barnet, *Gt. Lon.*	57	Ba
Chipping Campden, *Glos.*	91	Ab
Chipping Norton, *Glos.*	91	Bc
Chipping Ongar, *Essex*	76	Dc
Chipping Sodbury, *Avon*	69	Bc
Chipping Warden, *N'hants.*	92	Da
Chippinghill, *Essex*	78	Cb
Chipstable, *Som.*	33	Ab
Chipstead, *Kent*	43	Aa
Chipstead, *Sur.*	42	Ca
Chirbury, *Salop*	124	Dc
Chirk, *Clwyd*	144	Cc
Chirnside, *Bord.*	254	Cc
Chirton, *Wilts.*	52	Db
Chiselborough, *Som.*	34	Dc
Chiseldon, *Wilts.*	53	Aa
Chislehampton, *Oxon.*	73	Ab
Chislehurst, *Gt. Lon.*	58	Dc
Chislet, *Kent*	46	Ca
Chiswick, *Gt. Lon.*	57	Bb
Chiswick End, *Cambs.*	96	Cc
Chithurst, *W. Sus.*	40	Cb
Chittering, *Cambs.*	96	Da
Chitterne, *Wilts.*	37	Aa
Chittlehamholt, *Dev.*	30	Dc
Chittlehampton, *Dev.*	30	Dc
Chivelstone, *Dev.*	10	Cc
Chobham, *Sur.*	41	Aa
Cholderton, *Wilts.*	37	Ba
Cholesbury, *Bucks.*	74	Cb
Chollerton, *N'land*	220	Ca
Cholsey, *Oxon.*	73	Ac
Choltrey, *Hf/Wor.*	107	Bc
Cholwell, *Avon*	50	Db
Chop Gate, *N. Yorks.*	198	Ca
Chorley, *Ches.*	161	Bb
Chorley, *Lancs.*	170	Cb
Chorley, *Salop*	108	Da
Chorley, *Staffs.*	128	Cb
Chorleywood, *Herts.*	74	Db
Chowley, *Ches.*	144	Da
Chrishall, *Essex*	96	Cc
Christchurch, *Dors.*	19	Bb
Christchurch, *Gwent*	67	Bc
Christian Malford, *Wilts.*	70	Cc
Christleton, *Ches.*	160	Cc
Christon, *Avon*	50	Cb
Christow, *Dev.*	14	Cb
Chryston, *Strath.*	249	Ab
Chudleigh, *Dev.*	14	Cb
Chudleigh Knighton, *Dev.*	14	Cb
Chulmleigh, *Dev.*	31	Bb
Chunal, *Derby.*	162	Da
Church, *Lancs.*	171	Aa
Churcham, *Glos.*	89	Bc
Church Aston, *Salop*	126	Da
Church Brampton, *N'hants.*	112	Dc
Church Broughton, *Derby.*	148	Cc
Church Coppenhall, *Ches.*	146	Ca
Church Crookham, *Hants.*	55	Bc
Churchdown, *Glos.*	90	Cc
Church Eaton, *Staffs.*	127	Aa
Church End, *Beds.*	94	Dc
Church End, *Cambs.*	134	Cc
Church End, *Cambs.*	115	Bc
Church End, *Warks.*	128	Dc
Churchend, *Essex*	77	Ab
Churchend, *Essex*	60	Da
Church Enstone, *Oxon.*	92	Cc
Church Fenton, *N. Yorks.*	185	Ac
Churchgate Street, *Essex*	76	Dc
Church Gresley, *Derby.*	128	Da
Church Handboro', *Oxon.*	72	Ca
Church Honeybourne, *Hf/Wor.*	91	Aa
Churchill, *Avon*	50	Cb
Churchill, *Dev.*	30	Da
Churchill, *Hf/Wor.*	109	Aa
Churchill, *Hf/Wor.*	109	Bc
Churchill, *Oxon.*	91	Bc
Churchingford, *Som.*	15	Ba
Church Knowle, *Dors.*	19	Ac
Church Laneham, *Notts.*	165	Bb
Church Langton, *Leics.*	130	Dc
Church Lawford, *Warks.*	111	Bb
Church Leigh, *Staffs.*	147	Bc
Church Lench, *Hf/Wor.*	110	Cc
Church Minshull, *Ches.*	145	Ba
Churchover, *Warks.*	112	Ca
Church Preen, *Salop*	125	Bc
Church Pulverbatch, *Salop*	125	Ab
Churchstanton, *Som.*	15	Ba
Church Stoke, *Powys*	124	Dc
Churchstow, *Dev.*	9	Bb
Church Stowe, *N'hants.*	112	Dc
Church Street, *Kent*	59	Bc
Church Stretton, *Salop*	125	Ac
Churchthorpe, *Lincs.*	168	Cb
Church Town, *Humb.*	175	Bc
Churchtown, *Lancs.*	180	Dc
Churchtown, *Mers.*	169	Bb
Church Warsop, *Notts.*	164	Dc
Churston Ferrers, *Dev.*	10	Da
Churwell, *W. Yorks.*	173	Ba
Chute, *Wilts.*	53	Bc
Chwilog, *Gwyn.*	140	Cb
Cilcennin, *Dyfed.*	101	Bb
Cilfynydd, *M. Glam.*	66	Da
Cilgerran, *Dyfed.*	82	Da
Cilian Aeron, *Dyfed*	101	Bc
Cilrhedyn, *Dyfed*	83	Ab
Cil-y-bebyll, *W. Glam.*	85	Ac
Cilycwm, *Dyfed*	103	Ab
Cilymaenllwyd, *Dyfed*	62	Da
Cinderford, *Glos.*	69	Aa
Cirencester, *Glos.*	70	Db
City, *Bucks.*	73	Bb
City, *S. Glam.*	66	Cb
Clachaig, *Strath.*	246	Da
Clachamish, *Highl.*	296	Cb
Clachan, *Strath.*	265	Ab
Clachtoll, *Highl.*	313	Ab
Clackmannan, *Cen.*	259	Bc
Clacton-on-Sea, *Essex*	79	Bc
Claife, *Cumb.*	192	Db
Claines, *Hf/Wor.*	109	Ac
Clandown, *Avon*	51	Ab
Clanfield, *Hants.*	39	Bc
Clanfield, *Oxon.*	71	Bb
Clannaborough, *Dev.*	31	Bc
Clanville, *Hants.*	53	Bc
Claonel, *Highl.*	311	Aa
Clapham, *Beds.*	94	Da
Clapham, *Gt. Lon.*	57	Bc
Clapham, *N. Yorks.*	181	Ba
Clapham, *W. Sus.*	23	Bc
Clappersgate, *Cumb.*	192	Da
Clapton, *Glos.*	71	Aa
Clapton, *N'hants.*	114	Da
Clapton, *Som.*	51	Ab
Clapton-in-Gordano, *Avon*	50	Ca
Clapworthy, *Dev.*	31	Ba
Clarbeston, *Dyfed*	62	Ca
Clarborough, *Notts.*	165	Bb
Clardon, *Highl.*	323	Ba
Clare, *Suff.*	97	Bc
Clarencefield, *Dum/Gall.*	216	Ca
Clarkston, *Strath.*	248	Dc
Clashmore, *Highl.*	313	Aa
Clashmore, *Highl.*	312	Cb
Clashnessie, *Highl.*	313	Ba
Clatter, *Powys*	123	Ac
Clatworthy, *Som.*	33	Ab
Claughton, *Lancs.*	180	Da
Claughton, *Lancs.*	180	Dc
Claverdon, *Warks.*	110	Db
Claverham, *Avon*	50	Ca
Clavering, *Essex*	76	Da
Claverley, *Salop*	126	Dc
Claverton, *Avon*	51	Bb
Clawddnewydd, *Clwyd*	143	Aa
Clawton, *Dev.*	12	Cb
Claxby, *Lincs.*	167	Ab
Claxby, *Lincs.*	154	Ca
Claxton, *Norf.*	119	Ba
Claxton, *N. Yorks.*	185	Ba
Claybrooke, *Leics.*	112	Ca
Clay Coton, *N'hants.*	112	Db
Clay Cross, *Derby.*	164	Cc
Claydon, *Oxon.*	92	Ca
Claydon, *Suff.*	99	Ac
Claygate, *Sur.*	41	Ba
Claygate Cross, *Kent*	43	Ba
Clayhidon, *Dev.*	33	Bc
Claypole, *Lincs.*	151	Bb
Claythorpe, *Lincs.*	154	Ca
Clayton, *S. Yorks.*	174	Cc
Clayton, *Staffs.*	146	Db
Clayton, *W. Sus.*	24	Db
Clayton, *W. Yorks.*	172	Da
Clayton-le-Moors, *Lancs.*	171	Aa
Clayton-le-Woods, *Lancs.*	170	Cb
Clayton West, *W. Yorks.*	173	Bb
Clayworth, *Notts.*	165	Ba
Cleadon, *Ty/We.*	222	Db
Clearwell, *Glos.*	68	Da
Cleasby, *N. Yorks.*	207	Ac
Cleatlam, *Dur.*	206	Dc
Cleator, *Cumb.*	201	Bc
Cleckheaton, *W. Yorks.*	173	Aa
Clee, *Humb.*	167	Ba
Clee Hill, *Salop*	108	Cb
Clee St. Margaret, *Salop*	108	Ca
Cleethorpes, *Humb.*	168	Ca
Cleeton, *Salop*	108	Ca
Cleeve, *Avon*	50	Ca
Cleeve, *Oxon.*	55	Aa
Cleeve Prior, *Hf/Wor.*	90	Da
Cleghorn, *Strath.*	238	Da
Clehonger, *Hf/Wor.*	88	Cb
Cleish, *Tay.*	260	Dc
Cleland, *Strath.*	249	Bc
Clements Tump, *Glos.*	68	Da
Clenchwarton, *Norf.*	134	Db
Clent, *Hf/Wor.*	109	Ba
Cleobury Mortimer, *Salop*	108	Da
Cleobury North, *Salop*	108	Ca
Clerkenwell, *Gt. Lon.*	57	Bb
Clevedon, *Avon*	50	Ca
Clewer, *Berks.*	56	Da
Clewer, *Som.*	50	Cc
Cley, *Norf.*	136	Da
Cliburn, *Cumb.*	204	Cb
Cliddesden, *Hants.*	55	Ac
Cliffe, *Kent*	59	Bc
Cliffe, *N. Yorks.*	175	Aa
Clifford, *Hf/Wor.*	87	Aa
Clifford, *W. Yorks.*	184	Dc
Clifford Chambers, *Warks.*	91	Aa
Cliffsend, *Kent*	46	Db
Clifton, *Avon*	50	Da

	PAGE	SQ.
Clifton, *Beds.*	95	Ac
Clifton, *Ches.*	160	Db
Clifton, *Cumb.*	203	Bb
Clifton, *Derby.*	148	Cb
Clifton, *Lancs.*	169	Ba
Clifton, *N'land*	232	Cc
Clifton, *N. Yorks.*	183	Bb
Clifton, *N. Yorks.*	185	Bb
Clifton, *Notts.*	150	Cc
Clifton, *Oxon.*	92	Dc
Clifton, *S. Yorks.*	164	Da
Clifton, *W. Yorks.*	172	Db
Clifton Campville, *Staffs.*	128	Db
Clifton Hampden, *Oxon.*	72	Db
Clifton Reynes, *Bucks.*	94	Ca
Clifton-upon-Dunsmore, *Warks.*	112	Cb
Clifton-upon-Teme, *Hf/Wor.*	108	Dc
Climping, *W. Sus.*	23	Ac
Clint, *N. Yorks.*	184	Ca
Clint Green, *Norf.*	118	Da
Clippesby, *Norf.*	138	Cc
Clipsham, *Leics.*	132	Ca
Clipston, *N'hants.*	112	Da
Clipston, *Notts.*	150	Cc
Clipstone, *Notts.*	164	Dc
Clitheroe, *Lancs.*	181	Bc
Clive, *Salop*	125	Ba
Clixby, *Lincs.*	167	Aa
Clocaenog, *Clwyd*	143	Aa
Clockhill, *Highl.*	305	Bb
Clodock, *Hf/Wor.*	87	Bb
Cloford, *Som.*	51	Bc
Clophill, *Beds.*	95	Ac
Clopton, *N'hants.*	99	Bc
Closeburn, *Dum/Gall.*	226	Db
Closworth, *Som.*	35	Ac
Clothall, *Herts.*	75	Ba
Clotton, *Ches.*	160	Dc
Clough Head, *W. Yorks.*	172	Db
Cloughton, *N. Yorks.*	200	Dc
Clovelly, *Dev.*	29	Bc
Clovulin, *Highl.*	265	Ba
Clowne, *Derby.*	164	Cb
Clows Top, *Hf/Wor.*	108	Db
Clubworthy, *Corn.*	11	Bc
Clun, *Salop*	106	Da
Clunbury, *Salop*	107	Aa
Clungunford, *Salop*	107	Aa
Clunton, *Salop*	107	Aa
Clutton, *Avon*	51	Ab
Clutton, *Ches.*	144	Da
Clydach, *W. Glam.*	67	Aa
Clydach-on-Tawe, *M. Glam.*	85	Ac
Clydebank, *Strath.*	248	Db
Clydey, *Dyfed*	83	Ab
Clyffe Pypard, *Wilts.*	52	Da
Clynder, *Strath.*	247	Ba
Clynderwen, *Dyfed*	62	Da
Clynnog-fawr, *Gwyn.*	140	Ca
Clyro, *Powys*	87	Aa
Clyst Honiton, *Dev.*	14	Da
Clyst Hydon, *Dev.*	15	Ab
Clyst St. George, *Dev.*	14	Da
Clyst St. Lawrence, *Dev.*	15	Ab
Clyst St. Mary, *Dev.*	14	Da
Cnwch-coch, *Dyfed*	102	Ca
Coal Aston, *Derby.*	163	Bb
Coalbrookdale, *Salop*	126	Cb
Coalbrookvale, *Gwent*	67	Aa
Coalburn, *Strath.*	238	Cb
Coalcleugh, *N'land*	205	Aa
Coaley, *Glos.*	69	Bb
Coalpit Heath, *Avon*	69	Ac
Coalville, *Leics.*	129	Ba
Coastley, *N'land*	220	Cb
Coat, *Som.*	34	Dc
Coatbridge, *Strath.*	249	Bc
Coate, *Wilts.*	53	Aa
Coates, *Cambs.*	115	Ba
Coates, *Glos.*	70	Cb
Coates, *Lincs.*	166	Cb
Coates, *W. Sus.*	23	Ab
Coatham Mundeville, *Dur.*	207	Ac
Cobb, *Dors.*	16	Cb
Coberley, *Glos.*	90	Cc
Cobham, *Kent*	59	Ac
Cobham, *Sur.*	41	Ba
Cobholm Island, *Norf.*	120	Da
Cockayne Hatley, *Beds.*	95	Bb
Cockburnspath, *Bord.*	253	Bb
Cockenzie, *Loth.*	252	Cb
Cockerham, *Lancs.*	180	Cb
Cockermouth, *Cumb.*	202	Cb
Cockfield, *Dur.*	206	Db
Cockfield, *Suff.*	98	Cb
Cocking, *W. Sus.*	40	Dc
Cockington, *Dev.*	10	Da
Cocklake, *Som.*	34	Da
Cockley Cley, *Norf.*	117	Ba
Cockpen, *Loth.*	252	Cc
Cockpole Green, *Berks.*	55	Ba
Cockshot, *W. Mid.*	109	Ba
Cockshutt, *Salop*	144	Dc
Cockthorpe, *Norf.*	136	Da
Coddenham, *Suff.*	99	Ac
Coddington, *Ches.*	144	Da
Coddington, *Hf/Wor.*	89	Aa
Coddington, *Notts.*	151	Ba
Codford St. Mary, *Wilts.*	36	Da
Codford St. Peter, *Wilts.*	36	Da
Codicote, *Herts.*	75	Bb
Codnor, *Derby.*	149	Bb
Codrington, *Avon*	69	Ac
Codsall, *Staffs.*	127	Ab
Coedana, *Gwyn.*	155	Bb
Coedkernew, *Gwent*	67	Bc
Coed-poeth, *Clwyd*	144	Ca
Coed Talon, *Clwyd*	144	Ca
Coed Tre-castell, *M. Glam.*	66	Db
Coed-yr-ynys, *Powys*	87	Ac
Coed Ystumgwern, *Gwyn.*	140	Dc
Coffinswell, *Dev.*	14	Dc
Cofton Hackett, *Hf/Wor.*	110	Cb
Cogan, *S. Glam.*	49	Aa
Cogenhoe, *N'hants.*	113	Bc
Cogges, *Oxon.*	72	Ca
Coggleshall, *Essex*	78	Cb
Coity, *M. Glam.*	66	Cb
Colaton Raleigh, *Dev.*	15	Ac
Colbost, *Highl.*	295	Ac
Colburn, *N. Yorks.*	196	Da
Colbury, *Hants.*	20	Da
Colby, *Cumb.*	204	Cc
Colby, *I.O.M.*	190	Dc
Colby, *Norf.*	137	Bb
Colchester, *Essex*	78	Db
Cold Ash, *Berks.*	54	Db
Cold Ashby, *N'hants.*	112	Db
Cold Ashton, *Avon*	51	Ba
Cold Brayfield, *Bucks.*	94	Ca
Coldham, *Cambs.*	116	Ca
Cold Hanworth, *Lincs.*	166	Db
Cold Harbour, *Herts.*	75	Ab
Cold Hiendley, *W. Yorks.*	173	Bb
Cold Higham, *N'hants.*	93	Aa
Coldingham, *Bord.*	254	Cb
Cold Kirby, *N. Yorks.*	197	Bb
Cold Newton, *Leics.*	130	Db
Cold Norton, *Essex*	60	Ca
Cold Overton, *Leics.*	131	Bb
Coldred, *Kent*	46	Cc
Coldridge, *Dev.*	31	Bb
Coldstream, *Bord.*	242	Db
Coldwaltham, *W. Sus.*	23	Bb
Coldwell, *Hf/Wor.*	88	Cb
Cold Weston, *Salop*	108	Ca
Cole, *Som.*	35	Ba
Colebatch, *Salop*	106	Da
Colebrooke, *Dev.*	31	Bc
Coleby, *Humb.*	176	Cb
Coleby, *Lincs.*	152	Ca
Coleford, *Dev.*	31	Bc
Coleford, *Glos.*	68	Da
Coleford, *Som.*	51	Ac
Colemere, *Salop*	144	Dc
Colemore, *Hants.*	39	Bb
Coleorton, *Leics.*	129	Ba
Colerne, *Wilts.*	51	Ba
Colesborne, *Glos.*	70	Da
Coleshill, *Bucks.*	74	Dc
Coleshill, *Oxon.*	71	Bc
Coleshill, *Warks.*	128	Dc
Colinsburgh, *Fife*	262	Cb
Colinton, *Loth.*	251	Bb
Colintraive, *Strath.*	246	Db
Colkirk, *Norf.*	136	Cb
Collace, *Tay*	270	Dc
Collessie, *Fife*	261	Ba
Collfryn, *Powys*	124	Ca
Colliers End, *Herts.*	76	Cb
Collin, *Dum/Gall.*	216	Ca
Collingbourne Ducis, *Wilts.*	53	Bc
Collingbourne Kingston, *Wilts.*	53	Bc
Collingham, *W. Yorks.*	184	Dc
Collington, *Hf/Wor.*	108	Cc
Collingtree, *N'hants.*	113	Ac
Collycroft, *Warks.*	111	Ba
Colly Weston, *Leics.*	132	Cb
Colmonell, *Strath.*	211	Ba
Colmworth, *Beds.*	95	Ab
Colnbrook, *Bucks.*	56	Da
Colne, *Cambs.*	115	Bc
Colne, *Lancs.*	182	Cc
Colne Engaine, *Essex*	78	Ca
Colney, *Norf.*	119	Aa
Colney Heath, *Herts.*	75	Bc
Colney Street, *Herts.*	75	Ac
Coln Rogers, *Glos.*	70	Da
Coln St. Aldwyn, *Glos.*	71	Ab
Coln St. Dennis, *Glos.*	70	Da
Colsterworth, *Lincs.*	132	Ca
Colston Bassett, *Notts.*	150	Dc
Coltishall, *Norf.*	137	Bc
Colton, *Cumb.*	192	Db
Colton, *Norf.*	119	Aa
Colton, *N. Yorks.*	185	Ac
Colton, *Staffs.*	128	Ca
Colton, *W. Yorks.*	173	Ba
Colva, *Powys*	106	Dc
Colvend, *Dum/Gall.*	215	Ac
Colwall, *Hf/Wor.*	89	Ba
Colwall Stone, *Hf/Wor.*	89	Ba
Colwell, *N'land.*	220	Ca
Colwich, *Staffs.*	127	Ba
Colwinston, *S. Glam.*	66	Cb
Colwyn, *Clwyd*	157	Ba
Colwyn Bay, *Clwyd*	157	Ba
Colyford, *Dev.*	15	Bb
Colyton, *Dev.*	15	Bb
Combe, *Berks.*	54	Cb
Combe, *Oxon.*	72	Ca
Combe Down, *Avon*	51	Bb
Combe Florey, *Som.*	33	Ab
Combe Hay, *Avon*	51	Bb
Combeinteignhead, *Dev.*	14	Dc
Combe Martin, *Dev.*	30	Da
Combe Raleigh, *Dev.*	15	Bb
Comberbach, *Ches.*	160	Db
Comberton, *Cambs.*	96	Cb
Combe St. Nicholas, *Som.*	16	Ca
Combpyne, *Dev.*	16	Cb
Combrook, *Warks.*	91	Ba
Combs, *Derby.*	162	Db
Combs, *Suff.*	98	Db
Combwich, *Som.*	33	Ba
Comers, *Gramp.*	293	Ac
Commondale, *N. Yorks.*	199	Ab
Compass, *Som.*	34	Cb
Compstall, *Gt. Man.*	162	Ca
Compton, *Berks.*	54	Da
Compton, *Hants.*	38	Db
Compton, *Som.*	34	Db
Compton, *Staffs.*	109	Aa
Compton, *Sur.*	40	Da
Compton, *W. Sus.*	40	Cc
Compton Abbas, *Dors.*	36	Cb
Compton Abdale, *Glos.*	90	Dc
Compton Bassett, *Wilts.*	52	Da
Compton Beauchamp, *Oxon.*	71	Bc
Compton Bishop, *Som.*	50	Cb
Compton Chamberlayne, *Wilts.*	37	Ab
Compton Dando, *Avon*	51	Ab
Compton Durville, *Som.*	34	Dc
Compton Martin, *Avon*	50	Db
Compton Pauncefoot, *Som.*	35	Bb
Compton Valence, *Dors.*	17	Ba
Compton Wyniates, *Warks.*	91	Bb
Comrie, *Tay*	259	Aa
Conderton, *Hf/Wor.*	90	Cb
Condicote, *Glos.*	91	Ac
Condorrat, *Strath.*	249	Bb
Condover, *Salop*	125	Bb
Coneysthorpe, *N. Yorks.*	186	Ca
Coney Weston, *Suff.*	118	Cc
Conford, *Hants.*	40	Cb
Congerstone, *Leics.*	129	Bb
Congham, *Norf.*	135	Bb
Congleton, *Ches.*	161	Bc
Congresbury, *Avon.*	50	Cb
Coningsby, *Lincs.*	153	Bb
Conington, *Cambs.*	96	Ca
Conington, *Cambs.*	115	Ab
Conisbrough, *S. Yorks.*	164	Da
Conisholme, *Lincs.*	168	Cb
Coniston, *Cumb.*	192	Da
Coniston, *Humb.*	177	Bb
Coniston Cold, *N. Yorks.*	182	Cb
Conistone, *N. Yorks.*	182	Da
Connah's Quay, *Clwyd*	159	Bc
Connel, *Strath.*	265	Bc
Conon, *Highl.*	300	Cb
Cononley, *N. Yorks.*	182	Dc
Consett, *Dur.*	221	Bc
Constable Burton, *N. Yorks.*	196	Cb
Constantine, *Corn.*	2	Dc
Contin, *Highl.*	300	Cb
Conway, *Gwyn.*	157	Aa
Conwil Elvet, *Dyfed*	83	Bc
Cookbury, *Dev.*	12	Ca
Cookham, *Berks.*	74	Cc
Cookham Dean, *Berks.*	74	Cc
Cook Hill, *Hf/Wor.*	110	Cc
Cookley, *Hf/Wor.*	109	Aa
Cookley, *Suff.*	100	Ca
Cookley Green, *Oxon.*	73	Bc
Cookshill, *Staffs.*	147	Ab
Cooksmill Green, *Essex*	77	Ac
Cooling, *Kent*	59	Bc
Coombe, *Dors.*	17	Ab
Coombe Bissett, *Wilts.*	37	Ab
Coombe Keynes, *Dors.*	18	Db
Coombes, *W. Sus.*	24	Cc
Coopersale, *Essex*	58	Da
Cootham, *W. Sus.*	23	Bb
Copdock, *Suff.*	79	Ba
Copford, *Essex*	78	Db
Copgrove, *N. Yorks.*	184	Ca
Cople, *Beds.*	95	Ab
Copley, *W. Yorks.*	172	Db
Copmanthorpe, *N. Yorks.*	185	Ac
Coppenhall, *Staffs.*	127	Aa
Copperhouse, *Corn.*	2	Cb
Coppingford, *Cambs.*	114	Da
Coppleridge, *Dors.*	36	Cb
Copston Magna, *Warks.*	111	Ba
Copt Hewick, *N. Yorks.*	184	Ca
Copthorne, *W. Sus.*	42	Cc
Copt Oak, *Leics.*	130	Cb
Copythorne, *Hants.*	38	Cc
Corbets Tye, *Gt. Lon.*	59	Ab
Corbridge, *N'land*	220	Db
Corby, *Lincs.*	132	Ca
Corby, *N'hants.*	113	Ba
Coreley, *Salop*	108	Cb
Corfe, *Som.*	33	Bc
Corfe Castle, *Dors.*	19	Ac
Corfe Mullen, *Dors.*	19	Ab
Corfton, *Salop*	107	Ba
Corhampton, *Hants.*	39	Bc
Corley, *Warks.*	111	Aa
Corley Ash, *Warks.*	111	Aa
Corner, The, *Kent*	107	Ba
Corney, *Cumb.*	191	Bb
Cornforth, *Dur.*	207	Ba
Cornhill, *Gramp.*	304	Db
Cornhill, *N'land*	242	Db
Cornholme, *W. Yorks.*	171	Ba
Cornsay, *Dur.*	206	Da
Corntown, *M. Glam.*	66	Cb
Cornwell, *Oxon.*	91	Bc
Cornwood, *Dev.*	9	Ba
Cornworthy, *Dev.*	10	Ca
Corpach, *Highl.*	275	Ac
Corpusty, *Norf.*	137	Ab
Corran, *Highl.*	265	Ba
Corribeg, *Highl.*	274	Db
Corrie, *Strath.*	234	Da
Corringham, *Essex*	59	Bb
Corringham, *Lincs.*	166	Ca
Corris, *Gwyn.*	122	Ca
Corscombe, *Dors.*	17	Aa
Corse Lawn, *Hf/Wor.*	89	Bb
Corsham, *Wilts.*	52	Ca
Corsley, *Wilts.*	51	Bc
Corsock, *Dum/Gall.*	214	Da
Corston, *Avon*	51	Ab
Corston, *Wilts.*	70	Cc
Corstorphine, *Loth.*	251	Bb
Corton, *Suff.*	120	Db
Corton, *Wilts.*	36	Da
Corton Denham, *Som.*	35	Bb
Corwen, *Clwyd*	143	Ab
Coryton, *Dev.*	12	Dc
Cosford, *Warks.*	112	Ca
Cosgrove, *N'hants.*	93	Ba
Cosheston, *Dyfed*	62	Cb
Coskills, *Humb.*	176	Dc
Cossall, *Notts.*	149	Bb
Cossington, *Leics.*	130	Cb
Cossington, *Som.*	34	Ca
Costessy, *Norf.*	137	Ac
Costock, *Notts.*	150	Cc
Coston, *Leics.*	131	Ba
Coston, *Norf.*	118	Da
Cote, *Oxon.*	72	Cb
Cote, *Som.*	34	Ca
Cote Brook, *Ches.*	160	Dc
Cotehill, *Cumb.*	218	Cc
Cotes, *Cumb.*	193	Bb
Cotesbach, *Leics.*	112	Ca
Cotgrave, *Notts.*	150	Dc
Cotham, *Notts.*	151	Ab
Cothelstone, *Som.*	33	Bb
Cotheridge, *Hf/Wor.*	108	Dc
Cotherstone, *Dur.*	206	Cc
Cotleigh, *Dev.*	15	Bb
Cotmanhay, *Derby*	149	Bb
Cotness, *Humb.*	175	Ba
Coton, *Cambs.*	96	Cb
Coton, *N'hants.*	112	Db
Coton, *Staffs.*	127	Aa
Coton, *Staffs.*	126	Da
Coton, *Staffs.*	147	Bc
Coton-in-the-Elms, *Derby*	128	Da
Cottam, *Humb.*	187	Bb
Cottam, *Notts.*	165	Bb
Cottenham, *Cambs.*	96	Da
Cottered, *Herts.*	76	Ca
Cotteridge, *W. Mid.*	110	Ca
Cotterstock, *N'hants.*	114	Ca
Cottesbrooke, *N'hants.*	112	Db
Cottesmore, *Leics.*	131	Bb
Cottingham, *Humb.*	176	Da

	PAGE	SQ.
Cottingham, *N'hants.*	113	Ba
Cottingley, *W. Yorks.*	183	Ac
Cottingwith, *Humb.*	185	Bc
Cottisford, *Oxon.*	92	Dc
Cotton, *Suff.*	99	Ab
Cotton End, *Beds.*	95	Ac
Cotton End, *N'hants.*	113	Ac
Cottown, *Gramp.*	292	Da
Coughton, *Hf/Wor.*	110	Cc
Coulderton, *Cumb.*	191	Aa
Coulsdon, *Gt. Lon.*	42	Ca
Coulston, *Wilts.*	52	Cb
Coulter, *Strath.*	239	Ab
Coulton, *N. Yorks.*	198	Cb
Cound, *Salop*	125	Bb
Coundon, *Dur.*	207	Ab
Coundon, *W. Mid.*	111	Aa
Countersett, *N. Yorks.*	195	Ab
Countesthorpe, *Leics.*	130	Cc
Countisbury, *Dev.*	47	Ab
Counthorpe, *Lincs.*	132	Ca
Coupar Angus, *Tay.*	270	Db
Coupland, *N'land*	243	Bb
Courteenhall, *N'hants.*	93	Ba
Courtway, *Som.*	33	Bb
Couslwood, *E. Sus.*	43	Bc
Cove, *Dev.*	32	Da
Cove, *Gramp.*	294	Db
Cove, *Hants.*	56	Cc
Cove, *Strath.*	247	Ba
Covehithe, *Suff.*	100	Da
Coven, *Staffs.*	127	Ab
Coveney, *Cambs.*	116	Cc
Covenham St. Bartholomew, *Lincs.*	168	Cb
Covenham St. Mary, *Lincs.*	168	Cb
Coventry, *W. Mid.*	111	Aa
Coverack, *Corn.*	2	Dc
Covington, *Cambs.*	114	Db
Covington, *Strath.*	238	Db
Cowbeech, *E. Sus.*	26	Cb
Cowbit, *Lincs.*	133	Bc
Cowbridge, *Lincs.*	153	Bc
Cowbridge, *S. Glam.*	66	Cb
Cowden, *Kent*	42	Dc
Cowdenbeath, *Fife*	260	Dc
Cowes, *I.O.W.*	21	Ab
Cowesby, *N. Yorks.*	197	Bb
Cowfold, *W. Sus.*	24	Ca
Cow Honeybourne, *Hf/Wor.*	91	Aa
Cowlam, *Humb.*	187	Bb
Cowley, *Glos.*	90	Cc
Cowley, *Gt. Lon.*	56	Da
Cowley, *Oxon.*	72	Db
Cowling, *N. Yorks.*	196	Db
Cowlinge, *Suff.*	97	Bb
Cowling Hill, *N. Yorks.*	182	Dc
Cowmes, *W. Yorks.*	173	Ab
Cowpen, *N'land*	222	Ca
Cowpen Bewley, *Cleve.*	208	Cb
Cowsden, *Hf/Wor.*	109	Bc
Cowthorpe, *N. Yorks.*	184	Db
Coxbank, *Ches.*	145	Bb
Coxbench, *Derby.*	149	Ab
Coxhoe, *Dur.*	207	Ba
Coxley, *Som.*	34	Da
Coxlodge, *Ty/We.*	221	Bb
Coxwold, *N. Yorks.*	197	Bc
Coychurch, *M. Glam.*	66	Cb
Coylton, *Strath.*	236	Dc
Coynach, *Gramp.*	292	Cc
Crabbs Cross, *Hf/Wor.*	110	Cb
Crabtree, *W. Sus.*	24	Ca
Crabtree Green, *Clwyd*	144	Ba
Crackenthorpe, *Cumb.*	204	Db
Crackleybank, *Salop*	126	Db
Cracoe, *N. Yorks.*	182	Db
Cradley, *Hf/Wor.*	89	Ba
Cradley, *W. Mid.*	109	Ba
Cradley Heath, *W. Mid.*	109	Ba
Crafthole, *Corn.*	8	Cc
Cragg, *W. Yorks.*	172	Ca
Craggan, *Gramp.*	290	Da
Craig, *Highl.*	272	Da
Craig-cefn-parc, *W. Glam.*	64	Db
Craigdam, *Gramp.*	294	Ca
Craigearn, *Gramp.*	293	Bb
Craigellachie, *Gramp.*	303	Ac
Craigendoran, *Strath.*	247	Ba
Craighead, *Gramp.*	302	Cb
Craigneuk, *Strath.*	249	Bc
Craignure, *Strath.*	264	Dc
Craigo, *Tay.*	281	Bc
Craigour, *Tay.*	269	Ba
Craigrothie, *Fife.*	261	Bd
Craigton, *Tay.*	271	Aa
Craigton, *Tay.*	272	Cb
Craig-tre-banos, *W. Glam.*	85	Ac
Crail, *Fife*	262	Db
Crailing, *Bord.*	242	Cc
Craiselound, *Humb.*	165	Ba
Crambe, *N. Yorks.*	186	Ca
Cramlington, *N'land*	222	Ca
Cramond, *Loth.*	251	Bb
Cranage, *Ches.*	161	Ba
Cranbourne, *Dors.*	37	Ac
Cranbrook, *Kent*	44	Cc
Cranfield, *Beds.*	94	Db
Cranford, *Gt. Lon.*	57	Ab
Cranford St. Andrew, *N'hants.*	113	Bb
Cranford St. John, *N'hants.*	113	Bb
Cranham, *Essex.*	59	Ab
Cranham, *Glos.*	70	Ca
Crank, *Mers.*	170	Cc
Cranleigh, *Sur.*	41	Ac
Cranmore, *Som.*	51	Ac
Cranoe, *Leics.*	131	Ac
Cransford, *Suff.*	100	Cb
Cranstal, *I.O.M.*	189	Aa
Cranswick, *Humb.*	187	Bc
Crantock, *Corn.*	5	Ab
Cranwell, *Lincs.*	152	Cb
Cranwich, *Norf.*	117	Bb
Cranworth, *Norf.*	118	Da
Crarae, *Strath.*	256	Cc
Craster, *N'land*	244	Dc
Craswall, *Hf/Wor.*	87	Bb
Cratfield, *Suff.*	100	Ca
Crathie, *Gramp.*	280	Ca
Crathie, *Highl.*	277	Aa
Crathorne, *N. Yorks.*	197	Ba
Craven Arms, *Salop.*	107	Ba
Crawcrook, *Ty/We.*	221	Bb
Crawford, *Strath.*	238	Dc
Crawfordjohn, *Strath.*	238	Dc
Crawick, *Dum/Gall.*	226	Ca
Crawley, *Hants.*	38	Db
Crawley, *Oxon.*	71	Ba
Crawley, *W. Sus.*	42	Cc
Crawley Side, *Dur.*	206	Ca
Crawshaw Booth, *Lancs.*	171	Ba
Crawton, *Gramp.*	282	Db
Cray, *Powys*	85	Ba
Cray, *N. Yorks.*	195	Ac
Crayford, *Gt. Lon.*	58	Dc
Crayke, *N. Yorks.*	185	Aa
Crays Hill, *Essex*	59	Ba
Creacombe, *Dev.*	32	Ca
Credenhill, *Hf/Wor.*	88	Ca
Crediton, *Dev.*	32	Cb
Cree Bridge, *Dum/Gall.*	213	Ab
Creech St. Michael, *Som.*	33	Bb
Creed, *Corn.*	4	Ca
Creeksea, *Essex*	60	Db
Creeting St. Mary, *Suff.*	99	Ab
Creeton, *Lincs.*	132	Ca
Creetown, *Dum/Gall.*	210	Ba
Cregrina, *Powys*	104	Da
Creigiau, *M. Glam.*	68	Cb
Cressage, *Salop*	125	Bb
Cressbrook, *Derby.*	163	Ac
Cresselly, *Dyfed*	78	Cb
Cressing, *Essex*	78	Cb
Cresswell, *Dyfed*	62	Cb
Cresswell, *Derby.*	164	Db
Cretingham, *Suff.*	99	Bb
Crewe, *Ches.*	146	Ca
Crew Green, *Powys*	124	Da
Crewkerne, *Som.*	16	Da
Crianlarich, *Cen.*	257	Ba
Cribyn, *Dyfed*	84	Ca
Criccieth, *Gwyn.*	140	Cb
Crich, *Derby.*	148	Da
Crichton, *Loth.*	252	Cc
Crick, *Gwent*	68	Cc
Crick, *N'hants.*	112	Cb
Crickadarn, *Powys*	104	Db
Cricket Malherbie, *Som.*	16	Ca
Cricket St. Thomas, *Som.*	16	Ca
Crickham, *Som.*	50	Cc
Crickhowell, *Powys*	87	Ac
Cricklade, *Wilts.*	70	Db
Crieff, *Tay.*	259	Ba
Criggion, *Powys*	124	Da
Crigglestone, *W. Yorks.*	173	Bb
Crimchard, *Som.*	16	Ca
Crimond, *Gramp.*	306	Da
Crimplesham, *Norf.*	117	Aa
Crimscote, *Warks.*	91	Ba
Crinan, *Strath.*	255	Ac
Cringleford, *Norf.*	119	Aa
Crinow, *Dyfed*	62	Da
Cripplestyle, *Dors.*	37	Ac
Croalchapel, *Dum/Gall.*	226	Db
Crockenhill, *Kent.*	58	Dc
Crockernwell, *Dev.*	13	Ba
Crockerton, *Wilts.*	52	Cc
Crockerton Green, *Wilts.*	52	Cc
Crocketford, *Dum/Gall.*	214	Da
Crockey Hill, *N. Yorks.*	185	Bc
Croes-goch, *Dyfed*	81	Bc
Croes-penmaen, *Gwent*	67	Ab
Croes-y-ceiliog, *Gwent*	67	Bb
Croes-y-mwyalch, *Gwent*	67	Bb
Croft, *Leics.*	130	Cc
Croft, *Lincs.*	154	Db
Croft, *N. Yorks.*	207	Ac
Crofton, *Wilts.*	53	Bb
Crofton, *W. Yorks.*	173	Bb
Croglin, *Cumb.*	218	Dc
Croick, *Highl.*	310	Da
Cromarty, *Highl.*	301	Aa
Cromer, *Herts.*	75	Da
Cromer, *Norf.*	137	Ba
Cromer Hyde, *Herts.*	75	Bc
Cromford, *Derby.*	148	Da
Cromhall, *Avon*	69	Ab
Cromwell, *Notts.*	151	Ba
Crondall, *Hants.*	55	Cb
Crondon, *Essex*	59	Ba
Cronton, *Mers.*	160	Ca
Crook, *Cumb.*	193	Ab
Crook, *Dur.*	206	Da
Crooke, *Gt. Man.*	170	Cc
Crookham, *Hants.*	55	Bc
Crookham, *N'land*	243	Bb
Crookland, *Cumb.*	193	Bc
Crook of Devon, *Tay.*	260	Cc
Croome D'Abitot, *Hf/Wor.*	90	Ca
Cropredy, *Oxon.*	92	Ca
Cropston, *Leics.*	130	Cb
Cropthorne, *Hf/Wor.*	90	Da
Cropton, *N. Yorks.*	198	Db
Cropwell Bishop, *Notts.*	150	Dc
Cropwell Butler, *Notts.*	150	Dc
Crosby, *Cumb.*	218	Cb
Crosby, *Cumb.*	201	Ba
Crosby, *Humb.*	176	Cb
Crosby, *I.O.M.*	190	Cb
Crosby Garrett, *Cumb.*	204	Dc
Crosby Ravensworth, *Cumb.*	204	Cc
Croscombe, *Som.*	50	Dc
Crosemere, *Salop*	144	Dc
Cross, *Som.*	50	Cb
Cross Ash, *Gwent*	88	Cc
Crosscanonby, *Cumb.*	201	Ba
Crossdale Street, *Norf.*	137	Ba
Cross End, *Essex*	78	Ca
Crossens, *Mers.*	169	Bb
Crossford, *Fife*	251	Aa
Crossford, *Strath.*	238	Ca
Crossgates, *Fife*	251	Ac
Cross Gates, *W. Yorks.*	173	Ba
Cross Hands, *Avon*	68	Dc
Cross Hands, *Dyfed*	64	Ca
Cross Hill, *N. Yorks.*	182	Dc
Crosshill, *Strath.*	224	Ca
Cross Houses, *Salop*	125	Bb
Cross-in-Hand, *E. Sus.*	25	Ba
Cross Keys, *Gwent*	134	Db
Crosskeys, *Gwent*	67	Ab
Crosskirk, *Highl.*	322	Da
Crossmichael, *Dum/Gall.*	214	Db
Cross Roads, *W. Yorks.*	182	Dc
Cross Street, *Suff.*	99	Ba
Cross Town, *Ches.*	161	Bb
Crossway, *Gwent*	88	Cc
Crossway Green, *Hf/Wor.*	109	Ab
Croston, *Lancs.*	170	Cb
Crostwick, *Norf.*	137	Bc
Crostwight, *Norf.*	138	Cb
Crouch End, *Gt. Lon.*	57	Bb
Croughton, *N'hants.*	92	Db
Crovie, *Gramp.*	305	Bb
Crowan, *Corn.*	2	Cb
Crowborough, *E. Sus.*	43	Ac
Crowborough, *Staffs.*	146	Da
Crowcombe, *Som.*	33	Ab
Crowdecote, *Derby.*	162	Dc
Crowden, *Derby.*	172	Ca
Crowdhill, *Hants.*	39	Ac
Crowell, *Oxon.*	73	Bb
Crowfield, *Suff.*	99	Ab
Crow Hill, *Hf/Wor.*	88	Db
Crowhurst, *E. Sus.*	26	Db
Crowhurst, *Sur.*	42	Da
Crowland, *Lincs.*	133	Ac
Crowlas, *Corn.*	1	Bc
Crowle, *Hf/Wor.*	109	Bc
Crowle, *Humb.*	175	Bb
Crowmarsh Gifford, *Oxon.*	73	Ac
Crownthorpe, *Norf.*	118	Ca
Crowntown, *Corn.*	118	Ca
Crowthorne, *Berks.*	56	Cc
Crowton, *Ches.*	160	Db
Croxall, *Staffs.*	128	Ca
Croxby, *Lincs.*	167	Ab
Croxdale, *Dur.*	207	Ab
Croxden, *Staffs.*	147	Ab
Croxleygreen, *Herts.*	57	Aa
Croxton, *Cambs.*	95	Bb
Croxton, *Humb.*	167	Aa
Croxton, *Norf.*	118	Ca
Croxton, *Staffs.*	146	Ca
Croxtonbank, *Staffs.*	146	Ca
Croxton Kerrial, *Leics.*	151	Bb
Croy, *Highl.*	301	Bb
Croyde, *Dev.*	30	Cb
Croydon, *Cambs.*	95	Bb
Croydon, *Gt. Lon.*	42	Ca
Cruckmeole, *Salop*	125	Ab
Crudgington, *Salop*	126	Ca
Crudwell, *Wilts.*	70	Cb
Crumlin, *Gwent*	67	Ab
Crundale, *Kent*	45	Bc
Crunwear, *Dyfed*	62	Db
Crux Easton, *Hants.*	54	Cc
Crwbin, *Dyfed*	64	Ca
Crymmych Arms, *Dyfed*	82	Db
Crynant, *W. Glam.*	85	Bc
Crystal Palace, *Gt. Lon.*	58	Cc
Cubbington, *Warks.*	111	Bb
Cubert, *Corn.*	5	Ac
Cublington, *Bucks.*	94	Cc
Cuckfield, *W. Sus.*	24	Da
Cuckingstool End, *Essex*	76	Da
Cucklington, *Som.*	36	Cb
Cuckney, *Notts.*	164	Dc
Cuddesdon, *Oxon.*	73	Ab
Cuddington, *Bucks.*	73	Ba
Cudham, *Gt. Lon.*	42	Da
Cudlipptown, *Dev.*	8	Da
Cudworth, *Som.*	16	Ca
Culbone, *Som.*	47	Bb
Culcabock, *Highl.*	301	Ac
Culford, *Suff.*	98	Ca
Culgaith, *Cumb.*	204	Cb
Culham, *Oxon.*	72	Db
Culinish, *Strath.*	263	Ac
Culkein, *Highl.*	313	Aa
Culkerton, *Glos.*	70	Cb
Cullaford, *Dev.*	13	Ba
Cullen, *Gramp.*	304	Ca
Cullercoats, *Ty/We.*	222	Ca
Cullingworth, *W. Yorks.*	183	Ac
Cullompton, *Dev.*	15	Aa
Culmington, *Salop*	107	Ba
Culmstock, *Dev.*	15	Aa
Culpho, *Suff.*	99	Bc
Culross, *Fife*	250	Db
Culter, *Gramp.*	294	Cc
Cults, *Gramp.*	294	Cc
Cults, *Gramp.*	292	Da
Culverthorpe, *Lincs.*	152	Cb
Culworth, *N'hants.*	92	Da
Cumbernauld, *Strath.*	249	Bb
Cumberworth, *Lincs.*	154	Da
Cuminestown, *Gramp.*	305	Bb
Cummertrees, *Dum/Gall.*	216	Db
Cumnock, *Strath.*	237	Ac
Cumnor, *Oxon.*	72	Cb
Cumrew, *Cumb.*	218	Cc
Cumwhinton, *Cumb.*	218	Cc
Cumwhitton, *Cumb.*	218	Cc
Cundall, *N. Yorks.*	197	Ac
Cupar, *Fife*	261	Ba
Curbar, *Derby.*	163	Bb
Curbridge, *Oxon.*	71	Ba
Curdworth, *Warks.*	128	Dc
Curland, *Som.*	33	Bc
Currie, *Loth.*	251	Ab
Curry Malle, *Som.*	34	Cc
Curry Rivel, *Som.*	34	Cb
Cury, *Corn.*	2	Cc
Cusop, *Hf/Wor.*	87	Aa
Cusworth, *S. Yorks.*	174	Dc
Cutcombe, *Som.*	48	Cb
Cutlers Green, *Essex*	77	Aa
Cutnall Green, *Hf/Wor.*	109	Ab
Cutsdean, *Glos.*	90	Db
Cuxham, *Oxon.*	73	Ab
Cuxton, *Kent*	44	Ca
Cwm, *Clwyd*	158	Da
Cwm, *Gwent*	67	Aa
Cwm, *W. Glam.*	65	Ab
Cwmaman, *M. Glam.*	86	Cc
Cwm-avon, *W. Glam.*	85	Bc
Cwmbach, *Dyfed*	83	Ac
Cwmbach, *M. Glam.*	86	Db
Cwmbran, *Gwent*	67	Ab
Cwmcoy, *Dyfed*	83	Ab
Cwmdare, *M. Glam.*	86	Ca
Cwmdu, *Powys*	87	Ac
Cwm-felin-mynach, *Dyfed*	83	Ac
Cwm Giedd, *Powys*	85	Bb
Cwm Ifor, *Dyfed*	84	Dc
Cwm Llinau, *Powys*	122	Ca
Cwmtillery, *Gwent*	67	Aa
Cwrt-newydd, *Dyfed*	84	Ca
Cwmyoy, *Gwent*	87	Ab
Cynwyd, *Clwyd*	143	Ab
DACCOMBE, *Dev.*	14	Cc
Dacre, *Cumb.*	203	Bb
Dacre, *N. Yorks.*	183	Bc
Dadford, *Bucks.*	93	Ab
Dadlington, *Leics.*	129	Bc
Dafen, *Dyfed*	64	Cb
Daffy Green, *Norf.*	118	Ca

	PAGE	SQ.
Dagenham, *Gt. Lon.*	58	Db
Daggons, *Dors.*	37	Ac
Daglingworth, *Glos.*	70	Db
Dagnall, *Bucks.*	74	Da
Daisy Hill, *Gt. Man.*	170	Db
Dalavich, *Strath.*	256	Cb
Dalbeattie, *Dum/Gall.*	214	Db
Dalbury, *Derby.*	148	Dc
Dalby, *I.O.M.*	190	Cc
Dalby, *Lincs.*	154	Ca
Dalby, *N. Yorks.*	185	Ba
Dalchreichart, *Highl.*	287	Bc
Dalderby, *Lincs.*	153	Bb
Dale, *Cumb.*	204	Ca
Dale, *Derby.*	149	Bb
Dalelea, *Highl.*	273	Bc
Dalgety, *Fife*	251	Aa
Dalham, *Suff.*	97	Bb
Dalkeith, *Loth.*	252	Cb
Dallas, *Gramp.*	302	Db
Dallinghoo, *Suff.*	99	Bc
Dallington, *E. Sus.*	26	Cb
Dallington, *N'hants.*	113	Ac
Dallowgill, *N. Yorks.*	183	Ba
Dalmadilly, *Gramp.*	293	Bb
Dalmally, *Strath.*	256	Ca
Dalmellington, *Strath.*	224	Da
Dalmeny, *Loth.*	251	Aa
Dalmuir, *Strath.*	248	Db
Dalry, *Dum/Gall.*	225	Bc
Dalry, *Strath.*	236	Ca
Dalrymple, *Strath.*	224	Ca
Dalserf, *Strath.*	238	Ca
Dalston, *Cumb.*	217	Bc
Dalston, *Gt. Lon.*	58	Cb
Dalton, *Dum/Gall.*	216	Ca
Dalton, *N'land*	220	Cb
Dalton, *N. Yorks.*	197	Bc
Dalton, *N. Yorks.*	196	Ca
Dalton, *S. Yorks.*	164	Ca
Dalton-in-Furness, *Cumb.*	192	Cc
Dalton-le-Dale, *Dur.*	222	Dc
Dalton Magna, *S. Yorks.*	164	Ca
Dalton-on-Tees, *N. Yorks.*	196	Da
Dalton Piercy, *Cleve.*	208	Cb
Dalwood, *Dev.*	15	Bb
Dalziel, *Strath.*	249	Bc
Damgate, *Norf.*	120	Ca
Danbury, *Essex*	77	Bc
Danby Wiske, *N. Yorks.*	197	Ac
Dandaleith, *Gramp.*	303	Ac
Dane End, *Herts.*	76	Cb
Danesmoor, *Derby.*	164	Cc
Dans Castle, *Dur.*	206	Ba
Darcy Lever, *Gt. Man.*	171	Ac
Darenth, *Kent*	58	Dc
Daresbury, *Ches.*	160	Db
Darfield, *S. Yorks.*	174	Cc
Dargate, *Kent*	45	Bb
Darlaston, *W. Mid.*	127	Bc
Darley, *Derby.*	163	Bc
Darley, *N. Yorks.*	183	Bb
Darley Abbey, *Derby.*	149	Ab
Darlingscott, *Warks.*	91	Bb
Darlington, *Dur.*	207	Ac
Darlton, *Notts.*	165	Bc
Darngaber, *Strath.*	237	Ba
Darowen, *Powys*	122	Db
Darracott, *Dev.*	30	Cc
Darrington, *W. Yorks.*	174	Cb
Darsham, *Suff.*	100	Ca
Dartford, *Kent*	58	Dc
Dartington, *Dev.*	10	Ca
Dartmouth, *Dev.*	10	Db
Darton, *S. Yorks.*	173	Bc
Darvel, *Strath.*	237	Ab
Darwen, *Lancs.*	170	Ab
Datchet, *Berks.*	56	Da
Datchworth, *Herts.*	75	Bb
Datchworth Green, *Herts.*	75	Bb
Daubhill, *Gt. Man.*	170	Dc
Dauntsey, *Wilts.*	70	Dd
Davenham, *Ches.*	161	Ac
Davenport, *Gt. Man.*	161	Bc
Daventry, *N'hants.*	112	Cc
Davidstow, *Corn.*	11	Ac
Daviot, *Gramp.*	293	Ba
Dawes Heath, *Essex*	60	Cb
Dawley, *Salop*	126	Cb
Dawleybank, *Salop*	126	Cb
Dawley Magna, *Salop*	126	Cb
Dawlish, *Dev.*	14	Db
Dawsmere, *Lincs.*	134	Cb
Dayhills, *Staffs.*	147	Ac
Daylesford, *Glos.*	91	Bc
Deal, *Kent*	46	Db
Dean, *Cumb.*	201	Bb
Dean, *Dev.*	30	Ca
Dean, *Dev.*	8	Cc
Dean, *Hants.*	38	Db
Dean, *Oxon.*	92	Cc
Dean, *Som.*	36	Da
Dean, *Wilts.*	53	Ab
Deane, *Hants.*	54	Dc
Dean Prior, *Dev.*	10	Ca
Deanscales, *Cumb.*	201	Bb
Dearham, *Cumb.*	201	Ba
Debach, *Suff.*	99	Bc
Debden, *Essex*	77	Aa
Debenham, *Suff.*	99	Bb
Deddington, *Oxon.*	92	Cc
Dedham, *Essex*	79	Ab
Deene, *N'hants.*	132	Cc
Deenethorpe, *N'hants.*	132	Cc
Deepdale, *Cumb.*	195	Ac
Deeping Gate, *Cambs.*	132	Db
Deeping St. James, *Lincs.*	132	Db
Deeping St. Nicholas, *Lincs.*	133	Ac
Deerhurst, *Glos.*	90	Cb
Deerhurst Walton, *Glos.*	90	Cb
Defford, *Hf/Wor.*	90	Db
Deganwy, *Gwyn.*	157	Aa
Deighton, *N. Yorks.*	197	Aa
Deighton, *N. Yorks.*	185	Bc
Deighton, *W. Yorks.*	172	Db
Delamere, *Ches.*	160	Dc
Delly End, *Oxon.*	72	Ca
Delph, *Gt. Man.*	172	Cc
Dembleby, *Lincs.*	152	Cc
Denaby, *S. Yorks.*	174	Cc
Denaby Main, *S. Yorks.*	174	Cc
Denbigh, *Clwyd*	158	Db
Denbury, *Dev.*	14	Cc
Denby, *Derby.*	149	Bb
Denby Dale, *W. Yorks.*	173	Ac
Denchworth, *Oxon.*	72	Cc
Denford, *N'hants.*	114	Cb
Denham, *Bucks.*	74	Dc
Denham, *Suff.*	99	Ba
Denham, *Suff.*	97	Bb
Denholm, *Bord.*	229	Ba
Denholme, *W. Yorks.*	172	Da
Denholme Gate, *W. Yorks.*	172	Da
Dennington, *Suff.*	99	Bb
Dennis, *W. Mid.*	109	Ba
Denny, *Cen.*	249	Ba
Dennylongnead, *Cen.*	249	Ba
Denshaw, *Gt. Man.*	172	Cc
Denston, *Suff.*	97	Bb
Denstone, *Staffs.*	147	Bb
Dent, *Cumb.*	194	Cb
Denton, *Cambs.*	114	Da
Denton, *E. Sus.*	25	Ac
Denton, *Gt. Man.*	162	Ca
Denton, *Kent*	46	Cc
Denton, *Lincs.*	151	Bc
Denton, *Norf.*	119	Bb
Denton, *N'hants.*	113	Bc
Denton, *Norf.*	183	Ab
Denton, *Oxon.*	73	Ab
Dentons Green, *Mers.*	160	Ca
Denver, *Norf.*	116	Da
Denwick, *N'land*	232	Ca
Deopham, *Norf.*	118	Da
Deopham Green, *Norf.*	118	Db
Depden, *Suff.*	97	Bb
Deptford, *Gt. Lon.*	58	Cb
Derby, *Derby.*	148	Dc
Derbyhaven, *I.O.M.*	190	Db
Deri, *M. Glam.*	86	Dc
Derringstone, *Kent*	46	Cc
Derry Hill, *Wilts.*	52	Ca
Derrythorpe, *Humb.*	175	Bc
Dersingham, *Norf.*	135	Ab
Derwen, *Clwyd*	143	Aa
Derwent, *Derby.*	163	Aa
Desborough, *N'hants.*	113	Ba
Desford, *Leics.*	129	Bb
Detchant, *N'land*	244	Cb
Dethick, *Derby.*	148	Da
Detling, *Kent*	44	Ca
Deuddwr, *Powys*	124	Ca
Devauden, *Gwent*	68	Cb
Devil's Bridge, *Dyfed*	102	Ba
Devil's Elbow, *Tay.*	279	Bb
Devizes, *Wilts.*	52	Db
Devonport, *Dev.*	8	Cc
Devoran, *Corn.*	2	Db
Devynock, *Powys*	86	Ca
Dewlish, *Dors.*	18	Ca
Dewsall, *Hf/Wor.*	88	Cb
Dewsbury, *W. Yorks.*	173	Ba
Dibden, *Hants.*	20	Da
Dickleburgh, *Norf.*	119	Ac
Didbrook, *Glos.*	90	Db
Didcot, *Oxon.*	72	Ca
Diddington, *Cambs.*	95	Ba
Diddlebury, *Salop*	107	Ba
Didling, *W. Sus.*	40	Cc
Didlington, *Norf.*	117	Bb
Didmarton, *Glos.*	69	Bc
Didsbury, *Gt. Man.*	161	Ba
Digby, *Lincs.*	152	Da
Digg, *Highl.*	296	Ca
Diggle, *Gt. Man.*	172	Cc
Digswell, *Herts.*	75	Bb
Dihewid, *Dyfed*	84	Ca
Dilham, *Norf.*	137	Ab
Dilhorne, *Staffs.*	147	Ab
Dilston, *N'land*	220	Db
Dilton, *Wilts.*	52	Cc
Dilton Marsh, *Wilts.*	51	Bc
Dilwyn, *Hf/Wor.*	107	Bc
Dinas, *Dyfed*	83	Ac
Dinas, *Dyfed*	82	Cb
Dinas, *Gwyn.*	139	Bb
Dinas, *M. Glam.*	66	Ca
Dinas Mawddwy, *Gwyn.*	122	Da
Dinas Powis, *S. Glam.*	49	Aa
Dinder, *Som.*	50	Dc
Dinedor, *Hf/Wor.*	88	Db
Dingestow, *Gwent*	68	Ca
Dingley, *N'hants.*	113	Aa
Dingwall, *Highl.*	300	Db
Dinham, *Gwent*	68	Cb
Dinmore, *Hf/Wor.*	88	Ca
Dinnington, *N'land*	221	Ba
Dinnington, *Som.*	16	Da
Dinnington, *S. Yorks.*	164	Db
Dinorwic, *Dyfed*	156	Dc
Dinton, *Bucks.*	73	Ba
Dinton, *Wilts.*	37	Ab
Dipley, *Hants.*	55	Bc
Diptford, *Dev.*	10	Ca
Dipton, *Dur.*	221	Bc
Dirleton, *Loth.*	252	Da
Discoed, *Powys*	106	Dc
Diseworth, *Leics.*	129	Ba
Dishforth, *N. Yorks.*	197	Ac
Disley, *Ches.*	162	Cb
Diss, *Norf.*	99	Aa
Disserth, *Powys*	104	Da
Distington, *Cumb.*	201	Bb
Ditchampton, *Wilts.*	37	Ab
Ditcheat, *Som.*	35	Aa
Ditchingham, *Norf.*	119	Bb
Ditchling, *E. Sus.*	24	Db
Ditteridge, *Wilts.*	51	Ba
Dittisham, *Dev.*	10	Db
Ditton, *Ches.*	160	Cb
Ditton, *Kent*	44	Ca
Ditton Green, *Cambs.*	97	Ab
Ditton Priors, *Salop*	126	Cc
Dixton, *Gwent*	68	Da
Dob Cross, *Gt. Man.*	172	Cc
Dobwalls, *Corn.*	7	Ab
Docking, *Norf.*	135	Ba
Docklow, *Hf/Wor.*	108	Cc
Dockray, *Cumb.*	203	Ab
Dockray, *Cumb.*	217	Ac
Doddinghurst, *Essex*	59	Aa
Doddington, *Cambs.*	116	Cb
Doddington, *Kent*	44	Da
Doddington, *Lincs.*	166	Cc
Doddington, *N'land*	243	Bb
Doddington, *Salop*	108	Ca
Doddiscombsleigh, *Dev.*	14	Ca
Dodford, *N'hants.*	112	Dc
Dodington, *Avon*	69	Bc
Dodington, *Som.*	33	Ba
Dodleston, *Ches.*	144	Da
Dods Leigh, *Staffs.*	147	Ac
Dodworth, *S. Yorks.*	173	Bc
Dogdyke, *Lincs.*	153	Ac
Dogmersfield, *Hants.*	55	Bc
Dogsthorpe, *Cambs.*	115	Aa
Dolanog, *Powys*	123	Ab
Doley, *Staffs.*	146	Cc
Dolgarrog, *Gwyn.*	157	Ab
Dolgellau, *Gwyn.*	141	Bc
Dollar, *Cen.*	260	Cc
Dolphinton, *Strath.*	239	Ba
Dolton, *Dev.*	31	Ab
Dolwyddelan, *Gwyn.*	157	Ac
Dommett, *Som.*	33	Bc
Doncaster, *S. Yorks.*	174	Dc
Donhead St. Andrew, *Wilts.*	36	Db
Donhead St. Mary, *Wilts.*	36	Db
Donington, *Lincs.*	133	Aa
Donington, *Salop*	126	Db
Donington-on-Bain, *Lincs.*	167	Bc
Donkey Street, *Kent*	28	Ca
Donnington, *Glos.*	91	Ac
Donnington, *Hf/Wor.*	89	Ab
Donnington, *Salop*	126	Ca
Donnington, *W. Sus.*	22	Db
Donnington Wood, *Salop*	126	Cb
Donisthorpe, *Leics.*	129	Ab
Donyatt, *Som.*	16	Ca
Dorchester, *Dors.*	17	Bb
Dorchester, *Oxon.*	72	Dc
Dordon, *Warks.*	128	Cb
Dore, *S. Yorks.*	163	Bb
Dores, *Highl.*	289	Aa
Dorking, *Sur.*	41	Ba
Dormans Land, *Sur.*	42	Db
Dormington, *Hf/Wor.*	88	Db
Dormston, *Hf/Wor.*	90	Cb
Dorney, *Bucks.*	56	Ca
Dornie, *Highl.*	286	Cb
Dornoch, *Highl.*	312	Cb
Dornock, *Dum/Gall.*	216	Da
Dorridge, *W. Mid.*	110	Db
Dorrington, *Lincs.*	152	Da
Dorrington, *Salop*	146	Cb
Dorsington, *Warks.*	90	Db
Dorstone, *Hf/Wor.*	87	Ba
Dorton, *Bucks.*	73	Aa
Dosthill, *Staffs.*	128	Db
Dottery, *Dors.*	16	Db
Douglas, *I.O.M.*	190	Cb
Douglas, *Strath.*	238	Cb
Douglastown, *Tay.*	271	Bb
Doulting, *Som.*	51	Ac
Doune, *Cen.*	259	Ab
Dovaston, *Salop*	124	Da
Dove Holes, *Derby.*	162	Db
Dovenby, *Cumb.*	201	Bb
Dover, *Kent*	28	Da
Dovercourt, *Essex*	80	Cb
Doverdale, *Hf/Wor.*	109	Ab
Doveridge, *Derby.*	148	Cc
Dowally, *Tay.*	269	Bb
Dowdeswell, *Glos.*	90	Dc
Dowlais, *M. Glam.*	86	Db
Dowland, *Dev.*	31	Ab
Dowlish Wake, *Som.*	16	Ca
Down Ampney, *Glos.*	70	Db
Downe, *Gt. Lon.*	42	Da
Downend, *Avon*	51	Aa
Downend, *Berks.*	54	Da
Downham, *Cambs.*	116	Dc
Downham, *Essex*	59	Ba
Downham, *Lancs.*	181	Bc
Downham, *Norf.*	119	Aa
Downham, *N'land*	242	Db
Downham Market, *Norf.*	116	Da
Down Hatherley, *Glos.*	90	Cc
Downhead, *Som.*	35	Ab
Downhead, *Som.*	51	Ac
Downholland Cross, *Lancs.*	169	Bc
Downholme, *N. Yorks.*	196	Ca
Downies, *Gramp.*	282	Da
Downley, *Bucks.*	74	Cb
Downside, *Avon*	50	Da
Downside, *Som.*	51	Ac
Down St. Mary, *Dev.*	31	Bc
Down Thomas, *Dev.*	8	Dc
Downton, *Wilts.*	37	Ac
Downton-on-the-Rock, *Hf/Wor.*	107	Bb
Dowsby, *Lincs.*	133	Ab
Dowthwaitehead, *Cumb.*	203	Ac
Doynton, *Avon*	51	Ba
Draethen, *M. Glam.*	67	Ac
Drakeholes, *Notts.*	165	Aa
Drakes Broughton, *Hf/Wor.*	90	Ca
Draughton, *N'hants.*	113	Ab
Draughton, *N. Yorks.*	182	Db
Drax, *N. Yorks.*	175	Aa
Draycot Cerne, *Wilts.*	70	Cc
Draycot Foliat, *Wilts.*	53	Aa
Draycott, *Derby.*	149	Bc
Draycott, *Glos.*	91	Ab
Draycott, *Hf/Wor.*	89	Ba
Draycott, *Som.*	35	Ab
Draycott, *Som.*	50	Cc
Draycott-in-the-Clay, *Staffs.*	148	Cc
Draycott-in-the-Moor, *Staffs.*	147	Ab
Drayton, *Leics.*	131	Bc
Drayton, *Lincs.*	133	Aa
Drayton, *N'hants.*	112	Cc
Drayton, *Oxon.*	72	Dc
Drayton, *Oxon.*	92	Cb
Drayton, *Som.*	34	Cc
Drayton Bassett, *Staffs.*	128	Db
Drayton Beauchamp, *Bucks.*	74	Ca
Drayton Parslow, *Bucks.*	94	Cc
Drayton St. Leonard, *Oxon.*	73	Ab
Drebley, *N. Yorks.*	182	Db
Dreghorn, *Strath.*	236	Cb
Drefach, *Dyfed*	84	Cb
Drem, *Loth.*	252	Da
Dresden, *Staffs.*	147	Ab
Drewsteignton, *Dev.*	13	Ab
Driby, *Lincs.*	154	Ca
Driffield, *Glos.*	70	Db
Drigg, *Cumb.*	191	Ba
Drighlington, *W. Yorks.*	173	Aa
Drimpton, *Dors.*	16	Db
Dringhouses, *N. Yorks.*	185	Ab
Drinkstone, *Suff.*	98	Cb
Droitwich, *Hf/Wor.*	109	Bb
Dronfield, *Derby.*	163	Bb
Dronfield Woodhouse, *Derby.*	163	Bb
Dronley, *Tay.*	271	Ac
Droxford, *Hants.*	39	Ac
Droylsden, *Gt. Man.*	171	Bc
Druid, *Clwyd*	143	Ab
Drumbeg, *Highl.*	313	Aa
Drumburgh, *Cumb.*	217	Ab
Drumchapel, *Strath.*	248	Cb
Drumfearn, *Highl.*	285	Ba
Drumlithie, *Gramp.*	282	Cb
Drummelzier, *Bord.*	239	Bb
Drummore, *Dum/Gall.*	209	Bb
Drybeck, *Cumb.*	204	Cc
Drybrook, *Glos.*	68	Da
Dryhope, *Bord.*	239	Ac
Dry Doddington, *Lincs.*	151	Bb
Dry Drayton, *Cambs.*	96	Ca

	PAGE	SQ.
Drymen, *Cen.*	248	Ca
Drynoch, *Highl.*	284	Ca
Dryslwyn, *Dyfed*	64	Ca
Ducklington, *Oxon.*	72	Ca
Duckmanton, *Derby.*	164	Cc
Dudbridge, *Glos.*	69	Ba
Duddingston, *Loth.*	251	Bb
Duddington, *N'hants.*	132	Cc
Duddo, *N'land*	243	Ba
Duddon, *Ches.*	160	Cc
Dudleston, *Salop*	144	Cb
Dudley, *W. Mid.*	127	Bc
Dudley Hill, *W. Yorks.*	173	Aa
Duffield, *Derby.*	148	Db
Dufftown, *Gramp.*	303	Bc
Dufton, *Cumb.*	204	Db
Duggleby, *N. Yorks.*	186	Da
Duirinish, *Highl.*	285	Ba
Duisky, *Highl.*	274	Dc
Dulas, *Hf/Wor.*	87	Bb
Dulcote, *Som.*	50	Dc
Dull, *Tay.*	269	Ab
Dullingham, *Cambs.*	97	Ab
Duloe, *Corn.*	7	Bb
Dulverton, *Som.*	32	Da
Dulwich, *Gt. Lon.*	58	Cc
Dumbarton, *Strath.*	248	Cb
Dumbleton, *Glos.*	90	Db
Dumfries, *Dum/Gall.*	215	Ba
Dummer, *Hants.*	39	Aa
Dunball, *Som.*	34	Ca
Dunbar, *Loth.*	253	Ba
Dunbeath, *Highl.*	318	Cb
Dunblane, *Cen.*	259	Ac
Dunbog, *Fife*	261	Ba
Dunbridge, *Hants.*	38	Cb
Duncansby, *Highl.*	324	Da
Duncanston, *Gramp.*	292	Da
Dunchideock, *Dev.*	14	Ca
Dunchurch, *Warks.*	112	Cb
Duncote, *N'hants.*	93	Aa
Duncton, *W. Sus.*	23	Ab
Dundee, *Tay.*	271	Bc
Dundon, *Som.*	34	Db
Dundonald, *Strath.*	236	Cb
Dundraw, *Cumb.*	216	Dc
Dundreggan, *Highl.*	287	Bb
Dundrennan, *Dum/Gall.*	214	Dc
Dundry, *Avon*	50	Da
Dunfermline, *Fife*	251	Aa
Dungeness, *Kent.*	28	Cc
Dungworth, *S. Yorks.*	163	Ba
Dunham, *Notts.*	165	Bc
Dunham-on-the-Hill, *Ches.*	160	Cc
Dunholme, *Lincs.*	166	Db
Dunino, *Fife*	262	Db
Dunipace, *Cen.*	249	Ba
Dunkeld, *Tay.*	270	Cb
Dunkerton, *Avon*	51	Ab
Dunkeswell, *Dev.*	15	Ba
Dunkeswick, *W. Yorks.*	184	Cb
Dunkirk, *Kent*	45	Bb
Dunley, *Hf/Wor.*	108	Db
Dunlop, *Strath.*	236	Ca
Dunnet, *Highl.*	324	Ca
Dunnichen, *Tay.*	271	Bb
Dunning, *Tay.*	260	Ca
Dunnington, *Humb.*	177	Ba
Dunnington, *N. Yorks.*	185	Bb
Dunnockshaw, *Lancs.*	171	Ba
Dunoon, *Strath.*	247	Ab
Duns, *Bord.*	242	Da
Dunsby, *Lincs.*	132	Da
Dunscore, *Dum/Gall.*	226	Cc
Dunscroft, *Gramp.*	175	Ac
Dunsfold, *Sur.*	41	Ac
Dunsford, *Dev.*	14	Ca
Dunshelt, *Fife*	261	Ab
Dunsley, *Staffs.*	200	Cb
Dunstable, *Beds.*	94	Dc
Dunstall, *Staffs.*	128	Da
Dunster, *Som.*	48	Cb
Duns Tew, *Oxon.*	92	Cc
Dunston, *Lincs.*	152	Da
Dunston, *Norf.*	119	Ba
Dunstone, *Dev.*	8	Dc
Dunswell, *Humb.*	176	Da
Dunsyre, *Strath.*	239	Aa
Dunterton, *Dev.*	8	Ca
Duntisbourne Abbots, *Glos.*	70	Ca
Duntisbourne Rouse, *Glos.*	70	Ca
Duntish, *Dors.*	35	Bc
Duntocher, *Strath.*	248	Db
Dunton, *Beds.*	95	Bc
Dunton, *Bucks.*	93	Bc
Dunton, *Essex*	59	Ab
Dunton Bassett, *Leics.*	112	Ca
Dunvant, *W. Glam.*	64	Dc
Dunvegan, *Highl.*	295	Bc
Dunwear, *Som.*	34	Cb
Dunwich, *Suff.*	100	Da
Durham, *Dur.*	207	Aa
Durisdeer, *Dum/Gall.*	226	Da
Durleigh, *Som.*	33	Bb
Durley, *Hants.*	39	Ac
Durness, *Highl.*	320	Ca
Durno, *Gramp.*	293	Ba
Durrington, *Wilts.*	37	Ba
Dursley, *Glos.*	69	Bb
Durston, *Som.*	33	Bb
Durweston, *Dors.*	36	Cc
Duston, *N'hants.*	113	Ac
Dutton, *Ches.*	160	Db
Duxford, *Cambs.*	96	Dc
Dwygyfylchi, *Gwyn.*	157	Aa
Dwyran, *Gwyn.*	156	Cc
Dyce, *Gramp.*	294	Cb
Dyffryn, *Gwent*	67	Bc
Dyffryn, *Gwyn.*	140	Dc
Dyffryn, *M. Glam.*	86	Dc
Dyffryn, *W. Glam.*	66	Da
Dyke, *Gramp.*	302	Cb
Dykehead, *Strath.*	250	Cc
Dylife, *Powys*	122	Db
Dymchurch, *Kent*	28	Cb
Dymock, *Glos.*	89	Ab
Dyrham, *Avon*	51	Ba
Dysart, *Fife*	261	Bc
Dyserth, *Clwyd*	158	Da
EAGLE, *Lincs.*	166	Cc
Eagle Moor, *Lincs.*	166	Cc
Eaglescliffe, *Cleve.*	207	Bc
Eaglesfield, *Cumb.*	201	Bb
Eaglesfield, *Dum/Gall.*	216	Da
Eaglesham, *Strath.*	237	Aa
Eakring, *Notts.*	150	Da
Ealand, *Humb.*	175	Bb
Ealing, *Gt. Lon.*	57	Ab
Earby, *Lancs.*	182	Cc
Eardington, *Salop*	126	Cc
Eardisland, *Hf/Wor.*	107	Bc
Eardisley, *Hf/Wor.*	87	Ba
Eardiston, *Salop.*	108	Db
Earith, *Cambs.*	116	Cc
Earle, *N'land.*	243	Bc
Earlestown, *Mers.*	160	Da
Earlham, *Norf.*	119	Aa
Earlish, *Highl.*	296	Cb
Earls Barton, *N'hants.*	113	Bc
Earls Colne, *Essex*	78	Ca
Earls Croome, *Hf/Wor.*	90	Ca
Earlsdon, *Warks.*	111	Ab
Earlsferry, *Fife*	262	Cc
Earl Shilton, *Leics.*	129	Bc
Earl Soham, *Suff.*	99	Bb
Earl Sterndale, *Derby.*	162	Dc
Earlston, *Bord.*	241	Bb
Earl Stonham, *Suff.*	99	Ab
Earnley, *W. Sus.*	22	Db
Earsdon, *Ty/We.*	222	Ca
Earsham, *Norf.*	119	Bb
Earswick, *N. Yorks.*	185	Bb
Eartham, *W. Sus.*	23	Ab
Easby, *N. Yorks.*	198	Ca
Easby, *N. Yorks.*	196	Da
Easebourne, *W. Sus.*	23	Aa
Easenhall, *Warks.*	111	Ba
Eashing, *Sur.*	40	Da
Easington, *Bucks.*	73	Aa
Easington, *Cleve.*	199	Ba
Easington, *Dur.*	207	Ba
Easington, *Humb.*	178	Dc
Easington, *Oxon.*	73	Ab
Easington Lane, *Ty/We.*	222	Dc
Easingwold, *N. Yorks.*	185	Aa
Easole Street, *Kent*	46	Cb
Eastacombe, *Dev.*	30	Cb
East Allington, *Dev.*	10	Cb
East Anstey, *Dev.*	32	Ca
East Anton, *Hants.*	54	Cc
East Appleton, *N. Yorks.*	196	Db
East Ardsley, *W. Yorks.*	173	Ba
East Aston, *Hants.*	38	Da
East Ayton, *N. Yorks.*	187	Ba
East Barkwith, *Lincs.*	167	Ac
East Barming, *Kent*	44	Ca
East Barnby, *N. Yorks.*	199	Ba
East Barsham, *Norf.*	136	Cb
East Beckham, *Norf.*	137	Ba
East Bedfont, *Gt. Lon.*	57	Ac
East Bergholt, *Suff.*	79	Aa
East Bierley, *W. Yorks.*	173	Aa
East Bilney, *Norf.*	136	Dc
East Blatchington, *E. Sus.*	25	Ac
East Boldon, *Ty/We.*	222	Db
Eastbourne, *E. Sus.*	25	Bc
Eastbourne, *Dur.*	207	Bc
East Bradenham, *Norf.*	118	Ca
East Brent, *Som.*	49	Bc
East Bridgford, *Notts.*	150	Db
East Budleigh, *Dev.*	15	Ac
Eastbury, *Berks.*	54	Ca
East Butterwick, *Humb.*	176	Cc
Eastby, *N. Yorks.*	182	Db
East Carleton, *Norf.*	119	Aa
East Carlton, *N'hants.*	113	Ba
East Challow, *Oxon.*	72	Cc
East Chiltington, *E. Sus.*	25	Ab
East Chinnock, *Som.*	16	Da
East Chisenbury, *Wilts.*	53	Ac
East Cholderton, *Hants.*	38	Ca
Eastchurch, *Kent*	45	Aa
East Clandon, *Sur.*	41	Ab
East Claydon, *Bucks.*	93	Bc
East Coker, *Som.*	35	Ac
Eastcombe, *Glos.*	70	Ca
East Combe, *Som.*	33	Ab
East Compton, *Som.*	35	Aa
Eastcote, *N'hants.*	93	Aa
Eastcote, *W. Mid.*	110	Da
Eastcott, *Wilts.*	52	Db
Eastcourt, *Wilts.*	70	Cb
East Cowes, *I.O.W.*	21	Ab
East Cowton, *N. Yorks.*	196	Da
Eastdean, *E. Sus.*	25	Bc
East Dean, *Hants.*	38	Cb
East Dean, *W. Sus.*	23	Ab
East Dereham, *Norf.*	136	Dc
East Down, *Dev.*	30	Da
East Drayton, *Notts.*	165	Bb
East End, *Hants.*	54	Cb
Eastend, *Essex*	60	Da
Easter Anstruther, *Fife*	262	Db
Easter Compton, *Avon*	68	Dc
Eastergate, *W. Sus.*	23	Ac
Easterton, *Wilts.*	52	Db
Eastertown, *Som.*	49	Bb
East Farleigh, *Kent*	44	Cb
East Farndon, *N'hants.*	113	Aa
East Ferry, *Lincs.*	165	Ba
Eastfield, *S. Yorks.*	173	Bc
East Finchley, *Gt. Lon.*	57	Ba
East Firsby, *Lincs.*	166	Db
East Garston, *Berks.*	54	Ca
Eastgate, *Dur.*	205	Ba
Eastgate, *Lincs.*	132	Da
East Grafton, *Wilts.*	53	Bb
East Grimstead, *Wilts.*	37	Bb
East Grinstead, *W. Sus.*	42	Dc
East Guldeford, *E. Sus.*	27	Ab
East Haddon, *N'hants.*	112	Db
East Hagbourne, *Oxon.*	72	Dc
East Halton, *Humb.*	177	Bc
East Halton, *N. Yorks.*	182	Db
East Ham, *Gt. Lon.*	58	Cb
Eastham, *Mers.*	159	Bb
Easthampstead, *Berks.*	56	Cb
East Hanney, *Oxon.*	72	Cc
East Hanningfield, *Essex*	59	Ba
East Hardwick, *W. Yorks.*	174	Cb
East Harling, *Norf.*	118	Dc
East Harlsey, *N. Yorks.*	197	Ba
East Harnham, *Wilts.*	37	Bb
East Harptree, *Avon*	50	Db
East Hatley, *Cambs.*	95	Bb
East Hauxwell, *N. Yorks.*	196	Cb
East Hendred, *Oxon.*	72	Cc
East Hesterton, *N. Yorks.*	187	Ba
East Hoathly, *E. Sus.*	25	Bb
East Holme, *Dors.*	18	Db
Easthope, *Salop*	125	Bc
Easthorpe, *Essex*	78	Cb
Easthorpe, *Leics.*	151	Bb
Easthorpe, *Notts.*	150	Da
East Horrington, *Som.*	50	Dc
East Horsley, *Sur.*	41	Bb
East Howe, *Dors.*	19	Bb
East Ilsley, *Berks.*	54	Da
Eastington, *Glos.*	71	Aa
Eastington, *Glos.*	69	Ba
East Keal, *Lincs.*	154	Cb
East Kennett, *Wilts.*	53	Ab
East Keswick, *W. Yorks.*	184	Cc
East Kilbride, *Strath.*	249	Ac
East Kirby, *Notts.*	149	Ba
East Kirkby, *Lincs.*	153	Bb
East Knighton, *Dors.*	18	Cb
East Knowstone, *Dev.*	32	Ca
East Knoyle, *Wilts.*	36	Da
East Lambrook, *Som.*	34	Dc
East Langdon, *Kent*	46	Dc
East Langton, *Leics.*	130	Dc
East Lavant, *W. Sus.*	22	Da
East Lavington, *W. Sus.*	23	Ab
Eastleach Martin, *Glos.*	71	Ab
Eastleach Turville, *Glos.*	71	Ab
East Leake, *Notts.*	130	Ca
East Leicester Forest, *Leics.*	130	Cb
Eastleigh, *Dev.*	30	Cb
Eastleigh, *Hants.*	38	Dc
East Lexham, *Norf.*	136	Cc
Eastling, *Kent*	45	Ab
East Linton, *Loth.*	253	Aa
East Lockinge, *Oxon.*	72	Cc
East Looe, *Corn.*	7	Bc
East Lound, *Humb.*	175	Bc
East Lulworth, *Dors.*	18	Db
East Lutton, *N. Yorks.*	186	Da
East Lydeard, *Som.*	33	Bb
East Lydford, *Som.*	35	Aa
East Malling, *Kent*	44	Ca
East Marden, *W. Sus.*	40	Cc
East Markham, *Notts.*	165	Bc
East Martin, *Hants.*	37	Ac
East Marton, *N. Yorks.*	182	Cb
East Meon, *Hants.*	39	Bc
East Mersea, *Essex*	79	Ac
East Molesey, *Sur.*	57	Ac
East Morden, *Dors.*	18	Da
East Morton, *W. Yorks.*	183	Ac
East Ness, *N. Yorks.*	198	Dc
Eastney, *Hants.*	22	Cb
Eastnor, *Hf/Wor.*	89	Ab
East Norton, *Leics.*	131	Ac
East Nynehead, *Som.*	33	Ac
Eastoft, *Humb.*	175	Bb
East Ogwell, *Dev.*	14	Cc
Easton, *Cambs.*	95	Aa
Easton, *Cumb.*	217	Ab
Easton, *Dors.*	18	Cc
Easton, *Hants.*	39	Ab
Easton, *Lincs.*	132	Ca
Easton, *Norf.*	119	Aa
Easton, *Som.*	34	Da
Easton, *Suff.*	99	Bb
Easton, *Wilts.*	53	Bb
Easton, *Wilts.*	52	Ca
Easton Grey, *Wilts.*	70	Cc
Easton-in-Gordano, *Avon*	50	Da
Easton Maudit, *N'hants.*	113	Bc
Easton-on-the-Hill, *N'hants.*	132	Cb
East Orchard, *Dors.*	36	Cb
East Ord, *N'land.*	243	Ba
East Pennard, *Som.*	35	Aa
East Perry, *Cambs.*	95	Aa
East Preston, *W. Sus.*	23	Bc
East Poringland, *Norf.*	119	Ba
East Portlemouth, *Dev.*	10	Cc
East Quantockshead, *Som.*	33	Aa
East Rainton, *Ty/We.*	222	Cc
East Ravendale, *Humb.*	167	Bb
East Raynham, *Norf.*	136	Cb
Eastrea, *Cambs.*	115	Ba
East Retford, *Notts.*	165	Ab
Eastrington, *Humb.*	175	Ba
East Rolstone, *Avon*	50	Cb
Eastrop, *Wilts.*	71	Bc
East Rounton, *N. Yorks.*	197	Ba
East Rudham, *Norf.*	136	Cb
East Runton, *Norf.*	137	Ba
East Ruston, *Norf.*	138	Cb
Eastry, *Kent*	46	Db
East Saltoun, *Loth.*	252	Db
East Shebster, *Highl.*	322	Da
East Shefford, *Berks.*	54	Ca
East Stockwith, *Lincs.*	165	Ba
East Stoke, *Dors.*	18	Db
East Stoke, *Notts.*	150	Db
East Stoke, *Som.*	34	Dc
East Stour, *Dors.*	36	Cb
East Stratton, *Hants.*	39	Aa
East Sutton, *Kent*	44	Db
East the Water, *Dev.*	30	Cc
East Tisted, *Hants.*	39	Bb
East Torrington, *Lincs.*	167	Ac
East Tuddenham, *Norf.*	118	Da
East Tytherley, *Hants.*	38	Cb
East Tytherton, *Wilts.*	52	Ca
Eastville, *Lincs.*	154	Cb

	PAGE	SQ.
East Walton, *Dyfed*	62	Ca
East Walton, *Norf.*	135	Bc
Eastwell, *Kent*	45	Ac
Eastwell, *Leics.*	151	Ac
East Wellow, *Hants.*	38	Cc
East Wemyss, *Fife*	261	Ac
East Wick, *Essex*	60	Da
Eastwick, *Herts.*	76	Cc
East Wickham, *Gt. Lon.*	58	Dc
East Williamston, *Dyfed*	62	Db
East Winch, *Norf.*	135	Ac
East Wittering, *W. Sus.*	22	Db
East Witton, *N. Yorks.*	196	Cb
Eastwood, *Essex.*	60	Cb
Eastwood, *Notts.*	149	Bb
Eastwood, *Strath.*	248	Dc
East Woodhay, *Hants.*	54	Cb
East Worldham, *Hants.*	40	Ca
East Worlington, *Dev.*	31	Bb
East Wretham, *Norf.*	118	Cb
Eathorpe, *Warks.*	111	Bb
Eaton, *Ches.*	161	Bc
Eaton, *Ches.*	160	Dc
Eaton, *Hf/Wor.*	107	Bc
Eaton, *Leics.*	151	Ac
Eaton, *Norf.*	119	Ba
Eaton, *Notts.*	165	Ab
Eaton, *Oxon.*	72	Cb
Eaton, *Salop*	125	Bc
Eaton Bishop, *Hf/Wor.*	88	Ca
Eaton Bray, *Beds.*	94	Dc
Eaton Constantine, *Salop*	125	Bb
Eaton Green, *Beds.*	94	Cc
Eaton Hastings, *Oxon.*	71	Bb
Eaton Mascott, *Salop*	125	Bb
Eaton Socon, *Cambs.*	95	Ab
Eaton-upon-Tern, *Salop*	126	Ca
Ebberston, *N. Yorks.*	187	Aa
Ebbesborne Wake, *Wilts.*	36	Db
Ebbw-Vale, *Gwent*	67	Aa
Ebchester, *Ty/We.*	221	Ac
Ebenezer, *Dyfed*	63	Ba
Ebenezer, *Gwyn.*	156	Dc
Ebford, *Dev.*	14	Da
Ebrington, *Glos.*	91	Ab
Ecchinswell, *Hants.*	54	Db
Ecclefechan, *Dum/Gall.*	216	Da
Eccles, *Bord.*	242	Db
Eccles, *Gt. Man.*	171	Ac
Eccles, *Kent*	44	Ca
Eccles, *Norf.*	118	Db
Ecclesall, *S. Yorks.*	163	Bb
Ecclesfield, *S. Yorks.*	163	Ba
Eccleshall, *Staffs.*	146	Dc
Eccleshill, *W. Yorks.*	183	Bc
Ecclesmachan, *Loth.*	250	Db
Eccleston, *Ches.*	160	Cc
Eccleston, *Gt. Man.*	160	Ca
Eccleston, *Lancs.*	170	Cb
Eccleston Green, *Lancs.*	170	Cb
Eccup, *W. Yorks.*	184	Cc
Echt, *Gramp.*	293	Bc
Eckford, *Bord.*	242	Cc
Eckington, *Derby.*	164	Cb
Eckington, *Hf/Wor.*	90	Ca
Ecton, *N'hants.*	113	Bc
Edale, *Derby.*	162	Db
Edburton, *W. Sus.*	24	Cb
Edderside, *Cumb.*	201	Ba
Edderton, *Highl.*	311	Bb
Eddistone, *Dev.*	29	Ac
Eddleston, *Bord.*	240	Ca
Edenbridge, *Kent*	42	Db
Edenfield, *Lancs.*	171	Bb
Edenhall, *Cumb.*	204	Cb
Edenham, *Lincs.*	132	Da
Edensor, *Derby.*	163	Bc
Edenthorpe, *S. Yorks.*	175	Ac
Edgbaston, *W. Mid.*	110	Ca
Edgcote, *N'hants.*	92	Da
Edgcott, *Bucks.*	93	Ac
Edgcott, *Som.*	47	Bb
Edge, *Glos.*	69	Ba
Edgefield, *Norf.*	137	Aa
Edgeworth, *Glos.*	70	Ca
Edgmond, *Salop.*	126	Ca
Edgton, *Salop*	107	Aa
Edgware, *Gt. Lon.*	57	Ba
Edgworth, *Lancs.*	171	Ab
Edinbain, *Highl.*	295	Bc
Edinburgh, *Loth.*	251	Bb
Edingale, *Staffs.*	128	Da
Edingley, *Notts.*	150	Da
Edingthorpe, *Norf.*	138	Cb
Edington, *Som.*	34	Ca
Edington, *Wilts.*	52	Cc
Edington Burtle, *Som.*	34	Ca
Edingworth, *Som.*	49	Bc
Edithmead, *Som.*	34	Ca
Edith Weston, *Leics.*	132	Cb
Edlaston, *Derby.*	148	Cb
Edlesborough, *Bucks.*	74	Da
Edlingham, *N'land*	231	Ba
Edlington, *Lincs.*	153	Ba
Edlington, *S. Yorks.*	164	Da
Edmondbyers, *Dur.*	220	Dc
Edmondsham, *Dors.*	37	Ac
Edmondsley, *Dur.*	222	Cc
Edmondthorpe, *Leics.*	131	Ba
Edmonton, *Gt. Lon.*	58	Ca
Ednam, *Bord.*	242	Cb
Edrom, *Bord.*	254	Cc
Edstaston, *Salop.*	145	Ac
Edvin Loach, *Hf/Wor.*	108	Cc
Edvin Ralph, *Hf/Wor.*	108	Cc
Edwardstone, *Suff.*	98	Cc
Edwinstowe, *Notts.*	165	Ac
Edworth, *Beds.*	95	Bc
Edyrn, *Gwyn.*	139	Bb
Edzell, *Tay.*	281	Bc
Efail-y-cwm, *Powys*	123	Ba
Efenechtyd, *Clwyd*	143	Ba
Effingham, *Sur.*	41	Ba
Egbury, *Hants.*	54	Cc
Egdean, *W. Sus.*	23	Ab
Egerton, *Kent*	44	Db
Egg Buckland, *Dev.*	8	Db
Eggington, *Beds.*	94	Dc
Egginton, *Derby.*	148	Dc
Eggleston, *Dur.*	206	Cb
Egham, *Sur.*	56	Db
Egleton, *Hf/Wor.*	88	Da
Egleton, *Leics.*	131	Bb
Eglingham, *N'land*	244	Cc
Egloshayle, *Corn.*	6	Ca
Egloskerry, *Corn.*	11	Bc
Eglwys-Brewis, *S. Glam.*	66	Dc
Eglwys-Cymmyn, *Dyfed*	63	Aa
Eglwys Fach, *Gwyn.*	157	Bb
Eglwysfair-a-churig, *Dyfed*	83	Ac
Eglwyswrw, *Dyfed*	82	Db
Egmanton, *Notts.*	165	Ac
Egremont, *Cumb.*	201	Bc
Egremont, *Dyfed*	62	Da
Egton, *N. Yorks.*	199	Bb
Egypt, *Hants.*	38	Da
Eisey, *Wilts.*	71	Ab
Eisingrig, *Gwyn.*	140	Db
Elberton, *Avon*	68	Dc
Elburton, *Dev.*	8	Dc
Eldersfield, *Hf/Wor.*	89	Bb
Elderslie, *Strath.*	248	Cc
Eldridge, *Essex*	76	Da
Eldrig, *Dum/Gall.*	210	Cb
Elerch, *Dyfed*	121	Bc
Elford, *Staffs.*	128	Db
Elgin, *Gramp.*	303	Aa
Elgol, *Highl.*	284	Dc
Elham, *Kent*	28	Ca
Elie, *Fife*	262	Cc
Eling, *Hants.*	38	Dc
Elkesley, *Notts.*	165	Ab
Elkstone, *Glos.*	70	Ca
Elland, *W. Yorks.*	172	Db
Ellary, *Strath.*	245	Ab
Ellastone, *Staffs.*	148	Cb
Ellel, *Lancs.*	180	Db
Ellenborough, *Cumb.*	201	Ba
Ellenbrook, *Gt. Man.*	170	Dc
Ellenhall, *Staffs.*	146	Dc
Ellerbeck, *N. Yorks.*	197	Ba
Ellerby, *N. Yorks.*	199	Ba
Ellerker, *Humb.*	176	Ca
Ellerton, *Humb.*	186	Cc
Ellerton, *N. Yorks.*	196	Da
Ellesborough, *Bucks.*	74	Cb
Ellesmere, *Salop*	144	Dc
Ellesmere Port, *Ches.*	160	Cb
Ellingham, *Hants.*	19	Ba
Ellingham, *Norf.*	120	Cb
Ellingham, *N'land*	244	Dc
Ellingstring, *N. Yorks.*	196	Ca
Ellington, *Cambs.*	95	Aa
Ellington, *N'land*	232	Dc
Ellisfield, *Hants.*	39	Ba
Ellistown, *Leics.*	129	Bb
Ellon, *Gramp.*	294	Da
Ellough, *Suff.*	120	Cc
Elloughton, *Humb.*	176	Ca
Ellwood, *Glos.*	68	Da
Elm, *Cambs.*	116	Ca
Elmbridge, *Hf/Wor.*	109	Bb
Elmdon, *Essex*	96	Dc
Elmdon, *W. Mid.*	110	Da
Elmesthorpe, *Leics.*	129	Bc
Elmley, *Kent*	45	Aa
Elmley Castle, *Hf/Wor.*	90	Ca
Elmley Lovett, *Hf/Wor.*	109	Ab
Elmore, *Glos.*	89	Bc
Elmsett, *Suff.*	98	Dc
Elmstead, *Essex*	79	Ab
Elmstead Market, *Essex*	79	Ab
Elmsted, *Kent*	45	Bc
Elmstone, *Kent*	46	Cb
Elmswell, *Suff.*	98	Da
Elphin, *Highl.*	314	Cc
Elsdon, *N'land*	231	Ac
Elsecar, *S. Yorks.*	174	Cc
Elsenham, *Essex*	76	Db
Elsfield, *Oxon.*	72	Da
Elsham, *Humb.*	176	Db
Elsing, *Norf.*	136	Dc
Elslack, *N. Yorks.*	182	Db
Elsrickle, *Strath.*	239	Aa
Elstead, *Sur.*	40	Da
Elsted, *W. Sus.*	40	Cc
Elsthorpe, *Lincs.*	132	Da
Elston, *Lancs.*	170	Ca
Elston, *Notts.*	150	Db
Elstow, *Beds.*	94	Da
Elstree, *Herts.*	57	Aa
Elstronwick, *Humb.*	178	Cb
Elswick, *Lancs.*	180	Cc
Elsworth, *Cambs.*	95	Ba
Elterwater, *Cumb.*	192	Da
Eltham, *Gt. Lon.*	58	Cc
Eltisley, *Cambs.*	95	Bb
Elton, *Cambs.*	132	Dc
Elton, *Ches.*	160	Cb
Elton, *Cleve.*	207	Bc
Elton, *Derby.*	148	Ca
Elton, *Gt. Man.*	171	Ab
Elton, *Hf/Wor.*	107	Bb
Elton, *Notts.*	150	Db
Elvanfoot, *Strath.*	238	Dc
Elveden, *Suff.*	117	Bc
Elvetham, *Hants.*	55	Bc
Elvington, *N. Yorks.*	185	Bb
Elwick, *Cleve.*	208	Cb
Elworth, *Ches.*	17	Bb
Elworthy, *Som.*	33	Ab
Ely, *Cambs.*	116	Dc
Ely, *S. Glam.*	49	Aa
Emberton, *Bucks.*	94	Ca
Embleton, *Dur.*	207	Bb
Embleton, *N'land*	244	Dc
Emborough, *Som.*	50	Dc
Embsay, *N. Yorks.*	182	Db
Emley, *W. Yorks.*	173	Bb
Emley Moor, *W. Yorks.*	173	Ab
Emmer Green, *Oxon.*	55	Ba
Emmington, *Oxon.*	73	Bb
Emneth, *Norf.*	116	Da
Empingham, *Leics.*	132	Cb
Empshott, *Hants.*	40	Cb
Emsworth, *Hants.*	22	Ca
Enborne, *Berks.*	54	Cb
Encombe, *Dors.*	19	Ac
Enderby, *Leics.*	130	Cc
Endon, *Staffs.*	146	Da
Enfield, *Gt. Lon.*	58	Ca
Enford, *Wilts.*	53	Ac
Englefield, *Berks.*	55	Aa
English Bicknor, *Glos.*	88	Dc
English Combe, *Avon*	51	Ab
Enmore, *Som.*	33	Bb
Ensbury, *Dors.*	19	Bb
Ensdon, *Salop*	125	Aa
Ensis, *Dev.*	30	Dc
Enstone, *Oxon.*	92	Cc
Enterkinfoot, *Dum/Gall.*	226	Ca
Enterpen, *N. Yorks.*	197	Ba
Enville, *Staffs.*	109	Aa
Epperstone, *Notts.*	150	Db
Epping, *Essex*	76	Dc
Epping Green, *Essex*	76	Dc
Eppleby, *N. Yorks.*	206	Dc
Epsom, *Sur.*	41	Ba
Epwell, *Oxon.*	92	Cb
Epworth, *Humb.*	175	Bc
Erbistock, *Clwyd*	144	Cb
Erbusaig, *Highl.*	285	Ba
Erdington, *W. Mid.*	128	Cc
Eriswell, *Suff.*	117	Ac
Erith, *Gt. Lon.*	58	Db
Erlestoke, *Wilts.*	52	Cb
Ermington, *Dev.*	9	Bb
Erpingham, *Norf.*	137	Bb
Errol, *Tay*	261	Aa
Erwarton, *Suff.*	79	Bb
Erwood, *Powys*	104	Db
Eryholme, *N. Yorks.*	207	Bc
Escrick, *N. Yorks.*	185	Bc
Esh, *Dur.*	206	Da
Esher, *Sur.*	41	Ba
Eshton, *N. Yorks.*	182	Db
Eskdalemuir, *Dum/Gall.*	228	Cb
Essendine, *Leics.*	132	Cb
Essendon, *Herts.*	75	Bc
Essington, *Staffs.*	127	Bb
Eston, *Cleve.*	208	Dc
Etal, *N'land*	243	Bb
Etchilhampton, *Wilts.*	52	Db
Etchingham, *E. Sus.*	26	Ca
Etchinghill, *Kent.*	28	Ca
Eton, *Berks.*	56	Da
Ettingshall, *W. Mid.*	127	Ac
Ettington, *Warks.*	91	Ba
Etton, *Humb.*	177	Aa
Etton, *N'hants.*	132	Db
Ettrick, *Bord.*	228	Ca
Etwall, *Derby.*	148	Dc
Euston, *Suff.*	118	Cc
Euxton, *Lancs.*	170	Cb
Evanton, *Highl.*	300	Da
Evedon, *Lincs.*	152	Db
Evenjobb, *Powys*	106	Dc
Evenley, *N'hants.*	92	Db
Evenlode, *Glos.*	91	Bc
Evenwood, *Dur.*	206	Db
Evercreech, *Som.*	35	Ba
Everingham, *Humb.*	186	Cc
Everleigh, *Wilts.*	53	Ac
Eversholt, *Beds.*	94	Db
Evershot, *Dors.*	17	Ba
Eversley, *Hants.*	55	Bb
Eversley Cross, *Hants.*	55	Bb
Everthorpe, *Humb.*	176	Ca
Everton, *Beds.*	95	Ab
Everton, *Hants.*	20	Cb
Everton, *Mers.*	159	Ba
Everton, *Notts.*	165	Aa
Evertown, *Dum/Gall.*	217	Ba
Evesbatch, *Hf/Wor.*	89	Aa
Evesham, *Hf/Wor.*	90	Da
Ewell, *Kent*	28	Da
Ewell, *Sur.*	42	Ca
Ewelme, *Oxon.*	73	Ac
Ewen, *Glos.*	70	Db
Ewenny, *M. Glam.*	66	Cb
Ewerby, *Lincs.*	152	Db
Ewes, *Dum/Glam.*	228	Dc
Ewhurst, *E. Sus.*	26	Da
Ewhurst, *Sur.*	41	Bc
Ewyas Harold, *Hf/Wor.*	87	Bb
Exbourne, *Dev.*	31	Ac
Exbury, *Hants.*	21	Aa
Exebridge, *Som.*	32	Da
Exelby, *N. Yorks.*	196	Db
Exeter, *Dev.*	14	Da
Exford, *Som.*	47	Bb
Exfordsgreen, *Salop*	125	Ab
Exhall, *Warks.*	91	Aa
Exhall, *Warks.*	111	Ba
Exminster, *Dev.*	14	Da
Exmouth, *Dev.*	14	Db
Exning, *Suff.*	97	Aa
Exton, *Dev.*	14	Da
Exton, *Hants.*	39	Bc
Exton, *Leics.*	132	Cb
Exton, *Som.*	48	Cc
Exwick, *Dev.*	14	Da
Eyam, *Derby*	163	Ab
Eyam Woodlands, *Derby.*	163	Ab
Eydon, *N'hants.*	92	Da
Eye, *Hf/Wor.*	107	Bc
Eye, *N'hants.*	115	Aa
Eye, *Suff.*	99	Aa
Eye Green, *Cambs.*	115	Aa
Eyemouth, *Bord.*	254	Db
Eyeworth, *Beds.*	95	Bc
Eyhorne Street, *Kent*	44	Da
Eyke, *Suff.*	100	Cc
Eynesbury, *Cambs.*	95	Ab
Eynsford, *Kent*	43	Aa
Eynsham, *Oxon.*	72	Ca
Eype, *Dors.*	16	Db
Eythorne, *Kent*	46	Cc
Eyton, *Hf/Wor.*	107	Bc
Eyton, *Salop*	107	Aa
Eyton, *Salop*	125	Aa
Eyton-on-the-Weald Moors, *Salop*	126	Ca
FACCOMBE, *Hants.*	54	Cc
Faceby, *N. Yorks.*	197	Ba
Facit, *Lancs.*	171	Bb
Faddiley, *Ches.*	145	Ba
Fadmoor, *N. Yorks.*	198	Db
Fairburn, *N. Yorks.*	174	Ca
Fairchild, *Hf/Wor.*	90	Da
Farfield, *Derby.*	162	Db
Fairfield, *Kent*	27	Bb
Fairford, *Glos.*	71	Ab
Fairlie, *Strath.*	235	Ba
Fairlight, *E. Sus.*	27	Ac
Fairmile, *Dev.*	15	Ab
Fair Oak, *Hants.*	39	Ac
Fairseat, *Kent*	43	Ba
Fairstead, *Essex*	77	Bb
Fakenham, *Norf.*	136	Cb
Fakenham, *Suff.*	118	Cc
Fala & Blackshiels, *Loth.*	252	Dc
Faldingworth, *Lincs.*	166	Db
Falfield, *Avon*	69	Ab
Falkenham, *Suff.*	80	Ca
Falkirk, *Cen.*	250	Ca
Falkland, *Fife*	261	Ab
Fallings Heath, *W. Mid.*	127	Bc
Fallowfield, *N'land*	220	Cb
Falmer, *E. Sus.*	24	Dc
Falmouth, *Corn.*	2	Db
Falstone, *N'land*	230	Cc
Fancott, *Beds.*	94	Dc
Fangfoss, *Humb.*	186	Cb
Farcet, *Cambs.*	115	Ab
Far Cotton, *N'hants.*	113	Ac
Fareham, *Hants.*	21	Ba
Farewell, *Staffs.*	128	Cb
Far Forest, *Hf/Wor.*	108	Db
Farforth, *Lincs.*	153	Ba
Faringdon, *Hants.*	39	Bb
Faringdon, *Oxon.*	71	Bb
Farington, *Lancs.*	170	Ca
Farlam, *Cumb.*	218	Db
Farleigh, *Avon*	50	Ca
Farleigh Hungerford, *Som.*	51	Bb

	PAGE	SQ.
Farleigh Wallop, *Hants*	39	Ba
Farlesthorpe, *Lincs.*	154	Ca
Farleton, *Cumb.*	193	Bc
Farley, *Sur.*	42	Da
Farley, *Wilts.*	37	Bb
Farlington, *Hants.*	22	Ca
Farlington, *N. Yorks.*	185	Ba
Farlow, *Salop*	108	Ca
Farmborough, *Avon*	51	Ab
Farmcote, *Glos.*	90	Db
Farmers, *Dyfed*	84	Da
Farmington, *Glos.*	71	Aa
Far Moor, *Gt. Man.*	170	Cc
Farnborough, *Berks.*	54	Ca
Farnborough, *Gt. Lon.*	42	Da
Farnborough, *Hants.*	56	Cc
Farnborough, *Warks.*	92	Ca
Farncombe, *Sur.*	40	Da
Farndish, *Beds.*	114	Cc
Farndon, *Ches.*	144	Da
Farndon, *Notts.*	150	Da
Farnell, *Tay*	272	Ca
Farnham, *Dors.*	36	Dc
Farnham, *Essex*	76	Db
Farnham, *N. Yorks.*	184	Ca
Farnham, *Suff.*	100	Cb
Farnham, *Sur.*	40	Ca
Farnham Royal, *Bucks.*	56	Da
Farningham, *Kent*	58	Dc
Farnley, *N. Yorks.*	183	Bb
Farnley Tyas, *W. Yorks.*	172	Db
Farnsfield, *Notts.*	150	Ca
Farnworth, *Ches.*	160	Ca
Farnworth, *Gt. Man.*	170	Dc
Farr, *Highl.*	321	Ba
Farringdon, *Dev.*	14	Da
Farrington Gurney, *Avon*	51	Ab
Farthinghoe, *N'hants.*	92	Db
Farthingloe, *Kent*	28	Da
Farthingstone, *N'hants.*	112	Dc
Fartown, *W. Yorks.*	172	Db
Farsley, *W. Yorks.*	173	Aa
Farway, *Dev.*	15	Bb
Fasach, *Highl.*	295	Ac
Fatfield, *Ty/We.*	222	Cc
Fattingley, *Derby.*	162	Ca
Faugh, *Cumb.*	218	Cc
Fauldhouse, *Loth.*	250	Cc
Faulkbourne, *Essex*	77	Bb
Faulkland, *Som.*	51	Bb
Faulsgreen, *Salop*	145	Bc
Faversham, *Kent*	45	Ab
Fawdington, *N. Yorks.*	197	Bc
Faweather, *W. Yorks.*	183	Bc
Fawfieldhead, *Staffs.*	162	Dc
Fawkham, *Kent*	59	Ac
Fawler, *Oxon.*	72	Ca
Fawley, *Berks.*	54	Ca
Fawley, *Bucks.*	73	Bc
Fawley, *Hants.*	21	Aa
Fawley Chapel, *Hf/Wor.*	88	Db
Fawsley, *N'hants.*	112	Cc
Faxfleet, *Humb.*	176	Ca
Fazeley, *Staffs.*	128	Db
Fearby, *N. Yorks.*	196	Dc
Fearn, *Highl.*	312	Cc
Fearnan, *Tay*	268	Db
Featherstone, *W. Yorks.*	174	Cb
Feckenham, *Hf/Wor.*	110	Cc
Feering, *Essex*	78	Cb
Feetham, *N. Yorks.*	195	Ba
Feizor, *N. Yorks.*	181	Ba
Felbrigg, *Norf.*	137	Ba
Felden, *Herts.*	74	Db
Felindre, *Dyfed*	84	Ca
Felindre, *Dyfed*	85	Aa
Felindre, *Powys*	106	Ca
Felindre, *W. Glam.*	64	Db
Felindref, *Dyfed*	64	Cc
Felin-foel, *Dyfed.*	64	Cb
Felixkirk, *N. Yorks.*	197	Bb
Felixstowe, *Suff.*	80	Cb
Felkington, *N'land*	243	Ba
Felling, *N'land*	222	Cb
Fell Side, *Cumb.*	202	Da
Felmersham, *Beds.*	114	Cc
Felmingham, *Norf.*	137	Bb
Felpham, *W. Sus.*	23	Ac
Felsham, *Suff.*	98	Db
Felsted, *Essex*	77	Bb
Feltham, *Gt. Lon.*	57	Ac
Felthorpe, *Norf.*	137	Bc
Felton, *Avon*	50	Db
Felton, *Hf/Wor.*	88	Da
Felton, *N'land*	232	Cb
Felton Butler, *Salop*	124	Da
Feltwell, *Norf.*	117	Ab
Fenay Bridge, *W. Yorks.*	173	Ab
Fence, *Lancs.*	182	Cc
Fencott, *Oxon.*	72	Da
Fen Ditton, *Cambs.*	96	Db
Fen Drayton, *Cambs.*	96	Ca
Fen End, *Lincs.*	110	Db
Feniton, *Dev.*	15	Ab
Fenny Bentley, *Derby.*	148	Ca
Fenny Compton, *Warks.*	92	Ca
Fenny Drayton, *Leics.*	129	Ac
Fenny Stratford, *Bucks.*	94	Cb
Fen Stanton, *Cambs.*	96	Ca
Fenton, *Cambs.*	115	Bc
Fenton, *Cumb.*	218	Cc
Fenton, *Lincs.*	165	Bb
Fenwick, *N'land*	220	Da
Fenwick, *S. Yorks.*	174	Db
Fenwick, *Strath.*	236	Da
Feock, *Corn.*	2	Db
Feorline, *Strath.*	234	Cc
Fern, *Tay*	271	Ba
Ferndale, *M. Glam.*	66	Ca
Fernham, *Oxon.*	71	Bc
Fernhill Heath, *Hf/Wor.*	109	Bc
Fernhurst, *W. Sus.*	23	Aa
Fernilea, *Highl.*	284	Ca
Ferrensby, *N. Yorks.*	184	Ca
Ferrybridge, *W. Yorks.*	174	Ca
Ferryden, *Tay*	272	Da
Ferry Hill, *Cambs.*	116	Cc
Ferryside, *Dyfed*	63	Ba
Fersfield, *Norf.*	118	Dc
Fetcham, *Sur.*	41	Ba
Fetterangus, *Gramp.*	306	Cb
Fettercairn, *Gramp.*	281	Bc
Fetteresso, *Gramp.*	282	Db
Feus of Caldhame, *Gramp.*	281	Bc
Fewston, *N. Yorks.*	183	Bb
Ffair-fach, *Dyfed*	84	Dc
Ffair-rhos, *Dyfed*	102	Db
Ffald-y-Brenin, *Dyfed*	84	Da
Ffestiniog, *Gwyn.*	141	Ba
Fforest, *Dyfed*	64	Db
Ffynnon-ddrain, *Dyfed*	83	Bc
Ffynnongroew, *Clwyd*	158	Da
Fiddington, *Som.*	33	Ba
Field, *Staffs.*	147	Bc
Field Dalling, *Norf.*	136	Da
Field Head, *Leics.*	130	Cb
Fifehead Magdalen, *Dors.*	36	Cb
Fifehead Neville, *Dors.*	36	Cc
Fife Keith, *Gramp.*	304	Cb
Fifield, *Berks.*	56	Ca
Fifield, *Oxon.*	71	Ba
Fifield Bavant, *Wilts.*	37	Ab
Figheldean, *Wilts.*	37	Ba
Fighting Cocks, *Dur.*	207	Bc
Filby, *Norf.*	138	Dc
Filey, *N. Yorks.*	188	Ca
Filgrave, *Bucks.*	94	Ca
Filkins, *Oxon.*	71	Bb
Filleigh, *Dev.*	30	Db
Fillingham, *Lincs.*	166	Cb
Fillongley, *Warks.*	111	Aa
Filton, *Avon*	68	Dc
Fimber, *Humb.*	186	Da
Fincham, *Norf.*	117	Aa
Finchampstead, *Berks.*	55	Bb
Finchingfield, *Essex*	77	Ba
Finchley, *Gt. Lon.*	57	Ba
Findern, *Derby.*	148	Dc
Findhorn, *Gramp.*	302	Ca
Findochty, *Gramp.*	304	Ca
Findon, *Gramp.*	282	Da
Findon, *W. Sus.*	23	Bb
Finedon, *N'hants.*	113	Bb
Fingest, *Bucks.*	73	Bc
Finghall, *N. Yorks.*	196	Cb
Fingland, *Cumb.*	217	Ac
Finglesham, *Kent.*	46	Db
Fingringhoe, *Essex*	78	Db
Finmere, *Oxon.*	93	Ab
Finningham, *Suff.*	98	Da
Finningley, *Notts.*	165	Aa
Finstock, *Oxon.*	72	Ca
Fintry, *Cen.*	249	Aa
Firbeck, *S. Yorks.*	164	Da
Firby, *N. Yorks.*	186	Ca
Firsby, *Lincs.*	154	Cb
Fishburn, *Dur.*	207	Bb
Fisherstreet, *W. Sus.*	23	Aa
Fisherton-de-la-Mere, *Wilts.*	37	Aa
Fishguard, *Dyfed*	82	Cb
Fishlake, *S. Yorks.*	175	Ab
Fishley, *Norf.*	120	Ca
Fishpool, *Notts.*	150	Ca
Fishtoft, *Lincs.*	134	Ca
Fiskerton, *Lincs.*	166	Dc
Fiskerton, *Notts.*	150	Da
Fitling, *Humb.*	178	Cb
Fittleton, *Wilts.*	53	Ac
Fittleworth, *W. Sus.*	23	Bb
Fitz, *Salop*	125	Aa
Fitzwilliam, *W. Yorks.*	174	Cb
Five Ashes, *E. Sus.*	25	Ba
Fivehead, *Som.*	34	Cc
Five Oak Green, *Kent*	43	Bb
Five Oaks, *W. Sus.*	23	Ba
Five Roads, *Dyfed*	64	Cb
Flackwell Heath, *Bucks.*	74	Cc
Fladbury, *Hf/Wor.*	90	Da
Flagg, *Derby.*	162	Dc
Flamborough, *Humb.*	188	Db
Flamstead, *Herts.*	75	Ab
Flansham, *W. Sus.*	23	Ac
Flasby, *N. Yorks.*	182	Db
Flash, *Staffs.*	162	Dc
Flaunden, *Herts.*	74	Db
Flawborough, *Notts.*	151	Ab
Flawith, *N. Yorks.*	184	Da
Flax Bourton, *Avon*	50	Da
Flaxby, *N. Yorks.*	184	Db
Flaxley, *Glos.*	89	Ac
Flaxton, *N. Yorks.*	185	Ba
Fleckney, *Leics.*	130	Dc
Flecknoe, *Warks.*	112	Cc
Fledborough, *Notts.*	165	Bc
Fleet, *Dors.*	17	Bc
Fleet, *Hants.*	55	Bc
Fleet, *Lincs.*	134	Cb
Fleet Hargate, *Lincs.*	134	Cb
Fleet Marston, *Bucks.*	73	Ba
Fleetwood, *Lancs.*	179	Bb
Flemingston, *S. Glam.*	66	Cc
Flempton, *Suff.*	97	Ba
Fletching, *E. Sus.*	25	Aa
Fletton, *Cambs.*	115	Aa
Flimby, *Cumb.*	201	Bb
Flint, *Clwyd*	159	Ac
Flintham, *Notts.*	150	Db
Flinton, *Humb.*	178	Cb
Flitcham, *Norf.*	135	Bb
Flitton, *Beds.*	75	Aa
Flitwick, *Beds.*	94	Db
Flixborough, *Humb.*	176	Cb
Flixton, *Gt. Man.*	161	Aa
Flixton, *Suff.*	119	Bc
Flixton, *Suff.*	120	Db
Flockton, *W. Yorks.*	173	Ab
Flockton Green, *W. Yorks.*	173	Bb
Flookburgh, *Cumb.*	192	Dc
Flordon, *Norf.*	119	Ab
Flore, *N'hants.*	112	Dc
Flowton, *Suff.*	79	Aa
Flushdyke, *W. Yorks.*	173	Bb
Flushing, *Corn.*	2	Db
Flyford Flavell, *Hf/Wor.*	109	Bc
Fobbing, *Essex*	59	Bb
Fochabers, *Gramp.*	303	Bb
Fockerby, *Humb.*	176	Cb
Fodderty, *Highl.*	300	Cb
Foddington, *Som.*	35	Aa
Foggathorpe, *Humb.*	186	Cc
Fogo, *Bord.*	242	Da
Foleshill, *W. Mid.*	111	Ba
Folkestone, *Kent*	28	Da
Folkingham, *Lincs.*	152	Dc
Folkington, *E. Sus.*	25	Bc
Folksworth, *Cambs.*	114	Da
Folkton, *N. Yorks.*	188	Ca
Follifoot, *N. Yorks.*	184	Cb
Folly Gate, *Dev.*	13	Aa
Fonaby, *Lincs.*	167	Aa
Fonthill Bishop, *Wilts.*	36	Da
Fonthill Gifford, *Wilts.*	36	Da
Fontmell Magna, *Dors.*	36	Cb
Foolow, *Derby.*	163	Ab
Foots Cray, *Gt. Lon.*	58	Dc
Ford, *Bucks.*	73	Ba
Ford, *Derby.*	164	Cb
Ford, *Dev.*	29	Bc
Ford, *Glos.*	90	Db
Ford, *Hf/Wor.*	107	Bc
Ford, *N'land*	243	Bb
Ford, *Salop*	125	Aa
Ford, *Staffs.*	147	Ba
Ford, *Strath.*	255	Bc
Ford, *W. Sus.*	23	Ac
Ford, *Wilts.*	51	Ba
Forden, *Powys*	124	Cb
Ford End, *Essex.*	77	Bb
Fordham, *Cambs.*	97	Aa
Fordham, *Essex*	78	Da
Fordham, *Norf.*	116	Da
Ford Houses, *W. Mid.*	127	Ab
Fordingbridge, *Hants.*	37	Bc
Fordon, *Humb.*	188	Cb
Fordstreet, *Essex*	78	Cb
Fordwells, *Oxon.*	71	Ba
Fordwich, *Kent*	46	Cb
Fordyce, *Gramp.*	304	Da
Foremark, *Derby.*	148	Dc
Forest Hill, *Oxon.*	73	Aa
Forest Row, *E. Sus.*	42	Dc
Forfar, *Tay.*	271	Ba
Forgan, *Fife*	271	Bc
Forgandenny, *Tay.*	260	Da
Formby, *Mers.*	169	Ac
Forncett St. Mary, *Norf.*	119	Ab
Forncett St. Peter, *Norf.*	119	Ab
Fornham All Saints, *Suff.*	98	Ca
Fornham St. Martin, *Suff.*	98	Ca
Forrabury, *Corn.*	11	Ac
Forres, *Gramp.*	302	Ca
Forsbrook, *Staffs.*	147	Ab
Forse, *Highl.*	318	Ca
Forston, *Dors.*	17	Ba
Fort Augustus, *Highl.*	288	Cc
Forteviot, *Tay.*	260	Ca
Fort George, *Highl.*	301	Ab
Forth, *Strath.*	250	Dc
Forthampton, *Glos.*	90	Cb
Fortingall, *Tay.*	268	Db
Forton, *Hants.*	38	Da
Forton, *Som.*	16	Ca
Forton, *Staffs.*	126	Da
Fortrose, *Highl.*	301	Ab
Fort William, *Highl.*	275	Ac
Fosbury, *Wilts.*	53	Bc
Foscot, *Oxon.*	91	Bc
Fosdyke, *Lincs.*	133	Ba
Foss, *Tay.*	269	Aa
Fostall, *Kent*	45	Bb
Fosterhouses, *S. Yorks.*	175	Ab
Foston, *Derby.*	148	Cc
Foston, *Leics.*	130	Cc
Foston, *Lincs.*	151	Bb
Foston, *N. Yorks.*	185	Ba
Foston-on-the-Wolds, *Humb.*	188	Cc
Fotherby, *Lincs.*	167	Bb
Fotheringhay, *N'hants.*	132	Dc
Foulby, *S. Yorks.*	174	Cb
Foulden, *Bord.*	254	Dc
Foulden, *Norf.*	117	Ba
Foulness, *Essex*	60	Da
Foulridge, *Lancs.*	182	Cc
Foulsham, *Norf.*	136	Db
Four Ashes, *Staffs.*	127	Ab
Four Crosses, *Gwyn.*	140	Cb
Four Forks, *Som.*	33	Ba
Four Oaks, *W. Mid.*	128	Cc
Fovant, *Wilts.*	37	Ab
Fowey, *Corn.*	6	Dc
Fowlis, *Tay.*	271	Ac
Fowlis Wester, *Tay.*	259	Ba
Fowlmere, *Cambs.*	96	Cc
Fownhope, *Hf/Wor.*	88	Db
Foxcote, *Bucks.*	93	Bb
Foxcott, *Hants.*	38	Ca
Foxdale, *I.O.M.*	190	Cb
Foxearth, *Essex*	98	Cc
Foxham, *Wilts.*	52	Ca
Foxholes, *N. Yorks.*	187	Bb
Foxley, *Norf.*	136	Dc
Foxley, *Wilts.*	70	Cc
Foxt, *Staffs.*	147	Bb
Foxton, *Cambs.*	96	Cc
Foxton, *Leics.*	112	Da
Foxton, *N'hants.*	113	Ab
Foxton, *N. Yorks.*	197	Ba
Foyers, *Highl.*	288	Db
Fradley, *Staffs.*	128	Ca
Fradswell, *Staffs.*	147	Bc
Fraisthorpe, *Humb.*	188	Cc
Framfield, *E. Sus.*	25	Ba
Framilode, *Glos.*	69	Ba
Framingham Earl, *Norf.*	119	Ba
Framingham Pigot, *Norf.*	119	Ba
Framlingham, *Suff.*	99	Bb
Frampton, *Dors.*	17	Ba
Frampton, *Lincs.*	133	Ba
Frampton Cotterell, *Avon*	69	Ac
Frampton Mansell, *Glos.*	70	Ca
Frampton-on-Severn, *Glos.*	69	Bc
Framsden, *Suff.*	99	Bb
Franche, *Hf/Wor.*	109	Aa
Frandley, *Ches.*	160	Db
Frankby, *Mers.*	159	Aa
Frankley, *Hf/Wor.*	109	Ba
Franks Bridge, *Powys*	104	Da
Frankton, *Warks.*	111	Bb
Frankwell, *Powys*	125	Ba
Frant, *E. Sus.*	43	Bc
Fraserburgh, *Gramp.*	306	Ca
Frating, *Essex*	79	Ac
Freckenham, *Suff.*	97	Aa
Freckleton, *Lancs.*	169	Ba
Freeby, *Leics.*	131	Ba
Freefolk, *Hants.*	54	Dc
Freeland, *Oxon.*	72	Ca
Freethorpe, *Norf.*	120	Ca
Freiston, *Lincs.*	134	Ca
Freiston Shore, *Lincs.*	134	Ca
Fremington, *Dev.*	30	Cb
Frenchay, *Avon*	51	Aa
Frensham, *Sur.*	40	Ca
Freshfield, *Mers.*	169	Ac
Freshford, *Som.*	51	Bb
Freshwater, *I.O.W.*	20	Db
Fressingfield, *Suff.*	99	Ba
Freston, *Suff.*	79	Ba
Fretherne, *Glos.*	69	Ba
Frettenham, *Norf.*	137	Bc
Freuchie, *Fife*	261	Ab
Friday Bridge, *Cambs.*	116	Ca
Fridaythorpe, *Humb.*	186	Db
Friendly, *W. Yorks.*	172	Ca
Friern Barnet, *Gt. Lon.*	57	Ba
Friesthorpe, *Lincs.*	166	Db
Frieston, *Lincs.*	152	Cb
Frieth, *Bucks.*	73	Bc
Frilford, *Oxon.*	72	Cb
Frilsham, *Berks.*	54	Da
Frimley, *Sur.*	56	Cc

PAGE SQ.

Frimley Green, Sur. . . 56 Cc
Frindsbury, Kent . . 59 Bc
Fring, Norf. . . 135 Ba
Fringford, Oxon. . . 93 Ac
Frinsted, Kent . . 44 Da
Frinton, Essex . . 80 Cc
Friockheim, Tay. . . 272 Ca
Frisby-on-the-Wreak,
  Leics. . . 130 Ba
Friskney, Lincs. . . 154 Cc
Friskney Tofts, Lincs. 154 Cc
Friston, E. Sus. . . 25 Dc
Friston, Suff. . . 100 Cb
Fritchley, Derby. . . 149 Aa
Frith Common, Hf/Wor. 108 Db
Frithelstock, Dev. . 30 Cc
Frithelstock Stone,
  Dev. . . 30 Cc
Frithville, Lincs. . . 153 Bc
Frittenden, Kent . . 44 Cc
Fritton, Norf. . . 119 Bb
Fritton, Norf. . . 120 Db
Fritwell, Oxon. . . 92 Dc
Frocester, Glos. . . 69 Ba
Frodesley, Salop . . 125 Bb
Frodingham, Humb. . 176 Cb
Frodsham, Ches. . . 160 Cb
Frog End, Cambs. . . 96 Cc
Froggatt, Derby.. . . 163 Bb
Froghall, Staffs. . . 147 Bb
Frogham, Hants. . . 37 Bc
Frogmore, Dev. . . 10 Cb
Frolesworth, Leics. . 112 Ca
Frome, Som. . . 51 Bc
Fromes Hill, Hf/Wor. 89 Aa
Frome St. Quintin,
  Dors. . . 17 Ba
Frome Vanchurch,
  Dors. . . 17 Ba
Fron, Powys . . 106 Cb
Fron Cysyllte, Clwyd 144 Cb
Frostenden, Suff. . . 120 Dc
Frosterley, Dur. . . 206 Ca
Froxfield, Hants. . . 39 Bb
Froxfield, Wilts. . . 53 Bb
Froyle, Hants. . . 40 Ca
Fryerning, Essex. . . 59 Aa
Fugglestone St. Peter,
  Wilts. . . 37 Ab
Fulbeck, Lincs. . . 152 Cb
Fulbourn, Cambs. . . 96 Db
Fulbrook, Oxon.. . . 71 Ba
Fulford, N. Yorks. . 185 Bb
Fulford, Som. . . 33 Bb
Fulford, Staffs. . . 147 Ab
Fulham, Gt. Lon. . . 57 Bc
Fulletby, Lincs. . . 153 Ba
Fullready, Warks. . . 91 Ba
Full Sutton, Humb. . 186 Cb
Fulmer, Bucks. . . 74 Dc
Fulmodeston, Norf. . 136 Db
Fulneck, W. Yorks. . 173 Aa
Fulney, Lincs. . . 133 Bb
Fulstone, W. Yorks. . 173 Ac
Fulstow, Lincs. . . 168 Cb
Fulwell, Oxon. . . 92 Cc
Fulwell, Ty/We. . . 222 Db
Fulwood, Lancs. . . 170 Ca
Fulwood, S. Yorks. . 163 Bb
Fundenhall, Norf. . . 119 Ab
Funtington, W. Sus. . 22 Da
Furnace, Strath.. . . 256 Cc
Furnace End, Warks. . 128 Bc
Furness Vale, Derby. . 162 Cb
Furneux Pelham, Herts. 76 Ca
Furtho, N'hants.. . . 93 Ba
Fyfield, Essex . . 77 Ac
Fyfield, Glos. . . 71 Bb
Fyfield, Hants. . . 38 Ca
Fyfield, Oxon. . . 72 Cb
Fyfield, Wilts. . . 53 Ab
Fyling Thorpe, N. Yorks. 200 Cb
Fyvie, Gramp. . . 305 Ac

GADDESBY, Leics. . . 130 Db
Gadshill, Kent . . 59 Bc
Gaerwen, Gwyn.. . . 156 Cb
Gailey, Staffs. . . 127 Ab
Gainford, Dur. . . 206 Dc
Gainsborough, Lincs. 165 Ba
Gairloch, Highl. . . 307 Ac
Galashiels, Bord. . . 241 Ab
Galgate, Lancs. . . 180 Db
Galhampton, Som. . . 35 Ba
Gallowhill, Tay. . . 270 Dc
Gallowstree Elm,
  Staffs. . . 109 Aa
Gallt-y-foel, Gwyn. . 156 Dc
Galmington, Som. . . 33 Bc
Galmpton, Dev. . . 9 Bc
Galmpton, Dev. . . 10 Da
Galphay, N. Yorks. . 196 Dc
Galston, Strath. . . 236 Dd
Galtrigill, Highl. . . 295 Ad
Gamblesby, Cumb. . 217 Ac
Gamblesby, Cumb. . 204 Ca
Gamesley, Derby. . . 162 Ca
Gamlingay, Cambs. . 95 Bb
Gammersgill, N. Yorks. 196 Cb
Gamston, Notts.. . . 165 Ab
Gamston, Notts.. . . 150 Cc

Ganarew, Hf/Wor. . . 88 Dc
Ganthorpe, N. Yorks. . 185 Ba
Ganton, N. Yorks. . . 187 Ba
Garboldisham, Norf. . 118 Dc
Gardenstown, Gramp. . 305 Ba
Gardham, Humb. . . 177 Aa
Gardner Street, E. Sus. 26 Cb
Gare Hill, Wilts.. . . 36 Ca
Garelochhead, Strath. . 247 Ba
Garford, Oxon. . . 72 Cb
Garforth, W. Yorks. . 174 Ca
Gargrave, N. Yorks. . 182 Db
Gargunnock, Cen. . . 259 Ac
Garlieston, Dum/Gall. 210 Db
Garlogie, Gramp. . . 293 Bc
Garmouth, Gramp. . . 303 Ba
Garnant, Dyfed . . 85 Ab
Garrafad, Highl... . . 295 Ca
Garrigill, Cumb. . . 218 Cb
Garsdon, Wilts.. . . 70 Cc
Garshall Green, Staffs. 147 Ac
Garsington, Oxon. . . 72 Db
Garstang, Lancs. . . 180 Dc
Garston, Mers. . . 160 Cb
Garth, Clwyd . . 144 Cb
Garth, Gwyn. . . 156 Db
Garth, M. Glam.. . . 65 Ba
Garth, M. Glam. . . 67 Ac
Garthbrengy, Powys . 104 Dc
Garth-gyn-fawr, Gwyn. 122 Ca
Garthmyl, Powys . . 124 Cc
Garthorpe, Humb. . . 176 Cb
Garthorpe, Leics. . . 131 Ba
Gartmore, Cen. . . 258 Cc
Gartocharn, Strath. . 248 Ca
Garton, Humb. . . 178 Cb
Garton End, Cambs. . 115 Aa
Garton-on-the-Wold,
  Humb. . . 187 Bc
Garvald, Loth. . . 253 Ab
Garve, Highl. . . 299 Ba
Garveston, Norf. . . 118 Da
Garway, Hf/Wor. . . 88 Cc
Garway Hill, Hf/Wor. . 88 Cc
Gastard, Wilts.. . . 52 Ca
Gasthorpe, Norf. . . 118 Cc
Gatacre, Salop . . 126 Dc
Gatcombe, I.O.W. . . 21 Ac
Gate Burton, Lincs. . 165 Bb
Gateforth, N. Yorks. . 174 Da
Gate Helmsley, N. Yorks. 185 Bb
Gatehouse of Fleet,
  Dum/Gall. . . 214 Cb
Gateley, Norf. . . 136 Db
Gatenby, N. Yorks. . 197 Ab
Gatesgill, Cumb. . . 217 Bc
Gateshead, Ty/We. . . 222 Cb
Gateside, Fife . . 261 Ab
Gatton, Sur. . . 42 Ca
Gattonside, Bord. . . 241 Bb
Gaulby, Leics. . . 130 Dc
Gawber, S. Yorks. . . 173 Bc
Gawcott, Bucks.. . . 93 Ab
Gawsworth, Ches. . . 162 Cc
Gawthorp, Cumb. . . 194 Cb
Gawthorpe, W. Yorks. 173 Bb
Gaydon, Warks.. . . 92 Cc
Gayhurst, Bucks. . . 94 Ca
Gayle, N. Yorks... . . 195 Ba
Gayles, N. Yorks. . . 196 Ca
Gayton, Mers. . . 159 Bc
Gayton, Norf. . . 135 Bc
Gayton, N'hants. . . 112 Dc
Gayton, Staffs. . . 147 Bc
Gayton-le-Marsh,
  Lincs. . . 168 Cc
Gayton-le-Wold,
  Lincs. . . 167 Bc
Gayton Thorpe,
  Norf. . . 135 Bc
Gaywood, Norf. . . 135 Ac
Gazeley, Suff. . . 97 Ba
Gedding, Suff. . . 98 Db
Geddington, N'hants. . 113 Ba
Gedling, Notts. . . 150 Cb
Gedney, Lincs. . . 134 Cb
Gedney Broadgate,
  Lincs. . . 134 Cb
Gedney Drove End,
  Lincs. . . 134 Cb
Gedney Dyke, Lincs. . 134 Cb
Gedney Hill, Lincs. . 133 Bc
Geldeston, Norf.. . . 120 Cb
Gellan, Gramp. . . 292 Dc
Gelligaer, M. Glam. . 66 Da
Gellywen, Dyfed . . 83 Ac
Gelston, Lincs. . . 151 Bb
Gembling, Humb. . . 188 Cc
George Green, Bucks. . 56 Da
Georgeham, Dev. . . 30 Cb
George Nympton, Dev. . 31 Ba
Gerlan, Gwyn. . . 156 Dc
Germansweek, Dev. . 12 Db
Germoe, Corn. . . 2 Db
Gerrans, Corn. . . 4 Db
Gerrards Cross, Bucks. 74 Dc
Gestingthorpe, Essex 78 Ca
Gibraltar, Lincs. . . 154 Ab
Gibsmere, Notts.. . . 150 Db

Giddeahall, Wilts. . . 52 Ca
Gidleigh, Dev. . . 13 Ba
Gifford, Loth. . . 252 Db
Giggleswick, N. Yorks. 182 Cc
Gilberdike, Humb. . . 175 Ba
Gilcrux, Cumb. . . 201 Ba
Gildersome, W. Yorks. 173 Aa
Gildingwells, S. Yorks. 164 Db
Gileston, S. Glam. . . 66 Cc
Gilgarran, Gramp. . . 201 Bb
Gillamoor, N. Yorks. . 198 Db
Gilling, N. Yorks. . . 196 Ca
Gilling, N. Yorks. . . 198 Cc
Gillingham, Dors. . . 36 Cb
Gillingham, Kent . . 59 Bc
Gillingham, Norf. . . 120 Cb
Gills, Highl. . . 324 Ca
Gilmerton, Loth. . . 251 Bb
Gilmerton, Tay. . . 259 Ba
Gilmonby, Dur.. . . 206 Cc
Gilmorton, Leics. . . 112 Ca
Gilstead, W. Yorks. . 183 Ac
Gilston, Herts. . . 76 Db
Gilwern, Powys . . 67 Aa
Gimingham, Norf. . . 138 Ca
Gipping, Suff. . . 99 Ab
Girton, Cambs. . . 96 Ca
Girton, Notts. . . 165 Bc
Girvan, Strath. . . 223 Bb
Gisburn, Lancs. . . 182 Cb
Gisleham, Suff.. . . 120 Db
Gislingham, Suff. . . 99 Aa
Gissing, Norf.. . . 119 Ac
Gittisham, Dev. . . 15 Bb
Gladestry, Powys . . 106 Dc
Gladsmuir, Loth. . . 252 Db
Glais, W. Glam. . . 85 Ac
Glaisdale, N. Yorks. . 198 Da
Glamis, Tay. . . 271 Bb
Glanaman, Dyfed . . 64 Da
Glandford, Norf. . . 136 Da
Glangrwyney, Powys . 87 Ac
Glanton, N'land . . . 231 Ba
Glanvilles Wootton,
  Dors. . . 35 Bc
Glapthorn, N'hants. . 114 Ca
Glapton, Notts. . . 150 Cc
Glapwell, Derby.. . . 164 Cc
Glasbury, Powys . . 87 Ab
Glascoed, Gwent . . 67 Bb
Glascote, Warks. . . 128 Db
Glascwm, Powys . . 104 Da
Glasgow, Strath.. . . 248 Db
Glashvin, Highl.. . . 296 Ca
Glaspant, Dyfed . . 83 Ab
Glasserton, Dum/Gall. 210 Db
Glass Houghton,
  W. Yorks. . . 174 Ca
Glasson, Cumb. . . 217 Ab
Glassonby, Cumb. . . 204 Ca
Glaston, Leics. . . 131 Bc
Glastonbury, Som. . . 34 Da
Glasynfryn, Gwyn. . . 156 Dc
Glazebrook, Lancs. . 114 Da
Glazebury, Lancs. . . 161 Aa
Glazeley, Salop . . 108 Da
Gleadless, S. Yorks. . 164 Cb
Gleaston, Cumb. . . 179 Ba
Gledrid, Salop . . 144 Cc
Gleinant, Powys . . 123 Ac
Glemsford, Suff.. . . 98 Cc
Glenbarr, Strath. . . 233 Ab
Glenboig, Strath. . . 249 Bb
Glencaple, Dum/Gall. . 216 Cb
Glencarse, Tay. . . 261 Aa
Glencoe, Highl. . . 266 Ca
Glencorse, Loth... . . 251 Bc
Glendevon, Tay. . . 260 Db
Gleneagles, Tay.. . . 260 Cb
Glenelg, Highl. . . 285 Bb
Glenfarg, Tay.. . . 260 Db
Glenfield, Leics. . . 130 Cb
Glengarnock, Strath. . 236 Ca
Glenholm, Bord.. . . 239 Bb
Glen of Newmill,
  Gramp. . . 304 Cb
Glenridding, Cumb. . 203 Ac
Glenrothes, Fife . . 261 Ab
Glentham, Lincs. . . 166 Da
Glentworth, Lincs. . 165 Ba
Glewstone, Hf/Wor. . 88 Dc
Glinton, Cambs. . . 115 Aa
Globwll, Powys . . 124 Cb
Glooston, Leics. . . 131 Ac
Glossop, Derby. . . 162 Ba
Gloucester, Glos. . . 89 Bc
Glusburn, N. Yorks. . 182 Dc
Glympton, Oxon. . . 92 Cc
Glynde, E. Sus. . . 25 Bb
Glyn Dyfrdwy, Clwyd 143 Bb
Glyn Neath, W. Glam. 85 Bb
Gnosall, Staffs. . . 126 Ca
Gnosall Heath,
  Staffs. . . 126 Ca
Goadby, Leics. . . 131 Ac
Goadby Marwood,
  Leics. . . 131 Aa
Goatacre, Wilts. . . 52 Db
Goathill, Dors. . . 35 Bc
Goathland, N. Yorks. . 199 Ba
Goathurst, Som. . . 33 Bb

Gobowen, Salop . . 144 Cc
Godalming, Sur... . . 41 Ab
Godden Green, Kent . 43 Aa
Godington, Oxon. . . 93 Ac
Godmanchester, Cambs.. 95 Ba
Godmanstone, Dors. . 17 Ba
Godmersham, Kent . . 45 Bc
Godolphin Cross,
  Corn. . . 2 Cb
Godre'r-graig, W. Glam. 85 Ab
Godshill, Hants.. . . 37 Bc
Godshill, I.O.W. . . 21 Bc
Godstone, Sur. . . 42 Db
Golborne, Gt. Man. . 160 Da
Golcar, W. Yorks. . . 172 Db
Goldcliff, Gwent . . 67 Bc
Golden Hill, Staffs. . 146 Da
Golden Valley, Glos. . 90 Cc
Golders Green, Gt. Lon.. 57 Bb
Goldhanger, Essex . . 78 Cc
Goldington, Beds. . . 94 Da
Goldsborough, N. Yorks. 200 Ca
Goldsborough, N. Yorks. 184 Cb
Goldsithney, Corn. . 1 Bc
Goldthorpe, S. Yorks. . 174 Cc
Golspie, Highl. . . 312 Ca
Gomeldon, Wilts. . . 37 Ba
Gomersal, W. Yorks. . 173 Aa
Gomshall, Sur. . . 41 Bb
Gonalston, Notts. . . 150 Db
Good Easter, Essex . . 77 Ac
Gooderstone, Norf. . 117 Ba
Goodleigh, Dev.. . . 30 Db
Goodmanham, Humb. . 186 Dc
Goodnestone, Kent . . 45 Bb
Goodnestone, Kent . . 46 Cb
Goodrich, Hf/Wor. . . 88 Dc
Goodshaw, Lancs. . . 171 Ba
Goodwick, Dyfed . . 82 Cb
Goodworth Clatford,
  Hants. . . 38 Ca
Goole, Humb. . . 175 Ba
Goolefields, Humb. . 175 Bb
Goonhavern, Corn. . 2 Da
Goosenam, Corn. . . 11 Ba
Goosey, Oxon. . . 72 Cc
Goosnargh, Lancs. . . 180 Dc
Goostrey-cum-Barnshaw,
  Ches. . . 161 Bc
Gordon, Bord. . . 242 Ca
Gorebridge, Loth. . . 252 Cc
Gorefield, Cambs. . . 134 Cc
Goring, Oxon . . 55 Aa
Goring, W. Sus. . . 23 Bc
Gorleston, Norf.. . . 120 Da
Gornalwood, W. Mid. . 127 Ac
Gorseinon, W. Glam. . 64 Db
Gorsley, Glos. . . 89 Ac
Gorsley Common,
  Hf/Wor. . . 89 Ab
Gorsty Common,
  Hf/Wor. . . 88 Cb
Gorton, Gt. Man. . . 162 Ca
Gosbeck, Suff.. . . 99 Ab
Gosberton, Lincs. . . 133 Bb
Gosfield, Essex . . 77 Ba
Gosforth, Cumb. . . 191 Ba
Gosmore, Herts. . . 75 Ba
Gosport, Dyfed . . 63 Aa
Gosport, Hants. . . 21 Ba
Gosport, Hants. . . 38 Dc
Gossington, Glos. . . 69 Ab
Goswick, N'land . . . 244 Ca
Gotham, Notts. . . 150 Cc
Gotherington, Glos. . 90 Cb
Goudhurst, Kent. . . 44 Cc
Goulceby, Lincs. . . 153 Ba
Gourdon, Gramp. . . 282 Cc
Gourock, Strath. . . 247 Bb
Govan, Strath. . . 248 Dc
Goverton, Notts. . . 150 Db
Govilon, Gwent . . 67 Ba
Gowanbank, Tay. . . 272 Cb
Gowdall, Humb. . . 174 Db
Gowerton, W. Glam. . 64 Db
Gowthorpe, Humb. . 186 Cb
Goxhill, Humb. . . 177 Ba
Goxhill, Humb. . . 177 Ba
Goxhill Haven, Humb. 177 Bb
Goytre, W. Glam. . . 67 Ba
Gradbach, Staffs. . . 162 Cc
Grade, Corn. . . 3 Bc
Graffham, W. Sus. . . 23 Ab
Grafham, Cambs. . . 95 Aa
Grafton, Hf/Wor. . . 90 Db
Grafton, N. Yorks. . . 184 Da
Grafton, Oxon. . . 71 Ab
Grafton, Salop . . 125 Aa
Grafton Flyford,
  Hf/Wor. . . 109 Bc
Grafton Regis, N'hants.. 93 Ba
Grafton Underwood,
  N'hants. . . 113 Ab
Grahamston, Cen. . . 250 Ca
Grain, Kent . . 60 Cc
Grainthorpe, Lincs. . 168 Cb
Grampound, Corn. . 6 Cc
Granborough, Bucks. . 93 Bc
Granby, Notts. . . 150 Db
Grandborough, Warks.. 112 Cb
Grange, Cumb. . . 202 Dc

	PAGE	SQ.
Grange, *Highl.*	288	Ca
Grange, *Mers.*	159	Aa
Grange Mill, *Derby.*	148	Da
Grangemouth, *Cen.*	250	Ca
Grange-over-sands, *Cumb.*	193	Ac
Grangetown, *S. Glam.*	49	Aa
Granston, *Dyfed.*	81	Bb
Grantchester, *Cambs.*	96	Cb
Grantham, *Lincs.*	151	Bc
Granton, *Loth.*	251	Bb
Grantown on Spey, *Highl.*	290	Da
Grappenhall, *Ches.*	160	Da
Grasby, *Lincs.*	167	Aa
Grasmere, *Cumb.*	192	Da
Grassington, *N. Yorks.*	182	Da
Grassmoor, *Derby.*	164	Cc
Grassthorpe, *Notts.*	165	Bc
Grately, *Hants.*	38	Ca
Gratwich, *Staffs.*	147	Bc
Graveley, *Cambs.*	95	Ba
Graveley, *Herts.*	75	Ba
Gravelly Hill, *W. Mid.*	128	Cc
Graveney, *Kent*	45	Bb
Gravesend, *Kent*	59	Ac
Grayingham, *Lincs.*	166	Ca
Grays, *Essex*	59	Ab
Grayshott, *Hants.*	40	Db
Grayswood, *Sur.*	40	Db
Grazeley, *Berks.*	55	Ab
Greasbrough, *S. Yorks.*	164	Ca
Greasby, *Mers.*	159	Aa
Greasley, *Notts.*	149	Bb
Great Abington, *Cambs.*	96	Dc
Great Addington, *N'hants.*	114	Cb
Great Alne, *Warks.*	110	Cc
Great Alcar, *Lancs.*	169	Ac
Great Amwell, *Herts.*	76	Cc
Great Asby, *Cumb.*	204	Dc
Great Ashbocking, *Suff.*	99	Bc
Great Ashfield, *Suff.*	98	Da
Great Ayton, *N. Yorks.*	208	Dc
Great Baddow, *Essex*	77	Bc
Great Badminton, *Avon*	69	Bc
Great Bardfield, *Essex*	77	Ba
Great Barford, *Beds.*	95	Ab
Great Barr, *W. Mid.*	127	Bc
Great Barrington, *Glos.*	71	Ba
Great Barrow, *Ches.*	160	Cc
Great Barton, *Suff.*	98	Ca
Great Barugh, *N. Yorks.*	198	Dc
Great Bealings, *Suff.*	99	Bc
Great Bedwyn, *Wilts.*	53	Bb
Great Bentley, *Essex*	79	Bc
Great Billing, *N'hants.*	113	Bc
Great Bircham, *Norf.*	135	Bb
Great Blakenham, *Suff.*	99	Ac
Great Bolas, *Salop*	126	Ca
Great Bookham, *Sur.*	41	Ba
Great Bourton, *Oxon.*	92	Ca
Great Bowden, *Leics.*	113	Aa
Great Bradley, *Suff.*	97	Ab
Great Braxted, *Essex*	78	Cc
Great Bricett, *Suff.*	98	Dc
Great Brickhill, *Bucks.*	94	Cb
Great Bridgeford, *Staffs.*	146	Dc
Great Brington, *N'hants.*	112	Dc
Great Bromley, *Essex*	79	Ab
Great Budworth, *Ches.*	161	Ab
Great Burdon, *Dur.*	207	Ac
Great Burstead, *Essex*	59	Ba
Great Busby, *N. Yorks.*	197	Ba
Great Canfield, *Essex*	77	Ab
Great Carleton, *Lancs.*	179	Bc
Great Carlton, *Lincs.*	168	Cc
Great Casterton, *Leics.*	132	Cb
Great Chart, *Kent*	27	Ba
Great Chatwell, *Staffs.*	126	Da
Great Chesterford, *Essex*	96	Dc
Great Cheverell, *Wilts.*	52	Db
Great Chishall, *Cambs.*	96	Cc
Great Clacton, *Essex*	79	Bc
Great Clifton, *Cumb.*	201	Bb
Great Coates, *Humb.*	167	Ba
Great Comberton, *Hf/Wor.*	90	Ca
Great Corby, *Cumb.*	218	Cc
Great Cornard, *Suff.*	98	Cc
Great Cowden, *Humb.*	178	Ca
Great Coxwell, *Oxon.*	71	Bc
Great Crakehall, *N. Yorks.*	196	Db
Great Cransley, *N'hants.*	113	Bb
Great Creaton, *N'hants.*	112	Db
Great Cressingham, *Norf.*	118	Ca
Great Crosby, *Mers.*	169	Ac
Great Cubley, *Derby.*	148	Cb
Great Dalby, *Leics.*	131	Aa
Great Danegate, *Kent*	43	Bc
Great Doddington, *N'hants.*	113	Bc
Great Dodford, *Hf/Wor.*	109	Bb
Great Driffield, *Humb.*	187	Bc
Great Dunham, *Norf.*	136	Cc
Great Dunmow, *Essex*	77	Ab
Great Durnford, *Wilts.*	37	Ba
Great Easton, *Essex*	77	Ab
Great Easton, *Leics.*	131	Bc
Great Eccleston, *Lancs.*	180	Cc
Great Edston, *N. Yorks.*	198	Db
Great Ellingham, *Norf.*	118	Db
Great Elm, *Som.*	51	Bc
Great Everdon, *N'hants.*	112	Cc
Great Eversden, *Cambs.*	96	Cb
Great Fencote, *N. Yorks.*	196	Db
Great Finborough, *Suff.*	98	Db
Greatford, *Lincs.*	132	Db
Great Fransham, *Norf.*	136	Cc
Great Gaddesden, *Herts.*	74	Da
Great Gidding, *Cambs.*	114	Da
Great Glemham, *Norf.*	100	Cb
Great Glen, *Leics.*	130	Dc
Great Gonerby, *Lincs.*	151	Bc
Great Gransden, *Cambs.*	95	Bb
Great Habton, *N. Yorks.*	198	Dc
Great Hale, *Lincs.*	152	Db
Great Hallingbury, *Essex*	76	Db
Greatham, *Cleve.*	208	Cb
Greatham, *Hants.*	40	Cb
Great Hampden, *Bucks.*	74	Cb
Great Hampton, *Hf/Wor.*	90	Da
Great Hanwood, *Salop*	125	Ab
Great Harrowden, *N'hants.*	113	Bb
Great Harwood, *Lancs.*	170	Da
Great Haseley, *Oxon.*	73	Ab
Great Hatfield, *Humb.*	178	Ca
Great Haywood, *Staffs.*	127	Ba
Great Heck, *N. Yorks.*	174	Db
Great Henny, *Essex*	78	Ca
Great Holland, *Essex*	79	Bc
Great Horkesley, *Essex*	78	Da
Great Horton, *W. Yorks.*	172	Da
Great Horwood, *Bucks.*	93	Bb
Great Houghton, *N'hants.*	113	Ac
Great Houghton, *S. Yorks.*	174	Cc
Great Hucklow, *Derby.*	163	Ab
Great Kelk, *Humb.*	188	Cc
Great Kimble, *Bucks.*	74	Cb
Great Langton, *N. Yorks.*	196	Da
Great Limber, *Lincs.*	167	Aa
Great Linford, *Bucks.*	94	Cb
Great Livermere, *Suff.*	98	Ca
Great Longstone, *Derby.*	163	Ac
Great Lumley, *Dur.*	222	Cc
Great Malvern, *Hf/Wor.*	89	Ba
Great Maplestead, *Essex*	78	Ca
Great Massingham, *Norf.*	135	Bb
Great Melton, *Norf.*	119	Aa
Great Milton, *Oxon.*	73	Ab
Great Missenden, *Bucks.*	74	Cb
Great Munden, *Herts.*	76	Cb
Great Musgrave, *Cumb.*	204	Dc
Great Ness, *Salop*	125	Aa
Great Oakley, *Essex*	79	Bb
Great Offley, *Herts.*	75	Aa
Great Ormside, *Lincs.*	204	Dc
Great Orton, *Cumb.*	217	Bc
Great Ouseburn, *N. Yorks.*	184	Da
Great Oxendon, *N'hants.*	113	Aa
Great Parndon, *Essex*	76	Cc
Great Paxton, *Cambs.*	95	Ba
Great Plumpton, *Lancs.*	169	Ba
Great Plumstead, *Norf.*	119	Ba
Great Ponton, *Lincs.*	152	Cc
Great Preston, *W. Yorks.*	174	Ca
Great Raveley, *Cambs.*	115	Bc
Great Ridge, *Wilts.*	36	Da
Great Rissington, *Glos.*	71	Aa
Great Rollright, *Oxon.*	91	Bc
Great Rowsley, *Derby.*	163	Bc
Great Ryburgh, *Norf.*	136	Db
Great Saling, *Essex*	77	Bb
Great Salkeld, *Cumb.*	204	Ca
Great Sampford, *Essex*	77	Aa
Great Sankey, *Ches.*	160	Da
Great Saughall, *Ches.*	159	Bc
Great Saxham, *Suff.*	97	Bb
Great Shelford, *Cambs.*	96	Db
Great Sherston, *Wilts.*	70	Cc
Great Smeaton, *N. Yorks.*	197	Aa
Great Snoring, *Norf.*	136	Db
Great Somerford, *Wilts.*	70	Cc
Great Soudley, *Salop*	146	Cc
Great Stainton, *Dur.*	207	Bb
Great Stambridge, *Essex*	60	Ca
Great Staughton, *Cambs.*	95	Aa
Great Steeping, *Lincs.*	154	Cb
Great Streeton, *Leics.*	130	Dc
Great Strickland, *Cumb.*	204	Cb
Great Stukeley, *Cambs.*	115	Ac
Great Sturton, *Lincs.*	153	Aa
Great Tew, *Oxon.*	92	Cc
Great Tey, *Essex*	78	Cb
Great Thurlow, *Suff.*	97	Ab
Great Torrington, *Dev.*	30	Cc
Great Totham, *Essex*	78	Cc
Great Urswick, *Cumb.*	192	Dc
Great Usworth, *Ty/We.*	222	Cb
Great Wakering, *Essex*	60	Db
Great Waldingfield, *Suff.*	98	Cc
Great Walsingham, *Norf.*	136	Da
Great Waltham, *Essex*	77	Bc
Great Warley Street, *Essex*	59	Aa
Great Washbourne, *Glos.*	90	Db
Great Weldon, *N'hants.*	113	Ba
Great Welnetham, *Suff.*	98	Cb
Great Wenham, *Suff.*	79	Aa
Great Whittington, *N'land*	220	Dc
Great Wigborough, *Essex*	78	Dc
Great Wilbraham, *Cambs.*	96	Db
Great Wishford, *Wilts.*	37	Aa
Great Witchingham, *Norf.*	137	Ac
Great Witcombe, *Glos.*	90	Cc
Great Witley, *Hf/Wor.*	108	Db
Great Wolford, *Warks.*	91	Bb
Greatworth, *N'hants.*	92	Db
Great Wratting, *Suff.*	97	Ac
Great Wymondley, *Herts.*	75	Ba
Great Wyrley, *Staffs.*	127	Bb
Great Yarmouth, *Norf.*	120	Da
Great Yeldham, *Essex*	77	Ba
Green End, *Cambs.*	115	Ac
Green End, *Cambs.*	114	Da
Greenend, *Oxon.*	91	Bc
Greenfield, *Beds.*	75	Aa
Greenfield, *Clwyd*	159	Ab
Greenford, *Gt. Lon.*	57	Ab
Greengairs, *Strath.*	249	Bb
Greengate, *Norf.*	136	Dc
Greenhalgh, *Lancs.*	180	Cc
Greenham, *Som.*	33	Ac
Green Hammerton, *N. Yorks.*	184	Db
Greenhaugh, *N'land*	230	Cc
Greenhead, *N'land*	218	Db
Greenhill, *Derby.*	163	Bb
Greenhill, *Dum/Gall.*	216	Ca
Greenhithe, *Kent*	59	Ac
Greenlaw, *Bord.*	242	Ca
Greenloaning, *Tay.*	259	Bb
Greenock, *Strath.*	247	Bb
Greenodd, *Cumb.*	192	Dc
Green Ore, *Som.*	50	Dc
Greensgate, *Norf.*	137	Ac
Greenside, *Ty/We.*	221	Bb
Greens Norton, *N'hants.*	93	Aa
Greenstead, *Essex*	78	Db
Greensted, *Essex*	76	Dc
Greenstreet Green, *Gt. Lon.*	43	Aa
Greenway, *Som.*	34	Cc
Greenwich, *Gt. Lon.*	58	Cb
Greet, *Glos.*	108	Cb
Greetham, *Leics.*	131	Bb
Greetham, *Lincs.*	153	Ba
Greetland, *W. Yorks.*	172	Db
Greetwell, *Lincs.*	166	Dc
Greinton, *Som.*	34	Cb
Grenaby, *I.O.M.*	190	Db
Grendon, *N'hants.*	113	Bc
Grendon, *Warks.*	128	Db
Grendon Bishop, *Hf/Wor.*	108	Cc
Grendon Green, *Hf/Wor.*	108	Cc
Grendon Underwood, *Bucks.*	93	Ac
Grenoside, *S. Yorks.*	163	Ba
Gresford, *Clwyd.*	144	Ca
Gresham, *Norf.*	137	Ba
Gressenhall, *Norf.*	136	Dc
Gressenhall Green, *Norf.*	136	Dc
Gressingham, *Lancs.*	180	Da
Gretna Green, *Dum/Gall.*	217	Bb
Gretton, *Glos.*	90	Db
Gretton, *N'hants.*	131	Bc
Grewelthorpe, *N. Yorks.*	196	Dc
Grey Green, *Humb.*	175	Bc
Greylake, *Som.*	34	Cb
Greysouthen, *Cumb.*	201	Bb
Greystoke, *Cumb.*	203	Bb
Greystone, *Tay.*	272	Cb
Greywell, *Hants.*	55	Bc
Gribthorpe, *Humb.*	186	Cc
Griff, *Warks.*	111	Ba
Griffithstown, *Gwent*	67	Bb
Grimley, *Hf/Wor.*	109	Ac
Grimoldby, *Lincs.*	168	Cc
Grimsargh, *Lancs.*	170	Ca
Grimsbury, *Oxon.*	92	Cb
Grimsby, *Humb.*	167	Ba
Grimscote, *N'hants.*	93	Aa
Grimscott, *Corn.*	11	Ba
Grimsthorpe, *Lincs.*	132	Da
Grimston, *Leics.*	130	Da
Grimston, *Norf.*	135	Bb
Grimston Smithy, *N. Yorks.*	185	Bb
Grimstone, *Dors.*	17	Ba
Grindale, *Humb.*	188	Cb
Grindle, *Salop*	126	Db
Grindleford Bridge, *Derby.*	163	Ab
Grindleton, *Lancs.*	181	Bc
Grindleybrook, *Salop*	145	Ab
Grindlow, *Derby.*	163	Ab
Grindon, *Cleve.*	207	Bb
Grindon, *Staffs.*	147	Ba
Grindsbrook Booth, *Derby.*	162	Da
Gringley-on-the-Hill, *Notts.*	165	Ba
Grinsdale, *Cumb.*	217	Bb
Grinshill, *Salop*	125	Ba
Grinton, *N. Yorks.*	195	Ba
Gristhorpe, *N. Yorks.*	188	Ca
Griston, *Norf.*	118	Ca
Grittenham, *Wilts.*	70	Dc
Grittleton, *Wilts.*	70	Cc
Grizebeck, *Cumb.*	192	Cb
Grizedale, *Cumb.*	192	Db
Groby, *Leics.*	130	Cb
Groeslon, *Gwyn.*	156	Cc
Groeson, *Gwyn.*	140	Ca
Groeswen, *M. Glam.*	66	Da
Gronant, *Clwyd*	158	Da
Groombridge, *E. Sus.*	43	Ac
Grosmont, *Gwent*	88	Cc
Grosmont, *N. Yorks.*	199	Bb
Groton, *Suff.*	98	Dc
Grove, *Bucks.*	94	Cc
Grove, *Notts.*	165	Bb
Grove, *Oxon.*	72	Cc
Grundisburgh, *Suff.*	99	Bc
Guestling, *E. Sus.*	27	Ac
Guestling Green, *E. Sus.*	26	Db
Guestwick, *Norf.*	136	Db
Guide, *Lancs.*	170	Da
Guide Post, *N'land*	232	Dc
Guilden Morden, *Cambs.*	95	Bc
Guilden Sutton, *Ches.*	160	Cc
Guildford, *Sur.*	41	Ab
Guilsborough, *N'hants.*	112	Db
Guilsfield, *Powys*	124	Cb
Guisborough, *Cleve.*	199	Aa
Guiseley, *W. Yorks.*	183	Bc
Guist, *Norf.*	136	Db
Guiting Power, *Glos.*	90	Dc
Gullane, *Loth.*	252	Da
Gulval, *Corn.*	1	Bb
Gumfreston, *Dyfed*	62	Db
Gumley, *Leics.*	112	Da
Gunby, *Lincs.*	131	Ba
Gunby, *Lincs.*	154	Cb
Gun Hill, *E. Sus.*	25	Bb
Gunn, *Dev.*	30	Db
Gunnerside, *N. Yorks.*	195	Ba
Gunnerton, *N'land*	220	Ca
Gunness, *Humb.*	176	Cb
Gunnislake, *Corn.*	8	Ca
Gunthorpe, *Humb.*	165	Ba
Gunthorpe, *Norf.*	136	Da
Gunthorpe, *Notts.*	150	Db
Gunville, *I.O.W.*	21	Ab
Gunwalloe, *Corn.*	2	Cc
Gurney Slade, *Som.*	51	Ac
Gussage All Saints, *Dors.*	19	Aa
Gussage St. Michael, *Dors.*	36	Dc
Guston, *Kent*	28	Da
Guthrie, *Tay.*	272	Ca
Guyhirn, *Cambs.*	116	Ca
Guyzance, *N'land*	232	Cb
Gwaelod-y-garth, *M. Glam.*	66	Db
Gwaenysgor, *Clwyd*	158	Da
Gwalchmai, *Gwyn.*	155	Bb
Gwaun-cae-gurwen, *W. Glam.*	85	Ab
Gweek, *Corn.*	2	Dc
Gwenddwr, *Powys*	104	Db
Gwennap, *Corn.*	2	Db
Gwenter, *Corn.*	3	Bc
Gwernesney, *Gwent*	68	Cb

Gwernogle, *Dyfed* . 84 Cb
Gwinear, *Corn.* . . 2 Cb
Gwithian, *Corn.* . . 2 Cb
Gwyrgrug, *Dyfed* . 84 Cb
Gwytherin, *Clwyd* . 157 Bb
Gyffin, *Gwyn.* . . 157 Ab
Gyffyliog, *Clwyd.* . 143 Aa

HABBERLEY, *Salop* . 125 Cb
Habergham Eaves,
Lancs. . . . 171 Ba
Habrough, *Humb.* . 167 Aa
Haccombe, *Dev.* . . 14 Dc
Hacconby, *Lincs.* . 132 Da
Haceby, *Lincs.* . . 152 Cc
Hacheston, *Suff.* . . 100 Cb
Hackenthorpe, *S. Yorks.* 164 Cb
Hackford, *Norf.* . . 118 Da
Hackforth, *N. Yorks.* . 196 Db
Hackington, *Kent* . 45 Bb
Hackleton, *N'hants.* . 113 Ac
Hackness, *N. Yorks.* . 200 Cc
Hackney, *Gt. Lon.* . 58 Cb
Hackthorn, *Lincs.* . 166 Db
Hackthorpe, *Cumb.* . 204 Cb
Haddenham, *Bucks.* . 73 Ba
Haddenham, *Cambs.* . 116 Cc
Haddington, *Lincs.* . 151 Ba
Haddington, *Loth.* . 252 Db
Haddiscoe, *Norf.* . 120 Cb
Haddon, *Cambs.* . . 115 Ab
Hadfield, *Derby.* . . 162 Da
Hadleigh, *Essex* . . 60 Cb
Hadleigh, *Suff.* . . 98 Dc
Hadley, *Hf/Wor.* . . 109 Ab
Hadley, *Salop* . . 126 Cb
Hadley End, *Staffs.* . 128 Ca
Hadlow, *Kent* . . 43 Bb
Hadlow Down, *E. Sus.* . 25 Ba
Hadnall, *Salop* . . 125 Ba
Hadstock, *Essex* . . 96 Dc
Hadzor, *Hf/Wor.* . 109 Bc
Hagley, *Hf/Wor.* . . 88 Da
Hagley, *Hf/Wor.* . . 109 Ba
Hagnaby, *Lincs.* . . 153 Bb
Hagworthingham,
Lincs. . . . 153 Ba
Haigh, *Gt. Man.* . 170 Cc
Haigh, *S. Yorks.* . . 173 Bb
Hailes, *Glos.* . . . 90 Db
Hailey, *Herts.* . . 76 Cc
Hailey, *Oxon.* . . 72 Ca
Hailsham, *E. Sus.* . 25 Bb
Hail Weston, *Cambs.* . 95 Aa
Haine, *Kent* . . . 46 Da
Hainford, *Norf.* . . 137 Bc
Hainton, *Lincs.* . . 167 Bc
Hainworth, *W. Yorks.* . 183 Ac
Halam, *Notts.* . . 150 Da
Halberton, *Dev.* . . 32 Db
Halcro, *Highl.* . . 324 Cb
Hale, *Ches.* . . . 160 Cb
Hale, *Cumb.* . . . 191 Ba
Hale, *Cumb.* . . . 193 Bc
Hale, *Gt. Man.* . . 161 Ba
Hale, *Hants.* . . . 37 Bc
Hale, *Sur.* . . . 56 Cc
Halebarns, *Gt. Man.* . 161 Ba
Hale End, *Gt. Lon.* . 58 Cb
Hale Green, *E. Sus.* . 25 Bb
Hales, *Norf.* . . . 120 Cb
Hales, *Staffs.* . . 146 Cc
Halesowen, *W. Mid.* . 109 Ba
Halesworth, *Suff.* . 100 Ca
Halewood, *Mers.* . . 160 Ca
Half Morton, *Dum/Gall.* . 217 Da
Halford, *Salop* . . 107 Ba
Halford, *Warks.* . . 91 Ba
Halifax, *W. Yorks.* . 172 Da
Halkin, *Clwyd* . . 159 Ac
Halkirk, *Highl.* . . 323 Bb
Hallaton, *Leics.* . . 131 Ac
Hallatrow, *Avon* . . 51 Ab
Hall Cliffe, *W. Yorks.* . 173 Bb
Hallen, *Avon* . . . 68 Dc
Hallin, *Highl.* . . 295 Ab
Halling, *Kent* . . 44 Ca
Hallington, *Lincs.* . 167 Bc
Hallington, *N'land* . 220 Da
Halliwell, *Gt. Man.* . 170 Dc
Halloughton, *Notts.* . 150 Da
Hallow, *Hf/Wor.* . . 109 Ac
Hallwood Green,
Hf/Wor. . . . 89 Ab
Halmer End, *Staffs.* . 146 Cb
Halmonds Frome,
Hf/Wor. . . . 89 Aa
Halmore, *Glos.* . . 69 Ab
Halnaker, *W. Sus.* . 23 Ab
Halsall, *Lancs.* . . 169 Bc
Halse, *Som.* . . . 33 Ab
Halsham, *Humb.* . . 178 Cc
Halstead, *Essex* . . 78 Ca
Halstead, *Kent* . . 43 Aa
Halstead, *Leics.* . . 131 Ab
Halstock, *Dors.* . . 35 Ac
Haltham, *Lincs.* . . 153 Bb
Halton, *Bucks.* . . 74 Ca
Halton, *Ches.* . . 160 Db
Halton, *Lancs.* . . 180 Da
Halton, *N'land* . . 220 Db

Halton, *W. Yorks.* . 173 Ba
Halton Gill, *N. Yorks.* . 195 Ac
Halton Holegate,
Lincs. . . . 154 Cb
Haltwhistle, *N'land* . 219 Bb
Halvergate, *Norf.* . 120 Ca
Halwell, *Dev.* . . 10 Cb
Halwill, *Dev.* . . 12 Db
Ham, *Glos.* . . . 69 Ab
Ham, *Gt. Lon.* . . 57 Ac
Ham, *Kent* . . . 46 Db
Ham, *Som.* . . . 51 Ac
Ham, *Wilts.* . . . 54 Cb
Hamble, *Hants.* . . 21 Aa
Hambleden, *Bucks.* . 73 Bc
Hambledon, *Hants.* . 39 Bc
Hambledon, *Sur.* . 40 Da
Hambleton, *Lancs.* . 180 Cc
Hambleton, *N. Yorks.* . 174 Da
Hambridge, *Som.* . 34 Cc
Hambrook, *Avon* . . 69 Ac
Ham Common, *Dors.* . 36 Cb
Hameringham, *Lincs.* . 153 Bb
Hamerton, *Cambs.* . 114 Da
Hamilton, *Strath.* . 249 Bc
Hamlet, *Dev.* . . 15 Bb
Hammersmith, *Gt. Lon.* . 57 Bb
Hammerwich, *Staffs.* . 128 Cb
Hammoon, *Dors.* . 36 Cc
Hampden Row, *Bucks.* . 74 Cb
Hampnett, *Glos.* . . 71 Aa
Hampole, *S. Yorks.* . 174 Dc
Hampreston, *Dors.* . 19 Ba
Hampstead, *Gt. Lon.* . 57 Bb
Hampstead Heath,
Gt. Lon. . . . 57 Bb
Hampstead Marshall,
Berks. . . . 54 Ca
Hampstead Norris,
Berks. . . . 54 Da
Hampsthwaite, *N. Yorks.* 184 Cb
Hampton, *Gt. Lon.* . 57 Ac
Hampton, *Salop* . . 108 Da
Hampton Bishop,
Hf/Wor. . . . 88 Db
Hampton Gay,
Oxon. . . . 72 Da
Hampton-in-Arden,
W. Mid. . . . 110 Da
Hampton Lucy,
Warks. . . . 110 Dc
Hampton-on-the-Hill,
Warks. . . . 110 Db
Hampton Poyle, *Oxon.* . 72 Da
Hamptons, *Kent* . . 43 Bb
Hamstall Ridware,
Staffs. . . . 128 Ca
Hamstead, *W. Mid.* . 128 Cc
Hamsterley, *Dur.* . 206 Db
Ham Street, *Kent* . 27 Bb
Hamworthy, *Dors.* . 19 Ab
Hanbury, *Hf/Wor.* . 109 Bb
Hanbury, *Staffs.* . . 148 Cc
Handbridge, *Ches.* . 160 Cc
Handcross, *W. Sus.* . 24 Da
Handley, *Ches.* . . 144 Da
Handsacre, *Staffs.* . 128 Ca
Handsworth, *W. Mid.* . 127 Bc
Handsworth, *S. Yorks.* . 164 Ca
Hanford, *Dors.* . . 146 Db
Hanging Heaton,
W. Yorks. . . 173 Ba
Hanging Houghton,
N'hants. . . . 113 Ab
Hangleton, *W. Sus.* . 24 Cc
Hanham, *Avon* . . 51 Aa
Hankelow, *Ches.* . . 145 Bb
Hankerton, *Wilts.* . 70 Cb
Hankford, *Dev.* . . 12 Ca
Hanley, *Staffs.* . . 146 Db
Hanley Castle,
Hf/Wor. . . . 89 Ba
Hanley Child,
Hf/Wor. . . . 108 Cb
Hanley William,
Hf/Wor. . . . 108 Db
Hanlith, *N. Yorks.* . 182 Ca
Hanmer, *Clwyd* . . 144 Db
Hannah, *Lincs.* . . 154 Da
Hannington, *Hants.* . 54 Dc
Hannington, *N'hants.* . 113 Ab
Hannington, *Wilts.* . 71 Ac
Hanslope, *Bucks.* . 94 Cc
Hanthorpe, *Lincs.* . 132 Da
Hanwell, *Gt. Lon.* . 57 Ab
Hanwell, *Oxon.* . . 92 Cb
Hanworth, *Gt. Lon.* . 57 Ac
Hanworth, *Norf.* . . 137 Ba
Happisburgh, *Norf.* . 138 Cb
Hapsford, *Ches.* . . 160 Cb
Hapton, *Lancs.* . . 171 Bb
Hapton, *Norf.* . . . 119 Ab
Harberton, *Dev.* . . 10 Cb
Harbertonford, *Dev.* . 10 Cb
Harbledown, *Kent* . 45 Ac
Harborne, *W. Mid.* . 110 Ca
Harborough Magna,
Warks. . . . 112 Ca
Harbottle, *N'land* . 231 Ab
Harbridge, *Hants.* . 19 Ba

Harbury, *Warks.* . . 111 Bc
Harby, *Leics.* . . . 150 Dc
Harby, *Notts.* . . 166 Cc
Harden, *W. Yorks.* . 183 Ac
Hardenhuish, *Wilts.* . 52 Ca
Hardham, *W. Sus.* . 23 Bb
Hardhorn, *Lancs.* . 180 Cc
Hardingham, *Norf.* . 118 Da
Hardingstone, *N'hants.* . 113 Ac
Hardington, *Som.* . 51 Bc
Hardington Mandeville,
Som. . . . . 35 Ac
Hardley, *Norf.* . . 120 Ca
Hardmead, *Bucks.* . 94 Ca
Hardraw, *N. Yorks.* . 195 Ab
Hardstoft, *Derby.* . 164 Cc
Hardwick, *Bucks.* . 73 Ba
Hardwick, *Cambs.* . 96 Cb
Hardwick, *Hf/Wor.* . 107 Ac
Hardwick, *Lincs.* . 166 Cb
Hardwick, *N'hants.* . 113 Ab
Hardwick, *Norf.* . . 119 Bb
Hardwick, *Oxon.* . 72 Cb
Hardwick, *Oxon.* . 92 Dc
Hardwicke, *Glos.* . 69 Ba
Hardwicke, *Glos.* . 90 Cb
Hareby, *Lincs.* . . 153 Bb
Harefield, *Gt. Lon.* . 74 Dc
Harescombe, *Hf/Wor.* . 69 Ba
Haresfield, *Glos.* . 69 Ba
Hare Street, *Herts.* . 76 Ca
Harewood, *W. Yorks.* . 184 Cc
Harewood End, *Hf/Wor.* . 88 Db
Harford, *Dev.* . . 9 Ba
Hargatewall, *Derby.* . 162 Db
Hargham, *Norf.* . . 118 Db
Hargrave, *Ches.* . . 160 Cc
Hargrave, *N'hants.* . 114 Cb
Hargrave, *Suff.* . . 97 Bb
Harkstead, *Suff.* . . 79 Ba
Harlaston, *Staffs.* . 128 Db
Harlaxton, *Lincs.* . 151 Bc
Harlech, *Gwyn.* . . 140 Dc
Harlesden, *Gt. Lon.* . 57 Bb
Harleston, *Norf.* . . 119 Bc
Harleston, *Suff.* . . 98 Cb
Harlestone, *N'hants.* . 112 Dc
Harley, *Salop* . . 126 Cb
Harlington, *Beds.* . 94 Bb
Harlington, *Gt. Lon.* . 57 Ab
Harlington, *S. Yorks.* . 174 Cc
Harlosh, *Highl.* . . 283 Ba
Harlow, *Essex* . . 76 Dc
Harlow Hill, *N'land* . 220 Db
Harlow Hill, *N. Yorks.* . 184 Cb
Harlthorpe, *Humb.* . 186 Cc
Harlton, *Cambs.* . . 96 Cb
Harmby, *N. Yorks.* . 196 Ca
Harmer Hill, *Salop* . 125 Ba
Harmondsworth, *Gt.
Lon.* . . . . 56 Da
Harmston, *Lincs.* . 152 Ca
Harnham, *N'land* . 220 Da
Harnhill, *Glos.* . . 70 Db
Harold Wood, *Gt. Lon.* . 58 Da
Haroldston, *Dyfed* . 61 Bb
Haroldston St. Issels,
Dyfed . . . 62 Ca
Harome, *N. Yorks.* . 198 Cc
Harpenden, *Herts.* . 75 Ab
Harpers Gate, *Staffs.* . 147 Aa
Harpham, *Humb.* . 188 Cc
Harpley, *Hf/Wor.* . 108 Dc
Harpley, *Norf.* . . 136 Cb
Harpole, *N'hants.* . 112 Dc
Harpsdale, *Highl.* . 323 Bb
Harpswell, *Lincs.* . 166 Ca
Harrietsham, *Kent* . 44 Db
Harrington, *Cumb.* . 201 Bb
Harrington, *Lincs.* . 153 Bb
Harrington, *N'hants.* . 113 Aa
Harringworth, *N'hants.* . 131 Bc
Harrisea Head, *Staffs.* . 146 Da
Harrogate, *N. Yorks.* . 184 Ca
Harrold, *Beds.* . . 114 Cc
Harrop Dale, *Gt. Man.* . 172 Cc
Harrowden, *Beds.* . 94 Da
Harrow-on-the-Hill,
Gt. Lon. . . . 57 Ab
Harrow Weald,
Gt. Lon. . . . 57 Ab
Harston, *Cambs.* . . 96 Cb
Harston, *Leics.* . . 151 Ab
Harswell, *Humb.* . 186 Cc
Hart, *Cleve.* . . . 208 Ca
Hartburn, *N'land* . 231 Bc
Hartest, *Suff.* . . 97 Bb
Hartfield, *E. Sus.* . 43 Ab
Hartford, *Cambs.* . 115 Ac
Hartford, *Ches.* . . 160 Db
Hartford End, *Essex* . 77 Aa
Harthill, *Ches.* . . 145 Aa
Harthill, *S. Yorks.* . 165 Ab
Harthill, *Strath.* . . 250 Cc
Hartington, *Derby.* . 147 Ba
Hartland, *Dev.* . . 29 Ac
Hartlebury, *Hf/Wor.* . 109 Ab
Hartlepool, *Cleve.* . 208 Ca

Hartley, *Cumb.* . . 194 Da
Hartley, *Kent* . . 43 Ba
Hartley, *Kent* . . 44 Cc
Hartley, *N'land* . 222 Ca
Hartley Mauditt,
Hants. . . . 40 Ca
Hartley Wespall,
Hants. . . . 55 Bc
Harton, *Kent* . . 44 Da
Harton, *N. Yorks.* . 185 Ba
Harton, *Ty/We.* . 222 Db
Hartpury, *Glos.* . . 89 Bc
Hartshead, *W. Yorks.* . 173 Da
Hartshead Moor Side,
W. Yorks. . . 172 Da
Hartshill, *Staffs.* . . 129 Ac
Hartshorne, *Derby.* . 129 Aa
Hartwell, *N'hants.* . 93 Ba
Hartwood Green,
Lancs. . . . 170 Cb
Harty, *Kent* . . . 45 Aa
Harvel, *Kent* . . 43 Ba
Harvington, *Hf/Wor.* . 90 Da
Harvington, *Hf/Wor.* . 109 Bb
Harwell, *Oxon.* . . 72 Dc
Harwich, *Essex* . . 80 Cb
Harwood, *Gt. Man.* . 171 Aa
Harwood Dale,
N. Yorks. . . 200 Cc
Harworth, *Notts.* . 164 Da
Hasbury, *W. Mid.* . 109 Da
Hascombe, *Sur.* . . 41 Ac
Haselbech, *N'hants.* . 112 Db
Haselbury Bryan,
Dors. . . . 35 Bc
Haselbury Plucknett,
Som. . . . . 16 Dc
Haseley, *Warks.* . . 110 Db
Haselor, *Warks.* . . 110 Cc
Haselour, *Staffs.* . . 128 Db
Hasfield, *Glos.* . . 89 Bb
Hasguard, *Dyfed* . 61 Bb
Haskayne, *Lancs.* . 169 Ac
Hasketon, *Suff.* . . 99 Bc
Hasland, *Derby.* . . 164 Cc
Haslemere, *Sur.* . . 40 Da
Haslingden, *Lancs.* . 171 Aa
Haslingfield, *Cambs.* . 96 Cb
Haslington, *Ches.* . 146 Ca
Hassall Green, *Ches.* . 146 Ca
Hassingham, *Norf.* . 120 Ca
Hassop, *Derby.* . . 163 Ac
Haster, *Highl.* . . 324 Cb
Hastingleigh, *Kent* . 45 Bc
Hastings, *E. Sus.* . 26 Db
Hastoe, *Herts.* . . 74 Ca
Haswell, *Dur.* . . 207 Ba
Hatch, *Hants.* . . 36 Db
Hatch Beauchamp,
Som. . . . . 34 Cc
Hatch End, *Gt. Lon.* . 57 Ac
Hatcliffe, *Humb.* . . 167 Bb
Hatfield, *Hf/Wor.* . 108 Cc
Hatfield, *Herts.* . . 75 Ac
Hatfield, *S. Yorks.* . 175 Ac
Hatfield Broad Oak,
Essex . . . . 76 Db
Hatfield Heath, *Essex* . 76 Db
Hatfield Hyde, *Herts.* . 75 Bb
Hatfield Peverel,
Essex . . . . 77 Bc
Hatfield Woodhouse,
S. Yorks. . . 175 Ac
Hatford, *Oxon.* . . 72 Cb
Hatherden, *Hants.* . 54 Cc
Hathern, *Leics.* . . 130 Ca
Hatherop, *Glos.* . . 71 Ab
Hathersage, *Derby.* . 163 Ab
Hatherton, *Ches.* . 146 Cb
Hatherton, *Staffs.* . 127 Bb
Hatley St. George,
Cambs. . . . 95 Bb
Hattersley, *Gt. Man.* . 162 Ca
Hatton, *Ches.* . . 160 Db
Hatton, *Derby.* . . 148 Cc
Hatton, *Gramp.* . . 306 Dc
Hatton, *Gt. Lon.* . 57 Ac
Hatton, *Lincs.* . . 167 Ac
Hatton, *Warks.* . . 110 Cb
Hatton of Fintray,
Gramp. . . . 294 Cb
Haugh, *Lincs.* . . 154 Ca
Haugham, *Lincs.* . 168 Cc
Haughley, *Suff.* . . 98 Db
Haughley Green, *Suff.* . 98 Db
Haughton, *Salop* . . 126 Db
Haughton, *Staffs.* . 127 Ba
Haughton-le-Skerne,
Dur. . . . . 207 Bc
Haultwick, *Herts.* . 76 Cb
Haunton, *Staffs.* . . 128 Db
Hause, *Cumb.* . . 202 Cc
Hauxton, *Cambs.* . 96 Cb
Havant, *Hants.* . . 40 Cc
Haven, *Hf/Wor.* . . 107 Ac
Haven Side, *Humb.* . 178 Cc
Haven Street, *I.O.W.* . 21 Bb

	PAGE	SQ

Haverbrack, *Cumb.* . 193 Bc
Havercroft, *W. Yorks.* . 174 Cb
Haverfordwest, *Dyfed* . 62 Ca
Haverhill, *Suff.* . . 97 Ac
Haverigg, *Cumb.*. . 192 Cc
Havering Atte Bower, *Gt. Lon.* . . 58 Da
Haveringland, *Norf.* . 137 Ab
Haversham, *Bucks.* . 94 Ca
Haverthwaite, *Cumb.* . 192 Dc
Havyatt, *Som.* . . 34 Da
Haw, *Glos.* . . 89 Bb
Hawarden, *Clwyd* . 159 Bc
Hawcoat, *Cumb.*. . 179 Aa
Hawes, *N. Yorks.* . 195 Ab
Hawick, *Bord.* . . 229 Aa
Hawkchurch, *Dev.* . 16 Cb
Hawkedon, *Suff.*. . 97 Bb
Hawkeridge, *Wilts.* . 52 Cb
Hawkerland, *Dev.* . 15 Ac
Hawkesbury, *Avon* . 69 Bc
Hawkesbury Upton, *Avon* . . . 69 Bc
Hawkhurst, *Kent* . 26 Da
Hawkinge, *Kent* . 28 Da
Hawkley, *Hants.*. . 40 Cb
Hawkridge, *Som.* . 47 Bc
Hawkshead, *Cumb.* . 192 Da
Hawkswick, *N. Yorks.* . 182 Da
Hawksworth, *Notts.* . 150 Db
Hawksworth, *W. Yorks.* . 183 Bc
Hawkwell, *Essex* . 60 Ca
Hawley, *Hants.* . . 56 Cc
Hawling, *Glos.* . . 90 Dc
Hawnby, *N. Yorks.* . 197 Bb
Haworth, *W. Yorks.* . 182 Dc
Hawridge, *Bucks.* . 74 Db
Hawstead, *Suff.* . . 98 Cb
Hawthorn, *Dur.* . . 208 Ca
Hawthorn Bush, *Hf/Wor.* . . 108 Db
Hawthornden, *Loth.* . 251 Bc
Hawthorn Hill, *Lincs.* . 153 Ab
Hawthorpe, *Lincs.* . 152 Cc
Hawton, *Notts.*. . 151 Ba
Haxby, *N. Yorks.* . 185 Bb
Haxey, *Humb.* . . 175 Bc
Hay, *Powys* . . 87 Aa
Haydock, *Mers.* . . 160 Da
Haydon, *Dors.* . . 35 Bc
Haydon Bridge, *N'land* . 220 Cb
Hayes, *Gt. Lon.* . . 57 Ab
Hayfield, *Derby.*. . 162 Da
Hayle, *Corn.* . . 1 Bb
Hayling Island, *Hants.* . 22 Ca
Haynes, *Beds.* . . 94 Db
Hayscastle, *Dyfed* . 81 Bc
Hayton, *Cumb.*. . 218 Cc
Hayton, *Humb.* . . 186 Cc
Hayton, *Notts.* . . 165 Ab
Haytonbent, *Salop* . 107 Ba
Haywards Heath, *W. Sus.* . . 24 Da
Haywood, *S. Yorks.* . 163 Ba
Haywood, *S. Yorks.* . 174 Db
Hazeleigh, *Essex.* . 78 Cc
Hazelend, *Essex* . . 76 Db
Hazeley, *Hants.*. . 55 Bc
Hazelgrove, *Gt. Man.* . 162 Ca
Hazlemere, *Bucks.* . 74 Cb
Hazleton, *Glos.* . . 90 Dc
Hazlewood, *Derby.* . 148 Db
Heacham, *Norf.* . . 135 Aa
Headbourne Worthy, *Hants.* . . 38 Db
Headcorn, *Kent* . . 44 Db
Headingley, *W. Yorks.* . 184 Cc
Headington, *Oxon.* . 72 Da
Headlam, *Dur.* . . 206 Db
Headless Cross, *Hf/Wor.* . . 110 Cb
Headley, *Hants.* . . 54 Db
Headley, *Hants.* . . 40 Ca
Headley, *Sur.* . . 41 Ba
Headon, *Notts.* . . 165 Bb
Heage, *Derby.* . . 149 Ab
Healaugh, *N. Yorks.* . 195 Ba
Healaugh, *N. Yorks.* . 184 Db
Heale, *Som.* . . 51 Ac
Heale, *Som.* . . 34 Cb
Healey, *N'land* . . 220 Db
Healey, *N. Yorks.* . 196 Cc
Healing, *Humb.* . . 167 Ba
Heanor, *Derby.*. . 149 Bb
Heanton Punchardon, *Dev.* . . 30 Cb
Heapey, *Lancs.* . . 170 Cb
Heapham, *Lincs.* . 166 Ca
Heasley Mill, *Dev.* . 47 Ac
Heath, *Derby.* . . 164 Cc
Heath, *Salop* . . 108 Ca
Heath, *W. Yorks.* . 173 Bb
Heath and Reach, *Beds.* . . 94 Cc
Heath End, *Avon* . 69 Ab
Heath End, *Hants.* . 55 Ab
Heath End, *Warks.* . 111 Ab
Heather, *Leics.* . . 129 Bb
Heathfield, *E. Sus.* . 25 Ba
Heathfield, *Som.*. . 33 Ab
Heath Hayes, *Staffs.* . 127 Bb

Heath Hill, *Salop* . 126 Da
Heath House, *Som.* . 34 Da
Heath Town, *W. Mid.* . 127 Bc
Heatley, *Ches.* . . 161 Aa
Hebburn, *Ty/We.* . 222 Cb
Hebden, *N. Yorks.* . 182 Da
Hebden Bridge, *W. Yorks.* . . 172 Ca
Hebing End, *Herts.* . 76 Cb
Hebron, *N'land* . . 232 Cc
Heck, *Dum/Gall.*. . 216 Ca
Heckdyke, *Notts.* . 165 Ba
Heckfield, *Hants.* . 55 Bb
Heckingham, *Norf.* . 120 Cb
Heckington, *Lincs.* . 133 Aa
Heckmondwike, *W. Yorks.* . . 173 Aa
Heddington, *Wilts.* . 52 Da
Heddington Wick, *Wilts.* . . 52 Da
Heddon-on-the-Wall, *N'land* . . 221 Bb
Hedenham, *Norf.* . 119 Bb
Hedgerley, *Bucks.* . 74 Dc
Hedging, *Som.* . . 34 Cb
Hednesford, *Staffs.* . 127 Ba
Hedon, *Humb.* . . 177 Bb
Hedsor, *Bucks.*. . 74 Cc
Hegdon Hill, *Hf/Wor.* . 108 Cc
Heighington, *Dur.* . 207 Ab
Heighington, *Lincs.* . 166 Dc
Heightington, *Hf/Wor.* . 108 Db
Heights of Kinlochewe, *Highl.* . . 298 Da
Hele, *Dev.* . . 30 Ca
Helensburgh, *Strath.* . 247 Ba
Helford, *Corn.* . . 2 Dc
Helhoughton, *Norf.* . 136 Cb
Helion Bumpstead, *Essex* . . 97 Ac
Helland, *Corn.* . . 6 Db
Helland, *Som.* . . 34 Cc
Hellesdon, *Norf.*. . 119 Aa
Hellidon, *N'hants.* . 112 Cc
Hellifield, *N. Yorks.* . 182 Cb
Hellingly, *E. Sus.* . 25 Bb
Hellington, *Norf.* . 119 Ba
Helmdon, *N'hants.* . 92 Da
Helmingham, *Suff.* . 99 Bb
Helmsdale, *Highl.* . 317 Bc
Helmsley, *N. Yorks.* . 198 Cc
Helperby, *N. Yorks.* . 184 Da
Helperthorpe, *N. Yorks.*. . 186 Da
Helpringham, *Lincs.* . 133 Aa
Helpston, *Cambs.* . 115 Aa
Helsby, *Ches.* . . 160 Cb
Helsington, *Cumb.* . 193 Bb
Helston, *Corn.* . . 2 Cc
Helstone, *Corn.*. . 6 Da
Helton, *Cumb.* . . 203 Bb
Helwith, *N. Yorks.* . 196 Ca
Hemblington, *Norf.* . 120 Ca
Hemel Hempstead, *Herts.* . . 75 Ac
Hemingbrough, *N. Yorks.* . . 175 Aa
Hemingby, *Lincs.* . 153 Ba
Hemingford Abbots, *Cambs.* . . 95 Ba
Hemingford Grey, *Cambs.* . . 95 Ba
Hemingstone, *Suff.* . 99 Ac
Hemington, *Leics.* . 149 Bc
Hemington, *N'hants.* . 114 Da
Hemington, *Som.* . 51 Ab
Hemley, *Suff.* . . 80 Ca
Hempnall, *Norf.* . . 119 Bb
Hempnall Green, *Norf.* . . 119 Bb
Hempstead, *Essex* . 77 Bb
Hempstead, *Norf.* . 137 Aa
Hempsted, *Glos.* . . 89 Bc
Hempton, *Norf.* . . 136 Cb
Hempton, *Oxon.* . 92 Cb
Hemsby, *Norf.* . . 138 Dc
Hemswell, *Lincs.* . 166 Ca
Hemsworth, *Derby.* . 164 Cb
Hemsworth, *W. Yorks.* . 174 Cb
Hemsworth Lane Ends, *S. Yorks.* . . 174 Cb
Hemyock, *Dev.*. . 33 Ac
Henbury, *Avon* . . 68 Dc
Henbury-cum-Pexall, *Ches.* . . 161 Bc
Hendon, *Gt. Lon.* . 57 Ba
Hendre, *M. Glam.* . 66 Db
Hendy, *Dyfed* . . 64 Db
Heneglwys, *Gwyn.* . 155 Bc
Henfield, *W. Sus.* . 24 Cb
Henfynyw, *Dyfed* . 101 Ab
Hengoed, *Powys* . . 106 Dc
Hengoed, *Salop* . . 158 Ca
Hengrave, *Suff.*. . 98 Ca
Henham, *Essex* . . 76 Da
Henlade, *Som.* . . 33 Bc
Henley, *Som.* . . 33 Bb
Henley, *Suff.* . . 99 Ac
Henley, *W. Sus.*. . 23 Ab
Henley, *Wilts.* . . 53 Bb
Henley-in-Arden, *Warks.* . . 110 Db

Henley-on-Thames, *Oxon.* . . 55 Ba
Henllan, *Clwyd* . . 158 Cb
Henllan, *Dyfed* . . 83 Bb
Henlow, *Beds.* . . 95 Ac
Hennock, *Dev.* . . 14 Cb
Henrys Moat, *Dyfed* . 82 Cc
Hensall, *N. Yorks.* . 174 Db
Hensingham, *Cumb.* . 201 Bc
Henstead, *Suff.*. . 120 Dc
Hensting, *Hants.*. . 39 Ac
Henstridge, *Som.* . 35 Bb
Henstridge Bowden, *Som.* . . 35 Bb
Henton, *Oxon.* . . 73 Bb
Henton, *Som.* . . 34 Da
Henwood, *Corn.*. . 7 Ba
Heol-las, *S. Glam.* . 66 Cb
Heol-galed, *Dyfed* . 84 Dc
Heol-y-cyw, *M. Glam.* . 66 Cb
Hepple, *N'land* . . 231 Ab
Hepscott, *N'land* . 232 Cc
Heptonstall, *W. Yorks.* . 172 Ca
Hepworth, *Suff.*. . 98 Da
Hepworth, *W. Yorks.* . 172 Dc
Herbrandston, *Dyfed* . 61 Bb
Hereford, *Hf/Wor.* . 88 Ca
Heriot, *Bord.* . . 240 Da
Hermitage, *Berks.* . 54 Da
Hermitage, *Dors.* . 35 Bc
Hermon, *Gwyn.* . . 155 Bc
Hernden, *Kent* . . 46 Cb
Herne, *Kent* . . 46 Ca
Herne Bay, *Kent* . . 46 Ca
Hernehill, *Kent* . . 45 Bb
Herodsfoot, *Corn.* . 7 Ab
Herongate, *Essex* . 59 Aa
Herriard, *Hants.* . 39 Ba
Herringfleet, *Suff.* . 120 Db
Herringswell, *Suff.* . 97 Ba
Herrington, *Ty/We.* . 222 Cc
Hersham, *Sur.* . . 41 Ba
Herstmonceux, *E. Sus.* . 26 Cb
Hertford, *Herts.*. . 76 Cc
Hertingfordbury, *Herts.* . 75 Bc
Hesketh Bank, *Lancs.* . 169 Ba
Hesket Newmarket, *Cumb.*. . . 202 Da
Heslington, *N. Yorks.* . 185 Db
Hessay, *N. Yorks.* . 185 Ab
Hessenford, *Corn.* . 7 Bb
Hessett, *Suff.*. . 98 Db
Hessle, *Humb.* . . 176 Cb
Heston, *Gt. Lon.* . 57 Ab
Heswall, *Mers.* . . 159 Ab
Hethe, *Oxon.* . . 92 Dc
Hethersett, *Norf.* . 119 Aa
Hethersgill, *Cumb.* . 218 Cb
Hett, *Dur.* . . 207 Ba
Hetton, *N. Yorks.* . 182 Db
Hetton Downs, *Ty/We.* . 222 Cc
Hetton-le-Hole, *Ty/We.* . 222 Cc
Heugh, *N'land* . . 220 Da
Heveningham, *Suff.* . 100 Ca
Hever, *Kent* . . 43 Ab
Heversham, *Cumb.* . 193 Ab
Hevingham, *Norf.* . 137 Ab
Hewelsfield, *Glos.* . 68 Db
Hewelsfield Common, *Glos.* . . 68 Da
Hewish, *Avon* . . 50 Cb
Heworth, *N. Yorks.* . 185 Bb
Hexham, *N'land* . . 220 Cb
Hexthorpe, *S. Yorks.* . 175 Aa
Hexton, *Dev.* . . 75 Aa
Heybridge, *Essex* . 78 Cc
Heydon, *Cambs.*. . 96 Cc
Heydon, *Norf.* . . 137 Ab
Heydour, *Lincs.* . 152 Cb
Heyhead, *Gt. Man.* . 161 Bb
Heyhouses, *Lancs.* . 181 Bb
Heyop, *Powys* . . 106 Da
Heyshaw, *N. Yorks.* . 183 Ba
Heyshott, *W. Sus.* . 23 Ab
Heytesbury, *Wilts.* . 52 Cc
Heythrop, *Oxon.* . 91 Bb
Heywood, *Gt. Man.* . 171 Bb
Heywood, *Wilts.*. . 52 Cb
Hibaldstow, *Humb.* . 176 Dc
Hickleton, *S. Yorks.* . 174 Db
Hickling, *Norf.* . . 138 Cb
Hickling, *Norf.* . 138 Cb
Hicklling Green, *Norf.* . . 138 Cb
Hidcote Bartram, *Glos.* . . 91 Ab
Hidcote Boyce, *Glos.* . 91 Ab
High Ackworth, *W. Yorks.* . . 174 Cb
Higham, *Derby.* . 149 Ab
Higham, *Kent* . . 59 Bc
Higham, *Lancs.* . 181 Ba
Higham, *S. Yorks.* . 173 Bc
Higham, *Suff.* . . 98 Cb
Higham, *Suff.* . . 78 Dc
Higham Ferrers, *N'hants.* . . 114 Cb
Higham Gobion, *Beds.* . . 75 Aa
Higham-on-the-Hill, *Leics.* . . 129 Bc

Highampton, *Dev.* . 12 Db
Higham Upshire, *Kent* . 59 Bc
High Bentham, *N. Yorks.* . . 181 Aa
High Bickington, *Dev.* . 30 Dc
High Blantyre, *Strath.* . 249 Ac
High Bray, *Dev.* . . 47 Ac
Highbridge, *Som.* . 34 Ca
High Bullen, *Dev.* . 31 Ba
Highburton, *W. Yorks.* . 173 Ab
High Buston, *N'land* . 232 Ca
Highbury, *Som.* . . 51 Ac
High Catton, *Humb.* . 186 Cb
Highclere, *Hants.* . 54 Cb
High Cogges, *Oxon.* . 72 Ca
High Coniscliffe, *Dur.* . . 207 Ac
High Cross, *Leics.* . 112 Ca
High Easter, *Essex* . 77 Ab
High Egborough, *N. Yorks.* . . 174 Db
Higher Alham, *Som.* . 35 Ba
Higher Ashton, *Dev.* . . 14 Cb
Higher Bebington, *Mers.*. . . 159 Bb
High Ercall, *Salop* . 125 Ba
Higher Heysham, *Lancs.* . 180 Ca
Higher Irlam, *Gt. Man.* . 161 Ba
Higher Kingcombe, *Dors.*. . . 17 Aa
Higher Kinnerton, *Clwyd* . . 144 Ca
Higher Lybster, *Highl.* . . 318 Da
Higher Newton, *Cumb.* . 193 Ac
Higher Walton, *Lancs.* . 170 Ca
Higher Wych, *Ches.* . 145 Ab
High Etherley, *Dur.* . 206 Db
High Green, *Hf/Wor.* . 90 Ca
High Green, *Norf.* . 119 Bb
High Green, *S. Yorks.* . 163 Ba
High Halden, *Kent* . 27 Aa
High Halstow, *Kent* . 59 Bc
High Ham, *Som.*. . 34 Db
High Harrington, *Cumb.*. . . 201 Bb
High Hatton, *Salop* . 126 Ca
High Hawsker, *N. Yorks.* . 200 Cb
High Hesket, *Cumb.* . 203 Ba
High Hesleden, *N. Yorks.* . 187 Ba
High Hoyland, *W. Yorks.* . 173 Bc
High Hunsley, *Humb.* . 177 Ab
High Hutton, *N. Yorks.* . 186 Ca
High Kilburn, *N. Yorks.* . 197 Bc
High Killimster, *Highl.* . 324 Cb
Highlane, *Derby.* . 164 Cb
Highlane, *Gt. Man.* . 162 Ca
High Laver, *Essex* . 76 Dc
Highlaws, *Cumb.* . 216 Cc
Highleadon, *Glos.* . 89 Bc
Highley, *Salop* . . 108 Da
High Littleton, *Avon* . 51 Ab
High Marnham, *Notts.* . 165 Bc
High Melton, *S. Yorks.* . 174 Dc
Highnam, *Glos.* . . 89 Bc
High Nibthwaite, *Cumb.* . 192 Db
High Offley, *Staffs.* . 146 Cc
High Ongar, *Essex* . 76 Ac
High Roding, *Essex* . 77 Ab
High Spen, *Ty/We.* . 221 Bb
High Startforth, *Dur.* . . 206 Cc
Hightae, *Dum/Gall.* . 216 Ca
Hightown, *Mers.* . 169 Ac
Highway, *Wilts.* . 53 Ba
Highweek, *Dev.* . 14 Cc
Highwood, *Staffs.* . 147 Bc
High Worsall, *N. Yorks.* . 207 Ab
Highworth, *Wilts.* . 71 Ac
High Wray, *Cumb.* . 192 Da
High Wych, *Herts.* . 76 Db
High Wycombe, *Bucks.* . 74 Cc
Hilborough, *Norf.* . 118 Cc
Hildersham, *Cambs.* . 96 Dc
Hilderstone, *Staffs.* . 147 Ac
Hilfield, *Dors.* . . 35 Bc
Hilgay, *Norf.* . . 117 Aa
Hill, *Glos.* . . 69 Ab
Hillam, *N. Yorks.* . 174 Da
Hillbeck, *Cumb.*. . 205 Ac
Hill Croome, *Hf/Wor.* . 90 Ca
Hill Deverill, *Wilts.* . 36 Ca
Hillesden, *Bucks.* . 93 Ab
Hillfarrance, *Som.* . 33 Ac
Hillingdon, *Gt. Lon.* . 57 Ab
Hillmorton, *Warks.* . 112 Ca
Hill Ridware, *Staffs.* . 128 Ca
Hill Side, *Hf/Wor.* . 108 Cb
Hillside, *Salop* . . 108 Ca
Hillside, *Tay.* . . 270 Ca
Hillsley, *Avon* . . 69 Bb
Hill Top, *S. Yorks.* . 163 Bb
Hill Top, *W. Yorks.* . 173 Bb
High Wootton, *Warks.* . 111 Ab
Hillworth, *Hf/Wor.* . 89 Bb
Hilmarton, *Wilts.*. . 52 Cb

	PAGE	SQ
Hilperton Marsh, *Wilts.*	52	Cb
Hilston, *Humb.*	178	Cb
Hilton, *Cambs.*	95	Ba
Hilton, *Cleve.*	208	Cc
Hilton, *Cumb.*	204	Dc
Hilton, *Derby.*	148	Db
Hilton, *Dors.*	18	Ca
Hilton, *Dur.*	206	Db
Hilton, *Salop*	126	Dc
Hilton of Cadboll, *Highl.*	312	Dc
Himbleton, *Hf/Wor.*	109	Bc
Himley, *Staffs.*	127	Ac
Hinckley, *Leics.*	129	Bc
Hinderclay, *Suff.*	118	Dc
Hinderwell, *N. Yorks.*	199	Ba
Hindford, *Salop*	144	Cc
Hindhead, *Sur.*	40	Cb
Hindle Fold, *Lancs.*	170	Da
Hindley, *Gt. Man.*	170	Dc
Hindley Green, *Gt. Man.*	170	Dc
Hindlip, *Hf/Wor.*	109	Bc
Hindolveston, *Norf.*	136	Db
Hindon, *Wilts.*	36	Da
Hindringham, *Norf.*	136	Da
Hingham, *Norf.*	118	Da
Hinstock, *Salop*	146	Cc
Hintlesham, *Suff.*	79	Aa
Hinton, *Avon*	51	Ba
Hinton, *Hf/Wor.*	87	Bb
Hinton, *N'hants.*	92	Da
Hinton Ampner, *Hants.*	39	Bb
Hinton Blewett, *Avon*	50	Db
Hinton Charterhouse, *Avon*	51	Bb
Hinton-in-the-Hedges, *N'hants.*	92	Db
Hinton Martell, *Dors.*	19	Aa
Hinton-on-the-Green, *Hf/Wor.*	90	Da
Hinton Parva, *Dors.*	19	Aa
Hinton St. George, *Som.*	16	Da
Hinton St. Mary, *Dors.*	36	Cc
Hinton Waldrist, *Oxon.*	72	Cb
Hints, *Salop*	108	Cb
Hints, *Staffs.*	128	Cb
Hinwick, *Beds.*	114	Cc
Hinxhill, *Kent*	27	Cb
Hinxton, *Cambs.*	96	Dc
Hinxworth, *Herts.*	95	Bb
Hipperholme, *W. Yorks.*	172	Da
Hipswell, *N. Yorks.*	196	Da
Hirn, *Gramp.*	293	Bc
Hirnant, *Powys*	123	Ba
Hirst Courtney, *N. Yorks.*	174	Da
Hirwaun, *Gl. Glam.*	86	Cc
Hiscott, *Dev.*	30	Cc
Histon, *Cambs.*	96	Ca
Hitcham, *Suff.*	98	Db
Hitchin, *Herts.*	75	Ba
Hittisleigh, *Dev.*	13	Ba
Hixon, *Staffs.*	147	Bc
Hoarwithy, *Ty/We.*	88	Db
Hoath, *Kent*	46	Cb
Hobkirk, *Bord.*	229	Ba
Hoby, *Leics.*	130	Da
Hockering, *Norf.*	137	Ac
Hockerton, *Notts.*	150	Da
Hockham, *Norf.*	118	Cb
Hockley, *Essex*	60	Ca
Hockley Heath, *W. Mid.*	110	Db
Hockliffe, *Beds.*	94	Dc
Hockwold-cum-Wilton, *Norf.*	117	Bb
Hoddesdon, *Herts.*	76	Cc
Hoddlesden, *Lancs.*	170	Db
Hoddom, *Dum/Gall.*	216	Da
Hodgeston, *Dyfed*	62	Cc
Hodnet, *Salop*	145	Bc
Hoe, *Norf.*	136	Dc
Hoff, *Cumb.*	204	Dc
Hoggeston, *Bucks.*	93	Bc
Hoghton, *Lancs.*	170	Da
Hognaston, *Derby.*	148	Da
Hogshaw, *Bucks.*	93	Bc
Hogsthorpe, *Lincs.*	154	Da
Holbeach, *Lincs.*	134	Cb
Holbeach Drove, *Lincs.*	133	Bc
Holbeach Hurn, *Lincs.*	134	Cb
Holbeck, *Notts.*	164	Dc
Holberrow Green, *Hf/Wor.*	110	Cc
Holbeton, *Dev.*	9	Bb
Holbrook, *Derby.*	149	Ab
Holbrook, *S. Yorks.*	164	Cb
Holbrook, *Suff.*	79	Ba
Holbrook Common, *Avon*	51	Aa
Holcombe, *Dev.*	14	Db
Holcombe, *Som.*	51	Ac
Holcombe Brook, *Gt. Man.*	171	Ab
Holcombe Burnell, *Dev.*	14	Ca
Holcombe Rogus, *Dev.*	33	Ac
Holcot, *Beds.*	94	Cb
Holcot, *N'hants.*	113	Ab
Holdenby, *N'hants.*	112	Db
Holdenhurst, *Dors.*	19	Bb
Holdgate, *Salop*	125	Bc
Holdingham, *Lincs.*	152	Db
Holdsworth, *W. Yorks.*	172	Da
Holford, *Som.*	33	Aa
Holgate, *N. Yorks.*	185	Bb
Holkham, *Norf.*	136	Ca
Hollacombe, *Dev.*	12	Cb
Hollesley, *Suff.*	80	Da
Hollingbourne, *Kent*	44	Da
Hollingthorpe, *W. Yorks.*	173	Bb
Hollington, *Derby.*	148	Cb
Hollington, *E. Sus.*	26	Db
Hollingworth, *Gt. Man.*	162	Ca
Hollins, *Gt. Man.*	171	Bc
Hollinsclough, *Staffs.*	162	Dc
Hollins End, *S. Yorks.*	164	Cb
Hollins Green, *Ches.*	161	Aa
Hollinwood, *Gt. Man.*	171	Bc
Hollinwood, *Salop*	145	Ac
Holloway, *Derby.*	148	Da
Hollybush, *Hf/Wor.*	89	Bb
Holly End, *Norf.*	116	Da
Hollym, *Humb.*	178	Dc
Holme, *Cambs.*	115	Ab
Holme, *Cumb.*	193	Bc
Holme, *Humb.*	176	Cc
Holme, *N. Yorks.*	197	Ac
Holme, *W. Yorks.*	172	Db
Holme Chapel, *Lancs.*	171	Ba
Holme Hale, *Norf.*	118	Ca
Holme Lacy, *Hf/Wor.*	88	Db
Holme-next-the-Sea, *Norf.*	135	Ba
Holme-on-the-Wolds, *Humb.*	177	Aa
Holmer, *Hf/Wor.*	88	Ca
Holmer Green, *Bucks.*	74	Cb
Holmesfield, *Derby.*	163	Bb
Holme-upon-Spalding Moor, *Humb.*	186	Cc
Holmfirth, *W. Yorks.*	172	Dc
Holmpton, *Humb.*	178	Dc
Holmrook, *Cumb.*	191	Ba
Holne, *Dev.*	13	Bc
Holsworthy, *Dev.*	12	Cb
Holt, *Clwyd*	144	Da
Holt, *Dors.*	19	Aa
Holt, *Hf/Wor.*	109	Ab
Holt, *Norf.*	137	Aa
Holt, *Wilts.*	52	Cb
Holtby, *N. Yorks.*	185	Bb
Holt End, *Hf/Wor.*	110	Cb
Holt Heath, *Hf/Wor.*	109	Ab
Holton, *Oxon.*	73	Aa
Holton, *Som.*	35	Bb
Holton, *Suff.*	100	Ca
Holton-le-Clay, *Lincs.*	167	Bb
Holton-le-Moor, *Lincs.*	166	Da
Holton St. Mary, *Suff.*	79	Aa
Holt Street, *Kent*	46	Cc
Holwell, *Dors.*	35	Bc
Holwell, *Herts.*	75	Aa
Holwell, *Leics.*	130	Da
Holwell, *Oxon.*	71	Ba
Holwell, *Som.*	51	Ac
Holybourne, *Hants.*	39	Ba
Holyhead, *Gwyn.*	155	Ab
Holyport, *Berks.*	56	Ca
Holystone, *N'land*	231	Ab
Holytown, *Strath.*	249	Bc
Holywell, *Cambs.*	96	Ca
Holywell, *Clwyd*	159	Ab
Holywell, *Lincs.*	132	Ca
Holywell, *N'land*	222	Ca
Holywell, *Som.*	33	Ac
Holywell Green, *W. Yorks.*	172	Db
Holywell Row, *Suff.*	117	Ac
Holywood, *Dum/Gall.*	215	Ba
Homer, *Salop*	126	Ca
Homersfield, *Suff.*	119	Bc
Homington, *Wilts.*	37	Bb
Honeyborough, *Dyfed*	62	Cb
Honeychurch, *Dev.*	31	Ac
Honey Tye, *Suff.*	78	Da
Honiley, *Warks.*	110	Db
Honing, *Norf.*	138	Cb
Honingham, *Norf.*	138	Da
Honington, *Lincs.*	152	Cb
Honington, *Suff.*	98	Ca
Honington, *Warks.*	91	Bb
Honiton, *Dev.*	15	Bb
Honley, *W. Yorks.*	172	Db
Hoo, *Kent*	59	Bc
Hoo, *Kent*	46	Ca
Hoo, *Suff.*	99	Bb
Hooe, *Dev.*	26	Cb
Hoo Green, *Ches.*	161	Ab
Hook, *Hants.*	55	Bc
Hook, *Humb.*	175	Ba
Hook, *Sur.*	41	Ba
Hookgate, *Staffs.*	146	Cc
Hook Green, *Kent*	59	Ac
Hook Norton, *Oxon.*	92	Cb
Hoole, *Ches.*	160	Dc
Hooton Pagnell, *S. Yorks.*	174	Cc
Hooton Roberts, *S. Yorks.*	164	Ca
Hope, *Clwyd*	144	Ca
Hope, *Derby.*	163	Ab
Hope, *Salop*	124	Db
Hope Baggot, *Salop*	108	Cb
Hope Bowdler, *Salop*	125	Bc
Hopeman, *Gramp.*	302	Da
Hope Mansel, *Hf/Wor.*	88	Dc
Hopesay, *Salop*	107	Aa
Hopesgate, *Salop*	124	Db
Hopetown, *W. Yorks.*	174	Cc
Hope-under-Dinmore, *Hf/Wor.*	107	Bc
Hopton, *Derby.*	148	Da
Hopton, *Norf.*	120	Db
Hopton, *Salop*	124	Da
Hopton, *Staffs.*	147	Ac
Hopton, *Suff.*	118	Dc
Hopton Cangeford, *Salop*	108	Ca
Hopton Castle, *Salop*	107	Aa
Hopton Wafers, *Salop*	108	Ca
Hopwas, *Staffs.*	128	Db
Horam, *E. Sus.*	25	Bb
Horbling, *Lincs.*	133	Aa
Horbury, *W. Yorks.*	173	Bb
Hordle, *Hants.*	20	Cb
Hordley, *Salop*	144	Dc
Horfield, *Avon*	50	Da
Horham, *Suff.*	99	Ba
Horkstow, *Humb.*	176	Db
Horley, *Oxon.*	92	Ca
Horley, *Sur.*	42	Cb
Hormead, *Herts.*	76	Ca
Hornblotton, *Som.*	35	Aa
Hornblotton Green, *Som.*	35	Aa
Hornby, *Lancs.*	180	Da
Hornby, *N. Yorks.*	197	Aa
Hornby, *N. Yorks.*	196	Db
Horncastle, *Lincs.*	153	Ba
Hornchurch, *Gt. Lon.*	58	Db
Horncliffe, *N'land*	243	Ba
Horndean, *Bord.*	243	Aa
Horndean, *Hants.*	39	Bc
Horndon, *Dev.*	8	Da
Horndon-on-the-Hill, *Essex*	59	Ab
Horne, *Sur.*	42	Cb
Horner, *Som.*	48	Cb
Horning, *Norf.*	138	Cc
Horninghold, *Leics.*	131	Bc
Horninglow, *Staffs.*	148	Dc
Horningsea, *Cambs.*	96	Da
Horningsham, *Wilts.*	36	Ca
Horningsheath, *Suff.*	98	Cb
Horningtoft, *Norf.*	136	Cb
Hornsby, *Cumb.*	218	Cc
Hornsea, *Humb.*	178	Ca
Hornsey, *Gt. Lon.*	57	Ba
Hornton, *Oxon.*	92	Ca
Horrabridge, *Dev.*	8	Da
Horsebridge, *Hants.*	-38	Cc
Horsecastle, *Avon*	50	Ca
Horseheath, *Cambs.*	97	Ac
Horse House, *N. Yorks.*	195	Bc
Horsell, *Sur.*	41	Aa
Horsenden, *Bucks.*	73	Bb
Horsepath, *Oxon.*	72	Db
Horsepool, *Wilts.*	53	Aa
Horsey, *Norf.*	138	Db
Horsey, *Som.*	33	Ba
Horsforth, *W. Yorks.*	183	Bc
Horsham, *W. Sus.*	24	Ca
Horsham St. Faith, *Norf.*	137	Bc
Horsington, *Lincs.*	153	Aa
Horsington, *Som.*	35	Bb
Horsley, *Derby.*	149	Ab
Horsley, *Glos.*	69	Bb
Horsley, *N'land*	221	Ab
Horsley Woodhouse, *Derby.*	149	Ab
Horsmonden, *Kent*	44	Cc
Horstead, *Norf.*	137	Bc
Horsted Keynes, *E. Sus.*	25	Aa
Horton, *Avon*	69	Bc
Horton, *Berks.*	56	Da
Horton, *Bucks.*	74	Ca
Horton, *Dors.*	19	Ab
Horton, *Lancs.*	182	Cb
Horton, *N'hants.*	94	Cc
Horton, *Oxon.*	73	Aa
Horton, *Salop*	126	Ca
Horton, *Staffs.*	147	Aa
Horton, *W. Glam.*	64	Cc
Horton, *Wilts.*	52	Db
Horton-in-Ribblesdale, *N. Yorks.*	182	Ca
Horton Kirby, *Kent*	58	Dc
Horwich, *Gt. Man.*	170	Db
Horwood, *Dev.*	30	Cb
Hose, *Leics.*	150	Dc
Hosh, *Tay.*	259	Ba
Hotham, *Humb.*	176	Ca
Hothfield, *Kent*	45	Ac
Hoton, *Leics.*	130	Cc
Hough-on-the-Hill, *Leics.*	151	Bb
Hougham, *Kent*	28	Da
Hougham, *Lincs.*	151	Bb
Houghton, *Cambs.*	95	Ba
Houghton, *Cumb.*	217	Bb
Houghton, *Dyfed*	62	Cb
Houghton, *W. Sus.*	23	Ab
Houghton Conquest, *Beds.*	94	Db
Houghton-le-Spring, *Ty/We.*	222	Cc
Houghton-on-the-Hill, *Leics.*	130	Db
Houghton Regis, *Beds.*	94	Dc
Houghton St. Giles, *Norf.*	136	Ca
Hound, *Hants.*	21	Aa
Houndsmoor, *Som.*	33	Ab
Houndwood, *Bord.*	254	Cb
Hounslow, *Gt. Lon.*	57	Ac
Houston, *Strath.*	248	Cb
Houstry, *Highl.*	318	Ca
Hove, *E. Sus.*	24	Dc
Hove Edge, *W. Yorks.*	172	Da
Hoveringham, *Notts.*	150	Db
Hoveton St. John, *Norf.*	138	Cc
Hovingham, *N. Yorks.*	198	Cc
How, *Cumb.*	218	Cc
How Caple, *Hf/Wor.*	88	Db
Howden, *Humb.*	175	Ba
Howden-le-Wear, *Dur.*	206	Db
Howe, *Cumb.*	193	Ab
Howe, *Highl.*	324	Cb
Howe, *Norf.*	119	Ba
Howell, *Lincs.*	152	Db
Howe Street, *Essex*	77	Bb
Howick, *Lancs.*	170	Ca
Howick, *N'land*	232	Da
Howick, *N. Yorks.*	198	Da
Hownam, *Bord.*	242	Dc
Howsham, *Humb.*	176	Dc
Howsham, *N. Yorks.*	186	Ca
Howtel, *N'land*	243	Ab
Hoxne, *Suff.*	99	Ba
Hoxton, *Gt. Lon.*	58	Cb
Hoylake, *Mers.*	159	Aa
Hoyland Nether, *S. Yorks.*	173	Bc
Hoyland Swaine, *S. Yorks.*	173	Bc
Hubberston, *Dyfed*	61	Bb
Huby, *N. Yorks.*	185	Aa
Huby, *N. Yorks.*	184	Cb
Hucclecote, *Glos.*	90	Cc
Hucking, *Kent*	44	Da
Hucknall Torkard, *Notts.*	150	Cb
Huddersfield, *W. Yorks.*	172	Db
Huddington, *Hf/Wor.*	109	Bc
Hudnalls, *Herts.*	68	Da
Hudswell, *N. Yorks.*	196	Ca
Huggate, *Humb.*	186	Db
Hugglescote, *Leics.*	129	Bb
Hughenden, *Bucks.*	74	Cb
Hughley, *Salop*	125	Bc
Huish, *Dev.*	31	Ab
Huish, *Wilts.*	53	Ab
Huish Champflower, *Som.*	48	Dc
Huish Episcopi, *Som.*	34	Db
Hulcott, *Bucks.*	74	Ca
Hull, *Humb.*	176	Da
Hulland, *Derby.*	148	Db
Hullavington, *Wilts.*	70	Cb
Hullbridge, *Essex*	60	Ca
Hulme, *Ches.*	160	Da
Hulme, *Gt. Man.*	161	Ba
Hulme, *Staffs.*	146	Db
Hulme End, *Staffs.*	148	Cb
Hulme Walfield, *Ches.*	161	Ba
Hulver Street, *Norf.*	136	Cb
Humber, *Hf/Wor.*	108	Cc
Humberston, *Humb.*	167	Ba
Humberstone, *Leics.*	130	Db
Humbleton, *Humb.*	178	Cb
Humbleton, *N'land*	243	Bc
Hume, *Bord.*	242	Cb
Humshaugh, *N'land*	220	Da
Huna, *Highl.*	324	Da
Huncoat, *Lancs.*	171	Aa
Huncote, *Leics.*	130	Cc
Hundalee, *Bord.*	242	Db
Hundleby, *Lincs.*	154	Cb
Hundleton, *Dyfed*	62	Cc
Hundon, *Suff.*	97	Bc
Hundred House, *Powys*	104	Da
Hungarton, *Leics.*	130	Cb
Hungerford, *Berks.*	55	Ba

	PAGE	SQ.
Hungerford, *Berks.*	54	Cb
Hungerford, *Hants.*	37	Bc
Hungerford Newtown, *Berks.*	54	Ca
Hunmanby, *N. Yorks.*	188	Ca
Hunningham, *Warks.*	111	Bb
Hunsdon, *Herts.*	76	Cb
Hunsingore, *N. Yorks.*	184	Db
Hunsonby, *Cumb.*	204	Ca
Hunstanton, *Norf.*	135	Aa
Hunstanworth, *Dur.*	220	Dc
Hunston, *Suff.*	98	Da
Hunston, *W. Sus.*	22	Da
Hunsworth, *W. Yorks.*	173	Aa
Hunter's Quay, *Strath.*	247	Ab
Huntham, *Som.*	34	Cb
Huntingdon, *Cambs.*	95	Ba
Huntingdon, *Hf/Wor.*	106	Dc
Huntingfield, *Suff.*	100	Ca
Huntingford, *Dors.*	36	Ca
Huntington, *Hf/Wor.*	88	Ca
Huntington, *N. Yorks.*	185	Bb
Huntley, *Glos.*	89	Bc
Huntly, *Gramp.*	304	Cc
Hunton, *Kent*	44	Cb
Hunton, *N. Yorks.*	196	Db
Huntscott, *Som.*	48	Cb
Huntsham, *Dev.*	32	Da
Huntshaw, *Dev.*	30	Cc
Huntspill, *Som.*	34	Ca
Huntworth, *Som.*	34	Cb
Hunwick, *Dur.*	206	Db
Hunworth, *Norf.*	137	Aa
Hurcot, *Som.*	34	Db
Hurdcott, *Som.*	37	Bb
Hurdsfield, *Ches.*	162	Cb
Hurlet, *Strath.*	248	Dc
Hurley, *Berks.*	56	Ca
Hurlford, *Strath.*	236	Db
Hursley, *Hants.*	38	Db
Hurst, *Berks.*	55	Ba
Hurst, *N. Yorks.*	195	Ba
Hurstbourne Priors, *Hants.*	38	Da
Hurstbourne Tarrant, *Hants.*	54	Cc
Hurst Green, *E. Sus.*	26	Ca
Hurst Green, *Lancs.*	181	Bc
Hurst Hill, *W. Mid.*	127	Ac
Hurstpierpoint, *W. Sus.*	24	Db
Hurworth, *Dur.*	207	Bc
Hury, *Dur.*	205	Bc
Husbands Bosworth, *Leics.*	112	Da
Husborne Crawley, *Beds.*	94	Db
Husthwaite, *N. Yorks.*	197	Bc
Huthwaite, *N. Yorks.*	197	Ba
Huthwaite, *Notts.*	149	Ba
Huttoft, *Lincs.*	154	Da
Hutton, *Avon*	49	Bb
Hutton, *Bord.*	243	Aa
Hutton, *Cumb.*	203	Bb
Hutton, *Dum/Gall.*	227	Bc
Hutton, *Essex*	59	Aa
Hutton, *Humb.*	187	Bc
Hutton, *Lancs.*	170	Ca
Hutton Bonville, *N. Yorks.*	197	Aa
Hutton Bushel, *N. Yorks.*	187	Ba
Hutton Conyers, *N. Yorks.*	197	Ac
Hutton Henry, *Dur.*	208	Ca
Hutton-le-Hole, *N. Yorks.*	198	Db
Hutton Magna, *Dur.*	206	Dc
Hutton Roof, *Cumb.*	193	Bc
Hutton Rudby, *N. Yorks.*	197	Ba
Hutton Sessay, *N. Yorks.*	197	Bc
Huxham, *Dev.*	32	Ca
Huxham Green, *Som.*	35	Aa
Huxley, *Ches.*	145	Aa
Huyton, *Mers.*	160	Ca
Hyde, *Gt. Man.*	162	Ca
Hyde, *Hf/Wor.*	107	Bc
Hyssington, *Powys*	124	Dc
Hythe, *Hants.*	21	Aa
Hythe, *Kent*	28	Ca
IBBERTON, *Dors.*	36	Cc
Ibsley, *Hants.*	19	Ba
Ibstock, *Leics.*	129	Bb
Ibstone, *Bucks.*	73	Bc
Ibthorpe, *Hants.*	54	Cc
Ibworth, *Hants.*	54	Dc
Icelton, *Avon*	50	Cb
Ickburgh, *Norf.*	117	Bb
Ickenham, *Gt. Lon.*	57	Ab
Ickford, *Bucks.*	73	Aa
Ickham, *Kent*	46	Cb
Ickleford, *Herts.*	75	Aa
Icklesham, *E. Sus.*	27	Ac
Ickleton, *Cambs.*	96	Dc
Icklingham, *Suff.*	97	Ba
Ickwell Green, *Beds.*	95	Ac
Icomb, *Glos.*	91	Ba

	PAGE	SQ.
Idbury, *Oxon.*	91	Bc
Iddesleigh, *Dev.*	31	Ab
Ideford, *Dev.*	14	Db
Iden, *E. Sus.*	27	Ab
Iden Green, *Kent*	26	Da
Idle, *W. Yorks.*	183	Bc
Idlicote, *Warks.*	91	Ba
Idmiston, *Wilts.*	37	Ba
Idridgehay, *Derby.*	148	Da
Idrigill, *Highl.*	295	Bb
Idstone, *Oxon.*	71	Bc
Iffley, *Oxon.*	72	Db
Ifield, *W. Sus.*	42	Cc
Iford, *Dors.*	19	Bb
Iford, *E. Sus.*	25	Ab
Ifton Heath, *Salop*	144	Cc
Ightfield, *Salop*	145	Bb
Ightham, *Kent*	43	Ba
Iken, *Suff.*	100	Cc
Ilam, *Staffs.*	148	Ca
Ilchester, *Som.*	34	Dc
Ilderton, *N'land*	243	Bc
Ilford, *Gt. Lon.*	58	Cb
Ilfracombe, *Dev.*	30	Ca
Ilkeston, *Derby.*	149	Bb
Ilketshall St. Andrew, *Suff.*	120	Cc
Ilketshall St. John, *Suff.*	120	Cc
Ilketshall St. Lawrence, *Suff.*	120	Cc
Ilketshall St. Margaret, *Suff.*	120	Cc
Ilkley, *W. Yorks.*	183	Ab
Illey, *W. Mid.*	109	Ba
Illington, *Norf.*	118	Cb
Illingworth, *W. Yorks.*	172	Da
Illogan, *Corn.*	2	Ca
Illston-on-the-Hill, *Leics.*	130	Dc
Ilmer, *Bucks.*	73	Bb
Ilmington, *Warks.*	91	Aa
Ilminster, *Som.*	16	Ca
Ilsington, *Dev.*	14	Cb
Ilston, *W. Glam.*	64	Dc
Ilton, *N. Yorks.*	196	Dc
Ilton, *Som.*	34	Cc
Immingham, *Humb.*	167	Ba
Impington, *Cambs.*	90	Da
Ince, *Ches.*	160	Cb
Ince, *Gt. Man.*	170	Ca
Ince Blundell, *Mers.*	169	Ac
Inch, *Dum/Gall.*	209	Aa
Inchbare, *Tay.*	281	Bc
Inchberry, *Highl.*	300	Dc
Inchinnan, *Strath.*	248	Db
Inchmarnock, *Strath.*	246	Cc
Inchnadamff, *Highl.*	314	Cb
Inchture, *Tay.*	271	Ac
Ingatestone, *Essex*	59	Aa
Ingbirchworth, *S. Yorks.*	173	Ac
Ingestre, *Staffs.*	147	Ac
Ingham, *Lincs.*	166	Cb
Ingham, *Norf.*	138	Cb
Ingham, *Suff.*	98	Ca
Ingleby, *Derby.*	148	Dc
Ingleby Arncliffe, *N. Yorks.*	197	Ba
Ingleby Cross, *N. Yorks.*	197	Ba
Ingleby Greenhow, *N. Yorks.*	198	Ca
Inglesbatch, *Avon*	51	Ab
Inglesham, *Wilts.*	71	Ab
Ingleton, *Dur.*	206	Dc
Ingleton, *N. Yorks.*	194	Cc
Inglewhite, *Lancs.*	180	Dc
Inglistown, *Gramp.*	296	Bb
Ingoe, *N'land*	220	Da
Ingoldisthorpe, *Norf.*	135	Ab
Ingoldmells, *Lincs.*	154	Da
Ingoldsby, *Lincs.*	152	Cc
Ingram, *N'land*	231	Ba
Ingrave, *Essex*	59	Aa
Ingrow, *W. Yorks.*	183	Ac
Ingst, *Avon*	68	Dc
Ingthorpe, *Leics.*	132	Cb
Ingworth, *Norf.*	137	Bb
Inhurst, *Hants.*	54	Db
Inkberrow, *Hf/Wor.*	110	Cc
Inkpen, *Berks.*	54	Cb
Innellan, *Strath.*	246	Db
Innerleithen, *Bord.*	240	Db
Innermessan, *Dum/Gall.*	211	Bb
Innerwick, *Loth.*	253	Bb
Innerwick, *Tay.*	268	Cb
Insch, *Gramp.*	293	Aa
Inskip, *Lancs.*	180	Cc
Instow, *Dev.*	30	Cb
Intake, *S. Yorks.*	164	Cb
Intwood, *Norf.*	119	Aa
Inver Alligin, *Highl.*	297	Ba
Inverallochy, *Gramp.*	306	Da
Inveraray, *Strath.*	256	Db
Inverarity, *Tay.*	271	Bb
Inverbervie, *Gramp.*	282	Cc
Invercassley, *Highl.*	310	Da
Inverchaolain, *Strath.*	246	Db
Invereshk, *Loth.*	252	Db

	PAGE	SQ.
Invergordon, *Highl.*	301	Aa
Inverichnie, *Gramp.*	305	Aa
Inverie, *Highl.*	273	Ba
Inverkeilor, *Tay.*	72	Da
Inverkeithing, *Fife*	251	Aa
Inverkip, *Strath.*	247	Ab
Inverkirkaig, *Highl.*	313	Bb
Inverness, *Highl.*	300	Dc
Invershiel, *Highl.*	286	Cb
Inverurie, *Gramp.*	293	Bb
Inwardleigh, *Dev.*	31	Ac
Inworth, *Essex*	78	Cb
Iping, *W. Sus.*	40	Cc
Ipplepen, *Dev.*	10	Ca
Ippollitts, *Herts.*	75	Ba
Ipsden, *Oxon.*	73	Ac
Ipstones, *Staffs.*	147	Ba
Ipswich, *Suff.*	79	Ba
Irby, *Mers.*	159	Ab
Irby-in-the-Marsh, *Lincs.*	154	Cb
Irby-upon-Humber, *Humb.*	167	Ba
Irchester, *N'hants.*	113	Bc
Ireby, *Cumb.*	202	Ca
Ireleth, *Cumb.*	192	Cc
Ireshopeburn, *Dur.*	205	Ba
Ireton Wood, *Derby.*	148	Db
Irnham, *Lincs.*	132	Ca
Iron Acton, *Avon*	69	Ac
Ironbridge, *Salop*	126	Cb
Iron Cross, *Warks.*	110	Cc
Irongray, *Dum/Gall.*	215	Ba
Ironville, *Derby.*	149	Ba
Irthington, *Cumb.*	218	Cb
Irthlingborough, *N'hants.*	114	Cb
Irvine, *Strath.*	236	Cb
Isauld, *Highl.*	322	Da
Isfield, *E. Sus.*	25	Ab
Isham, *N'hants.*	113	Bb
Isle Abbotts, *Som.*	34	Cc
Isle Brewers, *Som.*	34	Cc
Isleham, *Cambs.*	97	Aa
Isle Ornsay, *Highl.*	285	Ac
Isley Walton, *Leics.*	129	Ba
Islington, *Gt. Lon.*	57	Bb
Islip, *N'hants.*	114	Cb
Islip, *Oxon.*	72	Da
Itchen, *Hants.*	21	Aa
Itchen Abbas, *Hants.*	39	Ab
Itchen Stoke, *Hants.*	39	Ab
Itchingfield, *W. Sus.*	23	Ba
Itchington, *Avon*	69	Ac
Itteringham, *Norf.*	137	Ab
Itton, *Dev.*	31	Bc
Itton, *Gwent*	68	Cb
Ivegill, *Cumb.*	203	Ba
Iver, *Bucks.*	56	Da
Iver Heath, *Bucks.*	56	Da
Iveston, *Dur.*	221	Bc
Ivinghoe, *Bucks.*	74	Da
Ivybridge, *Dev.*	9	Ba
Ivychurch, *Kent*	27	Bb
Iwade, *Kent*	60	Cc
Iwerne Courtney, *Dors.*	36	Cc
Iwerne Minster, *Dors.*	36	Cc
Ixworth, *Suff.*	98	Da
Ixworth Thorpe, *Suff.*	98	Da
JACKSON BRIDGE, *W. Yorks.*	172	Dc
Jacobstow, *Corn.*	11	Bb
Jacobstowe, *Dev.*	31	Ac
Jameston, *Dyfed*	62	Dc
Jamestown, *Strath.*	248	Ca
Janetstown, *Highl.*	323	Ab
Jarrow, *Tyne/We.*	222	Cb
Jaspers Green, *Essex*	77	Bb
Jedburgh, *Bord.*	242	Cc
Jefferyswerge, *E. Sus.*	24	Da
Jeffreston, *Dyfed.*	62	Db
Jemimaville, *Highl.*	301	Aa
Jevington, *E. Sus.*	25	Bc
Johnby, *Cumb.*	203	Bb
John O' Groat's House, *Highl.*	324	Da
Johnshaven, *Gramp.*	282	Cc
Johnston, *Dyfed*	62	Cb
Johnstone, *Dum/Gall.*	227	Ab
Johnstone, *Strath.*	248	Cc
Johns Town, *Dyfed*	63	Bc
Joppa, *Strath.*	252	Cc
Jordanston, *Dyfed*	81	Bb
Joyford, *Glos.*	68	Da
Jugbank, *Staffs.*	146	Cc
Jump, *S. Yorks.*	174	Cc
Juniper Green, *Loth.*	251	Bb
Jurby, *I.O.M.*	189	Ab
KABER, *Cumb.*	205	Ac
Kames, *Strath.*	246	Cb
Kea, *Corn.*	2	Da
Keadby, *Humb.*	176	Ca
Keal Coates, *Lincs.*	154	Cb
Kearsley, *N'land*	221	Bb
Kearton, *N. Yorks.*	195	Ba
Keddington, *Lincs.*	168	Ca
Kedleston, *Derby.*	148	Db
Keelby, *Lincs.*	167	Ba

	PAGE	SQ.
Keevil, *Wilts.*	52	Cb
Kegworth, *Leics.*	149	Bc
Keig, *Gramp.*	293	Ab
Keighley, *W. Yorks.*	183	Ac
Keillor, *Tay.*	271	Ab
Keinton Mandeville, *Som.*	35	Aa
Keisby, *Lincs.*	152	Cc
Keiss, *Highl.*	324	Db
Keith, *Gramp.*	304	Cb
Kelbrook, *Lancs.*	182	Cc
Kelby, *Lincs.*	152	Cb
Keld, *Cumb.*	195	Aa
Keldholme, *N. Yorks.*	198	Db
Kelfield, *Humb.*	185	Bc
Kelham, *Notts.*	151	Aa
Kellacott, *Dev.*	12	Cc
Kellaways, *Wilts.*	52	Ca
Kelleth, *Cumb.*	194	Ca
Kelling, *Norf.*	137	Aa
Kellingley, *N. Yorks.*	174	Da
Kelling Street, *Norf.*	137	Aa
Kellington, *N. Yorks.*	174	Da
Kells, *Cumb.*	214	Ca
Kelly, *Dev.*	8	Ca
Kelmarsh, *N'hants.*	113	Aa
Kelmscot, *Oxon.*	71	Bb
Kelsale, *Suff.*	100	Cb
Kelsall, *Ches.*	160	Cc
Kelshall, *Herts.*	76	Ca
Kelsick, *Cumb.*	216	Dc
Kelso, *Bord.*	242	Cb
Kelstern, *Lincs.*	167	Bc
Kelston, *Avon*	51	Aa
Kelton, *Dum/Gall.*	216	Ca
Kelton, *Dum/Gall.*	214	Db
Kelty, *Fife*	260	Dc
Kelvedon, *Essex*	78	Cb
Kelvedon Hatch, *Essex*	59	Aa
Kemberton, *Salop*	126	Db
Kemble, *Glos.*	70	Db
Kemerton, *Hf/Wor.*	90	Cb
Kemeys Commander, *Gwent*	67	Ba
Kemeys Inferior, *Gwent*	68	Cb
Kemnay, *Gramp.*	293	Bb
Kempley, *Glos.*	89	Ab
Kempley Green, *Glos.*	89	Ab
Kempsey, *Hf/Wor.*	90	Ca
Kempsford, *Glos.*	71	Ab
Kempston, *Beds.*	94	Da
Kempstone, *Norf.*	136	Cc
Kempton, *Salop*	107	Aa
Kemsing, *Kent*	43	Aa
Kenardington, *Kent*	27	Ba
Kenchester, *Hf/Wor.*	88	Ca
Kencott, *Oxon.*	71	Bb
Kendal, *Cumb.*	193	Bb
Kendrom, *Highl.*	296	Ca
Kenfig, *M. Glam.*	65	Bb
Kenfig Hill, *M. Glam.*	65	Bb
Kenilworth, *Warks.*	111	Aa
Kenley, *Salop*	125	Bc
Kenmore, *Tay.*	268	Db
Kenn, *Avon*	50	Ca
Kenn, *Dev.*	14	Da
Kennerleigh, *Dev.*	32	Cb
Kennett, *Cambs.*	97	Ba
Kenford, *Dev.*	14	Da
Kenninghall, *Norf.*	118	Dc
Kennington, *Gt. Lon.*	57	Bb
Kennington, *Kent*	45	Ac
Kennington, *Oxon.*	72	Db
Kennoway, *Fife*	270	Cb
Kennyhill, *Suff.*	117	Ac
Kennythorpe, *N. Yorks.*	186	Ca
Kensaleyre, *Highl.*	295	Bb
Kensington, *Gt. Lon.*	57	Bb
Kensworth, *Beds.*	74	Da
Kentchurch, *Hf/Wor.*	88	Cc
Kentford, *Suff.*	97	Ba
Kentisbeare, *Dev.*	15	Aa
Kentisbury, *Dev.*	30	Da
Kentish Town, *Gt. Lon.*	57	Bb
Kenton, *Dev.*	14	Db
Kenton, *Gt. Lon.*	57	Aa
Kenton, *Suff.*	99	Bb
Kenton, *Ty/We.*	212	Bb
Kentra, *Highl.*	273	Bc
Kent Street, *Kent*	43	Bb
Kents Green, *Glos.*	89	Bc
Kenwyn, *Corn.*	2	Da
Kenyon, *Gt. Man.*	160	Ca
Kepwick, *N. Yorks.*	197	Bb
Keresley, *W. Mid.*	111	Aa
Kerris, *Corn.*	1	Bc
Kerry, *Powys*	106	Ca
Kersall, *Notts.*	150	Da
Kersey, *Suff.*	79	Aa
Kerswell, *Dev.*	15	Aa
Kerswell Green, *Hf/Wor.*	90	Ca
Kesgrave, *Suff.*	79	Ba
Kessingland, *Suff.*	120	Dc
Kestle, *Corn.*	4	Ca
Keston Mark, *Gt. Lon.*	42	Da
Keswick, *Cumb.*	202	Db
Keswick, *Norf.*	119	Aa
Ketley, *Salop*	126	Cb
Ketleybank, *Salop*	126	Cb
Ketsby, *Lincs.*	154	Cb

346

	PAGE	SQ.
Kettering, N'hants.	113	Ba
Ketteringham, Norf.	119	Aa
Kettins, Tay.	270	Db
Kettlebaston, Suff.	98	Dc
Kettlebrook, Warks.	128	Cb
Kettleburgh, Suff.	99	Bb
Kettleness, N. Yorks.	199	Ba
Kettleshulme, Ches.	162	Cb
Kettlesing Bottom, N. Yorks.	183	Bb
Kettlestone, Norf.	136	Db
Kettlethorpe, Lincs.	165	Bb
Kettlewell, N. Yorks.	182	Da
Ketton, Leics.	132	Cb
Kew, Gt. Lon.	57	Ab
Kewstoke, Avon.	49	Bb
Kexbrough, S. Yorks.	173	Bc
Kexby, Lincs.	166	Cb
Kexby, N. Yorks.	185	Bb
Keyford, Som.	51	Bc
Keyham, Leics.	130	Db
Keyhaven, Hants.	20	Db
Keyingham, Humb.	178	Cc
Keymer, W. Sus..	24	Db
Keynsham, Avon	51	Aa
Keysoe, Beds.	95	Aa
Keys Toft, Lincs.	154	Db
Keyston, Cambs.	114	Cb
Key Street, Kent.	44	Da
Keyworth, Notts.	150	Bc
Kibblesworth, Ty/We.	222	Cc
Kibworth Beauchamp, Leics..	130	Dc
Kibworth Harcourt, Leics..	130	Dc
Kidbrooke, Gt. Lon.	58	Cc
Kiddal Lane End, W. Yorks..	184	Dc
Kiddemore Green, Staffs.	127	Ab
Kidderminster, Hf/Wor..	126	Cb
Kiddington, Oxon.	92	Cc
Kidlington, Oxon.	72	Da
Kidmore End, Oxon.	55	Ba
Kidsgrove, Staffs.	146	Da
Kidwelly, Dyfed	63	Bb
Kilbarchan, Strath.	248	Cc
Kilbeg, Highl.	285	Ac
Kilbirnie, Strath.	236	Ca
Kilbride, Strath.	255	Ba
Kilburn, Derby.	149	Ab
Kilburn, Gt. Lon.	57	Bb
Kilburn, N. Yorks.	197	Bc
Kilby, Leics.	130	Dc
Kilcalmonell and Kilberry, Strath.	245	Ac
Kilchattan, Strath.	246	Dc
Kilchenzie, Strath.	233	Ac
Kilchoan, Highl..	263	Ba
Kilchrenan, Strath.	256	Ca
Kilconquhar, Fife.	262	Cb
Kilcot, Glos.	89	Ac
Kilcreggan, Strath.	247	Ba
Kildale, N. Yorks.	208	Dc
Kildwick, W. Yorks.	182	Dc
Kilfinan, Strath..	246	Cb
Kilgetty, Dyfed	62	Db
Kilham, Humb.	188	Cb
Kilham, N'land	242	Db
Kilkhampton, Corn.	11	Ba
Killamarsh, Derby.	164	Cb
Killay, W. Glam..	64	Cb
Killean, Strath.	233	Aa
Killearn, Cen.	248	Bc
Killerby, Dur.	206	Dc
Killichonan, Tay.	268	Ca
Killiecrankie, Tay.	269	Ba
Killilan, Highl.	286	Ca
Killimster, Highl.	324	Cb
Killin, Cen.	268	Cc
Killinghall, N. Yorks.	184	Cb
Killingworth, N'land	222	Ca
Kilmacolm, Strath.	248	Cb
Kilmaluag, Highl.	296	Ca
Kilmany, Fife	261	Ba
Kilmarnock, Strath.	236	Db
Kilmartin, Strath.	255	Bb
Kilmaurs, Strath.	236	Db
Kilmelford, Strath.	255	Bb
Kilmerston, Som.	51	Ac
Kilmeston, Hants.	39	Ab
Kilmichael Glassary, Strath..	245	Ba
Kilmington, Devon.	16	Cb
Kilmington, Wilts.	36	Ca
Kilmington Common, Wilts.	36	Ca
Kilmington Street, Wilts.	36	Ca
Kilmodan, Strath.	246	Ca
Kilmonivaig, Highl.	275	Bb
Kilmorack, Highl.	300	Cc
Kilmore, Highl.	285	Ac
Kilmore, Strath.	255	Bb
Kilmory, Strath.	245	Ab
Kilmory, Strath.	234	Dc
Kilmuir, Highl.	312	Ca
Kilmuir, Highl.	301	Ab
Kilmuir, Highl.	295	Bc
Kilmun, Strath.	247	Aa
Kilncadzow, Strath.	238	Da
Kilndown, Kent	44	Cc
Kilnhurst, S. Yorks.	164	Ca
Kilninian, Strath.	263	Ab
Kilninver, Strath.	255	Ba
Kilnsea, Humb..	168	Ca
Kilnsey, N. Yorks.	182	Da
Kilnwick, Humb.	177	Aa
Kilnwick Percy, Humb...	186	Cb
Kilpeck, Hf/Wor.	88	Cb
Kilpin, Humb.	175	Ba
Kilrenny, Fife.	262	Db
Kilsby, N'hants.	112	Cb
Kilspindie, Tay..	270	Dc
Kilsyth, Strath.	249	Ba
Kiltearn, Highl..	300	Da
Kilton, Som.	33	Ba
Kilvaxter, Highl..	295	Ba
Kilve, Som.	33	Aa
Kilverstone, Norf.	118	Cc
Kilvington, Notts.	151	Bb
Kilwinning, Strath.	236	Ca
Kimberley, Norf.	118	Da
Kimberley, Notts.	149	Bb
Kimberworth, S. Yorks..	164	Ca
Kimblesworth, Dur.	222	Cc
Kimble Wick, Bucks..	73	Ba
Kimbolton, Cambs.	95	Aa
Kimbolton, Hf/Wor.	107	Bc
Kimcote, Leics.	112	Ca
Kimmeridge, Dors.	18	Dc
Kimpton, Hants.	38	Ca
Kimpton, Herts..	75	Ab
Kincardine, Fife	250	Ca
Kincardine, Highl.	311	Ab
Kincardine O'Neil, Gramp.	293	Ac
Kinclaven, Tay.	270	Db
Kincraig, Highl.	289	Bc
Kineton, Glos.	90	Db
Kineton, Warks.	91	Ba
Kingarth, Strath.	246	Dc
Kingcoed, Gwent	68	Ca
Kingerby, Lincs..	166	Bc
Kingham, Oxon..	91	Bc
Kingholm Quay, Dum/Gall.	215	Ba
Kinghorn, Fife	251	Ba
Kinglassie, Fife	261	Ac
Kingsand, Corn..	8	Cc
Kingsbarns, Fife	262	Db
Kingsbridge, Dev.	10	Cb
King's Bromley, Staffs..	128	Ca
Kingsburgh, Highl.	296	Cb
Kingsbury, Warks.	128	Cc
Kingsbury Episcopi, Som..	34	Dc
Kingsbury Green, Gt. Lon.	57	Bb
King's Caple, Hf/Wor..	88	Db
Kingsclere, Hants.	54	Dc
Kings Cliffe, N'hants..	132	Cc
Kingscote, Glos..	69	Bb
Kingscott, Dev.	30	Cc
Kingsdon, Som.	34	Db
Kingsdown, Kent	43	Ba
Kingsdown, Kent	44	Da
Kingsdown, Kent	46	Dc
Kingsdown, Wilts.	71	Ac
Kingsdown, Wilts.	51	Ba
Kingsey, Bucks.	73	Bb
Kingsfold, W. Sus.	41	Bc
Kingsford, Hf/Wor.	109	Aa
Kings Green, Glos.	89	Bb
Kings Heath, W. Mid.	110	Ca
Kingskerswell, Dev.	14	Cc
Kingskettle, Fife	261	Bb
Kingsland, Cambs.	115	Ba
Kingsland, Hf/Wor.	107	Bb
Kings Langley, Herts.	75	Ac
Kingsley, Ches.	160	Db
Kingsley, Hants.	40	Ca
Kingsley, Staffs.	147	Bb
King's Lynn, Norf.	135	Ac
Kings Meaburn, Cumb.	204	Cb
Kingsmuir, Tay.	271	Bb
King's Newnham, Warks.	111	Bb
Kings Newton, Derby.	129	Ba
Kingsnorth, Kent	27	Ba
Kingsnorth Pound, Kent	27	Ba
Kings Norton, Leics.	130	Da
Kings Norton, W. Mid.	110	Ca
Kings Nympton, Dev.	31	Ba
Kings Ripton, Cambs.	115	Bc
Kings Somborne, Hants.	38	Cb
Kings Stanley, Glos.	69	Bb
Kings Sutton, N'hants.	92	Ba
Kingsteignton, Dev.	14	Cb
Kingsthorpe, N'hants.	113	Ac
Kingston, Cambs.	96	Cb
Kingston, Dev.	9	Bb
Kingston, Dors.	19	Ac
Kingston, Dors.	19	Bb
Kingston, Dors.	36	Cc
Kingston, E. Sus.	24	Cb
Kingston, Gramp.	303	Ba
Kingston, Hants.	21	Ac
Kingston, Hants.	38	Da
Kingston, Kent	46	Cc
Kingston, Staffs..	147	Bc
Kingston, W. Sus.	23	Bc
Kingston Bagpuize, Oxon..	72	Cb
Kingston Blount, Oxon..	73	Bb
Kingston-by-Sea, W. Sus.	24	Cc
Kingston Deverill, Wilts..	36	Ca
Kingstone, Hf/Wor.	88	Cb
Kingstone, Som.	16	Ca
Kingston Lisle, Oxon.	71	Bc
Kingston-on-Thames, Gt. Lon.	50	Bc
Kingston St. Mary, Som.	33	Bb
Kingston Seymour, Avon	50	Ca
Kingston-upon-Soar, Notts..	149	Bc
Kingstown, Cumb.	217	Bb
Kings Walden, Herts.	75	Ab
Kingswear, Dev..	10	Db
Kingswinford, W. Mid.	127	Ac
Kingswood, Avon	51	Aa
Kingswood, Glos.	69	Bb
Kingswood, Sur.	42	Ca
Kings Worthy, Hants.	38	Db
Kingthorpe, Lincs.	153	Aa
Kington, Avon	68	Db
Kington, Hf/Wor.	106	Dc
Kington, Hf/Wor.	109	Bc
Kington Langley, Wilts.	52	Ca
Kington Magna, Dors.	36	Cb
Kington St. Michael, Wilts.	52	Ca
Kingussie, Highl.	289	Bc
Kingweston, Som.	34	Db
Kinkry Hill, Cumb.	218	Ca
Kinloch, Highl.	270	Db
Kinloch Bervie, Highl..	319	Ab
Kinlochewe, Highl.	298	Ca
Kinlochleven, Highl.	266	Da
Kinloch Rannoch, Tay.	268	Da
Kinloss, Gramp.	302	Da
Kinnaird, Tay.	270	Dc
Kinneff, Gramp.	282	Db
Kinnell, Tay.	272	Ca
Kinnerley, Salop	124	Da
Kinnersley, Hf/Wor.	87	Ba
Kinnersley, Hf/Wor.	90	Ca
Kinnerton, Hf/Wor.	106	Ca
Kinoulton, Notts.	150	Dc
Kinross, Tay.	260	Db
Kinsham, Hf/Wor.	107	Ab
Kinsham, Hf/Wor.	90	Cb
Kinsley, W. Yorks.	174	Cb
Kinson, Hants.	19	Bb
Kintbury, Berks..	54	Cb
Kinton, Salop	124	Da
Kintore, Gramp.	293	Bb
Kinver, Staffs.	109	Aa
Kinwarton, Warks.	110	Ca
Kiplin, N. Yorks.	196	Da
Kippax, W. Yorks.	174	Ca
Kippen, Cen.	258	Dc
Kirby Bedon, Norf.	119	Ba
Kirby Bellars, Leics.	130	Ca
Kirby Cane, Norf.	120	Cb
Kirby Grindalythe, Humb..	186	Da
Kirby Hill, N. Yorks.	196	Ca
Kirby Hill, N. Yorks.	184	Ca
Kirby Knowle, N. Yorks.	197	Bb
Kirby-le-Soken, Essex	79	Bc
Kirby Misperton, N. Yorks.	198	Dc
Kirby Muxloe, Leics.	130	Bb
Kirby Row, Norf.	120	Cb
Kirby Sigston, N. Yorks.	197	Ba
Kirby Wiske, N. Yorks.	197	Ba
Kirdford, W. Sus.	23	Bb
Kirkandrews-upon-Eden, Cumb.	217	Bb
Kirkbean, Dum/Gall.	215	Bb
Kirk Bramwith, S. Yorks.	174	Dc
Kirkbride, Cumb.	217	Ac
Kirkburn, Humb.	187	Bc
Kirkburton, W. Yorks.	173	Ab
Kirkby, Mers.	169	Bc
Kirkby-cum-Osgodby, Lincs.	166	Ca
Kirkby Fleetham, N. Yorks.	196	Da
Kirkby Green, Lincs.	152	Ba
Kirkby-in-Ashfield, Notts.	149	Bb
Kirkby-la-Thorpe, Lincs.	152	Db
Kirkby Lonsdale, Cumb.	194	Cb
Kirkby Malham, N. Yorks.	182	Ca
Kirkby Mallory, Leics.	129	Bc
Kirkby Malzeard, N. Yorks.	196	Dc
Kirkby Moorside, N. Yorks.	198	Db
Kirkby-on-Bain, Lincs.	153	Bb
Kirkby Overblow, N. Yorks.	184	Cb
Kirkby Stephen, Cumb.	194	Da
Kirkby Thore, Cumb.	204	Cb
Kirkby Underdale, Humb..	186	Cb
Kirkby Underwood, Lincs.	132	Da
Kirkby Wharfe, N. Yorks.	185	Ac
Kirkcaldy, Fife	261	Bc
Kirkcambeck, Cumb.	218	Cb
Kirkcolm, Dum/Gall.	211	Ab
Kirkconnel, Dum/Gall.	225	Ba
Kirkcowan, Dum/Gall.	212	Db
Kirkcudbright, Dum/Gall.	214	Cc
Kirkdale, Mers.	159	Ba
Kirk Deighton, N. Yorks.	184	Db
Kirk Ella, Humb.	176	Da
Kirkfieldbank, Strath.	238	Ca
Kirk Gill, N. Yorks.	195	Ac
Kirkgunzeon, Dum/Gall.	215	Ab
Kirk Hallam, Derby.	149	Bb
Kirkham, Lancs..	169	Ba
Kirkham, N. Yorks.	186	Ca
Kirkham Gate, W. Yorks.	173	Bb
Kirk Hammerton, N. Yorks.	184	Db
Kirkharle, N'land	220	Da
Kirkheaton, N'land	220	Da
Kirkheaton, W. Yorks.	173	Ab
Kirkhill, Highl.	300	Dc
Kirkhill of Kennethmont Gramp.	292	Da
Kirkhouse Green, S. Yorks.	175	Ab
Kirkinner, Dum/Gall.	210	Da
Kirkintilloch, Strath.	249	Ab
Kirk Ireton, Derby.	148	Da
Kirkland, Cumb.	201	Bc
Kirkland, Cumb.	204	Cb
Kirk Langley, Derby.	148	Cb
Kirkleatham, Cleve.	199	Aa
Kirk Leavington, Cleve..	208	Cc
Kirkley, Suff.	120	Db
Kirklington, Notts.	150	Da
Kirklington, N. Yorks.	196	Dc
Kirklinton, Cumb.	218	Cb
Kirkliston, Loth..	251	Ac
Kirkmahoe, Dum/Gall.	226	Dc
Kirkmaiden, Dum/Gall.	209	Ab
Kirk Merrington, Dur.	207	Ab
Kirkmichael, Dum/Gall.	227	Ac
Kirkmichael, I.O.M.	189	Bb
Kirkmichael, Strath.	224	Ca
Kirkmichael, Tay.	270	Ca
Kirkmichael, Tay.	270	Ca
Kirknewton, N'land	243	Bc
Kirkney, Gramp..	292	Da
Kirk of Shotts, Strath..	250	Cc
Kirkoswald, Cumb.	204	Ca
Kirkoswald, Strath.	223	Bb
Kirkpatrick, Dum/Gall.	217	Aa
Kirkpatrick Durham, Dum/Gall.	214	Da
Kirk Sandall, S. Yorks.	174	Dc
Kirksanton, Cumb.	191	Bc
Kirk Smeaton, N. Yorks.	174	Cc
Kirkstall, W. Yorks.	184	Cc
Kirkstead, Lincs.	153	Aa
Kirkthorpe, W. Yorks.	173	Bb
Kirkton, Bord.	229	Bb
Kirkton, Gramp.	297	Bb
Kirkton of Auchterhouse, Tay.	271	Ba
Kirkton of Culsalmond, Gramp.	293	Aa
Kirkton of Durris, Gramp.	282	Ca
Kirkton of Glenisla, Tay.	270	Ca
Kirkton of Kingoldrum, Tay.	271	Aa
Kirkton of Lethendy, Tay.	270	Cb
Kirkton of Lochalsh, Highl.	285	Bb
Kirkton of Menmuir, Tay.	281	Ca
Kirkton of Strathmartine, Tay.	271	Bc

	PAGE	SQ.
Kirkton of Tealing, Tay.	271	Bb
Kirktown of Alvah, Gramp.	305	Aa
Kirktown of Auchterless, Gramp.	305	Ac
Kirktown of Bourtie, Gramp.	293	Ba
Kirktown of Clatt, Gramp.	292	Da
Kirktown of Deskford, Gramp.	304	Ca
Kirktown of Rayne, Gramp.	293	Aa
Kirkurd, Bord.	239	Ba
Kirkwhelpington, N'land	231	Bb
Kirk Yetholm, Bord.	242	Dc
Kirmington, Humb.	167	Aa
Kirmond-le-Mire, Lincs.	167	Bb
Kirn, Strath.	247	Ab
Kirriemuir, Tay..	271	Ba
Kirstead, Norf.	119	Bb
Kirstead Green, Norf.	119	Bb
Kirtle Bridge, Dum/Gall.	216	Da
Kirtling, Cambs..	97	Ab
Kirtlington, Oxon.	92	Dc
Kirtomy, Highl.	321	Ba
Kirton, Lincs.	133	Ba
Kirton, Notts.	165	Ac
Kirton, Suff.	80	Ca
Kirton End, Lincs.	133	Ba
Kisdon, N. Yorks.	195	Aa
Kislingbury, N'hants.	112	Dc
Kites Hardwick, Warks.	112	Cb
Kittisford, Som.	33	Ac
Kitts Green, W. Mid.	110	Da
Kittybrewster, Gramp.	294	Cc
Kiveton Park, S. Yorks.	164	Cb
Knaphill, Sur.	41	Aa
Knapp, Som.	34	Cb
Knapp Hill, Hants.	38	Db
Knaptoft, Leics.	112	Da
Knapton, Norf.	138	Ca
Knapton, N. Yorks.	185	Ab
Knapton, N. Yorks.	187	Ab
Knapton Green, Hf/Wor.	107	Bc
Knapwell, Cambs.	96	Ca
Knaresborough, N. Yorks.	184	Cb
Knayton, N. Yorks.	197	Bb
Knebworth, Herts.	75	Bb
Knedlington, Humb.	175	Ba
Kneesall, Notts.	165	Ac
Kneesworth, Cambs.	96	Cc
Kneeton, Notts.	150	Db
Knelston, W. Glam.	64	Cb
Knettishall, Suff..	118	Cc
Knightcote, Warks.	92	Ca
Knighton, Dors..	35	Ac
Knighton, Leics.	130	Cc
Knighton, Powys	106	Db
Knighton, Som.	33	Ba
Knighton, Staffs.	146	Cb
Knighton, Staffs.	146	Cc
Knill, Hf/Wor.	106	Dc
Knipton, Leics.	151	Bc
Kniveton, Derby.	148	Ca
Knockan, Highl..	314	Cc
Knockbreck, Highl.	323	Bb
Knockdown, Wilts.	69	Bc
Knockhoe, Highl.	295	Ba
Knockholt, Kent	43	Aa
Knockin, Salop	124	Da
Knodishall, Suff..	100	Db
Knole, Som.	34	Db
Knossington, Leics.	131	Bb
Knotting, Beds.	114	Cc
Knotting Green, Beds.	114	Cc
Knottingley, N. Yorks.	174	Da
Knowbury, Salop	108	Cb
Knowle, Avon	50	Da
Knowle, Dev.	30	Cb
Knowle, Som.	34	Ca
Knowle, W. Mid.	110	Da
Knowlhill, Sur.	56	Db
Knowle St. Giles, Som.	16	Ca
Knowle Top, S. Yorks.	163	Ba
Knowl Hill, Berks.	56	Ca
Knowlton, Dors..	19	Aa
Knowlton, Kent	46	Cb
Knowsley, Mers.	160	Ca
Knowstone, Dev.	32	Ca
Knutsford, Ches.	161	Ab
Knutton, Staffs.	146	Db
Kyleakin, Highl.	285	Bb
Kyle of Lochalsh, Highl.	285	Bb
Kylerhea, Highl.	285	Bb
Kynaston, Hf/Wor.	88	Db
Kynaston, Salop	124	Da
LACEBY, Humb.	167	Ba
Lacey Green, Bucks.	74	Cb
Lach Dennis, Ches.	161	Ac
Lackford, Suff.	97	Ba
Lacock, Wilts.	52	Ca
Ladbroke, Warks.	111	Bc
Lade Bank, Lincs.	154	Cc
Ladock, Corn.	5	Bc
Ladybank, Fife	261	Bb
Ladybarn, Gt. Man.	161	Ba
Ladykirk, Bord.	242	Da
Lairg, Highl.	311	Aa
Lake, Dev.	30	Cb
Lake Lock, W. Yorks.	173	Ba
Lakenheath, Suff.	117	Ac
Lakes End, Norf.	116	Db
Laleham, Sur.	56	Db
Laleston, M. Glam.	65	Bb
Lamarsh, Essex	78	Ca
Lamas, Norf.	137	Bb
Lamberhead Green, Gt. Man.	170	Cc
Lamberhurst, Kent	43	Bc
Lambeth, Gt. Lon.	57	Bb
Lambley, Notts.	150	Cb
Lambourn, Berks.	54	Ca
Lambourne, Essex	58	Da
Lambston, Dyfed	61	Ba
Lamerton, Dev.	8	Ca
Lamesley, Ty/We.	222	Cb
Lamington, Strath.	238	Db
Lamlash, Strath..	234	Db
Lamonby, Cumb.	203	Aa
Lamorran, Corn.	4	Cc
Lampeter, Dyfed	84	Da
Lampeter Velfrey, Dyfed	62	Da
Lamphey, Dyfed	62	Cb
Lamport, N'hants.	113	Ab
Lamport, Gt. Lon.	57	Ab
Lamyatt, Som.	35	Ba
Lana, Dev.	12	Cb
Lanark, Strath.	238	Da
Lancaster, Lancs.	180	Da
Lancaut, Glos.	68	Db
Lanchester, Dur..	221	Bc
Lancing, W. Sus.	24	Cc
Landbeach, Cambs.	96	Da
Landcross, Dev.	30	Cc
Landewednack, Corn.	3	Bc
Landford, Wilts.	38	Cc
Landimore, W. Glam.	64	Cc
Landkey, Dev.	30	Db
Landkey Newland, Dev.	30	Db
Landore, W. Glam.	64	Dc
Landport, Hants.	21	Ba
Land's End, Corn.	1	Ac
Landsend, Wilts.	52	Ca
Landshipping Ferry, Dyfed	62	Cb
Landulph, Corn..	8	Cb
Landwade, Cambs.	97	Aa
Laneast, Corn.	11	Bc
Lane End, Bucks.	73	Bc
Lane-end, Corn..	6	Cb
Lane End, Dors.	18	Db
Lane End, Wilts.	51	Bc
Laneham, Notts.	165	Bb
Lane Head, Gt. Man.	160	Da
Lane Head, W. Yorks.	173	Ac
Langbank, Strath.	248	Cb
Langcliffe, N. Yorks.	182	Ca
Langdale, Cumb.	192	Da
Langenhoe, Essex	78	Db
Langford, Beds.	95	Ac
Langford, Essex	78	Cc
Langford, Norf.	117	Bb
Langford, Notts.	151	Ba
Langford, Oxon.	71	Bb
Langford, Som.	33	Bb
Langford Budville, Som.	33	Ac
Langford End, Beds.	95	Ab
Langham, Dors.	36	Cb
Langham, Essex	78	Da
Langham, Leics.	131	Bb
Langham, Norf.	136	Da
Langham, Suff.	98	Da
Langham Moor, Essex	78	Da
Langho, Lancs.	170	Da
Langholm, Dum/Gall.	228	Dc
Langley, Derby.	149	Bb
Langley, Essex	76	Da
Langley, Hants.	21	Aa
Langley, Kent	44	Cb
Langley, Norf.	120	Ca
Langley, Som.	33	Ab
Langley, Warks.	110	Db
Langley, W. Mid.	127	Bc
Langley Burrell, Wilts.	52	Ca
Langley Green, W. Mid.	127	Bc
Langley Marsh, Som.	33	Ab
Langley Mill, Derby.	149	Bb
Langley Street, Norf.	120	Ca
Langport, Som.	34	Db
Langridge, Avon..	51	Ba
Langridge, Dev.	30	Dc
Langrigg, Cumb..	202	Db
Langrish, Hants..	39	Bb
Langriville, Lincs.	153	Bc
Langsett, S. Yorks.	173	Ac
Langthorne, N. Yorks.	196	Db
Langthorpe, N. Yorks.	184	Da
Langthwaite, N. Yorks.	195	Ba
Langtoft, Humb..	187	Bb
Langtoft, Lincs.	132	Db
Langton, Dur.	206	Dc
Langton, Lincs.	153	Ba
Langton, Lincs.	154	Ca
Langton, N. Yorks.	186	Ca
Langton-by-Wragby, Lincs.	153	Aa
Langton Herring, Dors.	17	Bb
Langton Long Blandford, Dors.	36	Dc
Langton Matravers Dors.	19	Ac
Langtree, Dev.	12	Da
Langwathby, Cumb.	204	Ca
Langworth, Lincs.	166	Db
Lanivet, Corn.	6	Cb
Lanlivery, Corn.	6	Db
Lanner, Corn.	2	Db
Lanreath, Corn.	7	Ac
Lansallos, Corn.	6	Dc
Lanteglos, Corn.	6	Da
Lanteglos, Corn.	6	Bb
Lapford, Dev.	31	Dc
Lapley, Staffs.	127	Aa
Lapworth, Warks.	110	Db
Larbert, Cen.	250	Ca
Largo, Fife	262	Cb
Largs, Strath.	247	Ac
Larkhall, Strath.	238	Ca
Larling, Norf.	118	Cb
Laroch, Highl.	266	Ca
Lartington, Dur..	206	Cc
Lasborough, Glos.	69	Bb
Lasham, Hants.	39	Ba
Lassington, Glos.	89	Bc
Lasswade, Loth.	251	Bb
Lastingham, N. Yorks.	198	Db
Latcham, Som.	34	Da
Latchford, Ches.	160	Da
Latchingdon, Essex	60	Ca
Latchley, Corn.	8	Ca
Lathbury, Bucks.	94	Ca
Latheron, Highl.	318	Cc
Latheronwheel, Highl.	318	Ca
Lathom, Lancs.	169	Bc
Latimer, Bucks.	74	Db
Latteridge, Avon.	69	Ac
Lattiford, Som.	35	Bb
Latton, Essex	76	Dc
Latton, Wilts.	70	Db
Lauder, Bord.	241	Ba
Laugharne, Dyfed	63	Aa
Laughterton, Lincs.	165	Bb
Laughton, E. Sus.	25	Bb
Laughton, Leics.	112	Da
Laughton, Leics.	165	Ba
Laughton, Lincs.	152	Bc
Laughton-en-le-Morthen, S. Yorks.	164	Da
Launcells, Corn.	11	Bb
Launceston, Corn.	12	Cc
Launton, Oxon.	93	Ac
Laurencekirk, Gramp.	282	Cc
Laurieston, Cen.	250	Ca
Laurieston, Dum/Gall.	214	Cb
Lavendon, Bucks.	94	Ca
Lavenham, Suff...	98	Cc
Lavernock, S. Glam.	49	Aa
Laverstock, Hants.	37	Bb
Laverstoke, Hants.	54	Cc
Laverton, Glos.	90	Db
Laverton, N. Yorks.	185	Bb
Laverton, Som.	51	Bb
Lawers, Tay.	268	Db
Lawford, Essex	79	Ab
Lawhitton, Corn.	12	Cc
Lawkland, N. Yorks.	181	Ba
Lawnhead, Staffs.	146	Dc
Lawrenny, Dyfed	62	Cb
Lawshall, Suff.	98	Ca
Laxey, I.O.M.	190	Ca
Laxfield, Suff.	99	Ba
Laxton, Humb.	175	Ba
Laxton, N'hants.	132	Cc
Laxton, Notts.	165	Ac
Layer Breton, Essex	78	Db
Layer-de-la-Haye, Essex	78	Db
Layer Marney, Essex	78	Db
Layham, Suff.	79	Aa
Laymore, Dors.	16	Ca
Laysters, Hf/Wor.	108	Cb
Laysters Pole, Hf/Wor.	108	Cb
Laytham, Humb.	186	Cc
Lazenby, N. Yorks.	179	Bc
Lazonby, Cumb.	204	Ca
Lea, Hf/Wor.	89	Ac
Lea, Lincs.	165	Bb
Lea, Wilts.	70	Cb
Leadenham, Lincs.	152	Ca
Leaden Roding, Essex	77	Ac
Leadgate, Cumb..	221	Bc
Leadhills, Strath.	226	Da
Leafield, Oxon.	71	Ba
Leagrave, Beds.	75	Ab
Leake, N. Yorks.	197	Bb
Leake Common Side, Lincs.	154	Cc
Leake Hurn's End, Lincs.	154	Cc
Lealholm Bridge, N. Yorks.	198	Da
Lealt, Highl.	296	Cb
Lea Marston, Warks.	128	Dc
Leamington, Warks.	111	Ac
Leamington Hastings, Warks.	111	Bb
Leamside, Dur.	222	Cc
Leasingham, Lincs.	152	Cb
Leatherhead, Sur.	41	Ba
Leathley, N. Yorks.	183	Bb
Leaton, Salop	125	Ba
Lea Town, Lancs.	169	Ba
Leaveland, Kent	45	Ab
Leavening, N. Yorks.	186	Ca
Lebberston, N. Yorks.	188	Ca
Lechlade, Glos.	71	Bb
Leck, Lancs.	194	Cc
Leckford, Hants.	38	Da
Leckfordwood, Bord.	241	Ba
Leckhampstead, Berks.	54	Ca
Leckhampstead, Bucks.	93	Bb
Leckhampton, Glos.	90	Cc
Leckmelm, Highl.	309	Bb
Leckwith, S. Glam.	49	Aa
Leconfield, Humb.	177	Aa
Ledbury, Hf/Wor.	89	Ab
Ledgerwood, Bord.	241	Ba
Ledsham, Ches.	159	Bb
Ledsham, W. Yorks.	174	Ca
Ledstone, W. Yorks.	174	Ca
Ledwell, Oxon.	92	Cc
Lee, Bucks.	74	Cb
Lee, Dev.	30	Ca
Lee, Gt. Lon.	58	Cc
Leebotwood, Salop	125	Bc
Lee Brockhurst, Salop	145	Ac
Leece, Cumb.	179	Ba
Lee Clump, Bucks.	74	Cb
Leeds, Kent	44	Db
Leeds, W. Yorks.	173	Ba
Leedstown, Corn.	2	Cb
Leek, Staffs.	147	Ba
Leek Wootton, Warks.	111	Ab
Leeming, N. Yorks.	196	Db
Leeming, W. Yorks.	172	Ca
Lees, Derby.	148	Db
Lees Hill, Cumb..	218	Cb
Leeswood, Clwyd	144	Ca
Leftwich Green, Ches.	161	Ac
Legbourne, Lincs.	167	Ac
Legsby, Lincs.	166	Db
Leicester, Leics.	130	Cb
Leigh, Dors.	35	Bc
Leigh, Essex	60	Cb
Leigh, Glos.	90	Cb
Leigh, Gt. Man.	170	Dc
Leigh, Hf/Wor.	108	Dc
Leigh, Kent	43	Ab
Leigh, Sur.	42	Cb
Leigh, Wilts.	70	Db
Leigh Delamere, Wilts.	70	Cc
Leigh Green, Kent	27	Aa
Leighland Chapel, Som.	48	Cb
Leigh Sinton, Hf/Wor.	89	Ba
Leighterton, Glos.	69	Bb
Leighton, Powys	124	Cb
Leighton, Salop	126	Cb
Leighton, Som.	51	Ac
Leighton Bromswold, Cambs.	114	Db
Leighton Buzzard, Beds.	94	Cc
Leigh-upon-Mendip, Som.	51	Ac
Leinthall Earls, Hf/Wor.	107	Bb
Leinthall Starkes, Hf/Wor.	107	Bb
Leintwardine, Hf/Wor.	107	Ab
Leire, Leics.	112	Ca
Leiston, Suff.	100	Db
Leith, Loth.	251	Bb
Lelant, Corn.	1	Bb
Lelley, Humb.	178	Cb
Lenchwick, Hf/Wor.	90	Da
Lendalfoot, Strath.	223	Ac
Lenham, Kent	44	Db
Lennel, Bord.	242	Db
Lennoxtown, Strath.	249	Ab
Lenshie, Gramp.	305	Ac
Lenton, Lincs.	152	Cc
Lenton, Notts.	150	Cb
Lenzie, Strath.	249	Ab
Leominster, Hf/Wor.	107	Bc
Leonard Stanley, Glos.	69	Bb
Leppington, N. Yorks.	186	Ca
Lepton, W. Yorks.	173	Ab
Lerryn, Corn.	6	Dc
Lesbury, N'land	232	Ca
Leslie, Fife	261	Ab
Leslie, Gramp.	293	Aa
Lesmahagow, Strath.	238	Cb
Lesnewth, Corn.	11	Ac

	PAGE	SQ.
Lessingham, *Norf.*	138	Cb
Lessonhall, *Cumb.*	216	Dc
Leswalt, *Dum/Gall.*	211	Ab
Letchmoreheath, *Herts.*	57	Aa
Letchworth, *Herts.*	75	Ba
Letcombe Basset, *Oxon.*	72	Cc
Letcombe Regis, *Oxon.*	72	Cc
Letham, *Tay.*	272	Cb
Letheringham, *Suff.*	99	Bb
Letheringsett, *Norf.*	136	Da
Letter, *Gramp.*	293	Bb
Letterewe, *Highl.*	308	Cc
Letterfearn, *Highl.*	286	Cb
Letterston, *Dyfed*	82	Cc
Letton, *Hf/Wor.*	87	Ba
Letton Green, *Norf.*	118	Da
Letwell, *S. Yorks.*	164	Da
Leuchars, *Fife.*	262	Ca
Leven, *Fife.*	261	Bb
Leven, *Humb.*	177	Ba
Levens, *Cumb.*	193	Bb
Levenshulme, *Gt. Man.*	161	Ba
Leverington, *Cambs.*	134	Cc
Leverton, *Lincs.*	154	Cc
Leverton Outgate, *Lincs.*	154	Cc
Levington, *Suff.*	80	Ca
Levisham, *N. Yorks.*	199	Bc
Lew, *Oxon.*	71	Bb
Lewannick, *Corn.*	7	Ba
Lewdown, *Dev.*	12	Dc
Lewes, *E. Sus.*	25	Ab
Lewisham, *Gt. Lon.*	58	Cc
Lewiston, *Highl.*	288	Da
Lewknor, *Oxon.*	73	Bb
Lewtrenchard, *Dev.*	12	Dc
Lexden, *Essex*	78	Db
Leybourne, *Kent.*	43	Ba
Leyburn, *N. Yorks.*	196	Cb
Leyland, *Lancs.*	170	Cb
Leylodge, *Gramp.*	293	Bb
Leymoor, *W. Yorks.*	172	Db
Leysdown-on-Sea, *Kent*	45	Aa
Leysmill, *Tay.*	272	Cb
Leyton, *Gt. Lon.*	58	Cb
Lezant, *Corn.*	7	Ba
Lhanbryd, *Gramp.*	303	Aa
Libanus, *Powys*	86	Ca
Libberton, *Strath.*	239	Aa
Libbery, *Hf/Wor.*	109	Bc
Liberton, *Loth.*	251	Bb
Lichfield, *Staffs.*	128	Cb
Lickey End, *Hf/Wor.*	109	Bb
Liddington, *Leics.*	131	Bc
Liddington, *Wilts.*	53	Aa
Lidgate, *Suff.*	97	Bb
Lidgmoor, *Hf/Wor.*	88	Ca
Lidlington, *Beds.*	94	Db
Lidstone, *Oxon.*	92	Cc
Liff, *Tay.*	271	Ac
Lifton, *Dev.*	12	Cc
Lightcliffe, *W. Yorks.*	172	Da
Lighthazles, *W. Yorks.*	172	Cb
Lighthorne, *Warks.*	91	Ba
Lightwood, *Staffs.*	146	Db
Lilbourne, *N'hants.*	112	Cb
Lillesdon, *Som.*	34	Cc
Lilleshall, *Salop*	126	Da
Lilley, *Herts.*	75	Aa
Lilliesleaf, *Bord.*	241	Bc
Lillingstone Dayrell, *Bucks.*	93	Ab
Lillingstone Lovell, *Bucks.*	93	Ab
Lillington, *Dors.*	35	Bc
Lillington, *Warks.*	111	Ab
Lilstock, *Som.*	33	Ba
Limekilns, *Fife.*	251	Aa
Limington, *Som.*	34	Dc
Limpenhoe, *Norf.*	120	Ca
Limpley Stoke, *Wilts.*	51	Bb
Limpsfield, *Sur.*	42	Db
Linby, *Notts.*	150	Ca
Linch, *W. Sus.*	40	Cb
Linchmere, *W. Sus.*	40	Db
Lincoln, *Lincs.*	166	Cc
Lindal, *Cumb.*	192	Cc
Lindale, *Cumb.*	193	Ac
Lindfield, *W. Sus.*	24	Da
Lindley, *W. Yorks.*	172	Db
Lindridge, *Hf/Wor.*	108	Db
Lindsell, *Essex*	77	Aa
Lindsey, *Suff.*	79	Aa
Lingdale, *Cleve.*	199	Aa
Lingen, *Hf/Wor.*	107	Ab
Lingfield, *Sur.*	42	Db
Lingwood, *Norf.*	120	Ca
Linkenholt, *Hants.*	54	Cc
Linkinhorne, *Corn.*	7	Ba
Linktown, *Fife.*	261	Bc
Linley, *Salop*	126	Cc
Linley Green, *Hf/Wor.*	108	Dc
Linlithgow, *Loth.*	250	Da
Linslade, *Beds.*	94	Cc
Linstead Magna, *Suff.*	100	Ca
Linstead Parva, *Suff.*	100	Ca
Linstock, *Cumb.*	218	Cb
Linthurst, *Hf/Wor.*	109	Bb
Linthwaite, *W. Yorks.*	172	Db
Linton, *Bord.*	242	Cc
Linton, *Cambs.*	96	Dc
Linton, *Derby.*	128	Da
Linton, *Hf/Wor.*	89	Ac
Linton, *Kent*	44	Cb
Linton, *N. Yorks.*	182	Da
Linton, *W. Yorks.*	184	Dc
Linton-upon-Ouse, *N. Yorks.*	184	Da
Lintzford, *Dur.*	221	Bc
Linwood, *Lincs.*	167	Ac
Linwood, *Strath.*	248	Cc
Liphook, *Hants.*	40	Cb
Liscard, *Mers.*	159	Ba
Liskeard, *Corn.*	7	Bb
Liss, *Hants.*	40	Cb
Lissett, *Humb.*	188	Cc
Lissington, *Lincs.*	166	Db
Listoke, *Som.*	34	Cc
Liston, *Essex*	98	Cc
Lisvane, *S. Glam.*	67	Ac
Litcham, *Norf.*	136	Cc
Litchborough, *N'hants.*	112	Dc
Litchfield, *Hants.*	54	Cc
Litherland, *Mers.*	159	Ba
Litlington, *Cambs.*	95	Bc
Litlington, *E. Sus.*	25	Bc
Little Abington, *Cambs.*	96	Db
Little Addington, *N'hants.*	114	Cb
Little Airmyn, *Humb.*	175	Ba
Little Amwell, *Herts.*	76	Cc
Little Asby, *Cumb.*	204	Dc
Little Baddow, *Essex*	77	Bc
Little Badminton, *Avon*	69	Bc
Little Bampton, *Cumb.*	217	Ac
Little Bardfield, *Essex*	77	Ba
Little Barford, *Beds.*	95	Ab
Little Barningham, *Norf.*	137	Aa
Little Barrington, *Glos.*	71	Ba
Little Barrow, *Ches.*	160	Cc
Little Bealings, *Suff.*	99	Bc
Little Bedwyn, *Wilts.*	53	Bb
Little Bentley, *Essex*	79	Bb
Little Berkhampstead, *Herts.*	75	Bc
Little Billing, *N'hants.*	113	Ac
Little Birch, *Hf/Wor.*	88	Cb
Little Blakenham, *Suff.*	99	Ac
Little Bookham, *Sur.*	41	Ba
Littleborough, *Gt. Man.*	172	Cb
Littlebourne, *Kent*	46	Cb
Little Bourton, *Oxon.*	92	Ca
Little Bowden, *Leics.*	113	Aa
Little Bradley, *Suff.*	97	Ab
Little Brampton, *Salop*	107	Aa
Little Brechin, *Tay.*	281	Bc
Little Bredy, *Dors.*	17	Bb
Little Brickhill, *Bucks.*	94	Cb
Little Brington, *N'hants.*	112	Dc
Little Bromley, *Essex*	79	Ab
Little Budworth, *Ches.*	160	Dc
Little Burstead, *Essex*	59	Aa
Littlebury, *Essex*	96	Dc
Littlebury Green, *Essex*	96	Dc
Little Bytham, *Lincs.*	132	Ca
Little Canfield, *Essex*	77	Ac
Little Carlton, *Lincs.*	168	Cc
Little Casterton, *Leics.*	132	Cb
Little Cawthorpe, *Lincs.*	168	Cc
Little Chart, *Kent*	45	Ac
Little Chester, *Derby.*	149	Ac
Little Chesterford, *Essex*	96	Dc
Little Cheverell, *Wilts.*	52	Db
Little Chishall, *Cambs.*	76	Ca
Little Clacton, *Essex*	79	Bc
Little Clifton, *Cumb.*	201	Bb
Little Coates, *Humb.*	167	Ba
Little Coggeshall, *Essex*	78	Cb
Little Comberton, *Hf/Wor.*	90	Ca
Little Compton, *Warks.*	91	Bc
Little Cornard, *Suff.*	78	Ca
Little Cowarne, *Hf/Wor.*	88	Da
Little Coxwell, *Oxon.*	71	Bc
Little Crakehall, *N. Yorks.*	196	Db
Little Cressingham, *Norf.*	118	Ca
Little Crosby, *Mers.*	169	Ac
Little Dalby, *Leics.*	131	Ab
Little Dean, *Glos.*	69	Aa
Little Dewchurch, *Hf/Wor.*	88	Db
Little Down, *Hants.*	54	Cc
Little Drayton, *Salop*	145	Bc
Little Driffield, *Humb.*	187	Bc
Little Dunham, *Norf.*	136	Cc
Little Dunmow, *Essex*	77	Ab
Little Easton, *Essex*	77	Ab
Little Eaton, *Derby.*	149	Ab
Little Ellingham, *Norf.*	118	Db
Little Eversden, *Cambs.*	96	Cb
Little Faringdon, *Oxon.*	71	Bb
Littleferry, *Highl.*	312	Ca
Little Finborough, *Suff.*	98	Db
Little Fransham, *Norf.*	136	Cc
Little Gaddesden, *Herts.*	74	Da
Little Gidding, *Cambs.*	114	Da
Little Glemham, *Norf.*	100	Cb
Little Gransden, *Cambs.*	95	Bb
Little Grimsby, *Lincs.*	168	Cb
Little Gringley, *Notts.*	165	Ab
Little Hadham, *Herts.*	76	Cb
Little Hale, *Lincs.*	152	Db
Little Hallingbury, *Essex*	76	Db
Littleham, *Dev.*	15	Ac
Littleham, *Dev.*	30	Cb
Little Hampden, *Bucks.*	74	Cb
Littlehampton, *W. Sus.*	23	Bc
Little Harrowden, *N'hants.*	113	Bb
Little Haseley, *Oxon.*	73	Ab
Little Hayfield, *Derby.*	162	Da
Little Hautbois, *Norf.*	137	Bb
Little Haywood, *Staffs.*	127	Ba
Littleheath, *Herts.*	75	Bc
Little Hempston, *Dev.*	10	Ca
Little Hereford, *Hf/Wor.*	108	Cb
Little Hinton, *Wilts.*	53	Ba
Little Holland, *Essex*	79	Bc
Little Horkesley, *Essex*	78	Da
Little Horsted, *E. Sus.*	25	Ab
Little Horwood, *Bucks.*	93	Bb
Little Houghton, *N'hants.*	113	Ac
Little Houghton, *N'hants.*	113	Ac
Little Hucklow, *Derby.*	163	Ab
Little Hulton, *Gt. Man.*	170	Dc
Little Hungerford, *Berks.*	54	Da
Little Kimble, *Bucks.*	74	Ca
Little Kineton, *Warks.*	91	Ba
Little Langford, *Wilts.*	37	Aa
Little Langton, *N. Yorks.*	197	Ab
Little Laver, *Essex*	76	Dc
Little Lawford, *Warks.*	111	Bb
Little Leigh, *Ches.*	160	Db
Little Leigh, *Essex*	77	Bb
Little Lever, *Gt. Man.*	171	Ac
Little Linford, *Bucks.*	94	Ca
Little London, *Hants.*	54	Cc
Little London, *Lincs.*	133	Bb
Little London City, *W. Yorks.*	173	Ab
Little Longstone, *Derby.*	163	Ac
Little Lynturk, *Gramp.*	293	Ab
Little Malvern, *Hf/Wor.*	89	Ba
Little Maplestead, *Essex*	78	Ca
Little Marcle, *Hf/Wor.*	89	Ab
Little Marlow, *Bucks.*	74	Cc
Little Marton, *Lancs.*	169	Aa
Little Massingham, *Norf.*	135	Bb
Little Melton, *Norf.*	119	Aa
Little Milton, *Oxon.*	73	Ab
Little Missenden, *Bucks.*	74	Cb
Little Mitton, *Lancs.*	181	Bc
Littlemore, *Oxon.*	72	Db
Little Munden, *Herts.*	76	Cb
Little Musgrave, *Cumb.*	204	Dc
Little Ness, *Salop*	125	Aa
Little Neston, *Ches.*	159	Bb
Little Newcastle, *Dyfed*	82	Cc
Little Norton, *S. Yorks.*	163	Bb
Little Oakley, *Essex*	79	Bb
Little Oakley, *N'hants.*	113	Ba
Little Orton, *Cumb.*	217	Bc
Little Ouseburn, *N. Yorks.*	184	Da
Littleover, *Derby.*	148	Dc
Little Packington, *Warks.*	110	Da
Little Parndon, *Essex*	76	Cc
Little Paxton, *Cambs.*	95	Aa
Little Petherick, *Corn.*	5	Ba
Little Plumstead, *Norf.*	119	Ba
Little Ponton, *Lincs.*	151	Bc
Littleport, *Cambs.*	116	Db
Little Preston, *W. Yorks.*	174	Ca
Little Raveley, *Cambs.*	115	Bc
Little Ribston, *N. Yorks.*	184	Db
Little Rissington, *Glos.*	91	Ac
Little Rollright, *Oxon.*	91	Bc
Little Rowsley, *Derby.*	163	Bc
Little Ryburgh, *Norf.*	136	Cb
Little Salkeld, *Cumb.*	204	Ca
Little Sampford, *Essex*	77	Aa
Little Saxham, *Suff.*	97	Ba
Little Shelford, *Cambs.*	96	Cb
Little Smeaton, *N. Yorks.*	197	Aa
Little Smeaton, *N. Yorks.*	174	Db
Little Snoring, *Norf.*	136	Db
Little Sodbury, *Avon*	69	Bc
Little Somborne, *Hants.*	38	Db
Little Somerford, *Wilts.*	70	Cc
Little Stanney, *Ches.*	160	Cb
Little Staughton, *Cambs.*	95	Aa
Little Steeping, *Lincs.*	154	Cb
Little Stonham, *Suff.*	99	Ab
Little Stretton, *Leics.*	130	Dc
Little Stretton, *Salop*	125	Ac
Little Strickland, *Cumb.*	204	Cc
Little Stukeley, *Cambs.*	115	Ac
Little Sutton, *Ches.*	159	Bb
Little Tew, *Oxon.*	92	Cc
Little Tey, *Essex.*	78	Cb
Little Thetford, *Cambs.*	116	Cc
Little Thornton, *Lancs.*	180	Cc
Little Thorpe, *Dur.*	208	Ca
Little Thorpe, *Leics.*	130	Cc
Littlethorpe, *N. Yorks.*	184	Ca
Little Thurlow, *Suff.*	97	Ab
Little Thurrock, *Essex*	59	Ab
Littleton, *Ches.*	160	Cc
Littleton, *Hants.*	38	Db
Littleton, *Som.*	34	Db
Littleton, *Sur.*	41	Bc
Littleton Drew, *Wilts.*	69	Bc
Littleton-upon-Severn, *Avon*	68	Db
Little Torrington, *Dev.*	12	Da
Little Totham, *Essex.*	78	Cc
Little Town, *Cumb.*	202	Dc
Little Town, *Dur.*	207	Ab

	PAGE	SQ.
Little Urswick, Cumb.	192	Cc
Little Wakering, Essex	60	Cb
Little Waldringfield, Suff.	98	Cc
Little Walsingham, Norf.	136	Ca
Little Waltham, Essex	77	Bc
Little Warley, Essex	59	Aa
Little Washbourne, Glos.	90	Db
Little Weighton, Humb.	176	Da
Little Weldon, N'hants.	113	Ba
Little Wenham, Suff.	79	Aa
Little Wenlock, Salop	126	Cb
Littlewick Green, Berks.	56	Ca
Little Wigborough, Essex	78	Dc
Little Wilbraham, Cumb.	96	Db
Little Witchingham, Norf.	137	Ab
Little Witcombe, Som.	34	Dc
Little Witley, Hf/Wor.	108	Db
Little Wittenham, Oxon.	72	Dc
Little Wolford, Warks.	91	Bb
Littleworth, Oxon.	71	Bb
Littleworth, Staffs.	127	Bb
Littleworth, Staffs.	146	Cc
Little Wratting, Suff.	97	Ac
Little Wymondley, Herts.	75	Ba
Little Yeldham, Essex	97	Bc
Litton, N. Yorks.	195	Ac
Litton, Som.	50	Db
Litton Cheney, Dors.	17	Ab
Liverpool, Mers.	159	Ba
Liversedge, W. Yorks.	173	Aa
Liverton, Cleve.	199	Ba
Livingston, Loth.	250	Db
Lizard, Corn.	3	Bc
Llam-march, Gwent	67	Aa
Llanaelhaiarn, Gwyn.	140	Cb
Llanafan, Dyfed	102	Ca
Llanafanfawr, Powys	104	Ca
Llanafanfechan, Powys	104	Ca
Llanallgo, Gwyn.	156	Ca
Llananno, Powys	106	Cb
Llanarmon, Clwyd	143	Ba
Llanarmon, Gwyn.	140	Cb
Llanarmon Dyffryn Ceiriog, Clwyd	142	Bc
Llanarmon Mynydd Mawr, Clwyd	143	Bc
Llanarth, Dyfed	101	Ac
Llanarth, Gwent	67	Bc
Llanarthney, Dyfed	64	Ca
Llanasa, Clwyd	158	Da
Llanbabo, Gwyn.	155	Ba
Llanbadarnfawr, Dyfed	102	Ca
Llanbadarnfynydd, Powys	106	Ca
Llanbadarn Odwyn, Dyfed	102	Cb
Llanbadarn Trefeglwys, Dyfed	101	Bb
Llanbadarn-y-garreg, Powys	104	Db
Llanbadoc, Gwent	67	Bb
Llanbadrig, Gwyn.	155	Ba
Llanbedr, Gwyn.	140	Dc
Llanbedr, Powys.	87	Ac
Llanbedr, Powys.	104	Db
Llanbedr Dyffryn Clwyd, Clwyd	143	Ba
Llanbedr-goch, Gwyn.	156	Cb
Llanbedrog, Gwyn.	139	Bc
Llanbedr-y-cennin, Gwyn.	157	Ab
Llanberis, Gwyn.	156	Dc
Llanbethery, S. Glam.	66	Dc
Llanbeulan, Gwyn.	155	Bb
Llanbister, Powys	106	Cb
Llanblethian, S. Glam.	66	Cc
Llanboidy, Dyfed	83	Ac
Llanbradach, M. Glam.	67	Ac
Llanbrynmair, Powys	122	Db
Llancarfan, S. Glam.	66	Dc
Llancayo, Gwent.	67	Ba
Llancilian, Gwyn.	156	Ca
Llancillo, Hf/Wor.	87	Bc
Llancynfelyn, Dyfed	121	Bc
Llandaff, S. Glam.	49	Aa
Llandawke, Dyfed	63	Aa
Llanddaniel Fab, Gwyn.	156	Cb
Llanddarog, Dyfed	64	Ca
Llanddeiniol, Dyfed	101	Ba
Llanddeiniolen, Gwyn.	156	Cc
Llandderfel, Gwyn.	142	Db
Llanddetty, Powys	86	Da
Llanddeusant, Dyfed	85	Ba
Llanddeusant, Gwyn.	155	Ba
Llanddew, Powys	86	Da
Llanddewi, W. Glam.	64	Cc
Llanddewi Aberarth, Dyfed	101	Bb
Llanddewi Brefi, Dyfed	84	Da
Llanddewi Fach, Gwent	67	Bb
Llanddewi Ystradenny, Powys	106	Cb
Llanddewir Cwm, Powys	104	Db
Llanddoget, Gwyn.	157	Bb
Llanddona, Gwyn.	156	Cb
Llanddulas, Clwyd	158	Ca
Llanddwywe, Gwyn.	140	Dc
Llanddyfnan, Gwyn.	156	Cb
Llandecwyn, Gwyn.	140	Db
Llandefaelog Fach, Powys	104	Dc
Llandefaelog-trer-graig, Powys	86	Da
Llandefalle, Powys	104	Dc
Llandefeilog, Dyfed	63	Ba
Llandegai, Gwyn.	156	Db
Llandegfan, Gwyn.	156	Db
Llandegla, Clwyd	143	Ba
Llandegley, Powys	106	Cc
Llandegwning, Gwyn.	139	Bc
Llandeilo, Dyfed.	84	Dc
Llandeilo-graban, Powys	104	Db
Llandeilor Fan, Powys	103	Bc
Llandeloy, Dyfed	81	Bc
Llandenny, Gwent	68	Ca
Llandevaud, Gwent	68	Cb
Llandevenny, Gwent	68	Cc
Llandewi Rhydderch, Gwent	67	Ba
Llandewi Velfrey, Dyfed	62	Da
Llandilo Abercowin, Dyfed	63	Aa
Llandinabo, Hf/Wor.	88	Db
Llandinam, Powys	105	Ba
Llandissilio, Dyfed	62	Da
Llandogo, Gwent	68	Da
Llandough, S. Glam.	49	Aa
Llandough, S. Glam.	66	Cc
Llandovery, Dyfed	103	Ac
Llandow, S. Glam.	66	Cc
Llandowror, Dyfed	63	Aa
Llandrillo, Clwyd	143	Ac
Llandrillo-yn-Rhos, Clwyd	157	Ba
Llandrindod, Powys	104	Da
Llandrindod Wells, Powys	104	Da
Llandrinio, Powys	124	Da
Llandrygarn, Gwyn.	155	Bb
Llandudno, Gwyn.	157	Ba
Llandudwen, Gwyn.	139	Bb
Llandulas, Powys	103	Bb
Llandwrog, Gwyn.	140	Ca
Llandybie, Dyfed	64	Da
Llandyfodwg, M. Glam.	66	Ca
Llandyfriog, Dyfed	83	Bb
Llandyfrydog, Gwyn.	155	Ba
Llandygwydd, Dyfed	83	Ab
Llandyrnog, Clwyd	158	Db
Llandysilio, Powys	124	Ca
Llandyssil, Powys	124	Cc
Llandyssiliogogo, Clwyd	83	Ba
Llandyssul, Dyfed	83	Bb
Llanedeyrn, S. Glam.	67	Ac
Llanedwen, Gwyn.	156	Cc
Llanedy, Dyfed	64	Db
Llanegryn, Gwyn.	121	Ba
Llanegwad, Dyfed	84	Cc
Llaneilian-yn-Rhos, Dyfed	157	Ba
Llanelidan, Clwyd	143	Bb
Llanelieu, Powys.	87	Ab
Llanelien, Gwent.	67	Bb
Llanelli, Dyfed	64	Cb
Llanelltyd, Gwyn.	141	Bb
Llanelly, Gwent	67	Aa
Llanelwedd, Powys	104	Da
Llanenddwyn, Gwyn.	140	Dc
Llanengan, Gwyn.	139	Bc
Llanerch Aeron, Dyfed	101	Bc
Llanerchymedd, Gwyn.	155	Ba
Llanerfyl, Gwent	123	Bb
Llanfabon, M. Glam.	155	Ab
Llanfachraeth, Gwyn.	155	Ba
Llanfachreth, Gwyn.	141	Bb
Llanfaelog, Gwyn.	155	Bb
Llanfaelrhys, Dyfed	139	Ac
Llanfaes, Gwyn.	156	Cb
Llanfaethlu, Gwyn.	155	Bb
Llanfaglan, Gwyn.	156	Ca
Llanfair, Gwyn.	140	Dc
Llanfair-ar-y-bryn, Dyfed	103	Bb
Llanfair Caereinion, Powys	123	Ba
Llanfair Clydogan, Dyfed	84	Da
Llanfair Dyffryn Clwyd, Clwyd	143	Ba
Llanfairfechan, Gwyn.	156	Db
Llanfair-is-gaer, Gwyn.	156	Cc
Llanfair-mathafarneithaf, Gwyn.	156	Ca
Llanfair Nant Gwyn, Dyfed	82	Db
Llanfair Nant-y-Gof, Dyfed	82	Cb
Llanfair Orllwyn, Dyfed	83	Bb
Llanfairpwllgwyngyll, Gwyn.	156	Cb
Llanfair Talhaiarn, Clwyd	158	Cb
Llanfair-y-cwmwd, Gwyn.	156	Cc
Llanfairynghornwy, Gwyn.	155	Ba
Llanfair-yn-Neubwll, Gwyn.	155	Ab
Llanfallteg West, Dyfed	62	Da
Llanfaredd, Powys	104	Da
Llanfechain, Powys	124	Ca
Llanfechell, Gwyn.	155	Ba
Llanferres, Clwyd	143	Ba
Llanfflewyn, Gwyn.	155	Ba
Llanfihangel, Dyfed	84	Cc
Llanfihangel Aberbythych, Dyfed	64	Da
Llanfihangel-ar-arth, Dyfed	84	Cb
Llanfihangel Bryn Pabuan, Powys	104	Ca
Llanfihangel Esgeifiog, Gwyn.	156	Cb
Llanfihangel-gegeur-glyn, Dyfed	121	Bc
Llanfihangel Glyn Myfyr, Clwyd	142	Da
Llanfihangel-helygen, Powys	105	Bc
Llanfihangel-Nantbran, Powys	104	Cc
Llanfihangel-nant Melan, Powys	106	Cc
Llanfihangel Penbedw, Dyfed	83	Ab
Llanfihangel Rhos-y-corn, Dyfed	84	Cb
Llanfihangel Rhydithon, Powys	106	Cb
Llanfihangel Tal-y-llyn, Powys	86	Da
Llanfihangel-Trer-Beirdd, Gwyn.	156	Ca
Llanfihangel-tyn-Sylwy, Gwyn.	156	Db
Llanfihangel-y-creuddyn, Dyfed	102	Ca
Llanfihangel-yng-Ngwynfa, Powys	123	Ba
Llanfihangel-yn-nhowyn, Gwyn.	155	Bb
Llanfihangel-y-Pennant, Gwyn.	121	Ba
Llanfihangel Ystrad, Dyfed	84	Ca
Llanfihangel-y-traethau, Gwyn.	140	Db
Llanfillo, Powys	104	Dc
Llanfoist, Gwent	67	Ba
Llanfor, Gwyn.	142	Db
Llanfrechfa, Gwent	67	Bb
Llanfrothen, Gwyn.	140	Db
Llanfrynach, Powys	86	Da
Llanfugail, Gwyn.	155	Bb
Llanfwrog, Gwyn.	155	Aa
Llanfyllin, Powys	124	Ca
Llanfynydd, Clwyd	144	Ca
Llanfynydd, Dyfed	84	Cc
Llanfyrnach, Dyfed	83	Ac
Llangadfan, Powys	123	Ab
Llangadog, Dyfed	85	Aa
Llangadwaladr, Clwyd	143	Aa
Llangadwaladr, Gwyn.	155	Bb
Llangaffo, Gwyn.	156	Cc
Llangain, Dyfed	63	Ba
Llangammarch Wells, Powys	104	Cb
Llangan, S. Glam.	66	Ca
Llanganten, Powys	104	Ca
Llangarren, Hf/Wor.	88	Bc
Llangasty Tal-y-llyn, Powys	86	Da
Llangathen, Dyfed	84	Dc
Llangattock, Powys	87	Ac
Llangattock Lingoed, Gwent	67	Ba
Llangattock-nigh-Usk, Gwent	67	Bc
Llangattock Vibon Avel, Gwent	88	Cc
Llangedwyn, Clwyd	124	Ca
Llangefni, Gwyn.	156	Ca
Llangeinor, M. Glam.	66	Ca
Llangeinwen, Gwyn.	156	Cc
Llangeitho, Dyfed	102	Cc
Llangeler, Dyfed	83	Bb
Llangelynin, Gwyn.	121	Ab
Llangeinderne, Dyfed	64	Ca
Llangenith, W. Glam.	63	Bb
Llangennech, Gwyn.	64	Cb
Llangenny, Powys	87	Ac
Llangerniew, Clwyd.	157	Bb
Llangeview, Gwent	68	Cb
Llangian, Gwyn.	139	Bc
Llangiwg, W. Glam.	85	Ac
Llanglydwen, Dyfed	82	Dc
Llangoed, Gwyn.	156	Db
Llangoedmor, Dyfed	83	Aa
Llangollen, Clwyd	143	Bb
Llangolman, Dyfed	82	Dc
Llangorse, Powys	86	Da
Llangorwen, Dyfed	102	Ca
Llangoven, Gwent	68	Ca
Llangower, Gwyn.	142	Db
Llangranog, Dyfed	83	Ba
Llangristiolus, Gwyn.	156	Cb
Llangrove, Hf/Wor.	88	Dc
Llangstone, Gwent	67	Bc
Llangua, Hf/Wor.	88	Cc
Llangunllo, Powys	106	Db
Llangunnor, Powys	64	Ca
Llangurig, Powys	105	Aa
Llangwm, Clwyd.	142	Da
Llangwm, Dyfed	62	Cb
Llangwm, Gwent.	68	Cb
Llangwmisaf, Gwent	68	Cb
Llangwnadl, Gwyn.	139	Ac
Llangwstenin, Gwyn.	157	Bb
Llangwyfan, Clwyd	158	Db
Llangwyfan, Gwyn.	155	Bb
Llangwyllog, Gwyn.	155	Bb
Llangwyryfon, Dyfed	102	Cb
Llangybi, Dyfed	84	Da
Llangybi, Gwent	67	Bb
Llangybi, Gwyn.	140	Cb
Llangyfelach, W. Glam.	64	Db
Llangynhafal, Clwyd	158	Db
Llangynidr, Powys	87	Ac
Llangyniew, Powys	123	Bb
Llangynin, Dyfed	63	Aa
Llangynllo, Dyfed	83	Bb
Llangynog, Dyfed	123	Ba
Llangynog, Powys	63	Ba
Llangynog, Powys	104	Cb
Llangynwyd, M. Glam.	65	Ba
Llanhamlach, Powys	86	Da
Llanharan, M. Glam.	66	Cb
Llanharry, M. Glam.	66	Cb
Llanhennock, Gwent	67	Bb
Llanhilleth, Gwent	67	Ab
Llanhowel, Dyfed	81	Bc
Llanidan, Gwyn.	156	Cc
Llanidloes, Powys	105	Ba
Llaniestyn, Gwyn.	156	Db
Llaniestyn, Gwyn.	139	Bc
Llanigon, Powys	87	Aa
Llanilar, Dyfed	102	Ca
Llanilid, M. Glam.	66	Cb
Llanina, Dyfed	101	Ac
Llanishen, Gwent	68	Ca
Llanishen, S. Glam.	67	Ac
Llanllawddog, Dyfed	84	Cc
Llanllawer, Dyfed	82	Cb
Llanllechid, Gwyn.	156	Dc
Llanlleonfel, Powys	104	Cb
Llanllowell, Gwent	68	Cb
Llanllugan, Powys	123	Bb
Llanllwch, Dyfed	63	Bb
Llanllwchaiarn, Dyfed	83	Ba
Llanllwchaiarn, Powys	123	Bc
Llanllwni, Dyfed.	84	Cb
Llanllyfni, Gwyn.	140	Cb
Llanlowdy, Hf/Wor.	88	Cc
Llanmadog, W. Glam.	64	Cc
Llanmaes, S. Glam.	66	Cc
Llanmartin, Gwent	68	Cc
Llanmerewig, Powys	124	Cc
Llanmihangel, S. Glam.	66	Cc
Llannefydd, Clwyd	158	Cb
Llannon, Dyfed	64	Cb
Llannor, Gwyn.	139	Bb
Llanon, Dyfed	101	Bb
Llanover, Gwent	67	Ba
Llanpumpsaint, Dyfed	84	Cc
Llanreath, Dyfed	62	Cb
Llanreithan, Dyfed	81	Bc
Llanrhaiadr, Clwyd	158	Db
Llanrhaiadr-ym-Mochnant, Clwyd	143	Bc
Llanrhidian, W. Glam.	64	Cc
Llanrhwydrys, Gwyn.	155	Ba
Llanrhychwyn, Gwyn.	157	Ab
Llanrhyddlad, Gwyn.	155	Ba
Llanrhystyd, Dyfed	101	Bb
Llanrian, Dyfed	81	Bb
Llanrothal, Hf/Wor.	88	Cc
Llanrug, Gwyn.	156	Cc
Llanrwst, Gwyn.	157	Bb
Llansadurnen, Dyfed	63	Aa
Llansadwrn, Dyfed	103	Ac
Llansadwrn, Gwyn.	156	Cb
Llansamlet, W. Glam.	65	Aa
Llan-saint, Dyfed	63	Ba
Llansaintfraed in Elvel, Powys	104	Da
Llansannan, Clwyd	158	Cb
Llansannor, S. Glam.	66	Cb
Llansantffraid, Dyfed	101	Bb
Llansantffraid Glan-Conway, Gwyn.	157	Ba

350

	PAGE	SQ.
Llansantffraid Glyn Ceiriog, *Clwyd*	143	Bb
Llansantffraid-ym-Mechain, *Powys*	124	Ca
Llansantffread, *Powys*	86	Da
Llansawel, *Dyfed*	84	Db
Llansilin, *Clwyd*	143	Bc
Llansoy, *Gwent*	68	Ca
Llanspyddyd, *Powys*	86	Ca
Llanstadwell, *Dyfed*	62	Cb
Llanstephan, *Dyfed*	63	Ba
Llanthewy Skirrid, *Gwent*	87	Bb
Llanthony, *Gwent*	87	Bb
Llantilio Crossenny, *Gwent*	68	Ca
Llantilio Pertholey, *Gwent*	87	Bc
Llantood, *Dyfed*	82	Db
Llantrisant, *Gwyn.*	155	Ba
Llantrisant, *M. Glam.*	66	Db
Llantrissent, *Gwent*	68	Cb
Llantrithyd, *S. Glam.*	66	Dc
Llantwit, *M. Glam.*	66	Db
Llantwit Fardre, *M. Glam.*	66	Da
Llantwit Major, *S. Glam.*	66	Cc
Llantysilio, *Clwyd*	143	Bb
Llanuwchllyn, *Gwyn.*	142	Cb
Llanvaches, *Gwent*	68	Cb
Llanvair Discoed, *Gwent*	68	Cb
Llanvair Waterine, *Salop*	106	Db
Llanvapley, *Gwent*	67	Ba
Llanvetherine, *Gwent*	87	Bc
Llanveynoe, *Hf/Wor.*	87	Bb
Llanvihangel Crucorney, *Gwent*	87	Bc
Llanvihangel-Lantarnam, *Gwent*	67	Bb
Llanvihangel-near-Roggiett, *Gwent*	68	Cc
Llanvihangel Pontymoel, *Gwent*	67	Bb
Llanvihangel-tor-y-mynydd, *Gwent*	68	Cb
Llanvihangel Ystern-Llewern, *Gwent*	68	Ca
Llanwarne, *Hf/Wor.*	88	Db
Llanwddyn, *Powys*	123	Ba
Llanwenarth, *Gwent*	67	Ba
Llanwenog, *Dyfed*	84	Ca
Llanwern, *Gwent*	67	Bc
Llanwinio, *Dyfed*	83	Ac
Llanwnda, *Dyfed*	81	Bb
Llanwnda, *Gwyn.*	140	Ca
Llanwnen, *Dyfed*	84	Ca
Llanwnog, *Powys*	123	Bc
Llanwonno, *M. Glam.*	66	Da
Llanwrda, *Dyfed.*	85	Aa
Llanwrin, *Powys*	122	Cb
Llanwrthwl, *Powys*	105	Bc
Llanwrtyd Wells, *Powys*	103	Bb
Llanwyddelan, *Powys*	123	Bc
Llanyblodwel, *Salop*	124	Ca
Llanybri, *Dyfed*	63	Ba
Llanybyther, *Dyfed*	84	Cb
Llanycefn, *Dyfed*	62	Da
Llanychaer, *Dyfed*	82	Cb
Llanychaiarn, *Dyfed*	101	Ba
Llanycil, *Gwyn.*	142	Db
Llanycrwys, *Dyfed*	84	Da
Llanymawddwy, *Gwyn.*	123	Aa
Llanymynech, *Salop*	124	Ca
Llanynghenedl, *Gwyn.*	155	Ab
Llanynis, *Powys*	104	Ca
Llanynys, *Clwyd*	158	Db
Llanyre, *Powys*	105	Bc
Llanystumdwy, *Gwyn.*	140	Cb
Llanywern, *Powys*	86	Da
Llawhaden, *Dyfed*	62	Da
Llawnt, *Salop*	144	Cc
Llechcynfarwydd, *Gwyn.*	155	Bb
Llechfaen, *Powys*	86	Da
Llechryd, *Dyfed*	83	Ab
Llechryd, *M. Glam.*	86	Db
Llechylched, *Gwyn.*	155	Bb
Lletty Brongu, *M. Glam.*	65	Ba
Llidiart Nenog, *Dyfed*	84	Db
Llithfaen, *Gwyn.*	139	Bb
Llowes, *Powys*	87	Aa
Llwydarth, *M. Glam.*	65	Ba
Llwyngwril, *Gwyn.*	121	Ba
Llwyn-hendy, *Dyfed*	64	Cb
Llwyn-y-pia, *M. Glam.*	66	Ca
Llynfaes, *Gwyn.*	155	Bb
Llysfaen, *Clwyd*	157	Ba
Llyswen, *Dyfed*	104	Db
Llysworney, *S. Glam.*	66	Dc
Llys-y-fran, *Dyfed*	62	Ca
Llywel, *Powys*	85	Ba
Loanhead, *Loth.*	251	Bb
Lochaline, *Highl.*	264	Cb

	PAGE	SQ.
Lochcarron or Jeantown, *Highl.*	286	Ca
Lochdonhead, *Strath.*	264	Dc
Lochee, *Tay.*	271	Ac
Lochfoot, *Dum/Gall.*	215	Db
Lochgelly, *Fife*	261	Ac
Lochgilphead, *Strath.*	245	Ba
Lochgoilhead, *Strath.*	257	Ac
Lochinver, *Highl.*	313	Bb
Lochmaben, *Dum/Gall.*	227	Ac
Loch Ranza, *Strath.*	234	Ca
Lochrutton, *Dum/Gall.*	215	Ba
Lochside, *Gramp.*	282	Cc
Lochwinnoch, *Strath.*	248	Cc
Lockerbie, *Dum/Gall.*	227	Bc
Lockeridge, *Wilts.*	53	Ab
Lockerley, *Hants.*	38	Cb
Locking, *Avon*	49	Bb
Lockington, *Humb.*	177	Aa
Lockington, *Leics.*	149	Bc
Loddington, *Leics.*	131	Ab
Loddington, *N'hants.*	113	Bb
Loddiswell, *Dev..*	9	Bb
Loddon, *Norf.*	120	Cb
Loders, *Dors.*	16	Db
Lodsworth, *W. Sus.*	23	Aa
Lofthouse, *N. Yorks.*	196	Cc
Lofthouse, *W. Yorks.*	173	Ba
Lofthouse Gate, *W. Yorks.*	173	Ba
Loftus, *Cleve.*	199	Ba
Logie, *Fife*	261	Ba
Logie Easter, *Highl.*	312	Cc
Logie Pert, *Gramp.*	281	Bc
Logierait, *Tay.*	269	Ba
Lolworth, *Cambs.*	96	Ca
Londesborough, *Humb..*	186	Dc
London, *Gt. Lon.*	57	Bb
London Colney, *Herts..*	75	Ac
Londonderry, *N. Yorks..*	196	Db
Londonthorpe, *Lincs.*	152	Cb
Long Ashton, *Avon*	50	Da
Long Bennington, *Lincs..*	151	Bb
Longbenton, *Ty/We.*	222	Cb
Longborough, *Glos.*	91	Ac
Long Bredy, *Dors.*	17	Bb
Longbridge Deverill, *Wilts.*	36	Da
Long Buckby, *N'hants.*	112	Db
Longburgh, *Cumb.*	217	Bb
Long Burton, *Dors.*	35	Bc
Long Clawson, *Leics.*	150	Dc
Long Compton, *Warks..*	91	Bb
Longcot, *Oxon.*	71	Bc
Long Crendon, *Bucks..*	73	Ba
Long Crichel, *Dors.*	19	Aa
Longden, *Salop*	125	Ab
Long Ditton, *Sur.*	57	Ac
Longdon, *Hf/Wor.*	89	Bb
Longdon, *Staffs.*	128	Ca
Longdon-upon-Tern, *Salop*	126	Ca
Long Drax, *Humb.*	175	Aa
Long Eaton, *Derby.*	149	Bc
Longfield, *Kent*	59	Ac
Longfleet, *Dors.*	19	Ab
Longford, *Derby.*	148	Cb
Longford, *Glos.*	89	Bc
Longford, *Gt. Lon.*	56	Da
Longford, *Salop*	126	Da
Longford, *W. Mid.*	111	Ba
Longforgan, *Tay.*	271	Ac
Longformacus, *Bord.*	253	Bc
Longframlington, *N'land*	231	Bb
Longham, *Dors.*	19	Bb
Longham, *Norf.*	136	Cc
Long Handborough, *Oxon.*	72	Ca
Longhirst, *N'land*	232	Cc
Longhope, *Glos.*	89	Ac
Longhorsley, *N'land*	232	Cb
Long Houghton, *N'land*	232	Ca
Long Itchington, *Warks.*	111	Bc
Longlands, *Cumb.*	202	Da
Longlane, *Berks.*	54	Da
Long Lawford, *Warks.*	111	Bb
Longlevens, *Glos.*	90	Cc
Long Load, *Som.*	34	Dc
Longmanhill, *Gramp.*	305	Aa
Long Marston, *Herts..*	74	Ca
Long Marston, *N. Yorks.*	184	Da
Long Marton, *Cumb.*	204	Db
Long Melford, *Suff.*	98	Cc
Long Newton, *Cleve.*	207	Bc
Long Newton, *Glos.*	70	Cb
Longney, *Glos.*	69	Ba
Longniddry, *Loth.*	252	Cb
Longnor, *Salop*	125	Bb
Longnor, *Staffs.*	162	Cc
Longparish, *Hants.*	38	Da

	PAGE	SQ.
Long Preston, *N. Yorks.*	182	Cb
Longridge, *Lancs.*	181	Ac
Longridge, *Loth..*	250	Dc
Long Riston, *Humb.*	177	Ba
Long Sandall, *S. Yorks.*	174	Dc
Longsdon, *Staffs.*	147	Aa
Longside, *Gramp.*	306	Db
Longslow, *Salop*	145	Bc
Long Stanton All Saints, *Cambs.*	96	Ca
Long Stanton St. Michael, *Cambs.*	96	Ca
Longstock, *Hants.*	38	Ca
Long Stow, *Cambs.*	95	Aa
Long Stowe, *Cambs.*	95	Bb
Long Stratton, *Norf.*	119	Ab
Long Street, *Bucks.*	93	Ba
Longstreet, *Wilts.*	53	Ac
Long Sutton, *Hants.*	40	Ca
Long Sutton, *Lincs.*	134	Cb
Long Sutton, *Som.*	34	Db
Longthorpe, *Cambs.*	115	Aa
Longton, *Lancs..*	169	Ba
Longton, *Staffs..*	146	Db
Longtown, *Cumb.*	217	Bb
Longtown, *Hf/Wor.*	87	Bb
Long Whatton, *Leics.*	129	Ba
Longwick, *Bucks.*	73	Bb
Long Wittenham, *Oxon.*	72	Dc
Longwood, *W. Yorks.*	172	Db
Longworth, *Oxon.*	72	Cb
Loose, *Kent*	44	Cb
Loosley Row, *Bucks.*	74	Cb
Lopen, *Som.*	16	Da
Loppington, *Salop*	144	Dc
Loscoe, *Derby.*	149	Bb
Lossiemouth, *Gramp.*	303	Aa
Lostock, *Gt. Man.*	170	Dc
Lostock Green, *Ches.*	161	Ab
Lostwithiel, *Corn.*	6	Db
Lothbeg, *Highl..*	317	Ac
Lothersdale, *N. Yorks.*	182	Dc
Lotherton, *W. Yorks.*	184	Dc
Lottisham, *Som.*	35	Aa
Loughborough, *Leics.*	130	Ca
Loughor, *W. Glam.*	64	Db
Loughton, *Bucks.*	94	Cb
Loughton, *Essex.*	58	Ca
Loughton, *Salop*	108	Ca
Louisburgh, *Highl.*	324	Dc
Lound, *Lincs.*	132	Da
Lound, *Notts.*	165	Ab
Lound, *Suff.*	120	Db
Louth, *Lincs.*	168	Cc
Loveacott, *Dev..*	30	Cc
Loversall, *S. Yorks.*	174	Dc
Loveston, *Dyfed*	62	Db
Lovington, *Som.*	35	Aa
Low Ackworth, *W. Yorks.*	174	Cb
Lowbands, *Glos.*	89	Bb
Low Bradfield, *S. Yorks.*	163	Ba
Low Bradley, *N. Yorks.*	182	Db
Low Burnham, *Humb.*	175	Bc
Low Catton, *Humb.*	185	Bb
Low Common, *S. Yorks.*	173	Bb
Low Conscliffe, *Dur.*	207	Ac
Lowden, *Wilts.*	52	Ca
Lowdham, *Notts.*	150	Db
Lowe, *Salop*	145	Ac
Low Egborough, *N. Yorks.*	174	Da
Low Ellington, *N. Yorks.*	196	Db
Lower Apperley, *Glos.*	90	Cb
Lower Assendon, *Oxon.*	73	Bc
Lower Bebington, *Mers.*	159	Bb
Lower Beeding, *W. Sus.*	24	Ca
Lower Bentham, *N. Yorks.*	181	Aa
Lower Boddington, *N'hants.*	92	Dc
Lower Bradway, *S. Yorks.*	163	Bb
Lower Brailes, *Warks.*	91	Bb
Lower Breakish, *Highl.*	285	Ac
Lower Broxwood, *Hf/Wor.*	107	Ac
Lower Bullingham, *Hf/Wor.*	88	Db
Lower Cam, *Glos.*	69	Bb
Lower Chapel, *Powys*	104	Dc

	PAGE	SQ.
Lower Cudworth, *S. Yorks.*	174	Cc
Lower Cumberworth, *W. Yorks.*	173	Ac
Lower Darwen, *Lancs.*	170	Da
Lower Dean, *Beds.*	114	Cb
Lower Dicker, *E. Sus.*	25	Bb
Lower Dovercourt, *Essex*	80	Cb
Lower Dursforth, *N. Yorks.*	184	Da
Lower Faintree, *Salop*	108	Ca
Lower Freystrop, *Dyfed*	62	Ca
Lower Froyle, *Hants.*	40	Ca
Lower Godney, *Som.*	34	Da
Lower Gornal, *W. Mid.*	127	Bc
Lower Gravenhurst, *Beds.*	75	Ba
Lower Green, *Kent*	43	Bc
Lower Halistra, *Highl.*	295	Ab
Lower Halstow, *Kent*	60	Cc
Lower Hardres, *Kent*	45	Bb
Lower Harpton, *Hf/Wor.*	106	Dc
Lower Hartwell, *Bucks.*	73	Ba
Lower Hergest, *Hf/Wor.*	106	Dc
Lower Heyford, *Oxon.*	92	Da
Lower Heysham, *Lancs.*	180	Ca
Lowerhouse, *Lancs.*	171	Aa
Lower Howsell, *Hf/Wor.*	89	Ba
Lower Irlam, *Gt. Man.*	161	Aa
Lower Kingcombe, *Dors.*	17	Aa
Lower Kinnerton, *Ches.*	159	Bc
Lower Langford, *Avon*	50	Cb
Lower Lemington, *Glos.*	91	Bb
Lower Loxhore, *Dev.*	30	Db
Lower Milovaig, *Highl.*	295	Ac
Lower Nash, *Dyfed*	62	Cb
Lower Ollach, *Highl.*	284	Da
Lower Penarth, *S. Glam.*	49	Aa
Lower Peover, *Ches.*	161	Ab
Lower Rainham, *Kent*	60	Cc
Lower Shelton, *Beds.*	94	Da
Lower Shuckburgh, *Warks.*	112	Cc
Lower Slaughter, *Glos.*	91	Ac
Lower Stoke, *Kent*	60	Db
Lower Stone, *Glos.*	69	Ab
Lower Street, *Som.*	34	Cc
Lower Stretton, *Ches.*	160	Db
Lower Swell, *Glos.*	91	Ac
Lower Swell, *Som.*	34	Dc
Lower Tysoe, *Warks.*	92	Ca
Lower Vexford, *Som.*	33	Ab
Lower Weare, *Som.*	50	Cc
Lower Whitley, *Ches.*	173	Ab
Lower Wield, *Hants.*	39	Ba
Lower Willingdon, *E. Sus.*	25	Bc
Lower Winchendon, *Bucks.*	73	Bb
Lower Woodford, *Wilts.*	37	Bb
Lower Wraxall, *Dors.*	51	Bb
Lower Wyche, *Hf/Wor.*	89	Ba
Lowesby, *Leics.*	130	Cb
Lowestoft, *Suff.*	120	Db
Loweswater, *Cumb.*	202	Ca
Lower Etherley, *Dur.*	206	Db
Low Ham, *Som.*	34	Dc
Low Hartsop, *Cumb.*	203	Aa
Low Hawsker, *N. Yorks..*	200	Cb
Low Hesket, *Cumb.*	218	Cc
Low Hutton, *N. Yorks.*	185	Ba
Lowick, *Cumb.*	192	Db
Lowick, *N'hants.*	114	Ca
Lowick, *N'land*	243	Bb
Lowick Green, *Cumb.*	192	Db
Low Marnham, *Notts.*	165	Bc
Low Moor, *Lancs.*	181	Ba
Low Moorsley, *Dur.*	222	Cc
Low Row, *Cumb.*	218	Cb
Low Row, *Cumb.*	200	Db
Lowsonford, *Warks.*	110	Db
Low Startforth, *Dur.*	206	Cc
Low Street, *Norf.*	136	Dc
Low Tharston, *Norf.*	119	Ab
Lowther, *Cumb..*	204	Cb
Lowther, *Dum/Gall.*	217	Ac
Lowthorpe, *Humb.*	188	Cc
Lowton, *Dev..*	31	Ab

	PAGE	SQ.
Lowton, *Gt. Man.*	160	Da
Low Torry, *Fife*	250	Da
Low Toynton, *Lincs.*	153	Ba
Low Walker, *Ty/We.*	222	Cb
Low Worsall, *N. Yorks.*	207	Bc
Loxbear, *Dev.*	32	Db
Loxhore, *Dev.*	30	Db
Loxley, *S. Yorks.*	163	Ba
Loxley, *Warks.*	91	Ba
Loxton, *Avon*	49	Bb
Loxwood, *W. Sus.*	23	Ba
Lubberland, *Salop*	108	Ca
Lubenham, *Leics.*	112	Da
Luccombe, *Som.*	48	Cb
Lucker, *N'land*	244	Cc
Luckett, *Corn.*	8	Ca
Luckington, *Wilts.*	69	Bc
Lucton, *Hf/Wor.*	107	Bb
Ludborough, *Lincs.*	167	Bb
Ludchurch, *Dyfed*	62	Db
Luddenden, *W. Yorks.*	172	Ca
Luddenden Foot, *W. Yorks.*	172	Ca
Luddenham, *Kent*	45	Ab
Luddesdown, *Kent*	43	Ba
Luddington, *Humb.*	176	Cb
Luddington, *Warks.*	91	Aa
Luddington-in-the-Brook, *N'hants.*	114	Da
Ludford, *Salop*	107	Bb
Ludford Magna, *Lincs.*	167	Bc
Ludford Parva, *Lincs.*	167	Ac
Ludgershall, *Bucks.*	73	Aa
Ludgershall, *Wilts.*	53	Bc
Ludgvan, *Corn.*	1	Bb
Ludham, *Norf.*	138	Cc
Ludlow, *Salop*	107	Bb
Ludney, *Lincs.*	168	Cb
Ludwell, *Wilts.*	36	Db
Luffincott, *Dev.*	12	Cb
Lufton, *Som.*	34	Dc
Lugwardine, *Hf/Wor.*	88	Da
Lulham, *Hf/Wor.*	88	Ca
Lullingstone, *Kent*	43	Aa
Lullington, *Derby.*	128	Da
Lullington, *E. Sus.*	25	Bc
Lullington, *Som.*	51	Bc
Lulsley, *Hf/Wor.*	108	Dc
Lumb, *W. Yorks.*	172	Cb
Lumby, *N. Yorks.*	174	Ca
Lumphanan, *Gramp.*	293	Ac
Lumphinnans, *Fife*	260	Dc
Lumsden, *Gramp.*	292	Db
Lund, *Humb.*	177	Aa
Lundie, *Tay.*	271	Ac
Lunt, *Mers.*	169	Ac
Luntley, *Hf/Wor.*	107	Ac
Luppitt, *Dev.*	15	Ba
Lupton, *Cumb.*	193	Bc
Lurgashall, *W. Sus.*	23	Aa
Lusby, *Lincs.*	153	Bb
Luss, *Strath.*	257	Bc
Lustleigh, *Dev.*	14	Cb
Luston, *Hf/Wor.*	107	Bc
Luton, *Beds.*	75	Ab
Luton, *Dev.*	14	Db
Luton, *Kent*	44	Ca
Lutterworth, *Leics.*	112	Ca
Lutton, *Dev.*	8	Db
Lutton, *Lincs.*	134	Cb
Lutton, *N'hants.*	114	Da
Luxborough, *Som.*	48	Cb
Luxulian, *Corn.*	6	Cc
Lybster, *Highl.*	318	Da
Lydd, *Kent*	27	Bb
Lydden, *Kent*	46	Cc
Lydeard St. Lawrence, *Som.*	33	Ab
Lydford, *Dev.*	12	Dc
Lydford Fair Place, *Som.*	35	Aa
Lydham, *Salop*	124	Dc
Lydiard Millicent, *Wilts.*	70	Dc
Lydiard Tregoze, *Wilts.*	70	Dc
Lydiate, *Mers.*	169	Bc
Lydlinch, *Dors.*	35	Bc
Lydney, *Glos.*	69	Aa
Lydstep, *Dyfed*	62	Dc
Lye, *W. Mid.*	109	Ba
Lye Green, *Bucks.*	74	Db
Lyes Green, *Wilts.*	51	Bc
Lyford, *Oxon.*	72	Cc
Lyme Regis, *Dors.*	16	Cb
Lyminge, *Kent*	28	Ca
Lymington, *Hants.*	20	Db
Lyminster, *W. Sus.*	23	Bc
Lymm, *Ches.*	161	Aa
Lympne, *Kent*	28	Ca
Lympsham, *Som.*	49	Bb
Lympstone, *Dev.*	14	Db
Lyndhurst, *Hants.*	20	Da
Lyndon, *Leics.*	131	Bb
Lyne, *Bord.*	239	Ba
Lyne, *Sur.*	56	Db
Lyneal, *Salop*	144	Dc
Lyneham, *Oxon.*	91	Bc
Lyneham, *Wilts.*	70	Dc
Lyneholme, *Cumb.*	218	Ca
Lyne of Skene, *Gramp.*	293	Bb
Lyng, *Norf.*	136	Dc
Lyng, *Som.*	34	Cb
Lynmouth, *Dev.*	47	Ab
Lynsted, *Kent*	45	Ab
Lynton, *Dev.*	47	Ab
Lyons, *Ty/We.*	222	Dc
Lyonshall, *Hf/Wor.*	107	Ac
Lytchett Matravers, *Dors.*	19	Ab
Lytchett Minster, *Dors.*	19	Ab
Lytham, *Lancs.*	169	Ba
Lythe, *N. Yorks.*	200	Ca
MABE, *Corn.*	2	Db
Mablethorpe, *Lincs.*	168	Dc
Macclesfield, *Ches.*	162	Cc
Macduff, *Gramp.*	305	Aa
Machen, *Gwent*	67	Ac
Machrihanish, *Strath.*	233	Ac
Machynlleth, *Powys*	122	Cb
Mackworth, *Derby.*	148	Db
Maddington, *Wilts.*	37	Aa
Madehurst, *W. Sus.*	23	Ab
Madeley, *Salop*	126	Cb
Madeley, *Staffs.*	146	Cb
Madingley, *Cambs.*	96	Cb
Madjeston, *Dors.*	36	Cb
Madley, *Hf/Wor.*	88	Cb
Madresfield, *Hf/Wor.*	89	Ba
Madron, *Corn.*	1	Bb
Maenclochog, *Dyfed*	82	Dc
Maentwrog, *Gwyn.*	141	Ba
Maer, *Staffs.*	146	Cb
Maerdy, *Clwyd*	142	Da
Maerdy, *M. Glam.*	86	Cc
Maesbury Marsh, *Salop*	124	Da
Maesmynis, *Powys*	104	Ca
Maesteg, *M. Glam.*	65	Ba
Maestregomer, *Powys*	123	Ac
Maes-y-bont, *Dyfed*	64	Da
Maes-y-cymmer, *Gwent*	67	Ab
Magdalen Laver, *Essex*	76	Dc
Maghull, *Mers.*	169	Bc
Magor, *Gwent*	68	Cc
Magpie Green, *Suff.*	99	Aa
Maiden Bradley, *Wilts.*	36	Ca
Maidenhead, *Berks.*	56	Ca
Maiden Newton, *Dors.*	17	Ba
Maidenwell, *Lincs.*	153	Ba
Maidford, *N'hants.*	93	Aa
Maids Moreton, *Bucks.*	93	Ab
Maidstone, *Kent.*	44	Ca
Maidwell, *N'hants.*	113	Ab
Maindee, *Gwent*	67	Bc
Mainsforth, *Dur.*	207	Bb
Maisemore, *Glos.*	89	Bc
Makerstoun, *Bord.*	242	Cb
Malborough, *Dev.*	9	Bc
Malden, *Gt. Lon.*	57	Bc
Maldon, *Essex*	78	Cc
Malham, *N. Yorks.*	182	Ca
Maligar, *Highl.*	296	Ca
Mallaig, *Highl.*	273	Ba
Mallaigvaig, *Highl.*	273	Ba
Mallwyd, *Gwyn.*	122	Da
Malmesbury, *Wilts.*	70	Cc
Malpas, *Ches.*	145	Ab
Malpas, *Gwent*	67	Bc
Maltby, *Cleve.*	208	Cc
Maltby, *S. Yorks.*	164	Da
Maltby-le-Marsh, *Lincs.*	168	Dc
Malton, *N. Yorks.*	186	Ca
Malvern Link, *Hf/Wor.*	89	Ba
Malvern Wells, *Hf/Wor.*	89	Ba
Mamble, *Hf/Wor.*	108	Db
Mamhead, *Dev.*	14	Db
Mamhilad, *Gwent*	67	Ba
Manacean, *Corn.*	2	Dc
Manafon, *Powys.*	123	Bb
Manaton, *Dev.*	13	Bb
Manby, *Lincs.*	168	Cc
Mancetter, *Warks.*	129	Ac
Manchester, *Gt. Man.*	161	Ba
Manea, *Cambs.*	116	Cb
Maney, *W. Mid.*	128	Cc
Manfield, *N. Yorks.*	207	Ac
Mangerton, *Dors.*	16	Db
Mangotsfield, *Avon*	51	Aa
Manningford Abbots, *Wilts.*	53	Ac
Manningford Bruce, *Wilts.*	53	Ac
Mannings Heath, *W. Sus.*	24	Ca
Mannington, *Dors.*	19	Ba
Mannington, *Norf.*	137	Ab
Manningtree, *Essex*	79	Ab
Mannofield, *Gramp.*	294	Cc
Manorbier, *Dyfed*	62	Dc
Manordeifi, *Dyfed*	83	Ab
Manorowen, *Dyfed*	81	Bb
Mansell Gamage, *Hf/Wor.*	88	Ca
Mansell Lacy, *Hf/Wor.*	88	Ca
Mansergh, *Cumb.*	194	Cc
Mansfield, *Notts.*	150	Ca
Manson Green, *Norf.*	118	Da
Manston, *Dors.*	36	Cc
Manston, *Kent*	46	Da
Manswood, *Dors.*	19	Aa
Manthorpe, *Lincs.*	151	Bc
Manthorpe, *Lincs.*	132	Da
Manton, *Humb.*	176	Cc
Manton, *Leics.*	131	Bb
Manton, *Wilts.*	53	Ab
Manuden, *Essex*	76	Da
Maperton, *Som.*	35	Bb
Maplebeck, *Notts.*	150	Da
Maplederwell, *Hants.*	55	Ac
Mapledurham, *Oxon.*	55	Aa
Mapperley, *Derby.*	149	Bb
Mapperton, *Dors.*	17	Aa
Mapperton, *Dors.*	18	Da
Mappleton, *Derby.*	148	Cb
Mappleton, *Humb.*	178	Ca
Mapplewell, *S. Yorks.*	173	Bc
Mappowder, *Dors.*	35	Bc
Marazion, *Corn.*	1	Bc
Marbury, *Ches.*	145	Bb
March, *Cambs.*	116	Cb
Marcham, *Oxon.*	72	Db
Marchamley, *Salop*	145	Bc
March Baldon, *Oxon.*	72	Db
Marchington, *Staffs.*	148	Cc
Marchington Woodlands, *Staffs.*	148	Cc
Marchwiel, *Clwyd*	144	Cb
Marchwood, *Hants.*	20	Da
Marcross, *S. Glam.*	64	Cc
Marden, *Hf/Wor.*	88	Da
Marden, *Kent*	44	Cb
Marden, *Wilts.*	52	Db
Mardy, *Gwent*	87	Bc
Marefield, *Leics.*	131	Ab
Mare Green, *Som.*	34	Cb
Mareham-le-Fen, *Lincs.*	153	Bb
Mareham-on-the-Hill, *Lincs.*	153	Ba
Marehay, *Derby.*	149	Bb
Maresfield, *E. Sus.*	25	Aa
Marfleet, *Humb.*	177	Bb
Marford, *Clwyd*	144	Da
Margaret Marsh, *Dors.*	36	Cb
Margaret Roding, *Essex*	77	Ac
Margaretting, *Essex*	59	Ba
Margate, *Kent*	46	Da
Marham, *Norf.*	117	Aa
Marhamchurch, *Corn.*	11	Bb
Marholm, *Cambs.*	115	Aa
Mariansleigh, *Dev.*	31	Ba
Mark, *Som.*	34	Ca
Markby, *Lincs.*	154	Da
Mark Causeway, *Som.*	34	Ca
Mark Cross, *E. Sus.*	25	Ba
Markeaton, *Derby.*	148	Db
Market Bosworth, *Leics.*	129	Bb
Market Deeping, *Lincs.*	132	Db
Market Drayton, *Salop*	145	Bc
Market Harborough, *Leics.*	113	Aa
Market Lavington, *Wilts.*	52	Db
Market Overton, *Leics.*	131	Ba
Market Rasen, *Lincs.*	166	Da
Market Stainton, *Lincs.*	153	Aa
Market Weighton, *Humb.*	186	Dc
Market Weston, *Suff.*	118	Dc
Markfield, *Leics.*	130	Cb
Markham Clinton, *Notts.*	165	Ac
Markinch, *Fife*	261	Bb
Markington, *N. Yorks.*	184	Ca
Marksbury, *Avon*	51	Ab
Markshall, *Essex*	78	Cb
Marks Tey, *Essex*	78	Db
Markyate, *Herts.*	75	Ab
Marlborough, *Wilts.*	53	Ab
Marlcliff, *Warks.*	91	Aa
Marldon, *Dev.*	10	Da
Marlesford, *Suff.*	100	Cb
Marlingford, *Norf.*	119	Aa
Marloes, *Dyfed*	61	Ab
Marlow, *Bucks.*	74	Cc
Marlpool, *Derby.*	149	Bb
Marnhull, *Dors.*	36	Cb
Marple, *Gt. Man.*	162	Ca
Marr, *S. Yorks.*	174	Dc
Marrick, *N. Yorks.*	196	Ca
Marros, *Dyfed*	63	Ab
Marsden, *Ty/We.*	222	Db
Marsden, *W. Yorks.*	172	Db
Marsett, *N. Yorks.*	195	Ab
Marsh, *W. Yorks.*	182	Dc
Marshalls Elm, *Som.*	34	Db
Marsham, *Norf.*	137	Bb
Marsh Benham, *Berks.*	54	Cb
Marsh Chapel, *Lincs.*	168	Cb
Marshfield, *Avon*	51	Ba
Marshfield, *Gwent*	67	Ac
Marsh Gibbon, *Bucks.*	93	Ac
Marsh Green, *Kent*	42	Db
Marsh Lane, *Derby.*	164	Cb
Marshside, *Mers.*	169	Ab
Marsh Street, *Som.*	48	Cb
Marshwood, *Dors.*	16	Cb
Marske, *Cleve.*	199	Aa
Marske, *N. Yorks.*	196	Ca
Marston, *Ches.*	161	Ab
Marston, *Hf/Wor.*	107	Ac
Marston, *Lincs.*	151	Bb
Marston, *Oxon.*	72	Da
Marston, *Staffs.*	146	Dc
Marston, *Wilts.*	52	Cb
Marston Bigot, *Som.*	51	Bc
Marston Green, *W. Mid.*	110	Da
Marston Magna, *Som.*	35	Ab
Marston Meysey, *Wilts.*	71	Ab
Marston Montgomery, *Derby.*	148	Cb
Marston Moor, *N. Yorks.*	184	Db
Marston Moretaine, *Beds.*	94	Db
Marston-on-Dove, *Derby.*	148	Cc
Marston St. Lawrence, *N'hants.*	92	Db
Marston Stannett, *Hf/Wor.*	108	Cc
Marston Trussell, *N'hants.*	112	Da
Marstow, *Hf/Wor.*	88	Dc
Marsworth, *Bucks.*	74	Ca
Marten, *Wilts.*	53	Bb
Martham, *Norf.*	138	Dc
Martin, *Hants.*	37	Ac
Martin, *Lincs.*	153	Bb
Martin, *Lincs.*	152	Da
Martinhoe, *Dev.*	30	Da
Martin Hussingtree, *Hf/Wor.*	109	Bc
Martin Mill, *Kent*	46	Dc
Martlesham, *Suff.*	80	Ca
Martletwy, *Dyfed*	62	Cb
Martley, *Hf/Wor.*	108	Dc
Martock, *Som.*	34	Dc
Marton, *Ches.*	161	Bc
Marton, *Cleve.*	208	Cc
Marton, *Humb.*	177	Bb
Marton, *Lincs.*	165	Bb
Marton, *Salop*	125	Aa
Marton, *Salop*	124	Db
Marton, *N. Yorks.*	184	Da
Marton, *N. Yorks.*	198	Dc
Marton, *Warks.*	111	Bb
Marton-in-the-Forest, *N. Yorks.*	185	Ba
Martyr Worthy, *Hants.*	39	Ab
Marwood, *Dev.*	30	Cb
Maryburgh, *Highl.*	300	Cb
Maryculter, *Gramp.*	294	Cc
Maryhill, *Gramp.*	248	Db
Marykirk, *Gramp.*	281	Bc
Maryport, *Cumb.*	201	Ba
Marystow, *Dev.*	12	Dc
Mary Tavy, *Dev.*	8	Da
Marywell, *Gramp.*	281	Ba
Masham, *N. Yorks.*	196	Dc
Mashbury, *Essex*	77	Ac
Masongill, *N. Yorks.*	194	Cc
Mastin Moor, *Derby.*	164	Cb
Matching, *Essex*	76	Dc
Matching Green, *Essex*	76	Dc
Matching Tye, *Essex*	76	Dc
Matfen, *N'land*	220	Da
Matfield Green, *Kent*	43	Bb
Mathern, *Gwent*	68	Db
Mathon, *Hf/Wor.*	89	Aa
Mathry, *Dyfed*	81	Bb
Matlask, *Norf.*	137	Aa
Matlock, *Derby.*	148	Da
Matlock Bank, *Derby.*	148	Da
Matlock Bath, *Derby.*	148	Da
Matlock Bridge, *Derby.*	148	Da

PAGE SQ

Matson, Glos. . 89 Bc
Matterdale, Cumb. . 203 Ab
Mattersey, Notts. . 165 Aa
Mattingley, Hants. . 55 Bc
Mattishall, Norf. . 118 Da
Mattishall Burgh, Norf. . 118 Da
Mauchline, Strath. . 236 Dc
Maugersbury, Glos. . 91 Ac
Maulden, Beds. . 94 Db
Maulds Meaburn, Cumb. . 204 Cc
Maunby, N. Yorks. . 197 Ab
Maund Bryan, Hf/Wor. . 88 Da
Maundown, Som. . 33 Ab
Mautby, Norf. . 120 Da
Mavesyn Ridware, Staffs. . 128 Ca
Mavis Enderby, Lincs. . 154 Cb
Mawdesley, Lancs. . 170 Cb
Mawdlam, M. Glam. . 65 Bb
Mawgan, Corn. . 2 Dc
Mawnan, Corn. . 2 Dc
Mawthorpe, Lincs. . 154 Ca
Maxey, Cambs. . 115 Aa
Maxstoke, W. Mid. . 110 Da
Maxton, Bord. . 241 Bb
Maxwelltown, Dum/Gall. . 215 Ba
Maybole, Strath. . 224 Ca
Mayfield, Derby.. . 148 Cb
Mayfield, E. Sus. . 25 Ba
Maynard's Green, E. Sus.. . 25 Bb
Maypole, Kent . 46 Ca
Maypole, Gwent . 88 Cc
Mead End, Wilts. . 37 Ab
Meadgate, Avon . 51 Ab
Meadle, Bucks. . 73 Bb
Mealsgate, Cumb. . 202 Ca
Meare, Som. . 34 Da
Mearns, Strath. . 248 Dc
Mears Ashby, N'hants. . 113 Bb
Measham, Leics. . 129 Ab
Meathop, Cumb.. . 193 Ac
Meavy, Dev. . 8 Db
Medbourne, Leics. . 131 Ac
Meddon, Dev. . 11 Ba
Medlam, Lincs. . 153 Bb
Medmenham, Bucks. . 73 Bc
Medomsley, Dur. . 221 Bc
Medstead, Hants. . 39 Ba
Meerbrook, Staffs. . 147 Ba
Meesden, Herts. . 76 Da
Meeth, Dev. . 31 Ab
Meifod, Powys . 124 Cb
Meigle, Tay. . 271 Ab
Meikleour, Tay.. . 270 Db
Meikle Warthill, Gramp. . 293 Ba
Meinciau, Dyfed. . 64 Ca
Melbourn, Cambs. . 96 Cc
Melbourne, Derby. . 129 Ba
Melbourne, Humb. . 186 Cc
Melbury, Dev. . 29 Bc
Melbury Abbas, Dors. . 36 Db
Melbury Bubb, Dors. . 35 Ac
Melbury Osmond, Dors. . 35 Ac
Melbury Sampford, Dors. . 35 Ac
Melchbourne, Beds. . 114 Ca
Meldon, N'land . 231 Bc
Meldreth, Cambs. . 96 Cc
Meliden, Clwyd . 158 Da
Melin-court, W. Glam. . 85 Bc
Melkinthorpe, Cumb. . 204 Cb
Melksham, Wilts. . 52 Cb
Melksham Forest, Wilts. . 52 Cb
Melling, Lancs. . 181 Aa
Melling, Mers. . 169 Bc
Melling Mount, Mers. . 169 Bc
Mellis, Suff. . 99 Aa
Mellon Charles, Highl. . 307 Ba
Mellor, Gt. Man. . 162 Ca
Mellor, Lancs. . 170 Da
Mells, Som. . 51 Bc
Melmerby, Cumb. . 204 Ca
Melmerby, N. Yorks. . 197 Ac
Melmerby, N. Yorks. . 196 Cb
Melness, Highl. . 320 Db
Melrose, Bord. . 241 Bb
Melsonby, N. Yorks. . 196 Ba
Meltham, W. Yorks. . 172 Dc
Melton, Humb. . 176 Da
Melton, Suff. . 99 Bc
Meltonby, Humb. . 186 Cb
Melton Mowbray, Leics. . 131 Aa
Melton Ross, Humb. . 176 Db
Melvaig, Highl. . 307 Ab

PAGE SQ

Melverley, Salop . 124 Da
Melverley Green, Salop . 124 Da
Melvich, Highl. . 322 Ca
Membury, Dev. . 16 Ca
Menai Bridge, Gwyn. . 156 Cb
Mendham, Suff. . 119 Bc
Mendlesham, Suff. . 99 Ab
Mendlesham Gr. Suff. . 99 Ab
Menheniot, Corn. . 7 Bb
Mennock, Dum/Gall. . 226 Ca
Menston, W. Yorks. . 183 Bc
Menstrie, Cen. . 259 Bc
Menthorpe, Humb. . 175 Aa
Mentmore, Bucks. . 74 Ca
Meole Brace, Salop . 125 Bb
Meonstoke, Hants. . 39 Bc
Meopham, Kent . 43 Ba
Meopham Green, Kent . 43 Ba
Mepal, Cambs. . 116 Cc
Meppershall, Beds. . 75 Aa
Mercaston, Derby. . 148 Db
Merchiston, Loth. . 251 Bb
Mere, Wilts. . 36 Ca
Mere Brow, Lancs. . 169 Bb
Mere Green, W. Mid. . 128 Cc
Merevale, Warks. . 128 Dc
Mereworth, Kent . 43 Bb
Meriden, W. Mid. . 110 Da
Merkinch, Highl. . 300 Dc
Merlin's Bridge, Dyfed . 61 Ba
Merridge, Som. . 33 Bb
Merrington, Salop . 125 Ba
Merriott, Som. . 16 Da
Merrow, Sur. . 41 Ab
Mersea Lane, Essex . 78 Dc
Mersham, Kent . 27 Ba
Merstham, Sur. . 42 Cb
Merston, W. Sus. . 22 Da
Merstone, I.O.W. . 21 Bc
Merther, Corn. . 4 Ca
Merthyr, Dyfed . 63 Ba
Merthyr Cynog, Powys . 104 Cb
Merthyr Difan, S. Glam. . 66 Dc
Merthyr-mawr, M. Glam. . 65 Bb
Merthyr Tydfil, M. Glam. . 86 Db
Merton, Bord. . 241 Bb
Merton, Dev. . 12 Da
Merton, Norf. . 118 Cb
Merton, Oxon. . 72 Da
Meshaw, Dev. . 31 Ba
Messing, Essex . 78 Cb
Messingham, Humb. . 176 Cc
Metfield, Suff. . 100 Ca
Metheringham, Lincs. . 152 Da
Methil, Fife. . 261 Bc
Methley, W. Yorks. . 174 Ca
Methlick, Gramp. . 305 Bc
Methven, Tay. . 270 Cc
Methwold, Norf. . 117 Bb
Methwold Hithe, Norf. . 117 Ab
Mettingham, Suff. . 120 Cb
Metton, Norf. . 137 Ba
Mevagissey, Corn. . 4 Da
Mexborough, S. Yorks. . 174 Cc
Meyllteyrn, Gwyn. . 139 Ac
Meysey Hampton, Glos. . 71 Ab
Michaelchurch, Hf/Wor. . 88 Dc
Michaelchurch Escley, Hf/Wor. . 87 Bb
Michaelchurch-on-Arrow, Powys . 87 Aa
Michaelston-le-Pit, S. Glam. . 49 Aa
Michaelston-super-Ely, S. Glam. . 66 Db
Michaelston-y-Vedw, Gwent . 67 Bc
Michaelstow, Corn. . 6 Ca
Michelmarsh, Hants. . 38 Cb
Mickfield, Suff. . 99 Ab
Micklebring, S. Yorks. . 164 Da
Mickleby, N. Yorks. . 199 Ba
Mickleham, Sur. . 41 Ba
Micklehurst, Gt. Man. . 172 Cc
Mickleover, Derby. . 148 Dc
Mickleton, Dur. . 206 Cb
Mickleton, Glos. . 91 Aa
Mickletown, W. Yorks. . 174 Aa
Mickle Trafford, Ches. . 160 Cc
Mickley, N. Yorks. . 196 Dc
Mid Assendon, Oxon. . 73 Bc
Mid Aston, Oxon. . 92 Dc
Mid Calder, Loth. . 251 Ab
Mid Claydon, Bucks. . 93 Bc
Mid Clyth, Highl. . 318 Da
Mid Handley, Derby. . 164 Cb
Mid Lavant, W. Sus. . 22 Da
Mid Rasen, Lincs. . 166 Da
Mid Tysoe, Warks. . 91 Ba
Middlebie, Dum/Gall. . 216 Da
Middleham, N. Yorks. . 196 Cb
Middle Mill, Dyfed . 81 Bc
Middlesbrough, Cleve. . 208 Cc
Middlesmoor, N. Yorks. . 196 Cc

PAGE SQ

Middlestone, Dur. . 207 Ab
Middlestown, W. Yorks. . 173 Bb
Middlethorpe, N. Yorks. . 185 Bb
Middleton, Cumb. . 194 Cb
Middleton, Derby. . 163 Ac
Middleton, Derby. . 148 Da
Middleton, Essex . 78 Ca
Middleton, Gt. Man. . 171 Bc
Middleton, Hants. . 38 Da
Middleton, Lancs. . 180 Cb
Middleton, Norf. . 135 Ac
Middleton, N'hants. . 113 Ba
Middleton, N'land . 231 Bc
Middleton, N. Yorks. . 183 Bb
Middleton, N. Yorks. . 198 Db
Middleton, Salop . 124 Dc
Middleton, Suff. . 100 Db
Middleton, W. Sus. . 23 Ac
Middleton, Warks. . 128 Cc
Middleton, W. Glam. . 64 Cc
Middleton, W. Yorks. . 173 Ba
Middleton Cheney, N'hants. . 92 Db
Middleton Green, Staffs. . 147 Bc
Middleton-in-Teesdale, Dur. . 205 Bb
Middleton One Row, Dur. . 207 Bc
Middleton-on-the-Hill, Salop . 107 Bb
Middleton-on-the-Wolds, Humb. . 177 Aa
Middleton Quernhow, N. Yorks. . 197 Ac
Middleton Scriven, Salop 108 Da
Middleton Stoney, Oxon. . 92 Dc
Middleton Tyas, N. Yorks. . 196 Da
Middletown, Avon . 50 Ca
Middletown, Powys . 124 Db
Middlewich, Ches. . 161 Ac
Middlewood, Hf/Wor. . 125 Aa
Middlezoy, Som. . 34 Cb
Middridge, Dur. . 207 Ab
Midford, Avon . 51 Bb
Midgley, W. Yorks. . 173 Bb
Midgley, W. Yorks. . 172 Ca
Midhopestones, S. Yorks. . 173 Ac
Midhurst, W. Sus. . 23 Aa
Midlem, Bord. . 241 Bc
Midsomer Norton, Avon . 51 Ab
Migvie, Gramp. . 292 Cc
Milborne Port, Som. . 35 Bb
Milborne St Andrew, Dors. . 18 Ca
Milborne Stileham, Dors. . 18 Ca
Milborne Wick, Som. . 35 Bb
Milbourne, N'land . 221 Ba
Milbourne, Wilts. . 70 Cc
Milburn, Cumb. . 204 Cb
Milbury Heath, Avon . 69 Ab
Milby, N. Yorks. . 184 Da
Milcombe, Oxon. . 92 Cb
Milden, Suff. . 98 Dc
Mildenhall, Suff. . 97 Ba
Mildenhall, Wilts. . 53 Bb
Milebush, Kent . 44 Cb
Mile End, Cambs. . 116 Dc
Mile End, Essex . 78 Da
Mile End, Glos. . 68 Da
Mileham, Norf. . 136 Cc
Milfield, N'land . 243 Bb
Milford, Derby. . 149 Ab
Milford, Dev. . 29 Ac
Milford, Sur. . 12 Ca
Milford, Staffs. . 127 Ba
Milford, Sur. . 40 Da
Milford Haven, Dyfed . 61 Bb
Milford-on-Sea, Hants. . 20 Db
Milkwall, Gwent . 68 Da
Mill Bank, W. Yorks. . 172 Cb
Millbeck, Cumb. . 202 Bb
Millbridge, Sur. . 40 Da
Millbrook, Beds. . 94 Bb
Millbrook, Corn. . 8 Cc
Millbrook, Gt. Man. . 172 Cc
Millbrook, Hants. . 38 Cc
Mill Brow, Gt. Man. . 162 Ca
Mill End, Cambs. . 116 Cb
Mill End, Herts. . 74 Dc
Millerston, Strath. . 249 Ab
Mill Hill, Gt. Lon. . 57 Ba
Millhouse, S. Yorks. . 173 Ac
Millhouses, S. Yorks. . 174 Cc
Millikenpark, Strath. . 248 Cc
Millington, Humb. . 186 Db
Millmeece, Staffs. . 146 Dc
Millom, Cumb. . 192 Cc
Millport, Strath. . 235 Ba
Mill Shaw, W. Yorks. . 173 Ba
Millthorpe, Derby. . 163 Bb
Millthrop, Cumb. . 194 Cb
Milltown, Tay. . 288 Da
Milltown, Gramp. . 293 Ac
Milnathort, Tay. . 260 Db
Milngavie, Strath. . 248 Db

PAGE SQ

Milnrow, Gt. Man. . 172 Cb
Milnthorpe, Cumb. . 193 Bc
Milnthorpe, W. Yorks. . 173 Bb
Milson, Salop . 108 Cb
Milstead, Kent . 44 Da
Milston, Wilts. . 37 Ba
Milton, Avon . 49 Bb
Milton, Berks. . 72 Dc
Milton, Cambs. . 96 Da
Milton, Derby . 162 Db
Milton, Derby . 148 Dc
Milton, Dyfed . 62 Cb
Milton, E. Sus. . 25 Bc
Milton, Gwent . 67 Bc
Milton, Kent . 45 Bb
Milton, Kent . 44 Da
Milton, N'hants. . 113 Ac
Milton, Notts. . 165 Ac
Milton, Oxon. . 92 Cb
Milton, Som. . 34 Dc
Milton, Staffs. . 146 Da
Milton, Strath. . 249 Ab
Milton Abbas, Dors. . 18 Ca
Milton Abbot, Dev. . 8 Ca
Milton Bryant, Beds. . 94 Db
Milton Damerel, Dev. . 12 Ca
Milton Ernest, Beds. . 114 Cc
Milton Green, Ches. . 144 Da
Milton Keynes, Bucks. . 94 Cb
Milton Lilbourne, Wilts. . 53 Ab
Milton-on-Stour, Dors. . 36 Cb
Milton-under-Wychwood, Oxon. . 71 Ba
Milverton, Som. . 33 Ab
Milverton, Warks. . 111 Ab
Milwich, Staffs. . 147 Ac
Minchinhampton, Glos. . 70 Cb
Mindrum, N'land . 242 Db
Minehead, Som. . 48 Cb
Minera, Clwyd . 144 Ca
Minety, Wilts. . 70 Db
Miningsby, Lincs. . 153 Bb
Minllyn, Gwyn. . 122 Da
Minnigaff, Dum/Gall. . 212 Db
Minskip, N. Yorks. . 184 Da
Minstead, Hants. . 20 Ca
Minster, Kent . 45 Aa
Minster, Kent . 46 Da
Minsterley, Salop . 124 Db
Minster Lovell, Oxon. . 71 Ba
Minsterworth, Glos. . 89 Bc
Minterne Magna, Dors. . 17 Ba
Minterne Parva, Dors. . 17 Ba
Minting, Lincs. . 153 Aa
Mintlaw, Gramp. . 306 Cb
Minto, Bord. . 241 Bc
Minwear, Dyfed . 62 Cb
Minworth, W. Mid. . 128 Cc
Mireland, Highl. . 324 Cb
Mirfield, W. Yorks. . 173 Ab
Miserden, Glos. . 70 Ca
Miskin, M. Glam. . 66 Da
Miskin, M. Glam. . 66 Db
Misson, Notts. . 165 Aa
Misterton, Leics. . 112 Ca
Misterton, Notts. . 165 Ba
Misterton, Som. . 16 Da
Mistley, Essex . 79 Bb
Mitcham, Gt. Lon. . 57 Bc
Mitcheldean, Glos. . 89 Ac
Mitchell, Corn. . 5 Bc
Mitchel Troy, Gwent . 68 Ca
Mitford, N'land .. . 232 Cc
Mithian, Corn. . 2 Da
Mixbury, Oxon. . 93 Ab
Mixenden, W. Yorks. . 172 Da
Mobberley, Ches. . 161 Bb
Mobley, Glos. . 69 Ab
Mochdre, Clwyd . 157 Ba
Mochdre, Powys . 105 Bb
Mochrum, Dum/Gall. . 210 Cb
Mockerkin, Cumb. . 201 Bb
Modbury, Dev. . 9 Bb
Moddershall, Staffs. . 147 Ab
Moelfre, Gwyn. . 156 Ca
Moffat, Dum/Gall. . 227 Aa
Moggerhanger, Beds. . 95 Ab
Molash, Kent . 45 Ab
Mold, Clwyd . 159 Ac
Moldgreen, W. Yorks. . 173 Ab
Molescroft, Humb. . 177 Aa
Molesworth, Cambs. . 114 Bb
Molland, Dev. . 32 Ca
Mollington, Ches. . 160 Cb
Mollington, Oxon. . 92 Ca
Mollinsburn, Strath. . 249 Ab
Moneydie, Tay. . 270 Cc
Mongeham, Kent . 46 Dc
Moniaive, Dum/Gall. . 226 Cb
Monifieth, Tay. . 271 Bc
Monimail, Fife . 261 Ba
Monington, Dyfed . 82 Da
Monk Bretton, S. Yorks. . 173 Ba
Monken Hadley, Gt. Lon. . 57 Ba
Monk Fryston, N. Yorks. . 174 Da
Monk Hesleden, Dur. . 208 Ca
Monkhide, Hf/Wor. . 88 Dc
Monkhill, Cumb. . 217 Bb
Monkhopton, Salop . 126 Cc

	PAGE	SQ.
Monkland, *Hf/Wor.*	107	Bc
Monkleigh, *Dev.*	30	Cc
Monknash, *S. Glam.*	66	Cc
Monkokehampton, *Dev.*	31	Ac
Monks Coppenhall, *Ches.*	146	Ca
Monkseaton, *Ty/We*	222	Ca
Monks Eleigh, *Suff.*	98	Dc
Monk Sherborne, *Hants.*	55	Ac
Monksilver, *Som.*	33	Aa
Monks Kirby, *Warks.*	111	Ba
Monk Soham, *Suff.*	99	Bb
Monks Risborough, *Bucks.*	73	Bb
Monksthorpe, *Lincs.*	154	Cb
Monkswood, *Gwent*	67	Ba
Monkton, *Dev.*	15	Ba
Monkton, *Dyfed*	62	Cb
Monkton, *Kent*	46	Ca
Monkton, *Strath.*	236	Cc
Monkton, *Ty/We.*	222	Cb
Monkton Combe, *Avon*	51	Bb
Monkton Deverill, *Wilts.*	36	Ca
Monkton Farleigh, *Wilts.*	51	Ba
Monkton Up Wimborne, *Dors.*	37	Ac
Monmore Green, *W. Mid.*	127	Bc
Monmouth, *Gwent*	68	Ca
Monnington-on-Wye, *Hf/Wor.*	87	Ba
Monreith, *Dum/Gall.*	210	Cb
Montacute, *Som.*	34	Dc
Montford, *Salop*	125	Aa
Montgomery, *Powys*	124	Cc
Montrose, *Tay.*	272	Da
Monxton, *Hants.*	38	Ca
Monyash, *Derby.*	163	Ac
Monymusk, *Gramp.*	293	Bb
Monzie, *Tay.*	259	Ba
Moonzie, *Fife*	261	Ba
Moorby, *Lincs.*	153	Bb
Moordown, *Dors.*	19	Bb
Moore, *Ches.*	160	Db
Moor End, *Bucks.*	73	Bc
Moor End Green, *W. Mid.*	128	Cc
Moor Ends, *S. Yorks.*	175	Ab
Moorgate, *Gt. Man.*	172	Cc
Moor Green, *Wilts.*	52	Ca
Moorhampton, *Hf/Wor.*	87	Ba
Moorhole, *S. Yorks.*	164	Cb
Moorhouse, *Cumb.*	217	Bc
Moorhouse, *Notts.*	165	Bc
Moorhouse, *S. Yorks.*	174	Cc
Moorland, *Som.*	34	Cb
Moorlinch, *Som.*	34	Cb
Moor Monkton, *N. Yorks.*	185	Ab
Moorsholm, *Cleve.*	199	Aa
Moorside, *Gt. Man.*	172	Cc
Moor Side, *Lincs.*	153	Bb
Moor Side, *W. Yorks.*	172	Da
Moorthorpe, *S. Yorks.*	174	Cb
Moor Top, *W. Yorks.*	173	Ab
Moortown, *Lincs.*	166	Da
Morborne, *Cambs.*	114	Da
Morchard Bishop, *Dev.*	31	Bb
Morcott, *Leics.*	131	Bc
Morda, *Salop*	144	Cc
Morden, *Dors.*	18	Da
Morden, *Gt. Lon.*	57	Bc
Mordiford, *Hf/Wor.*	88	Db
Mordington, *Bord.*	254	Dc
Mordon, *Dur.*	207	Bb
More, *Salop*	124	Dc
Morebath, *Dev.*	32	Da
Morebattle, *Bord.*	242	Dc
Morecambe, *Lancs.*	180	Ca
Morecombelake, *Dors.*	16	Db
More Crichel, *Dors.*	19	Aa
Morefield, *Highl.*	309	Aa
Moreleigh, *Dev.*	10	Cb
Moresby, *Cumb.*	201	Bc
Morestead, *Hants.*	39	Ab
Moreton, *Dors.*	18	Cb
Moreton, *Essex*	76	Dc
Moreton, *Mers.*	159	Aa
Moreton, *Oxon.*	72	Cb
Moreton, *Oxon.*	73	Bb
Moreton Corbet, *Salop*	125	Ba
Moreton Hampstead, *Dev.*	13	Ba
Moreton-in-Marsh, *Glos.*	91	Ab
Moreton Jeffries, *Hf/Wor.*	88	Da
Moreton Morrell, *Warks.*	111	Ac
Moreton-on-Lugg, *Hf/Wor.*	88	Ca
Moreton Pinkney, *N'hants.*	92	Da
Moreton Say, *Salop*	145	Bc
Moreton Valence, *Glos.*	69	Ba
Morfa Nefyn, *Gwyn.*	139	Bb
Morganstown, *S. Glam.*	66	Db
Mork, *Glos.*	68	Da
Morland, *Cumb.*	204	Cb
Morley, *Derby.*	149	Bb
Morley, *Dur.*	206	Db
Morley, *W. Yorks.*	173	Ba
Morley St. Botolph, *Norf.*	118	Da
Morningside, *Loth.*	251	Bb
Morningside, *Strath.*	250	Cc
Morning Thorpe, *Norf.*	119	Bb
Morpeth, *N'land*	232	Cc
Morriston, *W. Glam.*	64	Db
Morston, *Norf.*	136	Da
Mortehoe, *Dev.*	30	Ca
Morthen, *S. Yorks.*	164	Ca
Mortimers Cross, *Hf/Wor.*	107	Bb
Mortlake, *Gt. Lon.*	57	Bc
Morton, *Avon*	69	Ab
Morton, *Derby.*	149	Ba
Morton, *Lincs.*	165	Ba
Morton, *Lincs.*	166	Cc
Morton, *Lincs.*	132	Da
Morton, *Norf.*	137	Ac
Morton, *Notts.*	150	Da
Morton, *Salop*	124	Da
Morton Bagot, *Warks.*	110	Cb
Morton-on-Swale, *N. Yorks.*	197	Ab
Morval, *Corn.*	7	Bc
Morvil, *Dyfed*	82	Cb
Morville, *Salop*	126	Cc
Morwenstow, *Corn.*	11	Ba
Mosbrough, *S. Yorks.*	164	Cb
Mosedale, *Cumb.*	202	Db
Moseley, *W. Mid.*	127	Bb
Moseley, *W. Mid.*	110	Ca
Mossbrow, *Gt. Man.*	161	Aa
Mossend, *Strath.*	249	Bc
Mosser, *Cumb.*	201	Bb
Mossley, *Gt. Man.*	172	Cc
Mosterton, *Dors.*	16	Da
Moston, *Gt. Man.*	171	Bc
Mostyn, *Clwyd*	158	Da
Motcombe, *Dors.*	36	Cb
Motherby, *Cumb.*	203	Bb
Motherwell, *Strath.*	249	Bc
Mottingham, *Gt. Lon.*	58	Cc
Mottisfont, *Hants.*	38	Cb
Mottistone, *I.O.W.*	21	Ac
Mottram-in-Longdendale, *Gt. Man.*	162	Ca
Moulin, *Tay.*	269	Ba
Moulsford, *Oxon.*	55	Aa
Moulton, *Ches.*	161	Ac
Moulton, *Lincs.*	133	Bb
Moulton, *Norf.*	120	Ca
Moulton, *N'hants.*	113	Ab
Moulton, *N. Yorks.*	196	Da
Moulton, *Suff.*	97	Ba
Moulton Chapel, *Lincs.*	133	Bc
Moulton St. Michael, *Norf.*	119	Ab
Moulton Seas End, *Lincs.*	133	Bb
Mountain, *W. Yorks.*	172	Da
Mountain Ash, *M. Glam.*	86	Dc
Mount Bures, *Essex*	78	Ca
Mountfield, *E. Sus.*	26	Ca
Mountgarrie, *Gramp.*	292	Db
Mountnessing, *Essex*	59	Aa
Mounton, *Gwent*	68	Db
Mountsorrel, *Leics.*	130	Ca
Mount Tabor, *W. Yorks.*	172	Da
Mousehole, *Corn.*	1	Bc
Mouswald, *Dum/Gall.*	216	Ca
Mow Cop, *Staffs.*	146	Da
Mowsley, *Leics.*	112	Da
Moy, *Highl.*	289	Ba
Moylgrove, *Dyfed*	82	Da
Muchalls, *Gramp.*	282	Da
Much Birch, *Hf/Wor.*	88	Cb
Much Cowarne, *Hf/Wor.*	88	Da
Much Dewchurch, *Hf/Wor.*	88	Cb
Muchelney, *Som.*	34	Db
Muchelney Ham, *Som.*	34	Dc
Much Hadham, *Herts.*	76	Cb
Much Hoole, *Lancs.*	169	Ba
Much Marcle, *Hf/Wor.*	89	Ab
Much Wenlock, *Salop*	126	Cc
Mucking, *Essex*	59	Bb
Muckleford, *Dors.*	17	Ba
Mucklestone, *Staffs.*	146	Cb
Muckton, *Lincs.*	168	Cc
Muddiford, *Dev.*	30	Cb
Mudeford, *Dors.*	20	Cb
Mudford, *Som.*	35	Ab
Mudgley, *Som.*	34	Da
Mugginton, *Derby.*	148	Db
Muggleswick, *Dur.*	220	Dc
Muie, *Highl.*	311	Ba
Muirdrum, *Tay.*	272	Cb
Muirhead, *Strath.*	249	Ab
Muirkirk, *Strath.*	237	Bc
Muir of Ord, *Highl.*	300	Cb
Muker, *N. Yorks.*	195	Aa
Mulbarton, *Norf.*	119	Aa
Mullion, *Corn.*	2	Cc
Mumbles, *W. Glam.*	64	Dc
Mumby, *Lincs.*	154	Da
Munderfield Row, *Hf/Wor.*	89	Aa
Munderfield Stocks, *Hf/Wor.*	89	Aa
Mundesley, *Norf.*	138	Ca
Mundford, *Norf.*	117	Bb
Mundham, *Norf.*	119	Bb
Mundon, *Essex*	60	Ca
Mungrisdale, *Cumb.*	203	Ab
Munlochy, *Highl.*	300	Db
Munsley, *Hf/Wor.*	89	Aa
Munslow, *Salop*	107	Ba
Munslow Aston, *Salop*	107	Ba
Murcott, *Oxon.*	73	Aa
Murroes, *Tay.*	271	Bc
Murrow, *Cambs.*	116	Ca
Mursley, *Bucks.*	93	Bc
Murston, *Kent*	44	Da
Murthly, *Tay.*	270	Cb
Murton, *Cumb.*	204	Db
Murton, *Dur.*	222	Dc
Murton, *N. Yorks.*	185	Bb
Murton, *Ty/We.*	222	Ca
Musbury, *Dev.*	16	Cb
Musselburgh, *Loth.*	252	Cb
Muston, *Leics.*	151	Bc
Muston, *N. Yorks.*	188	Ca
Mutford, *Suff.*	120	Db
Mutfordbridge, *Suff.*	120	Db
Muthill, *Tay.*	259	Ba
Muxton, *Salop*	126	Da
Mybster, *Highl.*	323	Bc
Myddfai, *Dyfed*	85	Aa
Myddle, *Salop*	125	Ba
Mydrim, *Dyfed*	63	Aa
Myerscough, *Lancs.*	170	Ca
Mylor, *Corn.*	2	Db
Mynachlog-ddu, *Dyfed*	82	Dc
Mynydd-bach, *Gwent*	68	Cb
Mytholmroyd, *W. Yorks.*	172	Ca
Myton-upon-Swale, *N. Yorks.*	184	Da
NABURN, *N. Yorks.*	185	Bc
Nackington, *Kent*	45	Bb
Nacton, *Suff.*	79	Ba
Nafferton, *Humb.*	188	Cc
Nailbridge, *Glos.*	89	Ac
Nailsbourne, *Som.*	33	Bb
Nailsea, *Avon*	50	Ca
Nailstone, *Leics.*	129	Bb
Nailsworth, *Glos.*	69	Bb
Nairn, *Highl.*	301	Bb
Nannerch, *Clwyd*	159	Ac
Nanpean, *Corn.*	6	Cc
Nant, *Powys*	104	Da
Nantcwnlle, *Dyfed*	101	Bc
Nant-ddu, *Powys*	86	Cb
Nantgaredig, *Dyfed*	84	Cc
Nantgarw, *M. Glam.*	66	Db
Nantglyn, *Clwyd.*	143	Aa
Nant-gwym, *Powys*	105	Bb
Nantlle, *Gwyn*	140	Ca
Nantmel, *Powys*	105	Bb
Nantwich, *Ches.*	145	Ba
Nant-y-caws, *Dyfed*	64	Ca
Nantyffyllon, *M. Glam.*	65	Ba
Nant-y-glo, *Gwent*	67	Aa
Nant-y-moel, *M. Glam.*	66	Ca
Naphill, *Bucks.*	74	Cb
Napton-on-the-Hill, *Warks.*	112	Cc
Narberth, *Dyfed*	62	Da
Narborough, *Leics.*	130	Cc
Narborough, *Norf.*	135	Bc
Narford, *Norf.*	135	Bc
Naseby, *N'hants.*	112	Db
Nash, *Bucks.*	93	Bb
Nash, *Gwent*	67	Bc
Nash, *Salop*	108	Cb
Nash, *S. Glam.*	66	Cc
Nassington, *N'hants.*	132	Dc
Nasty, *Herts.*	76	Cb
Nateby, *Cumb.*	194	Da
Nateby, *Lancs.*	180	Dc
Nately Scures, *Hants.*	55	Bc
Natland, *Cumb.*	193	Bb
Naughton, *Suff.*	98	Dc
Naunton, *Glos.*	91	Ac
Naunton, *Hf/Wor.*	90	Ca
Naunton Beauchamp, *Hf/Wor.*	109	Bc
Navenby, *Lincs.*	152	Ca
Navestock, *Essex*	58	Da
Nawton, *N. Yorks.*	198	Cb
Nayland, *Suff.*	78	Da
Nazeing, *Essex*	76	Cc
Near Cotton, *Staffs.*	147	Bb
Neasden, *Gt. Lon.*	57	Bb
Neasham, *Dur.*	207	Bc
Neath, *W. Glam.*	65	Aa
Neatishead, *Norf.*	138	Cb
Necton, *Norf.*	118	Ca
Nedd, *Highl.*	313	Ba
Nedging, *Suff.*	98	Dc
Needham, *Norf.*	119	Bc
Needham Market, *Suff.*	99	Ac
Needingworth, *Cambs.*	96	Ca
Neen Savage, *Salop*	108	Da
Neen Sollars, *Salop*	108	Cb
Neenton, *Salop*	108	Ca
Neilston, *Strath.*	248	Dc
Neithrop, *Oxon.*	92	Cb
Nelson, *Lancs.*	182	Cc
Nelson, *M. Glam.*	66	Da
Nempnett Thrubwell, *Avon*	50	Db
Nenthead, *Cumb.*	204	Da
Nenthorn, *Bord.*	242	Cb
Nercwys, *Clwyd*	143	Ba
Nesfield, *N. Yorks.*	183	Ab
Ness, *Ches.*	159	Bb
Nesscliff, *Salop*	124	Da
Neston, *Ches.*	159	Bb
Neston, *Wilts.*	52	Ca
Nether Alderley, *Ches.*	161	Bb
Netheravon, *Wilts.*	53	Ac
Nether Broughton, *Leics.*	130	Da
Netherbury, *Dors.*	16	Db
Netherby, *N. Yorks.*	134	Cc
Nether Cerne, *Dors.*	17	Ba
Nether Compton, *Dors.*	35	Ab
Nethercote, *Warks.*	112	Cc
Nether Dallachy, *Gramp.*	303	Ba
Netherend, *Glos.*	68	Db
Nether Exe, *Dev.*	32	Dc
Netherfield, *E. Sus.*	26	Cb
Netherfield, *Notts.*	150	Cb
Nethergate, *Humb.*	165	Ba
Netherhampton, *Wilts.*	37	Ab
Nether Handley, *Derby.*	164	Cb
Nether Haugh, *S. Yorks.*	164	Ca
Nether Headon, *Notts.*	165	Bb
Nether Heage, *Derby.*	149	Aa
Nether Heyford, *N'hants.*	112	Dc
Nether Kellet, *Lancs.*	180	Da
Nether Langwith, *Derby.*	164	Dc
Nether Poppleton, *N. Yorks.*	185	Ab
Netherseal, *Derby.*	128	Da
Nether Shire Green, *S. Yorks.*	163	Ba
Nether Silton, *N. Yorks.*	197	Bb
Nether Stowey, *Som.*	33	Ba
Nether Street, *Wilts.*	52	Db
Netherthong, *W. Yorks.*	172	Dc
Netherthorpe, *Derby.*	164	Cb
Netherthorpe, *S. Yorks.*	164	Db
Netherton, *Ches.*	160	Cb
Netherton, *Dev.*	14	Dc
Netherton, *Hants.*	54	Cc
Netherton, *Hf/Wor.*	127	Bc
Netherton, *Hf/Wor.*	90	Da
Netherton, *Mers.*	169	Ac
Netherton, *N'land*	231	Aa
Netherton, *N'land*	222	Ca
Netherton, *Oxon.*	72	Cb
Netherton, *Strath.*	249	Bc
Netherton, *W. Yorks.*	173	Bb
Netherton, *W. Yorks.*	172	Db
Nethertown, *Cumb.*	191	Aa
Nether Wallop, *Hants.*	38	Ca
Nether Whitacre, *Warks.*	128	Dc
Netherwitton, *N'land*	231	Bc
Nether Worton, *Oxon.*	92	Cc
Nethybridge, *Highl.*	290	Db
Netteswell, *Essex*	76	Dc
Nettlebed, *Oxon.*	73	Bc
Nettlebridge, *Som.*	51	Ac
Nettlecombe, *Dors.*	17	Aa
Nettlecombe, *Som.*	33	Ac
Nettleham, *Lincs.*	166	Dc
Nettlestead, *Kent*	43	Bb
Nettlestead, *Suff.*	99	Ac
Nettleton, *Lincs.*	167	Ab
Nettleton, *Wilts.*	69	Bc
Netton, *Wilts.*	37	Ba
Neuadd, *Dyfed*	85	Aa
Nevendon, *Essex*	59	Ba
Nevern, *Dyfed*	82	Db
Nevill Holt, *Leics.*	131	Bc
Nevin, *Gwyn.*	139	Bb
New Abbey, *Dum/Gall.*	215	Bb

	PAGE	SQ.
New Aberdour, Gramp.	305	Ba
Newall, N. Yorks.	183	Bc
New Alresford, Hants..	39	Ab
New Annesley, Notts.	149	Ba
Newark, N'hants.	115	Aa
Newark, Notts..	151	Ba
Newarthill, Strath.	249	Bc
Newball, Lincs..	166	Db
Newbattle, Loth..	252	Cb
Newbiggin, Cumb.	203	Bb
Newbiggin, Cumb.	218	Cc
Newbiggin, Cumb.	179	Ba
Newbiggin, Cumb.	191	Bb
Newbiggin, Cumb.	194	Ca
Newbiggin, Cumb.	204	Cb
Newbiggin, Dur..	205	Bb
Newbiggin, N. Yorks.	195	Bb
Newbiggin-by-the-Sea, N'land	232	Dc
Newbigging, Tay.	239	Aa
New Boghead, Gramp.	293	Ba
Newbold, Derby.	163	Bc
Newbold-on-Avon, Warks.	112	Cb
Newbold-on-Stour, Warks.	91	Ba
Newbold Pacey, Warks.	111	Ac
Newbold Verdon, Leics..	129	Bb
New Bolingbroke, Lincs.	153	Bb
Newborough, Gwyn.	155	Bc
Newborough, N'hants.	115	Aa
Newborough, Staffs.	148	Cc
Newbottle, Ty/We.	222	Cc
Newbourn, Suff..	80	Ca
New Brampton, Derby.	163	Bc
New Brancepeth, Dur..	207	Aa
Newbridge, Corn.	1	Ac
Newbridge, Hants.	21	Ab
Newbridge, Oxon.	72	Cb
Newbridge Hill, Avon	51	Ba
Newbridge-on-Wye, Powys.	104	Ca
New Brighton, Mers.	159	Ba
Newbrough, N'land	220	Cb
New Buckenham, Norf.	118	Db
Newburgh, Fife.	261	Aa
Newburgh, Gramp.	294	Da
Newburgh, Lancs.	169	Bc
Newburn, Ty/We.	221	Bb
Newbury, Berks..	54	Db
Newbury, Som.	51	Ac
Newbury, Wilts..	36	Ca
Newby, Cumb.	204	Cb
Newby, Lancs.	182	Cc
Newby, N. Yorks.	181	Ba
Newby, N. Yorks.	208	Cc
Newby Bridge, Cumb.	192	Db
Newbyth, Gramp.	305	Bb
Newby Wiske, Cumb.	197	Ab
Newcastle, Salop	106	Da
Newcastle Emlyn, Dyfed	83	Bb
Newcastle-under-Lyme, Staffs.	146	Db
Newcastle-upon-Tyne, Ty/We.	222	Cb
Newcastleton, Bord.	229	Ac
New Chapel, Staffs.	146	Da
Newchurch, Ches.	161	Aa
Newchurch, Dyfed	83	Bc
Newchurch, Gwent	68	Cb
Newchurch, Hants.	21	Bc
Newchurch, Kent	27	Bb
Newchurch, Lancs.	171	Ba
Newchurch, Lancs.	182	Cc
Newchurch, Powys	87	Aa
New Colyton, Strath.	236	Dc
New Cross, Som.	34	Dc
New Cubbington, Warks.	111	Ab
New Cumnock, Strath..	225	Aa
New Deer, Gramp.	305	Bb
New Delph, Gt. Man.	172	Cc
Newdigate, Sur.	41	Bb
New Duston, N'hants.	112	Dc
New Eastwood, Notts..	149	Bb
New Edlington, N. Yorks.	174	Dc
New Elgin, Gramp.	303	Aa
Newenden, Kent.	26	Da
Newent, Glos.	89	Ac
New Farnley, W. Yorks.	173	Ba
Newfield, Dur.	206	Da
New Fishbourne, W. Sus.	22	Da
New Fryston, W. Yorks.	174	Ca

	PAGE	SQ.
New Galloway, Dum/Gall.	214	Ca
Newgate, Norf..	136	Da
Newhall, Derby..	128	Da
Newham, N'land	244	Dc
Newhaven, E. Sus.	25	Ac
Newhaven, Loth.	251	Ba
Newhaw, Sur.	41	Aa
New Headington, Oxon..	72	Db
New Hedges, Dyfed	62	Db
New Hey, Gt. Man.	172	Cb
New Holland, Humb.	177	Bc
Newholm, N. Yorks.	200	Cb
New Houghton, Norf..	135	Bb
New Humberstone, Leics..	130	Db
New Hunstanton, Norf..	135	Aa
Newick, E. Sus.	25	Aa
Newington, Humb.	176	Da
Newington, Kent	28	Ca
Newington, Kent	44	Da
Newington, Loth.	251	Bb
Newington, Oxon.	73	Ab
Newington Bagpath, Glos..	69	Bb
New Inn, Dyfed.	84	Cb
New Lanark, Strath.	238	Da
Newland, Glos..	68	Da
Newland, Hf/Wor.	89	Ba
Newland, Humb.	177	Bb
Newland, N. Yorks.	175	Aa
Newland, Oxon..	72	Ca
Newlands, Bord..	239	Ba
Newlands, N'land	244	Cb
New Leeds, Gramp.	306	Cb
New Luce, Dum/Gall.	212	Cb
Newlyn East, Corn.	5	Bc
Newmains, Strath.	250	Cc
New Malden, Gt. Lon.	57	Bc
Newmarket, Suff.	97	Aa
New Mawbray, Cumb.	216	Cc
New Micklefield, W. Yorks.	174	Ca
New Mill, W. Yorks.	172	Dc
Newmill, Gramp.	304	Cb
New Mills, Derby.	162	Ca
New Mills, Powys	123	Bc
Newmilns, Strath.	237	Ab
New Moat, Dyfed	82	Dc
New Monkland, Strath..	249	Bb
Newnham, Glos..	69	Aa
Newnham, Hants.	55	Bc
Newnham, Hf/Wor.	108	Cb
Newnham, Herts.	75	Ba
Newnham, Kent.	45	Ab
Newnham, N'hants.	112	Cc
Newnham Murren, Oxon..	73	Ac
New Oscott, W. Mid.	128	Cc
New Pitsligo, Gramp.	305	Bb
Newport, Dev.	30	Db
Newport, Dyfed	82	Cb
Newport, Essex	76	Da
Newport, Fife.	271	Bc
Newport, Glos.	69	Ab
Newport, Gwent.	67	Bc
Newport, I.O.W.	21	Ab
Newport, Salop	126	Da
Newport Pagnell, Bucks..	94	Ca
Newquay, Corn.	5	Ab
New Quay, Dyfed	101	Ac
New Radnor, Powys.	106	Dc
New Road Side, Humb..	182	Dc
New Road Side, N. Yorks.	172	Da
New Romney, Kent	27	Bb
Newsam Green, W. Yorks.	173	Ba
New Seaham, Dur.	222	Dc
Newsham, Dur.	206	Dc
Newsham, N'land	197	Ab
New Sharlston, W. Yorks.	174	Da
New Shildon, Dur.	207	Ab
Newsholme, Humb.	175	Ba
Newsholme, N. Yorks.	182	Dc
New Silksworth, Ty/We.	222	Dc
Newstead, Notts.	149	Ba
New Stevenston, Strath..	249	Bc
Newthorpe, Notts.	149	Bb
Newtimber, W. Sus.	24	Cb
Newton, Cambs.	96	Cb
Newton, Cambs.	134	Cc
Newton, Ches.	145	Aa
Newton, Ches.	145	Ba
Newton, Cleve.	208	Dc
Newton, Derby.	149	Ba
Newton, Dors.	36	Cc

	PAGE	SQ.
Newton, Dum/Gall.	227	Bb
Newton, Hf/Wor.	87	Bb
Newton, Hf/Wor.	107	Bc
Newton, Highl.	301	Aa
Newton, Highl.	324	Cc
Newton, Lancs.	169	Ba
Newton, Lancs.	180	Cc
Newton, Lincs..	152	Cc
Newton, M. Glam.	65	Bb
Newton, N'hants.	113	Ba
Newton, N'land.	220	Db
Newton, Norf..	136	Cc
Newton, N. Yorks.	199	Bc
Newton, Notts..	150	Db
Newton, Staffs..	147	Bc
Newton, Suff..	98	Cc
Newton, Warks..	112	Cb
Newton, W. Glam.	64	Dc
Newton, W. Yorks.	174	Ca
Newton Abbot, Dev.	14	Cc
Newton Arlosh, Cumb.	216	Dc
Newton Bewley, Cleve.	208	Cb
Newton Blossomville, Bucks..	94	Ca
Newton Bromswold, N'hants.	114	Cc
Newton Burgoland, Leics..	129	Ab
Newton-by-the-Sea, N'land	244	Dc
Newton-by-Toft, Lincs..	166	Db
Newton Ferrers, Dev.	8	Dc
Newton Flotman, Norf.	119	Bb
Newton Harcourt, Leics.	130	Dc
Newton Kyme, N. Yorks.	184	Dc
Newton-le-Willows, Mers..	160	Da
Newton-le-Willows, N. Yorks.	196	Bc
Newton Longville, Bucks..	94	Cc
Newton Mearns, Strath..	248	Dc
Newtonmore, Highl.	277	Ba
Newton-on-the-Moor, N'land	232	Cb
Newton Peveril, Dors.	18	Da
Newton Poppleford, Dev.	15	Ac
Newton Purcell, Oxon.	93	Ab
Newton Regis, Warks.	128	Db
Newton Regny, Cumb.	203	Bb
Newton St. Cyres, Dev.	32	Cc
Newton St. Faith, Norf.	137	Bc
Newton St. Loe, Avon	51	Ab
Newton St. Petrock, Dev.	12	Da
Newton Solney, Derby..	148	Dc
Newtonstewart, Dum/Gall.	212	Db
Newton Tony, Wilts.	37	Ba
Newton Tracey, Dev.	30	Cc
Newton-upon-Derwent, Humb..	186	Cb
Newton-upon-Ouse, N. Yorks.	185	Aa
Newton-upon-Trent, Lincs.	165	Bc
Newton Valence, Hants.	39	Bb
New Town, N'hants.	132	Cb
Newton, Ches..	145	Bb
Newton, Derby.	162	Cb
Newton, Derby.	19	Bb
Newton, Gt. Man.	170	Cc
Newton, Hants.	38	Cb
Newton, Hants.	54	Db
Newton, Powys	123	Bc
Newton, Wilts..	36	Cb
Newton Unthank, Leics.	130	Cb
New Tredegar, Gwent	67	Aa
New Tredegar, M. Glam.	66	Aa
Newtyle, Tay.	271	Ab
New Whittington, Derby..	164	Cb
New Yatt, Oxon.	72	Ca
New York, Lincs.	153	Bc

	PAGE	SQ.
Neyland, Dyfed..	62	Cb
Nicholaston, W. Glam.	64	Cc
Nigg, Highl.	301	Ba
Nine Ashes, Essex	77	Ac
Ninfield, E. Sus..	26	Cb
Nisbet, Bord.	242	Cc
Niton, I.O.W..	21	Ac
Nitshill, Strath.	248	Dc
Noak Hill, Gt. Lon.	58	Da
Nocton, Lincs..	166	Dc
Noke, Oxon.	72	Da
Nolton, Dyfed	61	Ba
Nomansland, Wilts.	75	Bb
Noneley, Salop.	144	Dc
Nonington, Kent.	46	Cb
Norbiton, Gt. Lon.	57	Ac
Norbury, Ches..	145	Bb
Norbury, Derby..	148	Cb
Norbury, Salop.	124	Dc
Norbury, Staffs..	126	Da
Norby, N. Yorks.	197	Ba
Nordelph, Norf..	116	Da
Norden, Gt. Man.	171	Bb
Nordley, Salop	126	Cc
Norham, N'land	243	Aa
Norland, W. Yorks.	172	Bb
Norley, Ches..	160	Da
Normanby, Cleve.	208	Dc
Normanby, Humb.	176	Cb
Normanby, Lincs.	166	Cb
Normanby, Lincs.	166	Da
Normanby, N. Yorks.	198	Dc
Normanby-le-Wold, Lincs..	167	Ab
Normandy, Sur.	56	Cc
Normanton, Derby.	148	Dc
Normanton, Leics.	151	Bb
Normanton, Lincs.	152	Cb
Normanton, Notts.	150	Da
Normanton, W. Yorks.	174	Cb
Normanton-le-Heath, Leics..	129	Bb
Normanton-on-the-Wolds, Notts..	150	Cc
Normanton Spring, S. Yorks.	164	Cb
Normanton-upon-Soar, Notts..	130	Ca
Normanton-upon-Trent, Notts..	165	Bc
Nornay, Notts.	165	Ba
Northallerton, N. Yorks.	197	Ab
Northam, Dev.	30	Cb
Northam, Hants.	38	Dc
Northampton, N'hants.	113	Ac
North Anston, S. Yorks.	164	Db
North Aston, Oxon.	92	Dc
North Baddesley, Hants.	38	Dc
North Ballachulish, Highl.	266	Ca
North Barningham, Norf..	137	Aa
North Barrow, Som.	35	Ab
North Barsham, Norf.	136	Ca
North Benfleet, Essex	59	Bb
North Bersted, W. Sus.	23	Ac
North Berwick, Loth.	252	Da
Northborough, Cambs.	115	Aa
Northbourne, Kent	46	Dc
North Bovey, Dev.	13	Bb
North Bradley, Wilts.	52	Cb
North Brentor, Dev.	8	Ca
North Brewham, Som.	35	Ba
North Burlingham, Norf..	120	Ca
North Burton, Humb.	188	Cb
North Cadbury, Som.	35	Ab
North Carlton, Lincs.	176	Ca
North Chapel, W. Sus.	23	Ba
North Charford, Hants.	37	Bc
N'land	244	Dc
North Cheriton, Som.	35	Ab
Northchurch, Herts.	74	Da
North Cliff, Humb.	186	Dc
North Clifton, Lincs.	165	Bc
North Coates, Lincs.	168	Cb
North Cockerington, Lincs.	168	Cb
North Collingham, Notts.	151	Ba
North Cornelly, M. Glam.	65	Bb
Northcott, Dev.	12	Cc
North Cove, Suff.	120	Db

	County	PAGE	SQ
North Cowton,	N. Yorks.	196	Da
North Crawley,	Bucks.	94	Ca
North Cray,	Gt. Lon.	58	Dc
North Creake,	Norf.	136	Ca
North Curry,	Som.	34	Cb
North Dalton,	Humb.	186	Db
North Deighton,	N. Yorks.	184	Db
North Down,	Kent	46	Da
North Duffield,	N. Yorks.	185	Bc
North Edge,	Derby.	163	Bc
North Elkington,	Lincs.	167	Bc
North Elmsall,	W. Yorks.	174	Cb
Northend,	Bucks.	73	Bc
North End,	Lincs.	133	Ba
North End,	Som.	33	Bb
North End,	Warks.	92	Ca
Northenden,	Gt. Man.	161	Ba
North Elmham,	Norf.	136	Dc
North Evington,	Leics.	130	Db
North Fambridge,	Essex	60	Ca
North Ferriby,	Humb.	176	Da
Northfield,	Som.	33	Bb
Northfield,	W. Mid.	110	Ca
Northfleet,	Kent	59	Ac
North Frodingham,	Humb.	188	Cc
North Gate,	Lincs.	133	Ab
North Grimston,	N. Yorks.	186	Da
Northhall Green.	Norf.	136	Dc
North Hill,	Corn.	7	Ba
North Hinksey,	Oxon.	72	Db
North Huish,	Dev.	9	Ba
North Hykeham,	Lincs.	166	Cc
North Hylton,	Ty/We.	222	Cc
Northiam,	E. Sus.	26	Da
Northill,	Beds.	95	Ac
Northington,	Hants.	39	Aa
North Kelsey,	Lincs.	176	Dc
North Killingholme,	Humb.	177	Bc
North Kilworth,	Leics.	112	Da
North Kilvington,	N. Yorks.	197	Bb
North Kyme,	Lincs.	152	Da
Northlands,	Lincs.	153	Bc
Northleach,	Glos.	71	Aa
Northleigh,	Dev.	15	Bb
Northleigh,	Dev.	30	Db
North Leigh,	Oxon.	72	Ca
North Leverton with Habblesthorpe,	Notts.	165	Bb
Northlew,	Dev.	12	Db
North Littleton,	Hf/Wor.	90	Da
North Lopham,	Norf.	118	Dc
North Luffenham,	Leics.	132	Cb
North Lydbury,	Salop	107	Aa
North Marden,	W. Sus.	40	Cc
North Marston,	Bucks.	93	Bc
North Mimms,	Herts.	75	Bc
North Molton,	Dev.	31	Ba
Northmoor,	Oxon.	72	Cb
North Moreton,	Oxon.	72	Dc
Northmuir,	Tay.	271	Aa
North Mundham,	W. Sus.	22	Da
North Muskham,	Notts.	151	Aa
North Newbald,	Humb.	186	Dc
North Newington,	Oxon.	92	Cb
North Newton,	Wilts.	53	Ac
North Newton,	Som.	34	Cb
Northney,	Hants.	22	Ca
North Nibley,	Glos.	69	Bb
North Oakley,	Hants.	54	Dc
North Ockendon,	Gt. Lon.	59	Ab
Northolt,	Gt. Lon.	57	Ab
Northop,	Clwyd	159	Ac
North Ormsby,	Lincs.	167	Bb
Northorpe,	Lincs.	133	Aa
Northorpe,	Lincs.	166	Ca
North Otterington,	N. Yorks.	197	Da
Northover,	Som.	34	Da
Northover,	Som.	34	Dc
North Owersby,	Lincs.	166	Da
Northowram,	W. Yorks.	172	Da
North Perrott,	Som.	16	Da
North Petherton,	Som.	34	Cb
North Petherwin,	Corn.	12	Cc
North Pickenham,	Norf.	118	Ca
North Piddle,	Hf/Wor.	109	Bc
North Poorton,	Dors.	17	Aa
Northport,	Dors.	18	Db
North Queensferry,	Fife	251	Aa
North Rauceby,	Lincs.	152	Cb
Northrepps,	Norf.	137	Ba
North Reston,	Lincs.	168	Ca
North Rode,	Ches.	162	Cc
North Runcton,	Norf.	135	Ac
North Scale,	Lancs.	179	Aa
North Scarle,	Lincs.	165	Bc
North Shields,	Ty/We.	222	Cb
North Somercotes,	Lincs.	168	Cb
North Stainley,	N. Yorks.	196	Dc
North Stoke,	Avon	51	Aa
North Stoke,	Oxon.	73	Bc
North Stoke,	W. Sus.	23	Bb
North Street,	Berks.	55	Aa
North Sunderland,	N'land	244	Db
North Tamerton,	Corn.	12	Cb
North Tawton,	Dev.	31	Bc
North Thoresby,	Lincs.	167	Bb
North Tidworth,	Wilts.	53	Bc
North Tuddenham,	Norf.	136	Dc
North Walsham,	Norf.	137	Bb
North Waltham,	Hants.	39	Aa
North Warnborough,	Hants.	55	Bc
North Watten,	Highl.	324	Cb
Northway,	Glos.	90	Cb
North Weald Bassett.	Essex	76	Dc
North Wheatley,	Notts.	165	Bb
Northwich,	Ches.	161	Ab
Northwick,	Avon	68	Dc
Northwick,	W. Sus.	34	Ca
North Widcombe,	Avon	50	Db
North Willingham,	Lincs.	167	Ac
North Wingfield,	Derby.	164	Cc
North Witham,	Lincs.	132	Ca
Northwold,	Norf.	117	Ab
Northwood,	Derby.	163	Bc
Northwood,	Gt. Lon.	57	Aa
Northwood,	Hants.	21	Ab
Northwood,	Salop	144	Dc
Northwood Green,	Glos.	89	Ac
North Wootton,	Dors.	35	Bc
North Wootton,	Norf.	135	Ab
North Wootton,	Som.	50	Dc
North Wraxall,	Wilts.	51	Ba
Norton,	Avon	49	Bb
Norton,	Ches.	160	Db
Norton,	Cleve.	208	Cc
Norton,	E. Sus.	25	Ac
Norton,	Glos.	90	Cc
Norton,	Hf/Wor.	109	Ac
Norton,	Hf/Wor.	89	Bb
Norton,	Herts.	75	Ba
Norton,	Kent	45	Ab
Norton,	N'hants.	112	Dc
Norton,	N. Yorks.	186	Ca
Norton,	Powys	106	Bb
Norton,	Salop	126	Bb
Norton,	S. Yorks.	163	Bb
Norton,	S. Yorks.	174	Db
Norton,	Suff.	98	Da
Norton,	W. Glam.	64	Dc
Norton,	W. Mid.	109	Ba
Norton,	W. Sus.	23	Ac
Norton,	Wilts.	70	Ca
Norton Bavant,	Wilts.	52	Cc
Norton Bridge,	Staffs.	146	Dc
Norton Canes,	Staffs.	127	Bb
Norton Canon,	Hf/Wor.	87	Ba
Norton Disney,	Lincs.	151	Ba
Norton Ferris,	Wilts.	36	Ca
Norton Fitzwarren,	Som.	33	Bb
Norton-in-Hales,	Salop	146	Cb
Norton-in-the-Moors,	Staffs.	146	Da
Norton-juxta-Twycross,	Leics.	129	Ab
Norton-le-Clay,	N. Yorks.	184	Da
Norton Lindsey,	Warks.	110	Db
Norton Malreward,	Avon	50	Db
Norton Mandeville,	Essex	77	Ac
Norton St. Philip,	Som.	51	Bb
Norton Subcourse,	Norf.	120	Cb
Norton-sub-Hamdon,	Som.	34	Dc
Norton Wood,	Hf/Wor.	87	Ba
Norton Woodseats,	S. Yorks.	163	Bb
Norwell,	Notts.	150	Da
Norwell Woodhouse,	Notts.	150	Da
Norwich,	Norf.	119	Ba
Norwood Green,	W. Yorks.	172	Da
Norwoodside,	Cambs.	116	Ca
Noss Mayo,	Dev.	8	Dc
Nosterfield,	N. Yorks.	196	Bc
Nottage,	M. Glam.	65	Bb
Nottingham,	Notts.	150	Cb
Nottington,	Dors.	17	Bb
Notton,	Wilts.	52	Ca
Notton,	W. Yorks.	173	Bb
Nowton,	Suff.	98	Cb
Nuffield,	Oxon.	73	Ac
Nunburnholme,	Humb.	186	Db
Nuneaton,	Warks.	129	Bc
Nuneham Courtenay,	Oxon.	72	Db
Nun Monkton,	N. Yorks.	185	Ab
Nunney,	Som.	51	Bc
Nunnington,	Hf/Wor.	88	Da
Nunnington,	N. Yorks.	198	Cc
Nunthorpe,	Cleve.	208	Cc
Nunton,	Wilts.	37	Bb
Nup End,	Bucks.	69	Ba
Nupend,	Glos.	69	Ba
Nursling,	Hants.	38	Cc
Nurstead,	Kent	59	Ac
Nurton,	Staffs.	126	Dc
Nutbourne,	W. Sus.	23	Bb
Nutbourne,	W. Sus.	22	Da
Nutfield,	Sur.	42	Cb
Nuthall,	Notts.	149	Bb
Nuthampstead,	Herts.	76	Ca
Nuthurst,	Warks.	110	Db
Nuthurst,	W. Sus.	24	Ca
Nutley,	E. Sus.	25	Ab
Nutley,	Hants.	39	Ba
Nybster,	Highl.	324	Db
Nyetimber,	W. Sus.	22	Bb
Nymet Rowland,	Dev.	31	Bb
Nympsfield,	Glos.	69	Bb
Nynehead,	Som.	33	Ac
Nythe,	Som.	34	Db
OADBY,	Leics.	130	Dc
Oad Street,	Kent	44	Dc
Oakamoor,	Staffs.	147	Bb
Oake,	Som.	33	Ab
Oaken,	Staffs.	126	Cb
Oakenclough,	Lancs.	170	Dc
Oakengates,	Salop	126	Cb
Oakenshaw,	W. Yorks.	173	Aa
Oakford,	Dev.	32	Cb
Oakford,	Dyfed	101	Ac
Oakfordbridge,	Dev.	32	Cb
Oakham,	Leics.	131	Bb
Oakhill,	Som.	51	Ac
Oakhill,	Wilts.	52	Ab
Oakington,	Cambs.	96	Cc
Oakworth,	W. Yorks.	182	Dc
Oare,	Berks.	54	Da
Oare,	Kent	45	Ab
Oare,	Som.	47	Bb
Oare,	Wilts.	53	Ab
Oareford,	Som.	47	Bb
Oasby,	Lincs.	152	Cb
Oath,	Som.	34	Cb
Oathlaw,	Tay.	271	Ba
Oatlands Mount,	N. Yorks.	184	Cb
Oban,	Strath.	255	Ba
Oborne,	Dors.	35	Bb
Occold,	Suff.	99	Aa
Ochiltree,	Strath.	236	Dc
Ochr-y-mynydd,	M. Glam.	86	Cb
Ockbrook,	Derby.	149	Bc
Ockham,	Sur.	41	Aa
Ockle,	Highl.	273	Ac
Ockley,	Sur.	41	Bc
Ocle Pychard,	Hf/Wor.	88	Da
Odd Down,	Avon	51	Bb
Oddendale,	Cumb.	204	Cc
Oddingley,	Hf/Wor.	109	Bc
Oddington,	Glos.	91	Bc
Oddington,	Oxon.	72	Da
Odell,	Beds.	114	Cc
Odiham,	Hants.	55	Bc
Odstock,	Wilts.	37	Bb
Odstone,	Leics.	129	Bb
Offchurch,	Warks.	111	Bc
Offenham,	Hf/Wor.	90	Da
Offham,	E. Sus.	25	Ab
Offham,	Kent	43	Ba
Offord Cluney,	Cambs.	95	Ba
Offord Darcy,	Cambs.	95	Ba
Offton,	Suff.	99	Ac
Offwell,	Dev.	15	Bb
Ogbourne St. Andrew,	Wilts.	53	Aa
Ogbourne St. George,	Wilts.	53	Ba
Ogden,	W. Yorks.	172	Da
Ogle,	N'land	221	Ba
Ogmore Vale,	M. Glam.	66	Ca
Okeford Fitzpaine,	Dors.	36	Cc
Okehampton,	Dev.	13	Aa
Okeover,	Staffs.	148	Cb
Old,	N'hants.	113	Ab
Old Aberdeen,	Gramp.	294	Cc
Old Alresford,	Hants.	39	Ab
Oldberrow,	Warks.	110	Cb
Old Blair,	Tay.	278	Cc
Old Boghead,	Gramp.	293	Ba
Old Bolingbroke,	Lincs.	154	Cb
Old Brampton,	Derby.	163	Bc
Old Buckenham,	Norf.	118	Db
Oldbury,	Salop	125	Ba
Oldbury,	Warks.	129	Ac
Oldbury,	W. Mid.	127	Bc
Oldbury-upon-Severn,	Avon	68	Db
Old Byland,	N. Yorks.	198	Ca
Old Cassop,	Dur.	207	Ba
Oldcastle,	Gwent	87	Bc
Old Church Stoke,	Gwent	124	Dc
Old Cleeve,	Som.	48	Db
Oldcoates,	Notts.	164	Cb
Old Dalby,	Leics.	130	Da
Old Dam,	Derby.	162	Da
Old Deer,	Gramp.	306	Cb
Old Eldon,	Dur.	207	Ab
Old Ellerby,	Humb.	177	Bb
Oldfield,	Hf/Wor.	109	Ab
Oldfield,	W. Yorks.	172	Dc
Old Flinder,	Gramp.	293	Aa
Oldford,	Som.	51	Bc
Old Goole,	Humb.	175	Bb
Oldham,	Gt. Man.	172	Cc
Oldhamstocks,	Loth.	253	Bb
Oldlands,	Cambs.	115	Bc
Old Newton,	Suff.	98	Db
Old Radnor,	Powys	106	Dc
Old Rayne,	Gramp.	293	Aa
Old Romney,	Kent	27	Bb
Old Shoreham,	W. Sus.	24	Cc
Old Sodbury,	Avon	69	Bc
Old Somerby,	Lincs.	152	Cc
Old Swinford,	Hf/Wor.	109	Ab
Old Town,	N. Yorks.	173	Bc
Old Town,	W. Yorks.	172	Ca

	PAGE	SQ.
Old Warden, *Beds.*	95	Ac
Old Weston, *Cambs.*	114	Db
Old Windsor, *Berks.*	56	Da
Old Woking, *Sur.*	41	Aa
Ollerton, *Ches.*	161	Bb
Ollerton, *Notts.*	165	Ac
Ollerton, *Salop*	145	Bc
Olney, *Bucks.*	94	Ca
Olney, *N'hants.*	93	Aa
Olton, *W. Mid.*	110	Ca
Olveston, *Avon*	68	Dc
Ombersley, *Hf/Wor.*	109	Ab
Ompton, *Notts.*	165	Ac
Onchan, *I.O.M.*	190	Ca
Onecote, *Staffs.*	147	Ba
Onehouse, *Suff.*	98	Db
Onibury, *Salop*	107	Ba
Onllwyn, *W. Glam.*	85	Bb
Onneley, *Staffs.*	146	Cb
Openshaw, *Gt. Man.*	162	Ca
Orby, *Lincs.*	154	Db
Orchardleigh, *Som.*	51	Bc
Orchard Portman, *Som.*	33	Bc
Orcheston St. George, *Wilts.*	37	Aa
Orcheston St. Mary, *Wilts.*	37	Aa
Orcop, *Hf/Wor.*	88	Cc
Ord, *Highl.*	285	Ac
Ordie, *Gramp.*	292	Dc
Ordsall, *Notts.*	165	Ab
Ore, *E. Sus.*	26	Db
Oreton Common, *Salop*	108	Ca
Orford, *Suff.*	100	Cc
Orlestone, *Kent*	27	Ba
Orleton, *Hf/Wor.*	107	Bb
Orleton, *Hf/Wor.*	108	Db
Orlingbury, *N'hants.*	113	Bb
Ormesby, *Cleve.*	208	Cc
Ormesby St. Margaret, *Norf.*	138	Dc
Ormesby St. Michael, *Norf.*	138	Dc
Ormiston, *Loth.*	252	Cb
Ormsaigmore, *Highl.*	263	Ba
Ormskirk, *Lancs.*	169	Bc
Orpington, *Gt. Lon.*	43	Aa
Orrisdale, *I.O.M.*	189	Bb
Orsett, *Essex*	59	Ab
Orston, *Notts.*	150	Db
Orthwaite, *Cumb.*	202	Db
Orton, *Cumb.*	194	Ca
Orton, *N'hants.*	113	Ba
Orton Longueville, *Cambs.*	115	Aa
Orton-on-the-Hill, *Leics.*	129	Ab
Orton Waterville, *Cambs.*	115	Aa
Orwell, *Cambs.*	96	Cb
Osbaldeston Green, *Lancs.*	170	Da
Osbaldwick, *N. Yorks.*	185	Bb
Osbaston, *Leics.*	129	Bb
Osbaston, *Salop*	124	Da
Osborne, *I.O.W.*	21	Ab
Osbournby, *Lincs.*	152	Db
Oscroft, *Ches.*	160	Cc
Osgathorpe, *Leics.*	129	Ba
Osgodby, *Lincs.*	166	Da
Osgodby, *N. Yorks.*	175	Aa
Osgodby, *N. Yorks.*	188	Ca
Osleston, *Derby.*	148	Db
Osmaston, *Derby.*	149	Ac
Osmaston, *Derby.*	148	Cb
Osmington, *Dors.*	18	Cb
Osmotherley, *N. Yorks.*	197	Ba
Ospringe, *Kent*	45	Ab
Ossett, *W. Yorks.*	173	Bb
Ossett Spa, *W. Yorks.*	173	Bb
Ossington, *Notts.*	165	Bc
Ostend, *Essex*	60	Da
Oswaldkirk, *N. Yorks.*	198	Cc
Oswaldtwistle, *Lancs.*	170	Da
Oswestry, *Salop*	144	Cc
Otford, *Kent*	43	Aa
Otham, *Kent*	44	Cb
Othery, *Som.*	34	Cb
Otley, *Suff.*	99	Bc
Otley, *W. Yorks.*	183	Bc
Otterbourne, *Hants.*	38	Dc
Otterburn, *N'land*	230	Dc
Otterburn, *N. Yorks.*	182	Cb
Otter Ferry, *Strath.*	246	Ca
Otterford, *Som.*	15	Ba
Otterham, *Corn.*	11	Bc
Otterhampton, *Som.*	33	Ba
Ottershaw, *Sur.*	41	Aa
Otterton, *Dev.*	15	Ac
Ottery St. Mary, *Dev.*	15	Ab
Ottinge, *Kent*	28	Ca
Ottringham, *Humb.*	178	Cc
Oughterby, *Cumb.*	217	Ac
Oughtershaw, *N. Yorks.*	195	Ac
Oughterside, *Cumb.*	202	Ca
Oughtibridge, *S. Yorks.*	163	Ba
Oulston, *N. Yorks.*	198	Cc
Oulton, *Cumb.*	217	Ac
Oulton, *Norf.*	137	Ab
Oulton, *Staffs.*	146	Dc
Oulton, *Suff.*	120	Db
Oulton, *W. Yorks.*	173	Ba
Oundle, *N'hants.*	114	Ca
Ousby, *Cumb.*	204	Ca
Ousden, *Suff.*	97	Bb
Ousefleet, *Humb.*	176	Ca
Ouston, *Dur.*	222	Cc
Outhgill, *Cumb.*	194	Da
Outlane, *W. Yorks.*	172	Db
Outlane Moor, *W. Yorks.*	172	Db
Out Newton, *Humb.*	178	Dc
Out Rawcliffe, *Lancs.*	180	Cc
Outwell, *Norf.*	116	Da
Outwood, *W. Yorks.*	173	Ba
Ouzelwell Green, *W. Yorks.*	173	Ba
Ovenden, *W. Yorks.*	172	Da
Over, *Cambs.*	96	Ca
Over, *Ches.*	160	Dc
Over Burrows, *Derby.*	148	Db
Overbury, *Hf/Wor.*	90	Cb
Over Compton, *Dors.*	35	Ac
Over Green, *Warks.*	128	Cc
Over Haddon, *Derby.*	163	Ac
Over Kellet, *Lancs.*	180	Da
Overleigh, *Som.*	34	Db
Over Norton, *Oxon.*	91	Bc
Overpool, *Ches.*	159	Bb
Overseal, *Derby.*	128	Da
Over Silton, *N. Yorks.*	197	Bb
Oversland, *Kent*	45	Bb
Oversley Green, *Warks.*	110	Cc
Overstone, *N'hants.*	113	Bc
Over Stowey, *Som.*	33	Ba
Overstrand, *Norf.*	137	Ba
Overthorpe, *N'hants.*	92	Db
Overton, *Ches.*	160	Db
Overton, *Clwyd*	144	Db
Overton, *Hants.*	54	Dc
Overton, *Lancs.*	180	Cb
Overton, *N. Yorks.*	185	Ab
Overton, *Salop*	107	Bb
Overton, *W. Glam.*	64	Cc
Overtown, *Strath.*	238	Ca
Over Wallop, *Hants.*	38	Ca
Over Whitacre, *Warks.*	128	Dc
Over Worton, *Oxon.*	92	Cc
Overy Staithe, *Norf.*	136	Ca
Oving, *Bucks.*	93	Bc
Oving, *W. Sus.*	23	Ac
Ovingdean, *E. Sus.*	24	Dc
Ovingham, *N'land*	220	Db
Ovington, *Dur.*	206	Bc
Ovington, *Essex*	97	Bc
Ovington, *Hants.*	39	Ab
Ovington, *Norf.*	118	Ca
Ovington, *N'land*	220	Db
Ower, *Hants.*	21	Aa
Owermoigne, *Dors.*	18	Cb
Owlerton, *S. Yorks.*	163	Ba
Owlpen, *Glos.*	69	Bb
Owlswick, *Bucks.*	73	Bb
Owmby, *Lincs.*	176	Dc
Ownby, *Lincs.*	166	Db
Owslebury, *Hants.*	39	Ab
Owston, *Leics.*	131	Ab
Owston, *S. Yorks.*	174	Db
Owston Ferry, *Humb.*	175	Bc
Owstwick, *Humb.*	178	Cb
Owthorpe, *Notts.*	150	Dc
Oxborough, *Norf.*	117	Ba
Oxcombe, *Lincs.*	153	Ba
Oxenhall, *Glos.*	89	Ab
Oxenhope, *W. Yorks.*	172	Ca
Oxen Park, *Cumb.*	192	Db
Oxenton, *Glos.*	90	Cb
Oxenwood, *Wilts.*	53	Bb
Oxford, *Oxon.*	72	Da
Oxhey, *Herts.*	57	Aa
Oxhill, *Warks.*	91	Ba
Oxley Green, *Essex*	78	Cc
Oxlode, *Cambs.*	116	Cb
Oxnam, *Bord.*	230	Ca
Oxnead, *Norf.*	137	Bb
Oxney Green, *Essex*	77	Ac
Oxshott, *Sur.*	41	Ba
Oxted, *Sur.*	42	Db
Oxton, *Bord.*	241	Aa
Oxton, *Notts.*	150	Ca
Oxwich, *W. Glam.*	64	Cc
Oykell Bridge, *Highl.*	310	Ca
Oyne, *Gramp.*	293	Aa
Ozleworth, *Glos.*	69	Bb
PACKINGTON, *Leics.*	129	Ba
Packwood, *Warks.*	110	Db
Padbury, *Bucks.*	93	Bb
Paddlesworth, *Kent*	28	Ca
Pademoor, *Humb.*	175	Bb
Padfield, *Derby.*	162	Da
Padiham, *Lancs.*	171	Aa
Padside, *N. Yorks.*	183	Bb
Padstow, *Corn.*	5	Ba
Padworth, *Berks.*	55	Ab
Pagham, *W. Sus.*	22	Db
Paglesham, *Essex*	60	Ca
Paignton, *Dev.*	10	Da
Pailton, *Warks.*	112	Ca
Painscastle, *Powys*	87	Aa
Painsthorpe, *Humb.*	186	Cb
Painswick, *Glos.*	70	Ca
Painthorpe, *W. Yorks.*	173	Bb
Paisley, *Strath.*	248	Dc
Pakefield, *Suff.*	120	Db
Pakenham, *Suff.*	98	Ca
Palfrey, *W. Mid.*	127	Bc
Palgrave, *Suff.*	99	Aa
Palling, *Norf.*	138	Cb
Palnackie, *Dum/Gall.*	214	Db
Palterton, *Derby.*	164	Cc
Pamington, *Glos.*	90	Cb
Pamphill, *Dors.*	19	Aa
Pampisford, *Cambs.*	96	Dc
Panborough, *Som.*	34	Da
Panbride, *Tay.*	272	Cc
Pancrasweek, *Dev.*	11	Ba
Pandy, *Gwent*	87	Bc
Pandy, *Gwyn.*	121	Bb
Panfield, *Essex*	77	Bb
Pangbourne, *Berks.*	55	Aa
Pannal, *N. Yorks.*	184	Cb
Panton, *Lincs.*	153	Aa
Pant-y-dwr, *Powys*	105	Bb
Panxworth, *Norf.*	138	Cc
Papcastle, *Cumb.*	201	Bb
Papplewick, *Notts.*	150	Ca
Papworth Everard, *Cambs.*	95	Ba
Papworth St. Agnes, *Cambs.*	95	Ba
Parbold, *Lancs.*	170	Cb
Parbrook, *Som.*	35	Aa
Pardshaw, *Cumb.*	201	Bb
Parham, *Suff.*	100	Cb
Park Corner, *Oxon.*	73	Bc
Parkend, *Cumb.*	202	Da
Parkend, *Glos.*	68	Da
Parkgate, *Ches.*	159	Bb
Parkgate, *Dum/Gall.*	227	Ac
Park Gate, *S. Yorks.*	164	Ca
Parkham, *Dev.*	29	Bc
Parkhead, *Strath.*	249	Ac
Parkstone, *Dors.*	19	Ab
Park Villas, *W. Yorks.*	184	Cc
Parracombe, *Dev.*	30	Da
Parson Drove, *Cambs.*	116	Ca
Parsons Heath, *Essex*	78	Db
Partick, *Strath.*	248	Db
Partington, *Gt. Man.*	161	Aa
Partney, *Lincs.*	154	Ca
Parton, *Cumb.*	201	Ac
Parton, *Dum/Gall.*	214	Ca
Parwich, *Derby.*	148	Ca
Passenham, *N'hants.*	93	Bb
Paston, *Norf.*	138	Ca
Paston, *N'hants.*	115	Aa
Patcham, *W. Sus.*	24	Db
Patching, *W. Sus.*	23	Bc
Patchway, *Avon*	68	Dc
Pateley Bridge, *N. Yorks.*	183	Ba
Pathe, *Som.*	34	Cb
Pathhead, *Fife.*	261	Bc
Pathhead, *Loth.*	252	Cb
Pathhead, *Strath.*	225	Aa
Patna, *Strath.*	224	Ca
Patney, *Wilts.*	52	Db
Patrick Brompton, *N. Yorks.*	196	Db
Patricroft, *Gt. Man.*	161	Aa
Patrington, *Humb.*	178	Dc
Patrixbourne, *Kent*	46	Cb
Patterdale, *Cumb.*	203	Ac
Pattingham, *Staffs.*	126	Dc
Pattishall, *N'hants.*	112	Dc
Pattiswick, *Essex*	78	Cb
Paul, *Corn.*	1	Bc
Paulerspury, *N'hants.*	93	Ba
Paull, *Humb.*	177	Bc
Paulton, *Avon*	51	Ab
Pauntley, *Glos.*	89	Bb
Pave Lane, *Salop*	126	Da
Pavenham, *Beds.*	114	Cc
Pawlett, *Som.*	34	Ca
Paxford, *Glos.*	91	Ab
Payhembury, *Dev.*	15	Ab
Paythorne, *Lancs.*	182	Cb
Peacehaven, *E. Sus.*	25	Ac
Peacemarsh, *Dors.*	36	Cb
Peachley, *Hf/Wor.*	109	Ac
Peak Forest, *Derby.*	162	Db
Peakirk, *Cambs.*	115	Aa
Pean, *Kent*	28	Ca
Peasedown, *Avon*	51	Ab
Peasemore, *Berks.*	54	Da
Peasenhall, *Suff.*	100	Cb
Peaslake, *Sur.*	41	Bb
Peasmarsh, *E. Sus.*	27	Ab
Peatling Magna, *Leics.*	130	Cc
Peatling Parva, *Leics.*	112	Ca
Pebmarsh, *Essex.*	78	Ca
Pebworth, *Hf/Wor.*	91	Aa
Pecket Well, *W. Yorks.*	172	Ca
Peckforton, *Ches.*	145	Aa
Peckleton, *Leics.*	129	Bc
Pedlinge, *Kent*	28	Ca
Pedmore, *Hf/Wor.*	109	Ba
Pedwell, *Som.*	34	Db
Peebles, *Bord.*	240	Cb
Peel, *I.O.M.*	190	Cc
Pegsdon, *Beds.*	75	Aa
Pegswood, *N'land*	232	Cc
Pegwell, *Kent*	46	Db
Peldon, *Essex*	78	Db
Pelsall, *W. Mid.*	127	Bb
Pelton, *Dur.*	222	Cc
Pelutho, *Cumb.*	216	Dc
Pelynt, *Corn.*	7	Ac
Pembrey, *Dyfed*	63	Bb
Pembridge, *Hf/Wor.*	107	Ac
Pembroke, *Dyfed*	62	Cb
Pembroke Dock, *Dyfed*	62	Cb
Pembury, *Kent*	43	Bc
Penallt, *Hf/Wor.*	68	Da
Penally, *Dyfed*	62	Dc
Penarth, *S. Glam.*	49	Aa
Penboyr, *Dyfed*	83	Bb
Penbryn, *Dyfed*	83	Aa
Pencader, *Dyfed*	84	Cb
Pencaitland, *Loth.*	252	Db
Pencarreg, *Dyfed*	84	Ca
Pen-clawdd, *W. Glam.*	64	Cc
Pencoed, *M. Glam.*	66	Cb
Pencombe, *Hf/Wor.*	108	Cc
Pencoyd, *Hf/Wor.*	88	Cc
Pencraig, *Hf/Wor.*	88	Dc
Pencraig, *Powys*	143	Ac
Penderyn, *Powys*	86	Cb
Pendine, *Dyfed*	63	Ab
Pendlebury, *Gt. Man.*	171	Ac
Pendleton, *Lancs.*	181	Bc
Pendock, *Hf/Wor.*	89	Bb
Pendomer, *Som.*	35	Ac
Pendoylan, *S. Glam.*	66	Db
Penegoes, *Powys*	122	Cb
Pengam, *Gwent*	67	Ab
Pen Garn, *Dyfed.*	121	Bc
Penhow, *Gwent*	68	Cb
Penhurst, *E. Sus.*	26	Cb
Penicuik, *Loth.*	251	Bc
Penistone, *S. Yorks.*	173	Bc
Penketh, *Ches.*	160	Da
Penkridge, *Staffs.*	127	Ba
Penley, *Clwyd*	144	Db
Penllech, *Gwyn.*	139	Ac
Penlline, *S. Glam.*	66	Cb
Penmachno, *Gwyn.*	141	Ba
Penmaen, *W. Glam.*	64	Cc
Penmaenmawr, *Gwyn.*	157	Aa
Penmaenrhos, *Clwyd*	157	Ba
Penmark, *S. Glam.*	66	Dc
Penmon, *Gwyn.*	156	Db
Penmorfa, *Gwyn.*	140	Db
Penmynydd, *Gwyn.*	156	Cb
Penn, *Bucks.*	74	Cc
Pennal, *Gwyn.*	122	Cb
Pennant, *Powys*	122	Db
Pennant Melangell, *Powys*	142	Db
Pennerley, *Salop*	124	Dc
Penninghame, *Dum/Gall.*	212	Db
Pennington, *Cumb.*	192	Cc
Penny Bridge, *Cumb.*	192	Dc
Penperlleni, *Gwent*	67	Ba
Penpont, *Corn.*	6	Da
Penpont, *Dum/Gall.*	226	Cb
Penpont, *Powys*	86	Ca
Penrhos, *Gwent*	68	Ca
Penrhos, *Gwyn.*	139	Bc
Penrhos, *Powys*	85	Bb
Penrhos Lligwy, *Gwyn.*	156	Ca
Penrhyn-deudraeth, *Gwyn.*	140	Db
Penrice, *W. Glam.*	64	Cc
Penrith, *Cumb.*	203	Bb
Penruddock, *Cumb.*	203	Bb
Penrydd, *Dyfed*	83	Ab
Penryn, *Corn.*	2	Db
Pensarn, *Clwyd*	158	Ca
Pensarn, *Gwyn.*	156	Ca
Pensax, *Hf/Wor.*	108	Db
Penselwood, *Som.*	36	Ca
Pensford, *Avon*	51	Ab
Pensham, *Hf/Wor.*	90	Ca
Penshaw, *Ty/We.*	222	Cc
Penshurst, *Kent*	43	Ab
Penstone, *Dev.*	32	Cc
Pentewan, *Corn.*	6	Cc
Pentlow, *Essex*	97	Bc
Pentney, *Norf.*	135	Bc
Penton Mewsey, *Hants.*	53	Bc
Pentraeth, *Gwyn.*	156	Cb
Pentre, *Clwyd*	158	Db
Pentre, *Gwent*	68	Ca
Pentre, *M. Glam.*	66	Ca
Pentre, *Salop*	124	Da
Pentreberw, *Gwyn.*	156	Cb
Pentre-cagl, *Dyfed*	83	Bb
Pentre-chwyth, *W. Glam.*	64	Dc
Pentre-dre-felin, *Dyfed*	83	Bb
Pentre-dwr, *W. Glam.*	65	Aa
Pentrefoelas, *Clwyd*	157	Bc
Pentre Halkin, *Clwyd*	159	Ac

Place	Page	Sq
Pentrepoeth, *Gwent*	67	Bc
Pentrich, *Derby.*	149	Aa
Pentridge, *Dors.*	37	Ac
Pentwyn, *M. Glam.*	68	Da
Pentyrch, *M. Glam.*	66	Db
Penwood, *Hants.*	54	Cb
Penwortham, *Lancs.*	170	Ca
Pen-y-banc, *Dyfed*	84	Dc
Penybont, *Dyfed.*	83	Bc
Penybont, *Powys*	106	Cc
Pen-y-bont, *Clwyd*	124	Ca
Pen-y-bont-fawr, *Powys*	123	Ba
Pen-y-cae, *Clwyd*	144	Cb
Pen-y-cae, *Powys*	85	Bb
Pen-y-clawdd, *Gwent*	68	Ca
Pen-y-daren, *M. Glam.*	86	Db
Pen-y-garn, *M. Glam.*	66	Db
Pen-y-graig, *M. Glam.*	66	Ca
Pen-y-groes, *Dyfed*	64	Da
Penygroes, *Gwyn.*	140	Ca
Pen-yr-englyn, *M. Glam.*	66	Ca
Pen-yr-heol, *M. Glam.*	68	Ca
Penzance, *Corn.*	1	Bc
Peopleton, *Hf/Wor.*	109	Bc
Peover Superior, *Ches.*	161	Bb
Peper Harow, *Sur.*	40	Da
Peplow, *Salop*	126	Ca
Perivale, *Gt. Lon.*	57	Ab
Perkhill, *Gramp.*	292	Dc
Perkinsbeach, *Salop*	124	Dc
Perlethorpe, *Notts.*	165	Ac
Perranarworthal, *Corn.*	2	Db
Perranporth, *Corn.*	2	Da
Perranuthnoe, *Corn.*	1	Bc
Perranzabuloe, *Corn.*	2	Da
Perry Green, *Som.*	33	Ba
Pershore, *Hf/Wor.*	90	Ca
Pertenhall, *Beds.*	95	Aa
Perth, *Tay.*	260	Da
Perthy, *Salop*	144	Dc
Pertwood, *Wilts.*	36	Da
Peterborough, *Cambs.*	115	Aa
Peterchurch, *Hf/Wor.*	87	Bb
Peterculter, *Gramp.*	294	Cc
Peterhead, *Gramp.*	306	Db
Peterlee, *Dur.*	208	Ca
Petersfield, *Hants.*	40	Cb
Petersham, *Gt. Lon.*	57	Ac
Peterston-super-Ely, *S. Glam.*	66	Db
Peterstone Wentlloog, *Gwent*	67	Bc
Peterstow, *Hf/Wor.*	88	Bc
Petertavy, *Dev.*	8	Da
Petham, *Kent*	45	Bc
Petrockstow, *Dev.*	12	Da
Pett, *E. Sus.*	27	Ac
Pettaugh, *Suff.*	99	Bb
Pettinain, *Strath.*	238	Da
Pettistree, *Suff.*	99	Bc
Petton, *Dev.*	32	Da
Petton, *Salop*	144	Dc
Pettymuck, *Gramp.*	294	Ca
Petworth, *W. Sus.*	23	Aa
Pevensey, *E. Sus.*	26	Cc
Pewsey, *Wilts.*	53	Ab
Philham, *Dev.*	29	Ac
Phillack, *Corn.*	1	Bb
Philleigh, *Corn.*	4	Cc
Phocle Green, *Hf/Wor.*	88	Dc
Pibsbury, *Som.*	34	Db
Piccotts End, *Herts.*	74	Da
Pickering, *N. Yorks.*	187	Aa
Pickhill, *N. Yorks.*	197	Ab
Picklescott, *Salop*	125	Ac
Pickmere, *Ches.*	161	Ab
Pickwell, *Leics.*	131	Ab
Pickwick, *Wilts.*	52	Ca
Pickworth, *Leics.*	132	Cb
Pickworth, *Lincs.*	152	Cc
Picton, *N. Yorks.*	197	
Piddinghoe, *E. Sus.*	25	Ac
Piddington, *N'hants.*	93	Ba
Piddington, *Oxon.*	73	Aa
Piddlehinton, *Dors.*	18	Ca
Piddletrenthide, *Dors.*	18	Ca
Pidley, *Cambs.*	115	Bc
Piercebridge, *Dur.*	206	Dc
Pightley	33	Bb
Pig Street, *Wor.*	139	Bc
Pikehall, *Derby.*	148	Ca
Pilham, *Lincs.*	166	Ca
Pill, *Avon*	50	Da
Pillaton, *Corn.*	7	Bb
Pillaton, *Staffs.*	127	Ba
Pillerton Hersey, *Warks.*	91	Ba
Pillerton Priors, *Warks.*	91	Ba
Pilleth, *Powys*	106	Da
Pilley, *S. Yorks.*	173	Bc
Pilling, *Lancs.*	180	Cb
Pillowell, *Glos.*	69	Aa
Pilsdon, *Dors.*	16	Db
Pilsley, *Derby.*	163	Ac
Pilsley, *Derby.*	149	Ba
Pilton, *Dev.*	30	Cb
Pilton, *Leics.*	131	Bc
Pilton, *N'hants.*	114	Ca
Pilton, *Som.*	35	Aa
Pimperne, *Dors.*	36	Dc
Pinchbeck, *Lincs.*	133	Bb
Pinchbeck West, *Lincs.*	133	Ab
Pinfold, *Lancs.*	169	Bb
Pinhoe, *Dev.*	14	Da
Pinmill, *Suff.*	79	Ba
Pinner, *Gt. Lon.*	57	Aa
Pinvin, *Hf/Wor.*	90	Ca
Pinxton, *Derby.*	149	Ba
Pinxton Green, *Derby.*	149	Ba
Pipe and Lyde, *Hf/Wor.*	88	Ca
Pipe Gate, *Salop*	146	Cb
Pipe Ridware, *Staffs.*	128	Ca
Pipewell, *N'hants.*	113	Ba
Pipton, *Powys*	87	Ab
Pirbright, *Sur.*	56	Dc
Pirton, *Herts.*	75	Aa
Pirton, *Hf/Wor.*	90	Ca
Pishill, *Oxon.*	73	Bc
Pistyll, *Gwyn.*	139	Bb
Pitcairn, *Tay.*	269	Ab
Pitcairngreen, *Tay.*	270	Cc
Pitchard Green, *Derby.*	162	Db
Pitchcombe, *Glos.*	69	Ba
Pitchcott, *Bucks.*	93	Bc
Pitchford, *Salop*	125	Bb
Pitcombe, *Som.*	35	Ba
Pitlochry, *Tay.*	269	Ba
Pitminster, *Som.*	33	Bc
Pitney, *Som.*	34	Db
Pitsea, *Essex*	59	Bb
Pitsford, *N'hants.*	113	Ab
Pitstone, *Bucks.*	74	Ca
Pitt, *Hants.*	38	Db
Pittenweem, *Fife.*	262	Db
Pittington, *Dur.*	207	Ba
Pitton, *Wilts.*	37	Bb
Pittulie, *Gramp.*	306	Ca
Pitway, *Som.*	34	Dc
Pixley, *Hf/Wor.*	89	Aa
Plains, *Strath.*	249	Bb
Plainsfield, *Som.*	33	Bb
Plaistow, *Derby.*	149	Aa
Plaistow, *W. Sus.*	23	Aa
Plaitford, *Hants.*	38	Cc
Platt Bridge, *Gt. Man.*	170	Cc
Plawsworth, *Dur.*	222	Cc
Plaxtol, *Kent*	43	Bb
Playden, *E. Sus.*	27	Ab
Playford, *Suff.*	99	Bc
Plealey, *Salop*	125	Ab
Plean, *Cen.*	250	Ca
Pleasington, *Lancs.*	170	Da
Pleasley, *Derby.*	164	Dc
Pledgdon, *Essex*	76	Da
Plemstall, *Ches.*	160	Cc
Plenmeller, *N'land*	219	Bb
Pleshey, *Essex*	77	Ab
Plockton, *Highl.*	285	Ba
Ploughfield, *Hf/Wor.*	87	Ba
Pluckley, *Kent*	44	Db
Plumbland, *Cumb.*	202	Ca
Plumpton, *E. Sus.*	24	Db
Plumpton, *N'hants.*	93	Aa
Plumstead, *Gt. Lon.*	58	Db
Plumstead, *Norf.*	137	Aa
Plumtree, *Notts.*	150	Cc
Plungar, *Leics.*	150	Db
Plush, *Dors.*	18	Ca
Plymouth, *Dev.*	8	Ca
Plympton, *Dev.*	8	Ca
Plymstock, *Dev.*	8	Ca
Plymtree, *Dev.*	15	Aa
Pockley, *N. Yorks.*	198	Ca
Pocklington, *Humb.*	186	Db
Podimore, *Som.*	35	Ab
Podington, *Beds.*	114	Ca
Poffley End, *Oxon.*	72	Ca
Pointon, *Lincs.*	133	Aa
Polbain, *Highl.*	313	Aa
Polebrook, *N'hants.*	114	Da
Polesworth, *Warks.*	128	Bb
Polglass, *Highl.*	313	Ab
Polgooth, *Corn.*	4	Da
Poling, *W. Sus.*	23	Bc
Pollington, *Humb.*	174	Bb
Pollokshaws, *Strath.*	248	Dc
Polmont, *Cen.*	250	Ca
Polperro, *Corn.*	7	Ac
Polruan, *Corn.*	6	Dc
Polsham, *Som.*	34	Da
Polstead, *Suff.*	78	Da
Poltesco, *Corn.*	3	Bc
Poltimore, *Dev.*	14	Da
Polton, *Loth.*	251	Bb
Polwarth, *Bord.*	242	Ca
Polyphant, *Corn.*	7	Ba
Pondersbridge, *Cambs.*	115	Bb
Ponders End, *Gt. Lon.*	58	Ca
Ponsanooth, *Corn.*	2	Db
Ponsonby, *Cumb.*	191	Ba
Pontantwn, *Dyfed*	64	Da
Pont-Antwn, *Dyfed*	64	Ca
Pontardawe, *W. Glam.*	85	Ac
Pont-ar-Sais, *Dyfed*	84	Cc
Pont-y-Clun, *M. Glam.*	66	Db
Pontefract, *W. Yorks.*	174	Cb
Ponteland, *N'land*	221	Ba
Pontesbury, *Salop*	125	Ab
Pont Henry, *Dyfed*	64	Ca
Pont-llan-fraith, *Gwent*	67	Ab
Pont Llogel, *Powys*	123	Ba
Pontlottyn, *M. Glam.*	86	Db
Pont Nedd Fechan, *Powys*	85	Bb
Pontnewydd, *Dyfed*	67	Bb
Pontnewynydd, *Dyfed*	67	Bb
Pont-rhyd-y-fen, *W. Glam.*	65	Ba
Pontrhydyrun, *Gwent*	67	Bb
Pontrilas, *Hf/Wor.*	88	Cb
Pont Robert, *Powys*	123	Bb
Pontshill, *Hf/Wor.*	88	Dc
Pont Walby, *W. Glam.*	86	Cb
Pont-Yates, *Dyfed*	64	Cb
Pont-y-berem, *Dyfed*	64	Ca
Pont-y-cymmer, *M. Glam.*	66	Ca
Pontypool, *Gwent*	67	Bb
Pontypridd, *M. Glam.*	66	Da
Pont-y-rhyll, *M. Glam.*	66	Ca
Pont-y-waun, *Gwent*	67	Ab
Pool, *Corn.*	2	Cb
Pool, *W. Yorks.*	183	Bc
Poole, *Dors.*	19	Ab
Poole Keynes, *Glos.*	70	Db
Poolewe, *Highl.*	307	Bb
Pooley Bridge, *Cumb.*	203	Bb
Poolhill, *Glos.*	89	Ab
Pool Quay, *Powys*	124	Cb
Poolsbrook, *Derby.*	164	Cc
Pool Street, *Essex*	77	Ba
Popham, *Hants.*	39	Aa
Porlock, *Som.*	47	Bb
Port Appin, *Strath.*	265	Bb
Port Bannatyne, *Strath.*	246	Dc
Portbury, *Avon*	50	Ca
Portchester, *Hants.*	21	Ba
Port Dinorwic, *Gwyn.*	156	Cc
Port Elphinstone, *Gramp.*	293	Bb
Port Erin, *I.O.M.*	190	Dc
Port Errol, *Gramp.*	306	Cc
Portessie, *Gramp.*	304	Ca
Port Eynon, *W. Glam.*	64	Cc
Portfield, *W. Sus.*	22	Db
Port Glasgow, *Strath.*	247	Bb
Portgordon, *Gramp.*	303	Ba
Portgower, *Highl.*	317	Bc
Porth, *M. Glam.*	66	Da
Porthallow, *Corn.*	3	Bb
Porthcawl, *M. Glam.*	65	Bb
Porthkerry, *S. Glam.*	66	Db
Porthleven, *Corn.*	2	Cc
Porthmadog, *Gwyn.*	140	Db
Porth-y-rhyd, *Dyfed*	64	Ca
Portincaple, *Strath.*	257	Ac
Portinnisherrich, *Strath.*	256	Cb
Portinscale, *Cumb.*	202	Db
Port Isaac, *Corn.*	6	Ca
Portishead, *Avon*	50	Ca
Portknockie, *Gramp.*	304	Ca
Portland, Isle of *Dors.*	17	Cc
Portlethen, *Gramp.*	282	Dc
Portloe, *Corn.*	4	Db
Port Logan, *Dum/Gall.*	209	Ab
Portmahomack, *Highl.*	312	Db
Portmellon, *Corn.*	4	Da
Portnacroish, *Strath.*	265	Bb
Portobello, *Loth.*	251	Bb
Port of Menteith, *Cen.*	258	Dc
Porton, *Wilts.*	37	Ba
Portpatrick, *Dum/Gall.*	211	Ac
Portquin, *Corn.*	6	Ca
Port Ramsay, *Strath.*	265	Ab
Portreath, *Corn.*	2	Ca
Portree, *Highl.*	296	Cc
Port St. Mary, *I.O.M.*	190	Dc
Port Seton, *Loth.*	252	Cb
Portskerra, *Highl.*	322	Ca
Portskewett, *Gwent*	68	Cc
Portslade, *E. Sus.*	24	Cc
Portslade-by-Sea, *E. Sus.*	24	Cc
Portsmouth, *Hants.*	22	Ca
Port Soderick, *I.O.M.*	190	Dc
Port Sonachan, *Strath.*	256	Ca
Portsoy, *Gramp.*	304	Da
Port Sunlight, *Mers.*	159	Bb
Port Talbot, *W. Glam.*	65	Aa
Port William, *Dum/Gall.*	210	Db
Portyerrock, *Dum/Gall.*	210	Db
Posenhall, *Salop*	126	Cb
Poslingford, *Suff.*	97	Bc
Postbridge, *Dev.*	13	Bb
Postcombe, *Oxon.*	73	Bb
Postling, *Kent*	28	Ca
Postwick, *Norf.*	119	Ba
Potsgrove, *Beds.*	94	Cc
Potten End, *Herts.*	74	Da
Potter Hanworth, *Lincs.*	166	Dc
Potter Heigham, *Norf.*	138	Ca
Potterne, *Wilts.*	52	Db
Potterne Wick, *Wilts.*	52	Db
Potters Bar, *Herts.*	57	Ba
Potterscrouch, *Herts.*	75	Ac
Potters Marston, *Leics.*	129	Bc
Potterspury, *N'hants.*	93	Ba
Potter Street, *Essex*	76	Dc
Potthorpe, *Norf.*	136	Dc
Potto, *N. Yorks.*	197	Ba
Potton, *Beds.*	95	Bb
Pottrow, *Norf.*	135	Bb
Poughill, *Corn.*	11	Ba
Poughill, *Dev.*	32	Cb
Poulner, *Hants.*	19	Ba
Poulshot, *Wilts.*	52	Cb
Poulton, *Glos.*	70	Db
Poulton-le-Fylde, *Lancs.*	180	Cc
Pound, *W. Glam.*	65	Bb
Pound Hill, *W. Sus.*	42	Cc
Poundon, *Bucks.*	93	Ac
Poundsgate, *Dev.*	13	Bc
Poundstock, *Corn.*	11	Bb
Pounsley, *E. Sus.*	25	Bb
Powderham, *Dev.*	14	Da
Powerstock, *Dors.*	17	Aa
Powick, *Hf/Wor.*	109	Ac
Poxwell, *Dors.*	18	Cb
Poynings, *W. Sus.*	24	Cb
Poyntington, *Dors.*	35	Bb
Poynton, *Ches.*	162	Ca
Poynton Green, *Ches.*	162	Cb
Prees, *Salop*	145	Bc
Preesall, *Lancs.*	180	Bc
Prees Green, *Salop*	145	Bc
Prees Lower Heath, *Salop*	145	Bc
Prendergast, *Dyfed*	62	Ca
Prendwick, *N'land*	231	Ba
Pren-gwyn, *Dyfed*	84	Cb
Prenteg, *Gwyn.*	140	Db
Prescot, *Mers.*	160	Ca
Prescott, *Salop*	125	Ba
Preshute, *Wilts.*	53	Ab
Prestatyn, *Clwyd.*	158	Da
Prestbury, *Ches.*	162	Cb
Prestbury, *Glos.*	90	Cc
Presteigne, *Powys*	106	Db
Prestleigh, *Som.*	35	Ba
Preston, *Dev.*	14	Cb
Preston, *Dev.*	13	Bc
Preston, *Dors.*	18	Cb
Preston, *E. Sus.*	24	Cb
Preston, *Glos.*	89	Ab
Preston, *Glos.*	70	Db
Preston, *Herts.*	75	Ab
Preston, *Humb.*	178	Cb
Preston, *Kent*	45	Ab
Preston, *Kent*	45	Ba
Preston, *Lancs.*	170	Ca
Preston, *Loth.*	253	Aa
Preston, *Suff.*	98	Cb
Preston, *Wilts.*	70	Db
Preston, *Wilts.*	52	Db
Preston Bagot, *Warks.*	110	Cb
Preston Bissett, *Bucks.*	93	Ab
Preston Bowyer, *Som.*	33	Ab
Preston Brockhurst, *Salop*	125	Ba
Preston Candover, *Hants.*	39	Ba
Preston Capes, *N'hants.*	92	Da
Preston Deanery, *N'hants.*	113	Ac

	PAGE	SQ
Preston Gubbals, Salop	125	Ba
Preston-on-Stour, Warks.	91	Aa
Preston-on-the-Hill, Ches.	160	Db
Preston-on-the-Weald Moors, Salop	126	Ca
Preston-on-Wye, Hf/Wor.	87	Ba
Prestonpans, Loth.	252	Cb
Preston Plucknett, Som.	34	Dc
Preston-under-Scar, N. Yorks.	196	Cb
Preston Wynne, Hf/Wor.	88	Da
Prestwich, Gt. Man.	171	Bc
Prestwick, N'land	221	Ba
Prestwick, Strath.	236	Cc
Prestwold, Leics..	130	Ca
Prestwood, Bucks.	74	Cb
Prickwillow, Cambs.	116	Dc
Priddy, Som.	50	Dc
Priestcliffe, Derby.	163	Ac
Priest Hutton, Lancs.	193	Bb
Primethorpe, Leics.	130	Cc
Princes Pier, Strath.	247	Bb
Princes Risborough, Bucks.	73	Bb
Princethorpe, Warks.	111	Bb
Princetown, Dev.	8	Da
Prinsted, W. Sus.	22	Ca
Priors Dean, Hants.	40	Cb
Priors Hardwick, Warks.	92	Da
Priors Marston, Warks.	112	Cc
Priors Norton, Glos.	90	Cc
Prisk, S. Glam.	66	Cb
Priston, Avon	51	Ab
Pristow Green, Norf.	119	Ab
Prittlewell, Essex	60	Cb
Privett, Hants.	39	Bb
Probus, Corn.	4	Ca
Providence, Avon	50	Da
Prudhoe, N'land	221	Bb
Publow, Avon	51	Ab
Puckeridge, Herts.	76	Cb
Puckington, Som.	34	Cc
Pucklechurch, Avon	51	Aa
Puddington, Ches.	159	Bc
Puddington, Dev.	32	Cb
Puddletown, Dors.	18	Ca
Pudleston, Hf/Wor.	108	Cc
Pudsey, W. Yorks.	173	Aa
Pulborough, W. Sus.	23	Bb
Pulford, Ches.	144	Da
Pulham, Dors.	35	Bc
Pulham St. Mary Magdalene, Norf.	119	Ac
Pulham St. Mary the Virgin, Norf.	119	Ac
Pulloxhill, Beds.	75	Aa
Puncheston, Dyfed	82	Cc
Puncknowle, Dors.	17	Ab
Puriton, Som.	34	Ca
Purleigh, Essex	60	Ca
Purley, Berks.	55	Aa
Purley, Gt. Lon.	42	Ca
Purlogue, Salop	106	Db
Purlpit, Wilts.	52	Ca
Purls Bridge, Cambs.	116	Cb
Purse Caundle, Dors.	35	Bb
Purshull Green, Hf/Wor.	109	Bb
Purslow, Salop	107	Aa
Purston, N'hants.	92	Db
Purston Jaglin, W. Yorks.	174	Db
Purton, Glos.	69	Aa
Purton, Wilts.	70	Db
Pusey, Oxon.	72	Cb
Putford, Dev.	12	Ca
Putley, Hf/Wor.	89	Ab
Putney, Gt. Lon.	57	Bc
Putsborough, Dev.	30	Ca
Putson, Hf/Wor.	88	Cb
Puttenham, Herts.	74	Ca
Puttenham, Sur.	40	Da
Puxton, Avon	50	Cb
Pwll, Dyfed	64	Cb
Pwllcrochan, Dyfed	61	Bb
Pwllheli, Gwyn.	139	Bb
Pwll Meyric, Gwent	68	Db
Pwll-trap, Dyfed	63	Aa
Pyecombe, W. Sus.	24	Db
Pyle, M. Glam.	65	Bb
Pylle, Som.	35	Aa
Pymore, Dors.	16	Db
Pyrford, Sur.	41	Aa
Pyrton, Oxon.	73	Ab
Pytchley, N'hants.	113	Ab
Pyworthy, Dev.	12	Cb
QUADRING, Lincs.	133	Ba
Quainton, Bucks.	73	Bc
Quarley, Hants.	38	Ca
Quarndon, Derby.	148	Db
Quarr, Dors.	36	Cb
Quarrington, Lincs.	152	Db
Quarry Bank, W. Mid.	109	Ba
Quatford, Salop	126	Dc
Quatt, Salop	108	Da
Quedgeley, Glos..	69	Ba
Queen Adelaide, Cambs.	116	Dc
Queenborough, Kent	60	Cc
Queen Camel, Som.	35	Ab
Queen Charlton, Avon	51	Aa
Queenhill, Hf/Wor.	90	Cb
Queensbury, W. Yorks..	172	Db
Queensferry, Clwyd	159	Bc
Quemerford, Wilts.	52	Da
Quendon, Essex	76	Da
Queniborough, Leics.	130	Db
Quenington, Glos.	71	Ab
Quermore, Lancs.	180	Da
Quethlock, Corn.	7	Bb
Quidenham, Norf.	118	Db
Quidhampton, Hants.	54	Dc
Quidhampton, Wilts.	37	Ab
Quinton, N'hants.	113	Ac
Quinton, Warks.	91	Aa
Quoditch, Dev.	12	Cb
Quorndon, Leics.	130	Ca
RABY, Mers.	159	Bb
Rackenford, Dev.	32	Ca
Rackheath, Norf.	137	Bc
Radbourne, Derby.	148	Db
Radcliffe, Gt. Man.	171	Ac
Radcliffe-on-Trent, Notts.	150	Db
Radclive, Bucks.	93	Ab
Radcot, Oxon.	71	Bb
Raddington, Som.	48	Dc
Radford, Notts.	150	Cb
Radford Semele, Warks.	111	Ac
Radipole, Dors.	17	Bb
Radlett, Herts.	57	Aa
Radley, Oxon.	72	Db
Radnage, Bucks.	73	Bb
Radstock, Avon	51	Ab
Radstone, N'hants.	92	Db
Radway, Warks.	92	Ca
Radwell, Herts.	75	Ba
Radwinter, Essex	77	Aa
Radyr, S. Glam.	66	Db
Rafford, Gramp.	302	Bb
Ragdale, Leics.	130	Da
Raglan, Gwent	68	Ca
Ragnall, Notts.	165	Bc
Rails, S. Yorks.	163	Ba
Rainford, Mers.	169	Bc
Rainham, Gt. Lon.	58	Db
Rainham, Kent	44	Ca
Rainhill, Mers.	160	Ca
Rainton, N. Yorks.	197	Ac
Rainworth, Notts.	150	Cb
Raisbeck, Cumb.	194	Ca
Raithby, Lincs.	154	Cb
Raithby, Lincs.	168	Cc
Rake, Hants.	40	Cb
Ramasaig, Highl.	295	Ac
Rame, Corn.	8	Cc
Rampisham, Dors.	17	Ab
Rampside, Cumb.	179	Ba
Rampton, Cambs.	96	Ca
Rampton, Notts.	165	Bb
Ramsbottom, Gt. Man.	171	Ab
Ramsbury, Wilts.	53	Ba
Ramscraigs, Highl.	318	Cb
Ramsdean, Hants.	39	Bc
Ramsdell, Hants.	39	Bc
Ramsden, Oxon.	72	Ca
Ramsden Bellhouse, Essex	59	Ba
Ramsden Crays, Essex	59	Ba
Ramsden Heath, Essex	59	Ba
Ramsey, Cambs.	115	Bb
Ramsey, Essex	79	Bb
Ramsey, I.O.M.	189	Ba
Ramsgate, Kent	46	Da
Ramsgill, N. Yorks.	183	Aa
Ramsholt, Suff.	80	Ca
Ranby, Lincs.	153	Aa
Ranby, Notts.	165	Ab
Rand, Lincs.	153	Aa
Randwick, Glos.	69	Bb
Rangemore, Staffs.	128	Da
Rangeworthy, Avon	69	Cc
Ranskill, Notts.	165	Aa
Ranton, Staffs.	127	Aa
Ranworth, Norf.	138	Cc
Raskelf, N. Yorks.	197	Bc
Rassa, Gwent	67	Aa
Rastrick, W. Yorks.	172	Db
Ratby, Leics.	130	Cb
Ratcliffe Culey, Leics.	129	Ac
Ratcliffe-on-the-Wreak, Leics.	130	Da
Ratcliffe-upon-Soar, Notts.	149	Bc
Rathen, Gramp.	306	Ca
Rathmell, N. Yorks.	182	Cb
Ratho, Loth.	251	Ab
Rathven, Gramp.	304	Ca
Ratlake, Hants.	38	Db
Ratley, Warks.	92	Ca
Ratling, Kent	46	Cb
Ratlinghope, Salop	125	Ac
Rattery, Dev.	10	Ca
Rattlesden, Suff.	98	Db
Rattray, Tay.	270	Db
Raunds, N'hants.	114	Cb
Ravenfield, S. Yorks.	164	Ca
Ravenglass, Cumb.	191	Bb
Raveningham, Norf.	120	Cb
Ravensdale, I.O.M.	189	Bb
Ravensden, Beds.	94	Da
Ravenshaw, N. Yorks.	182	Db
Ravensthorpe, N'hants.	112	Db
Ravensthorpe, W. Yorks.	173	Ab
Ravenstone, Bucks.	94	Ca
Ravenstone, Leics.	129	Bb
Ravenstonedale, Cumb.	194	Ca
Ravensworth, N. Yorks.	196	Ca
Rawcliffe Bridge, Humb.	175	Bb
Rawdon, W. Yorks.	183	Bc
Rawmarsh, S. Yorks.	164	Ca
Rawreth, Essex	59	Ba
Rawtenstall, Lancs.	171	Ba
Rawyards, Strath.	249	Bb
Raydon, Suff.	79	Aa
Rayleigh, Essex	59	Ba
Rayne, Essex	77	Bb
Read, Lancs.	171	Aa
Reading, Berks.	55	Aa
Reagill, Cumb.	204	Cc
Rearsby, Leics.	130	Db
Reasby, Lincs.	166	Db
Reay, Highl.	322	Da
Reculver, Kent	46	Ca
Redberth, Dyfed	62	Db
Redbourn, Herts.	75	Ab
Redbourne, Humb.	176	Dc
Redbridge, Hants.	38	Dc
Redbrook, Glos.	68	Da
Redbrook Street, Kent	27	Aa
Redcar, Cleve.	208	Db
Redcastle, Highl.	300	Db
Redcross, Cambs.	146	Da
Red Dial, Cumb.	202	Da
Redding, Cen.	250	Ca
Reddings, The, Glos.	90	Cc
Reddish, Gt. Man.	162	Ca
Redditch, Hf/Wor.	110	Cb
Rede, Suff.	97	Bb
Redenhall, Norf.	119	Bc
Redenham, Hants.	53	Bc
Redgorton, Tay.	270	Cc
Redgrave, Suff.	99	Aa
Redhill, Avon	50	Db
Redhill, Notts.	150	Cb
Redhill, Salop	126	Db
Redhill, Sur.	42	Cb
Redisham, Suff.	120	Cc
Redlingfield, Suff.	99	Ba
Redlynch, Som.	35	Ba
Redlynch, Wilts.	37	Bb
Redmain, Cumb.	202	Cb
Redmarley D'Abitot, Glos.	89	Bb
Redmarshall, Cleve.	207	Bb
Redmire, N. Yorks.	195	Bb
Rednal, Hf/Wor.	110	Ca
Rednal, Salop	144	Dc
Red Roses, Dyfed	63	Ab
Redruth, Corn.	2	Bb
Red Street, Staffs.	146	Da
Redwick, Avon	68	Cc
Redwick, Gwent	68	Cc
Redworth, Dur.	207	Ab
Reed, Herts.	76	Ca
Reedham, Lincs.	153	Bb
Reedham, Norf.	120	Cb
Reedness, Humb.	175	Bb
Reedy, Dev.	14	Ca
Reepham, Lincs.	166	Dc
Reepham, Norf.	137	Ab
Reeth, N. Yorks.	195	Bb
Reiff, Highl.	313	Ac
Reigate, Sur.	42	Cb
Reighton, N. Yorks.	188	Cb
Remenham, Berks.	73	Bb
Rempstone, Notts.	130	Ca
Rendcomb, Glos.	70	Db
Rendham, Suff.	99	Bb
Rendlesham, Suff.	100	Cc
Renfrew, Strath.	248	Bb
Renhold, Beds.	94	Db
Renishaw, Derby.	164	Db
Rennington, N'land	232	Ca
Renton, Strath.	248	Ab
Renwick, Cumb.	204	Ca
Repps, Norf.	138	Cb
Repton, Derby.	148	Db
Rerwick, Dum/Gall.	214	Dc
Resolis, Highl.	307	Ba
Resolven, W. Glam.	85	Bc
Restormel, Corn.	6	Ca
Rettendon, Essex	59	Ba
Revelstoke, Dev.	9	Ab
Revesby, Lincs.	153	Bb
Rewe, Dev.	32	Db
Reydon, Suff.	100	Da
Reymerston, Norf.	118	Db
Reynalton, Dyfed	62	Db
Reynoldston, W. Glam.	64	Cc
Rezare, Corn.	7	Ba
Rhayader, Powys	105	Bb
Rheola, W. Glam.	85	Bc
Rhewl, Clwyd	143	Bb
Rhewl, Salop	144	Cc
Rhiconich, Highl.	319	Bb
Rhiwargor, Powys	123	Aa
Rhiwderin, Gwent	67	Ac
Rhode, Som.	33	Bb
Rhodes, Gt. Man.	171	Bc
Rhonehouse, Dum/Gall.	214	Db
Rhoose, S. Glam.	66	Dc
Rhosbeirio, Gwyn.	155	Ba
Rhoscolyn, Gwyn.	155	Ab
Rhoscrowther, Dyfed	61	Bb
Rhos-goch, Powys	87	Aa
Rhos-llanerch-rugog, Clwyd	144	Cb
Rhosmaen, Dyfed	84	Dc
Rhosnesney, Clwyd	144	Ca
Rhossili, W. Glam.	63	Bc
Rhostie, Dyfed	102	Ca
Rhostyllen, Clwyd	144	Cb
Rhosybol, Gwyn.	155	Ba
Rhos-y-brithdir, Powys	124	Ca
Rhu, Strath.	247	Ba
Rhuddlan, Clwyd	158	Ca
Rhulen, Powys	104	Da
Rhunahaorine, Strath.	233	Aa
Rhyd-ar-gaeau, Dyfed	84	Cc
Rhyd-cymmerau, Dyfed	84	Db
Rhydtalog, Clwyd	144	Ca
Rhyd-y-fro, W. Glam.	85	Ac
Rhyl, Clwyd	158	Ca
Rhymney, Gwent	86	Db
Rhynie, Gramp.	292	Da
Ribbesford, Hf/Wor.	108	Db
Ribbleton, Lancs.	170	Ca
Ribchester, Lancs.	170	Da
Riby, Lincs.	167	Aa
Riccall, N. Yorks.	185	Bc
Riccarton, Strath.	236	Cb
Richards Castle, Hf/Wor.	107	Bb
Richmond, Gt. Lon.	57	Ac
Richmond, N. Yorks.	196	Ca
Rickby, Cumb.	217	Bc
Rickerscote, Staffs.	127	Aa
Rickinghall, Suff.	98	Da
Rickling, Essex	76	Da
Rickmansworth, Herts.	74	Dc
Riddings, Cumb.	217	Ba
Riddings, Derby.	149	Ba
Riddlecombe, Dev.	31	Ab
Riddlesworth, Norf.	118	Cc
Ridge, Herts.	57	Ba
Ridge, Wilts.	36	Da
Ridgeway, Avon	68	Dc
Ridgeway, Derby.	164	Cb
Ridgeway, Dev.	8	Bc
Ridgeway Moor, Derby..	164	Cb
Ridgewell, Essex.	97	Bc
Ridgmont, Beds.	94	Db
Riding Gate, Som.	35	Ba
Ridley, Kent	43	Ba
Ridlington, Leics.	131	Bb
Ridlington, Norf.	138	Cb
Ridsdale, N'land	230	Dc
Rievaulx, N. Yorks.	198	Cb
Rigg, Dum/Gall.	217	Ab
Rigsby, Lincs.	154	Ca
Rigton, N. Yorks.	184	Cb
Rigton, W. Yorks.	184	Cc
Rilla Mill, Corn.	7	Ba
Rillington, N. Yorks.	187	Ab
Rimington, Lancs.	182	Cc
Rimpton, Som.	35	Ab
Rimswell, Humb.	178	Db
Ringinglow, S. Yorks.	163	Bb
Ringland, Norf.	137	Ac
Ringley, Gt. Man.	171	Ac
Ringmer, E. Sus.	25	Ab
Ringmore, Dev.	9	Bb
Rings End, Cambs.	115	Bb
Ringsfield, Suff.	120	Cb
Ringshall, Bucks.	74	Dc
Ringshall, Suff.	98	Da
Ringstead, N'hants.	113	Bb
Ringstead, Norf.	135	Bb
Ringwood, Hants.	19	Ba
Ringwould, Kent	46	Db
Ripe, E. Sus.	25	Bb
Ripley, Derby.	149	Ba
Ripley, Hants.	19	Ba
Ripley, N. Yorks.	184	Ca
Ripley, Sur.	41	Aa
Riplingham, Humb.	177	Ba
Ripon, N. Yorks.	184	Ca
Rippingale, Lincs.	132	Da
Ripple, Hf/Wor.	90	Cb
Ripple, Kent	46	Db
Ripponden, W. Yorks.	172	Cb
Risbury, Hf/Wor.	107	Bb
Risby, Humb.	176	Db
Risby, Suff.	97	Ab
Risca, Gwent	67	Ba
Rise, Humb.	177	Ba
Riseholme, Lincs.	166	Cb
Riseley, Beds.	114	Cc
Rishangles, Suff.	99	Aa

	PAGE	SQ.
Rishton, Lincs.	170	Da
Rishworth, W. Yorks.	172	Cb
Risley, Derby.	149	Bc
Rivenhall, Essex.	78	Cb
Rivenhall End, Essex	78	Cb
Riverhead, Kent	43	Aa
Rivertown, Clwyd	159	Bc
Rivington, Lancs.	170	Db
Roade, N'hants.	93	Ba
Roadside, Gramp.	282	Db
Roadwater, Som.	48	Cb
Roag, Highl.	295	Bc
Roath, S. Glam.	49	Aa
Roberton, Bord.	228	Da
Roberton, Strath.	238	Db
Robertsbridge, E. Sus.	26	Ca
Robert Town, W. Yorks.	173	Ab
Robeston, Dyfed	61	Bb
Robeston Wathen, Dyfed	62	Da
Robin Hood's Bay, N. Yorks.	200	Cb
Roborough, Dev.	30	Dc
Rocester, Staffs.	148	Cb
Roch, Dyfed	61	Ba
Rochdale, Gt. Man.	171	Bb
Roche, Corn.	6	Cb
Rochester, Kent	59	Bc
Rochford, Essex	60	Cb
Rochford, Hf/Wor.	108	Cb
Rock, Gwent	67	Ab
Rock, Hf/Wor.	108	Db
Rock, N'land	244	Dc
Rockbourne, Hants.	37	Ac
Rockcliffe, Cumb.	217	Bb
Rockfield, Gwent	68	Ca
Rockfield, Highl.	312	Db
Rockhampton, Avon	69	Ab
Rock Hill, Hf/Wor.	109	Bb
Rockingham, N'hants.	131	Bc
Rockland All Saints, Norf.	118	Db
Rockland St. Mary, Norf.	119	Ba
Rockland St. Peter, Norf.	118	Db
Rockleaze, Avon	50	Da
Rockley, Wilts.	53	Aa
Rockwell Green, Som.	33	Ac
Rodborough, Glos.	69	Ba
Rodbourne, Wilts.	70	Cb
Rodbourne Cheney, Wilts.	71	Ac
Rodden, Dors.	17	Bb
Rodden, Som.	51	Bc
Rode, Som.	51	Bb
Rode Heath, Ches.	146	Da
Rodford, Avon	69	Ac
Rodgrove, Som.	35	Bb
Rodhuish, Som.	48	Cb
Rodington, Salop	125	Ba
Rodley, W. Yorks.	183	Bc
Rodmarton, Glos.	70	Cb
Rodmell, E. Sus.	25	Ac
Rodmersham, Kent	44	Da
Rodney Stoke, Som.	50	Cc
Rodsley, Derby.	148	Cb
Rodway, Som.	33	Ba
Roecliffe, N. Yorks.	184	Ca
Row Wen, Gwyn.	157	Ab
Rogart, Highl.	312	Ca
Rogate, W. Sus.	40	Cb
Rogerstone, Gwent	67	Bc
Roke, Oxon.	73	Ac
Rokeby, Dur.	206	Cc
Rollesby, Norf.	138	Dc
Rolleston, Leics.	130	Dc
Rolleston, Notts.	150	Da
Rolleston, Staffs.	148	Dc
Rollestone, Wilts.	37	Aa
Rolston, Humb.	178	Ca
Rolstone, Avon	50	Cb
Rolvenden, Kent	26	Da
Romaldkirk, Dur.	206	Cb
Romanby, N. Yorks.	197	Ab
Romanno Bridge, Bord.	239	Ba
Romansleigh, Dev.	31	Ba
Romford, Dors.	19	Ba
Romford, Gt. Lon.	58	Db
Romiley, Gt. Man.	162	Ca
Romsey, Hants.	38	Cc
Romsley, Hf/Wor.	109	Ba
Rooks Bridge, Som.	50	Cb
Rookwith, N. Yorks.	196	Db
Roos, Humb.	179	Ba
Roosecote, Cumb.	179	Ba
Ropley, Hants.	39	Bb
Ropsley, Lincs.	152	Cc
Rose, Corn.	2	Da
Roseacre, Lancs.	180	Ca
Rose Ash, Dev.	32	Ca
Rosedale Abbey, N. Yorks.	198	Db
Rosehall, Highl.	310	Db
Rosehearty, Gramp.	306	Ca
Rosemarket, Dyfed	62	Cb
Rosemarkie, Highl.	301	Ab
Rosgill, Cumb.	204	Cc
Rosley, Cumb.	202	Da
Roslin, Loth.	251	Bc
Rosliston, Derby.	128	Da
Rosneath, Strath.	247	Ba
Ross-on-Wye, Hf/Wor.	88	Dc
Rossett, Clwyd	144	Da
Rossington, S. Yorks.	165	Aa
Ross Priory, Strath.	248	Ca
Rostherne, Ches.	161	Ab
Rosthwaite, Cumb.	202	Dc
Roston, Derby.	148	Cb
Rosyth, Fife	251	Aa
Rothbury, N'land	231	Bb
Rotherby, Leics.	130	Da
Rotherfield, E. Sus.	25	Ba
Rotherfield Greys, Oxon.	55	Bb
Rotherfield Peppard, Oxon.	55	Ba
Rotherham, S. Yorks.	164	Ca
Rothersthorpe, N'hants.	112	Dc
Rotherwick, Hants.	55	Bc
Rothes, Gramp.	303	Ab
Rothesay, Strath.	246	Dc
Rothley, Leics.	130	Cb
Rothley, N'land	231	Bc
Rothney, Gramp.	293	Aa
Rothwell, Lincs.	167	Ab
Rothwell, N'hants.	113	Ba
Rothwell, W. Yorks.	173	Ba
Rothwell Haigh, W. Yorks.	173	Ba
Rottal, Tay.	280	Dc
Rotten Row, Norf.	118	Da
Rottingdean, E. Sus.	24	Dc
Rottington, Cumb.	201	Ac
Roudham, Norf.	118	Cc
Rougham, Norf.	136	Cc
Rough Close, Staffs.	147	Ab
Roughlee, Lancs.	182	Cc
Roughton, Lincs.	153	Bb
Roughton, Norf.	137	Ba
Roughton, Salop	126	Dc
Roundhay, W. Yorks.	184	Cc
Round Oak, Berks.	55	Ab
Roundway, Wilts.	52	Db
Rousdon, Dev.	16	Cb
Rousham, Oxon.	92	Dc
Rous Lench, Hf/Wor.	110	Db
Routh, Humb.	177	Ba
Routs Green, Bucks.	73	Bb
Row, Corn.	6	Da
Row, Cumb.	193	Ab
Row, N. Yorks.	200	Cb
Rowardennan, Cen.	257	Bc
Rowarth, Derby.	162	Da
Rowberrow, Som.	50	Cb
Rowde, Wilts.	52	Cb
Row Farms, Som.	51	Bb
Rowhedge, Essex	79	Ac
Rowington, Warks.	110	Db
Rowledge, Sur.	40	Ca
Rowley, Salop	124	Db
Rowley Regis, W. Mid.	127	Bc
Rowner, Hants.	21	Ba
Rowsham, Bucks.	74	Ca
Rowston, Lincs.	152	Da
Rowthorn, Derby.	164	Cc
Rowton, Ches.	160	Cc
Rowton, Salop	126	Ca
Row Town, Sur.	41	Aa
Roxburgh, Bord.	242	Cb
Roxby, Humb.	176	Cb
Roxholm, Lincs.	152	Db
Roxton, Beds.	95	Ab
Roxwell, Essex	77	Ac
Roydon, Essex	76	Cc
Roydon, Norf.	135	Bb
Roydon, Norf.	118	Dc
Royston, Herts.	96	Cc
Royston, S. Yorks.	173	Bb
Royton, Gt. Man.	171	Bb
Ruabon, Clwyd	144	Cb
Ruan Lanihorne, Corn.	4	Ca
Ruan Major, Corn.	3	Ab
Ruan Minor, Corn.	3	Bb
Ruardean, Glos.	68	Da
Rubery, W. Mid.	109	Ba
Ruckcroft, Cumb.	203	Ba
Ruckinge, Kent	27	Ba
Ruckland, Lincs.	153	Bc
Rudbaxton, Dyfed	62	Ca
Rudby, N. Yorks.	197	Ab
Ruddington, Notts.	150	Cc
Rudford, Glos.	89	Bb
Rudge, Wilts.	51	Bc
Rudgwick, W. Sus.	41	Bc
Rudry, M. Glam.	67	Ac
Rudston, Humb.	188	Cb
Rufford, Lancs.	169	Bb
Rufforth, N. Yorks.	185	Ab
Rugby, Warks.	112	Cb
Rugeley, Staffs.	127	Ba
Ruishton, Som.	33	Bc
Ruislip, Gt. Lon.	57	Ab
Rumbling Bridge, Tay.	260	Cc
Rumboldswhyke, W. Sus.	22	Da
Rumburgh, Suff.	120	Cc
Rumney, Gwent	67	Ac
Rumwell, Som.	33	Bc
Runcorn, Ches.	160	Cb
Runcton Holme, Norf.	117	Aa
Runhall, Norf.	118	Da
Runham, Norf.	120	Da
Runnington, Som.	33	Ac
Runswick, N. Yorks.	199	Ba
Runton, Norf.	137	Ba
Runwell, Essex	59	Ba
Rushall, Hf/Wor.	89	Ab
Rushall, Norf.	119	Ac
Rushall, W. Mid.	127	Bb
Rushall, Wilts.	53	Ac
Rushbrooke, Suff.	98	Cb
Rushbury, Salop	125	Bc
Rushden, Herts.	76	Ca
Rushden, N'hants.	114	Cb
Rushford, Norf.	118	Cc
Rushlake Green, E. Sus.	26	Cb
Rushmere, Suff.	120	Dc
Rushmere St. Andrew, Suff.	79	Ba
Rushock, Hf/Wor.	106	Dc
Rushock, Hf/Wor.	109	Bb
Rushton, Ches.	160	Dc
Rushton, N'hants.	113	Ba
Rushton, Salop	126	Cb
Ruskington, Lincs.	152	Db
Rusland, Cumb.	192	Db
Rusper, W. Sus.	41	Bc
Ruspidge, Glos.	69	Aa
Rustington, W. Sus.	23	Bc
Ruston Parva, Humb.	188	Cc
Ruswarp, N. Yorks.	200	Cb
Rutherglen, Strath.	249	Ac
Ruthin, Clwyd	143	Ba
Ruthven, Gramp.	304	Cb
Ruthven, Tay.	271	Ab
Ruthwell, Dum/Gall.	216	Cb
Ruyton of the Eleven Towns, Salop	124	Da
Ryal, N'land	220	Da
Ryall, Dors.	16	Db
Ryall, Hf/Wor.	90	Ca
Ryarsh, Kent	43	Ba
Rydal, Cumb.	192	Da
Ryde, I.O.W.	21	Bb
Rye, E. Sus.	27	Ab
Ryecroft, S. Yorks.	164	Ca
Rye Foreign, E. Sus.	27	Ab
Rye Harbour, E. Sus.	27	Ac
Rye Street, Hf/Wor.	89	Bb
Ryhall, Leics.	132	Cb
Ryhill, Humb.	178	Cc
Ryhill, W. Yorks.	174	Cb
Ryhope, Ty/We.	222	Bc
Ryland, Lincs.	166	Db
Rylstone, N. Yorks.	182	Db
Ryme Intrinseca, Dors.	35	Ac
Ryther, N. Yorks.	185	Ac
Ryton, Glos.	89	Bb
Ryton, Salop	126	Db
Ryton, Ty/We.	221	Bb
Ryton, N. Yorks.	198	Cc
Ryton-on-Dunsmore, Warks.	111	Bb
SABDEN, Lancs.	181	Bc
Sacombe, Herts.	76	Cb
Sacombe Green, Herts.	76	Cb
Sacriston, Dur.	222	Cc
Sadberge, Dur.	207	Bb
Saddell, Strath.	233	Bb
Saddington, Leics.	130	Cc
Saddle Bow, Norf.	134	Dc
Saddleworth, Gt. Man.	172	Cc
Saffron Walden, Essex	77	Ac
Sageston, Dyfed	62	Cb
Saham Toney, Norf.	118	Cc
Saighton, Ches.	160	Cc
St. Agnes, Corn.	2	Cc
St. Albans, Herts.	75	Bc
St. Allen, Corn.	2	Da
St. Andrew Auckland, Dur.	207	Ab
St. Andrews, Fife	262	Ca
St. Andrews Major, S. Glam.	49	Aa
St. Annes on the Sea, Lancs.	168	Db
St. Arvans, Gwent	68	Db
St. Asaph, Clwyd	158	Da
St. Athan, S. Glam.	66	Cc
St. Austell, Corn.	6	Cc
St. Bees, Cumb.	201	Ac
St. Blazey, Corn.	6	Dc
St. Boswells, Bord.	241	Bb
St. Breock, Corn.	6	Cb
St. Breward, Corn.	6	Da
St. Briavels, Glos.	68	Da
St. Bride's, Dyfed	61	Bb
St. Brides Major, M. Glam.	66	Cb
St. Brides Netherwent, Gwent	68	Cc
St. Brides super Ely, S. Glam.	66	Db
St. Brides Wentlloog, Gwent	67	Bc
St. Bridget Beckermet, Cumb.	191	Ba
St. Budeaux, Dev.	8	Cb
Saintbury, Glos.	91	Ab
St. Buryan, Corn.	1	Ac
St. Catherine, Avon	51	Ba
St. Clears, Dyfed.	63	Aa
St. Cleer, Corn.	7	Bb
St. Clether, Corn.	11	Bc
St. Columb Major, Corn.	5	Bb
St. Columb Minor, Corn.	5	Bb
St. Columb Porth, Corn.	5	Bb
St. Combs, Gramp.	306	Da
St. Cross S. Elmham, Suff.	119	Bc
St. Cyrus, Gramp.	282	Cc
St. Davids, Dyfed	61	Aa
St. Day, Corn.	2	Db
St. Decumans, Som.	33	Aa
St. Dennis, Corn.	6	Cc
St. Denys, Hants.	38	Dc
St. Devereux, Hf/Wor.	88	Cb
St. Dogmaels, Dyfed	82	Da
St. Dogwells, Dyfed	82	Cc
St. Dominick, Corn.	8	Cb
St. Donat's, S. Glam.	66	Cc
St. Endellion, Corn.	6	Ca
St. Enoder, Corn.	5	Bc
St. Erme, Corn.	2	Da
St. Erth, Corn.	1	Bb
St. Ervan, Corn.	5	Bb
St. Eval, Corn.	5	Bb
St. Ewe, Corn.	4	Da
St. Fagans, S. Glam.	49	Aa
St. Fergus, Gramp.	306	Db
St. Fillans, Tay.	259	Aa
St. Florence, Dyfed	62	Db
St. Gennys, Corn.	11	Ab
St. George, Clwyd	158	Ca
St. Georges, Salop	126	Cb
St. Germans, Corn.	7	Bb
St. Giles-in-the-Wood, Dev.	30	Cc
St. Giles-on-the-Heath, Dev.	12	Cc
St. Gluvias, Corn.	2	Db
St. Gorran, Corn.	4	Da
St. Harmon, Powys	105	Ab
St. Helen Auckland, Dur.	206	Db
St. Helens, I.O.W.	21	Bb
St. Helens, I.O.W.	160	Ca
St. Hilary, Corn.	1	Bb
St. Hilary, S. Glam.	66	Cb
St. Ishmael's, Dyfed	61	Bb
St. Issey, Corn.	6	Cb
St. Ive, Corn.	7	Bb
St. Ives, Cambs.	95	Ba
St. Ives, Corn.	1	Bb
St. James S. Elham, Suff.	119	Bc
St. John Beckermet, Cumb.	191	Aa
St. John's, Corn.	8	Cc
St. John's, I.O.M.	190	Cb
St. John's, Kent	43	Ab
St. John's Chapel, Dur.	205	Bc
St. John's Common, W. Sus.	24	Cb
St. John's Fen End, Norf.	134	Cc
St. John's Highway, Norf.	134	Cc
St. John's Wood, Gt. Lon.	57	Bb
St. Just, Corn.	1	Ac
St. Just, Corn.	2	Db
St. Keverne, Corn.	2	Dc
St. Kew, Corn.	6	Db
St. Keyne, Corn.	7	Bb
St. Lawrence, Dyfed	61	Aa
St. Lawrence, Essex	78	Dc
St. Lawrence, I.O.W.	21	Bb
St. Lawrence, Kent	46	Da
St. Leonards, E. Sus.	26	Db
St. Levan, Corn.	1	Ac
St. Mabyn, Corn.	6	Db
St. Margaret S. Elmham, Suff.	119	Bc
St. Margaret's at Cliffe, Kent	46	Dc
St. Margaret		

360

Place	Page	SQ
St. Margarets, Hf/Wor.	87	Bb
St. Martin, Corn.	2	Db
St. Martin, Corn.	7	Bc
St. Martin's, Salop	144	Cc
St. Martin's, Tay.	270	Dc
St. Mary Bourne, Hants.	54	Cc
St. Mary Church, Dev.	10	Da
St. Mary Church, S. Glam.	66	Cc
St. Mary Cray, Gt. Lon.	58	Dc
St. Mary Hill, S. Glam.	66	Cb
St.-Mary-in-the-Marsh, Kent	27	Bb
St. Marys Hoo, Kent	59	Bc
St. Maughan, Gwent	88	Cc
St. Mawes, Corn.	4	Cb
St. Mawgan, Corn.	5	Bb
St. Mellion, Corn.	8	Cb
St. Mellons, S. Glam.	67	Ac
St. Merryn, Corn.	5	Ba
St. Mewan, Corn.	6	Cc
St. Michael Caerhays, Corn.	4	Da
St. Michael Penkevel, Corn.	4	Ca
St. Michael S. Elmham, Suff.	120	Cc
St. Michael's-on-Wyre, Lancs.	180	Cc
St. Minver, Corn.	6	Ca
St. Monance, Fife.	262	Cb
St. Mungo, Dum/Gall.	216	Da
St. Neot, Corn.	6	Db
St. Neots, Cambs.	95	Ab
St. Nicholas, Dev.	14	Dc
St. Nicholas, Dyfed	81	Bb
St. Nicholas, S. Glam.	66	Db
St. Nicholas-at-Wade, Kent	46	Ca
St. Ninians, Cen.	259	Bc
St. Osyth, Essex	79	Bc
St. Owens Cross, Hf/Wor.	88	Dc
St. Pauls Cray, Gt. Lon.	58	Dc
St. Pauls Walden, Herts.	75	Bb
St. Peters, Kent	46	Da
St. Peter S. Elmham, Suff.	119	Bc
St. Petrox, Dyfed	62	Cc
St. Pinnock, Corn.	7	Ab
St. Quivox, Strath.	236	Cc
St. Sampson, Corn.	6	Dc
St. Stephen, Corn.	6	Cc
St. Stephen, Corn.	12	Cc
St. Stephens, Corn.	8	Cb
St. Stephens, Herts.	75	Ac
St. Teath, Corn.	6	Ca
St. Tudy, Corn.	6	Ca
St. Twynnell, Dyfed	62	Cc
St. Veep, Corn.	6	Dc
St. Vigeans, Tay.	272	Db
St. Wenn, Corn.	6	Cc
St. Weonards, Hf/Wor.	88	Cc
St. Winnow, Corn.	6	Dc
Salcombe, Dev.	10	Cc
Salcombe Regis, Dev.	15	Bc
Salcott, Essex	78	Dc
Sale, Gt. Man.	161	Ba
Saleby, Lincs.	154	Ca
Sale Green, Hf/Wor.	109	Bc
Salehurst, E. Sus.	26	Ca
Salen, Highl.	264	Ca
Salen, Strath.	264	Cc
Salesbury, E. Sus.	170	Da
Salford, Beds.	94	Cb
Salford, Gt. Man.	161	Ba
Salford, Oxon.	91	Bc
Salford Priors, Warks.	110	Cc
Salhouse, Norf.	138	Cc
Saline, Fife.	260	Cc
Salisbury, Wilts.	37	Bb
Sall, Norf.	137	Ab
Salmonby, Lincs.	153	Ba
Salperton, Glos.	90	Dc
Salsburgh, Strath.	250	Cc
Salt, Staffs.	147	Ac
Saltaire, W. Yorks.	183	Bc
Saltash, Corn.	8	Cb
Saltburn-by-the-Sea, Cleve.	199	Aa
Saltby, Leics.	131	Ba
Saltcoats, Strath.	235	Bb
Salterforth, Lancs.	182	Cc
Salters Lode, Norf.	116	Da
Saltfleet, Lincs.	168	Db
Saltfleetby All Saints, Lincs.	168	Dc
Saltfleetby St. Clement, Lincs.	168	Db
Saltfleetby St. Peter, Lincs.	168	Db
Saltford, Avon	51	Aa
Salthouse, Norf.	137	Aa
Saltmarshe, Humb.	175	Ba
Saltney, Clwyd	159	Bc
Salton, N. Yorks.	198	Bc
Saltwood, Kent	28	Ca
Salwarpe, Hf/Wor.	109	Bc
Salway Ash, Dors.	16	Db
Sambourn, Warks.	110	Cc
Sambrook, Salop	126	Ca
Samlesbury, Lancs.	170	Ca
Sampford Arundel, Som.	33	Ac
Sampford Brett, Som.	33	Aa
Sampford Courtenay, Dev.	31	Ac
Sampford Peverell, Dev.	15	Aa
Sampford Spiney, Dev.	8	Da
Sancreed, Corn.	1	Ac
Sancton, Humb.	186	Dc
Sand, Avon	34	Da
Sandaig, Highl.	273	Ba
Sandale, Cumb.	202	Da
Sandal Magna, W. Yorks.	173	Bb
Sandbach, Ches.	146	Ca
Sandbank, Strath.	247	Aa
Sanderstead, Gt. Lon.	42	Da
Sandford, Avon	50	Cb
Sandford, Cumb.	204	Dc
Sandford, Dev.	32	Cc
Sandford, Hants.	21	Bc
Sandford, Salop	145	Bc
Sandford, Salop	124	Da
Sandford-on-Thames, Oxon.	72	Db
Sandford Orcas, Dors.	35	Bb
Sandford St. Martin, Oxon.	92	Cc
Sandgate, Kent	28	Da
Sandhaven, Gramp.	306	Ca
Sandhoe, N'land	220	Db
Sand Hole, Humb.	186	Cc
Sandholme, Humb.	176	Ca
Sandhurst, Berks.	56	Cb
Sandhurst, Glos.	89	Bc
Sandhurst, Kent	26	Da
Sand Hutton, N. Yorks.	197	Ac
Sand Hutton, N. Yorks.	186	Cb
Sandiacre, Derby.	149	Bc
Sandley, Dors.	36	Cb
Sandon, Essex	77	Bc
Sandon, Herts.	76	Ca
Sandon, Staffs.	147	Ac
Sandonbank, Staffs.	147	Ac
Sandown, I.O.W.	21	Bc
Sandridge, Herts.	75	Ac
Sandridge, Wilts.	52	Cb
Sandringham, Norf.	135	Ab
Sandsend, N. Yorks.	200	Ca
Sand Side, Cumb.	192	Cc
Sandwich, Kent	29	Cc
Sandwick, Cumb.	203	Bc
Sandwith, Cumb.	201	Ac
Sandy, Beds.	95	Ab
Sandy Bank, Lincs.	153	Bc
Sandycroft, Clwyd	159	Bc
Sandygate, I.O.M.	189	Bb
Sandygate, S. Yorks.	163	Ba
Sandy Lane, Wilts.	52	Ca
Sandypark, Dev.	13	Ba
Sandyway, Hf/Wor.	88	Cc
Sanquhar, Dum/Gall.	226	Ca
Santon Bridge, Cumb.	191	Ba
Santon Downham, Suff.	117	Bb
Sapcote, Leics.	130	Cc
Sapey Common, Hf/Wor.	108	Db
Sapiston, Suff.	98	Ca
Sapperton, Glos.	70	Ca
Sapperton, Lincs.	152	Cc
Sarclet, Highl.	324	Dc
Sarn, Gwyn.	124	Cc
Sarnesfield, Hf/Wor.	87	Ba
Sarratt, Herts.	74	Db
Sarre, Kent	46	Ca
Sarsden, Oxon.	91	Bc
Satley, Dur.	206	Da
Satterleigh, Dev.	30	Dc
Satterthwaite, Cumb.	192	Db
Saul, Glos.	69	Ba
Saundby, Notts.	165	Ba
Saundersfoot, Dyfed	62	Db
Saunderton, Bucks.	73	Bb
Saunton, Dev.	30	Cb
Sausthorpe, Lincs.	154	Ca
Sawbridge, Warks.	112	Cc
Sawbridgeworth, Herts.	76	Ab
Sawley, Derby.	149	Ac
Sawley, Lancs.	181	Bc
Sawley, N. Yorks.	184	Ca
Sawrey, Cumb.	192	Db
Sawston, Cambs.	96	Db
Sawtry, Cambs.	114	Da
Saxby, Leics.	131	Ba
Saxby, Lincs.	166	Bb
Saxby All Saints, Humb.	176	Bb
Saxelby, Leics.	130	Ba
Saxilby, Lincs.	166	Cb
Saxlingham, Norf.	136	Da
Saxlingham Green, Norf.	119	Db
Saxlingham Nethergate, Norf.	119	Bb
Saxlingham Thorpe, Norf.	119	Bb
Saxmundham, Suff.	100	Cb
Saxondale, Notts.	150	Db
Saxtead, Suff.	99	Bb
Saxthorpe, Norf.	137	Ab
Saxton, N. Yorks.	184	Dc
Scaftworth, Notts.	165	Aa
Scagglethorpe, N. Yorks.	187	Ab
Scalby, Humb.	176	Ca
Scalby, N. Yorks.	200	Dc
Scaldwell, N'hants.	113	Ab
Scaleby, Cumb.	218	Cb
Scaleby Hill, Cumb.	218	Cb
Scalehouses, Cumb.	204	Ca
Scales, Cumb.	179	Ba
Scalford, Leics.	131	Aa
Scamblesby, Lincs.	153	Ba
Scampston, N. Yorks.	187	Ab
Scampton, Lincs.	166	Cb
Scarborough, N. Yorks.	188	Ca
Scarcliffe, Derby.	164	Cc
Scarcroft, W. Yorks.	184	Cc
Scarfskerry, Highl.	324	Ca
Scarisbrick, Lancs.	169	Bb
Scarning, Norf.	136	Cc
Scarrington, Notts.	150	Db
Scarthingwell, N. Yorks.	184	Dc
Scartho, Humb.	167	Ba
Scawby, Humb.	176	Dc
Scawton, N. Yorks.	198	Cc
Scholes, S. Yorks.	164	Ca
Scholes, W. Yorks.	172	Da
Scholes, W. Yorks.	184	Dc
Scholey Hill, W. Yorks.	174	Ca
Scissett, W. Yorks.	173	Bc
Scole, Norf.	99	Aa
Scopwick, Lincs.	152	Da
Scorborough, Humb.	177	Aa
Scorrier, Corn.	2	Da
Scorton, N. Yorks.	196	Da
Sco' Ruston, Norf.	137	Bb
Scosthrop, N. Yorks.	182	Cb
Scotby, Cumb.	218	Cc
Scotch Corner, N. Yorks.	196	Da
Scotforth, Lancs.	180	Db
Scot Hay, Staffs.	146	Cb
Scothern, Lincs.	166	Bb
Scotstown, Highl.	265	Aa
Scotter, Lincs.	176	Cc
Scotterthorpe, Lincs.	176	Cc
Scotton, Lincs.	166	Ca
Scotton, N. Yorks.	196	Bb
Scottow, Norf.	137	Bb
Scoulton, Norf.	118	Da
Scourie, Highl.	319	Ac
Scraptoft, Leics.	130	Bb
Scrayingham, N. Yorks.	186	Ca
Scredington, Lincs.	133	Aa
Scremby, Lincs.	154	Cb
Scremerston, N'land	243	Ba
Screveton, Notts.	150	Db
Scrivelsby, Lincs.	153	Bb
Scriven, N. Yorks.	184	Cc
Scrooby, Notts.	165	Aa
Scropton, Derby.	148	Cc
Scrub Hill, Lincs.	153	Bc
Scruton, N. Yorks.	196	Db
Sculthorpe, Norf.	136	Cb
Scunthorpe, Humb.	176	Cb
Seaborough, Dors.	16	Da
Seacombe, Mers.	159	Ba
Seacroft, W. Yorks.	184	Cc
Seaford, E. Sus.	25	Ac
Seaforth, Mers.	159	Ba
Seagrave, Leics.	130	Ba
Seagry, Wilts.	70	Cb
Seaham, Dur.	222	Da
Seaham Harbour, Dur.	222	Dc
Seal, Kent	43	Aa
Sealand, Clwyd	159	Bc
Seale, Sur.	40	Da
Seamer, N. Yorks.	187	Ba
Seamer, N. Yorks.	208	Cc
Searby, Lincs.	176	Dc
Seasalter, Kent	45	Bb
Seascale, Cumb.	191	Ba
Seathwaite, Cumb.	192	Cb
Seatoller, Cumb.	202	Cc
Seaton, Cumb.	15	Bc
Seaton, Dev.	15	Bc
Seaton, Humb.	177	Aa
Seaton Burn, Ty/We.	222	Ba
Seaton Carew, Cleve.	208	Cb
Seaton Ross, Humb.	186	Cc
Seatown, Dors.	16	Da
Seave Green, N'land	222	Cb
Seaview, I.O.W.	21	Bc
Seavington St. Mary, Som.	16	Da
Seavington St. Michael, Som.	34	Cc
Sebastopol, Gwent	67	Bb
Sebergham, Cumb.	203	Aa
Seckington, Warks.	128	Db
Sedbergh, Cumb.	194	Cb
Sedbury, Glos.	68	Db
Sedgeberrow, Hf/Wor.	90	Da
Sedgebrook, Lincs.	151	Bc
Sedgefield, Dur.	207	Bb
Sedgeford, Norf.	135	Ba
Sedgehill, Wilts.	36	Cb
Sedgwick, Cumb.	193	Bb
Sedgley, W. Mid.	127	Ac
Sedlescombe, E. Sus.	26	Db
Seend, Wilts.	52	Cb
Seend Cleeve, Wilts.	52	Cb
Seend Row, Wilts.	52	Cb
Seer Green, Bucks.	74	Dc
Seething, Norf.	119	Bb
Sefton, Mers.	169	Bc
Seghill, N'land	222	Ca
Seighford, Staffs.	146	Dc
Seisdon, Staffs.	126	Dc
Selattyn, Salop	144	Cc
Selborne, Hants.	40	Cb
Selby, N. Yorks.	174	Da
Selham, W. Sus.	23	Aa
Selkirk, Bord.	241	Ac
Sellack, Hf/Wor.	88	Db
Sellafield, Cumb.	191	Ba
Sellindge, Kent	28	Ca
Selling, Kent	45	Ab
Selly Oak, W. Mid.	110	Ca
Selmeston, E. Sus.	25	Bb
Selsey, W. Sus.	22	Db
Selston, Notts.	149	Ba
Selworthy, Som.	48	Cb
Semer, Suff.	98	Dc
Semington, Wilts.	52	Cb
Semington Lane, Wilts.	52	Cb
Semley, Wilts.	36	Db
Sempringham, Lincs.	133	Aa
Send, Sur.	41	Aa
Sennen, Corn.	1	Ac
Sennen Cove, Corn.	1	Ac
Senny Bridge, Powys.	86	Ca
Serlby, Notts.	165	Aa
Sessay, N. Yorks.	197	Bc
Setchey, Norf.	135	Ac
Settle, N. Yorks.	182	Ca
Settrington, N. Yorks.	186	Da
Seven Ash, Som.	33	Ab
Sevenhampton, Glos.	90	Dc
Sevenhampton, Wilts.	71	Bc
Sevenoaks, Kent	43	Aa
Sevenoaks Weald, Kent	43	Ab
Seven Sisters, W. Glam.	85	Bb
Seven Stoke, Hf/Wor.	90	Cb
Sevington, Kent	27	Ba
Sevington, Kent	70	Cc
Sewerby, Humb.	188	Db
Sewstern, Leics.	131	Ba
Shabbington, Bucks.	73	Aa
Shackerley, Salop	126	Db
Shackerstone, Leics.	129	Ab
Shackleford, Sur.	40	Db
Shadforth, Dur.	207	Ba
Shadingfield, Suff.	120	Cc
Shadoxhurst, Kent	27	Ba
Shadwell, W. Yorks.	184	Cc
Shaftesbury, Dors.	36	Cb
Shaftesbury Lane, Dors.	36	Cb
Shafton, S. Yorks.	174	Cb
Shalbourne, Wilts.	53	Bb
Shalden, Hants.	39	Ba
Shaldon, Dev.	14	Da
Shalfleet, I.O.W.	20	Db
Shalford, Essex	77	Ba
Shalford, Sur.	41	Ab
Shalford Green, Essex	77	Ba
Shalstone, Bucks.	93	Ab
Shandon, Strath.	247	Aa
Shangton, Leics.	130	Dc
Shanklin, I.O.W.	21	Bc
Shap, Cumb.	204	Cb
Shapwick, Dev.	19	Aa
Shapwick, Som.	34	Db
Shardlow, Derby.	149	Bc
Shareshill, Staffs.	127	Bb
Sharlston, W. Yorks.	174	Cb
Sharnbrook, Beds.	114	Cc
Sharnford, Leics.	129	Bc
Sharpenhoe, Beds.	75	Ab
Sharperton, N'land	231	Ab
Sharpness, Glos.	69	Aa
Sharpway Gate, Hf/Wor.	109	Bb
Sharrington, Norf.	136	Da
Shatton, Derby.	163	Ab
Shaugh Prior, Dev.	8	Db
Shavington, Ches.	146	Ca
Shaw, Berks.	54	Cb
Shaw, Gt. Man.	172	Cc
Shaw, Wilts.	52	Cb
Shawbury, Salop	125	Ba
Shawclough, Gt. Man.	171	Bb
Shawell, Leics.	112	Ca

Place	PAGE	SQ.
Shawforth, *Lancs.*	171	Bb
Shearsby, *Leics.*	112	Da
Shearston, *Som.*	33	Bb
Shebbear, *Dev.*	12	Da
Sheen, *Staffs.*	162	Dc
Sheepscombe, *Glos.*	70	Ca
Sheepstor, *Dev.*	8	Db
Sheepwash, *Dev.*	12	Da
Sheepway, *Avon*	50	Da
Sheepy Magna, *Leics.*	129	Ab
Sheepy Parva, *Leics.*	129	Ac
Sheering, *Essex*	76	Db
Sheerness, *Kent*	45	Aa
Sheffield, *S. Yorks.*	163	Ba
Shefford, *Beds.*	95	Ac
Shefford Hardwick, *Beds.*	95	Ac
Sheinton, *Salop*	126	Cb
Sheldon, *Derby.*	163	Ac
Sheldon, *Dev.*	15	Aa
Sheldon, *W. Mid.*	110	Da
Sheldwich, *Kent*	45	Ab
Sheldwich Lees, *Kent*	45	Ab
Shelf, *W. Yorks.*	172	Da
Shelfanger, *Norf.*	118	Dc
Shelfield, *W. Mid.*	127	Bb
Shelford, *Notts.*	150	Db
Shelland, *Suff.*	98	Db
Shelley, *Essex*	76	Dc
Shelley, *Suff.*	78	Da
Shelley, *W. Yorks.*	173	Ab
Shellingford, *Oxon.*	71	Bc
Shellow Bowells, *Essex*	77	Ac
Shelsley Beauchamp, *Hf/Wor.*	108	Dc
Shelsley Walsh, *Hf/Wor.*	108	Dc
Shelswell, *Oxon.*	93	Ab
Shelton, *Beds.*	114	Cb
Shelton, *Norf.*	119	Bb
Shelton, *Notts.*	151	Ab
Shelve, *Salop*	124	Dc
Shenfield, *Essex*	59	Aa
Shenington, *Oxon.*	92	Cb
Shenley, *Herts.*	57	Aa
Shenley Brook End, *Bucks.*	93	Bb
Shenley Church End, *Bucks.*	94	Cb
Shenston, *Hf/Wor.*	109	Ab
Shenstone, *Staffs.*	128	Cb
Shenton, *Leics.*	129	Bc
Sheperdine, *Avon*	68	Db
Shephall, *Herts.*	75	Bb
Shepherds Well, *Kent*	46	Cc
Shepley, *W. Yorks.*	173	Ac
Shepperton, *Sur..*	57	Ac
Shepreth, *Cambs.*	96	Cc
Shepshed, *Leics.*	129	Ba
Shepton, *Som.*	35	Ba
Shepton Beauchamp, *Som.*	34	Cc
Shepton Mallet, *Som.*	51	Ac
Shepton Montague, *Som.*	35	Ba
Sheraton, *Dur.*	208	Ca
Sherborne, *Dors.*	35	Bc
Sherborne, *Glos.*	71	Aa
Sherborne, *Warks.*	111	Ac
Sherborne Causeway, *Dors.*	36	Cb
Sherborne St. John, *Hants..*	55	Ac
Sherburn, *Dur.*	207	Ba
Sherburn, *N. Yorks.*	187	Ba
Sherburn Hill, *Dur.*	207	Ba
Sherburn-in-Elmet, *N. Yorks.*	174	Ca
Shere, *Sur.*	41	Ab
Shereford, *Norf.*	136	Cb
Sherfield English, *Hants..*	38	Cc
Sherfield-upon-Loddon, *Hants.*	55	Ac
Sherford, *Dev.*	10	Cb
Sherford, *Som.*	33	Bc
Sheriff Hales, *Salop*	126	Db
Sheriff Hutton, *N. Yorks.*	185	Ba
Sheringham, *Norf.*	137	Aa
Sherington, *Bucks.*	94	Ca
Shernborne, *Norf.*	135	Bb
Sherrington, *Wilts.*	36	Da
Sherston Parva, *Wilts.*	70	Cc
Sherwood, *Notts.*	150	Cb
Shettleston, *Strath.*	249	Ac
Shevington, *Gt. Man.*	170	Cc
Sheviock, *Corn.*	8	Cb
Shieldaig, *Highl..*	297	Ba
Shieldhill, *Corn.*	250	Cb
Shielfoot, *Highl..*	273	Bc
Shifnal, *Salop*	126	Db
Shilbottle, *N'land*	232	Ca
Shildon, *Dur.*	207	Ab
Shillingford, *Dev.*	14	Da
Shillingford, *Dev.*	32	Da
Shillingford, *Oxon.*	73	Ac
Shillingstone, *Dors.*	36	Cc
Shillington, *Beds.*	75	Aa
Shilton, *Oxon.*	71	Ba
Shilton, *Warks.*	111	Ba
Shilvinghampton, *Dors..*	17	Bb
Shimpling, *Norf..*	119	Ac
Shimpling, *Suff..*	98	Cb
Shincliffe, *Dur..*	207	Aa
Shinfield, *Berks..*	55	Bb
Shingay, *Cambs..*	95	Bc
Shingham, *Norf..*	117	Ba
Shipbourne, *Kent*	43	Bb
Shipdham, *Norf..*	118	Ca
Shipham, *Som..*	50	Cb
Shiplake, *Oxon..*	55	Ba
Shiplett, *Avon*	49	Bb
Shipley, *W. Sus..*	23	Ba
Shipley, *W. Yorks.*	55	Bb
Shipley Bridge, *Sur.*	42	Cc
Shipmeadow, *Suff.*	120	Cb
Shippon, *Oxon.*	72	Db
Shipston-on-Stour, *Warks.*	91	Bb
Shipton, *Bucks..*	93	Bc
Shipton, *Glos..*	90	Dc
Shipton, *Humb..*	186	Dc
Shipton, *N. Yorks..*	185	Ab
Shipton, *Salop*	125	Bc
Shipton Bellinger, *Hants..*	37	Ba
Shipton Gorge, *Dors..*	17	Ab
Shipton Moyne, *Glos..*	70	Cb
Shipton-on-Cherwell, *Oxon..*	72	Da
Shipton-under-Wychwood, *Oxon.*	71	Ba
Shirburn, *Oxon..*	73	Bb
Shirebrook, *Derby.*	164	Dc
Shire Green, *S. Yorks.*	163	Ba
Shirehampton, *Avon*	50	Da
Shire Newton, *Gwent*	68	Cb
Shire Oak, *W. Mid.*	128	Cb
Shireoaks, *Notts.*	164	Db
Shireshead, *Lancs.*	180	Db
Shirland, *Derby..*	149	Ba
Shirley, *Derby.*	148	Cb
Shirley, *Gt. Lon.*	58	Cc
Shirley, *Hants.*	38	Dc
Shirley, *W. Mid.*	110	Ca
Shirwell, *Dev.*	30	Db
Shitterton, *Dors..*	18	Da
Shobdon, *Hf/Wor.*	107	Ac
Shobrooke, *Dev..*	32	Cc
Shoby, *Leics.*	130	Da
Shocklach, *Ches.*	144	Db
Shoeburyness, *Essex*	60	Db
Sholden, *Kent*	46	Db
Shopford, *Cumb.*	218	Da
Shopland, *Essex*	60	Cb
Shoreditch, *Lond.*	33	Bb
Shoreham, *Kent*	43	Aa
Shoreham, *W. Sus.*	24	Cc
Shorncote, *Glos..*	70	Db
Shorne, *Kent*	59	Bc
Shortgate, *E. Sus.*	25	Ab
Short Green, *Norf.*	118	Dc
Shorthampton, *Oxon.*	91	Bc
Short Heath, *Derby.*	128	Cc
Shortwood, *Avon*	51	Aa
Shorwell, *I.O.W..*	21	Ac
Shotesham All Saints, *Norf.*	119	Bb
Shotesham St. Mary, *Norf.*	119	Bb
Shotley, *N'hants.*	80	Ca
Shotley Bridge, *Dur.*	221	Ac
Shotleyfield, *N'land*	220	Dc
Shottenden, *Kent*	45	Ab
Shottery, *Warks.*	91	Aa
Shottesbrook, *Berks.*	55	Ba
Shotteswell, *Warks.*	92	Ca
Shottisham, *Suff.*	98	Db
Shottlegate, *Derby.*	148	Bb
Shotton, *Clwyd*	159	Ba
Shotton, *Dur.*	207	Ba
Shotwick, *Ches.*	159	Bb
Shouldham, *Norf.*	117	Aa
Shouldham Thorpe, *Norf.*	117	Aa
Shoulton, *Hf/Wor.*	109	Ac
Shrawardine, *Salop*	125	Ba
Shrawley, *Hf/Wor.*	109	Ab
Shrewley, *Warks.*	110	Da
Shrewsbury, *Salop*	125	Ba
Shrewton, *Wilts..*	37	Ba
Shripney, *W. Sus.*	23	Ac
Shrivenham, *Oxon.*	71	Ac
Shropham, *Norf.*	118	Dc
Shudy Camps, *Cambs.*	97	Ac
Shurdington, *Glos.*	90	Cc
Shurlock Row, *Berks..*	56	Ca
Shurton, *Som.*	33	Ba
Shustoke, *Warks.*	111	Aa
Shuttleworth, *Gt. Man.*	171	Bb
Shute, *Dev.*	16	Cb
Shut End, *W. Mid.*	127	Ac
Shutford, *Oxon.*	92	Cb
Shutlanger, *N'hants.*	93	Ba
Shutta, *Corn.*	7	Bc
Shuttington, *Warks.*	128	Db
Sibbertoft, *N'hants.*	112	Da
Sibford Ferris, *Oxon.*	92	Cb
Sibford Gower, *Oxon.*	92	Cb
Sible Hedingham, *Essex*	77	Ba
Sibsey, *Lincs.*	153	Bc
Sibson, *Cambs.*	129	Ac
Sibthorpe, *Notts.*	150	Db
Sibton, *Suff.*	100	Ca
Sicklinghall, *N. Yorks.*	184	Cb
Sidbury, *Dev.*	15	Bc
Sidbury, *Salop*	108	Da
Sidcot, *Avon*	50	Cb
Sidcup, *Gt. Lon.*	58	Dc
Siddal, *W. Yorks.*	172	Da
Siddington, *Glos.*	70	Db
Sidemoor, *Hf/Wor.*	109	Bb
Sidestrand, *Norf.*	137	Ba
Sidford, *Dev.*	15	Bb
Sidlesham, *W. Sus.*	22	Db
Sidmouth, *Dev.*	15	Ac
Sigglesthorne, *Humb.*	177	Ba
Silchester, *Hants.*	55	Ab
Sileby, *Leics.*	130	Ca
Silecroft, *Cumb.*	191	Bc
Silfield, *Norf.*	119	Aa
Silian, *Dyfed*	84	Da
Silkstone, *S. Yorks.*	173	Bc
Silkstone Common, *S. Yorks.*	173	Bc
Silkstone Row, *W. Yorks.*	174	Ca
Silk Willoughby, *Lincs.*	152	Db
Silloth, *Cumb.*	216	Cc
Silpho, *N. Yorks.*	200	Cc
Silsden, *W. Yorks.*	182	Dc
Silsoe, *Beds.*	75	Aa
Silton, *Dors.*	36	Ca
Silverdale, *Lancs.*	193	Ac
Silverdale, *Staffs.*	146	Db
Silver Green, *Norf.*	119	Bb
Silverstone, *N'hants.*	93	Aa
Silverton, *Dev.*	32	Dc
Silvington, *Salop*	108	Ca
Simmondley, *Derby.*	162	Da
Simonburn, *N'land*	220	Ac
Simonsbath, *Som.*	47	Bb
Simprim, *Bord.*	242	Da
Simpson, *Bucks.*	94	Cb
Sinderby, *N. Yorks.*	185	Ac
Sindlesham, *Berks.*	55	Bb
Singleton, *Lancs.*	180	Cc
Singleton, *W. Sus.*	40	Cc
Singlewell, *Kent*	59	Ac
Sinnington, *N. Yorks.*	198	Db
Sinton, *Hf/Wor.*	109	Ac
Sisland, *Norf.*	120	Cb
Sissinghurst, *Kent*	44	Cc
Siston, *Avon*	51	Aa
Sithney, *Corn.*	2	Cc
Sittingbourne, *Kent*	44	Da
Sixhills, *Lincs.*	166	Cc
Sixpenny Handley, *Dors.*	37	Ac
Skail, *Highl.*	321	Bc
Skaill, *Highl.*	318	Da
Skateraw, *Gramp.*	296	Cc
Skeabost, *Highl..*	296	Cc
Skeeby, *N. Yorks.*	196	Cc
Skeffington, *Leics.*	131	Ab
Skeffling, *Humb.*	178	Da
Skegby, *Notts.*	149	Ba
Skegness, *Lincs.*	154	Ca
Skelbrooke, *S. Yorks.*	174	Cb
Skelgill, *Cumb.*	204	Cb
Skellingthorpe, *Lincs.*	166	Cc
Skellow, *S. Yorks.*	174	Cb
Skelmanthorpe, *W. Yorks.*	173	Bc
Skelmersdale, *Lancs.*	169	Bc
Skelmorlie, *Strath.*	248	Ac
Skelpick, *Highl.*	321	Bc
Skelton, *Cleve.*	198	Db
Skelton, *Cumb.*	203	Ba
Skelton, *Humb.*	176	Ca
Skelton, *N. Yorks.*	185	Ab
Skelton, *N. Yorks.*	196	Cc
Skelton, *N. Yorks.*	196	Ca
Skelwith Bridge, *Cumb.*	192	Dc
Skendleby, *Lincs.*	154	Ca
Skene, *Gramp.*	293	Bc
Skenfrith, *Gwent*	88	Cc
Skerne, *Humb.*	188	Cc
Sketty, *W. Glam.*	64	Dc
Skewen, *W. Glam.*	65	Aa
Skeyton, *Norf.*	137	Bb
Skidbrooke, *Lincs.*	168	Cb
Skidby, *Humb.*	176	Da
Skilgate, *Som.*	32	Da
Skillington, *Lincs.*	131	Ba
Skinburness, *Cumb.*	216	Db
Skinidin, *Highl.*	295	Ac
Skinningrove, *Cleve.*	199	Ba
Skipness, *Strath..*	246	Cc
Skipsea, *Humb.*	188	Cc
Skipton, *N. Yorks.*	182	Db
Skipton-on-Swale, *N. Yorks.*	197	Ac
Skipwith, *N. Yorks.*	185	Bc
Skirbeck, *Lincs.*	133	Ba
Skirbeck Quarter, *Lincs.*	133	Ba
Skirlaugh, *Humb.*	177	Bb
Skirling, *Bord.*	239	Bb
Skirpenbeck, *Humb.*	186	Cb
Skirsa, *Highl.*	324	Da
Skirwith, *Cumb.*	204	Cb
Skitham, *Lancs.*	180	Cc
Slack, *W. Yorks..*	172	Ca
Slackhall, *Derby.*	162	Db
Slade Hooton, *S. Yorks..*	164	Da
Slaggyford, *N'land*	218	Dc
Slaidburn, *Lancs.*	181	Bb
Slaithwaite, *W. Yorks.*	172	Bb
Slaley, *N'land*	220	Dc
Slamannan, *Cen.*	250	Cb
Slapton, *Bucks.*	94	Cc
Slapton, *Dev.*	10	Cb
Slapton, *N'hants.*	93	Aa
Slateford, *Loth.*	251	Bb
Slattocks, *Gt. Man.*	171	Bc
Slaugham, *W. Sus.*	24	Ca
Slaughden, *Suff.*	100	Dc
Slaughterford, *Wilts.*	52	Ca
Slawston, *Leics.*	131	Ac
Sleaford, *Lincs.*	152	Db
Sleagill, *Cumb.*	204	Cc
Sledmere, *Humb.*	186	Da
Sleepshyde, *Herts.*	75	Bc
Sleights, *N. Yorks.*	200	Cb
Sliddery, *Strath..*	234	Cc
Slimbridge, *Glos.*	69	Ba
Slindon, *Staffs.*	146	Dc
Slindon, *W. Sus..*	23	Ab
Slinfold, *W. Sus..*	23	Ba
Slingsby, *N. Yorks.*	198	Dc
Slipton, *N'hants.*	114	Ca
Sloothby, *Lincs.*	154	Cb
Slough, *Berks.*	56	Da
Slough Green, *Som.*	33	Bc
Slyne, *Lancs.*	180	Da
Smallbrook, *Dev.*	68	Db
Smallburgh, *Norf.*	138	Cb
Smalldale, *Derby.*	163	Ab
Smalley, *Derby.*	149	Bb
Smallridge, *Dev.*	16	Cb
Small Heath, *W. Mid.*	110	Ca
Small Hythe, *Kent*	27	Ab
Smallridge, *Dev.*	16	Cb
Smannell, *Hants.*	54	Cc
Smarden, *Kent*	27	Aa
Smeeth, *Kent*	28	Ca
Smeeton Westerby, *Leics.*	130	Dc
Smethcott, *Salop*	125	Ac
Smethwick, *W. Mid.*	127	Bc
Smisby, *Derby.*	129	Aa
Smithfield, *Cumb.*	218	Cb
Smithincott, *Dev.*	33	Ac
Snailbeach, *Salop*	124	Dc
Snailwell, *Cambs.*	97	Aa
Snainton, *N. Yorks.*	199	Bc
Snaith, *Humb.*	175	Ab
Snape, *N. Yorks.*	196	Cb
Snape, *Suff.*	100	Db
Snarestone, *Leics.*	129	Ab
Snarford, *Lincs.*	166	Cc
Snargate, *Kent*	27	Bb
Snave, *Kent*	27	Bb
Snead, *Powys*	124	Dc
Sneaton, *N. Yorks.*	200	Cb
Snelland, *Lincs.*	166	Cc
Snelston, *Derby.*	148	Cb
Snetterton, *Norf.*	118	Dc
Snettisham, *Norf.*	135	Aa
Snitter, *N'land*	231	Bc
Snitterby, *Lincs.*	166	Da
Snitterfield, *Warks.*	91	Aa
Snittlegarth, *Cumb.*	202	Ca
Snodhill, *Hf/Wor.*	87	Ba
Snodland, *Kent*	44	Ca
Snowshill, *Glos.*	90	Db
Snydale, *W. Yorks.*	174	Cb
Soberton, *Hants.*	39	Ba
Soham, *Cambs.*	97	Aa
Solihull, *W. Mid.*	110	Da
Sollers Dilwyn, *Hf/Wor.*	107	Ac
Sollers Hope, *Hf/Wor.*	88	Cb
Sollom, *Lancs.*	169	Bb
Solva, *Dyfed*	61	Aa

	PAGE	SQ.
Somerby, *Leics.* . .	131	Ab
Somerby, *Lincs.* .	176	Dc
Somercotes, *Derby.* .	149	Ba
Somerford Keynes, *Glos.*	70	Db
Somerleyton, *Suff.* .	120	Db
Somersby, *Lincs.* .	153	Ba
Somershall Herbert, *Derby.* . .	148	Cc
Somersham, *Cambs.* .	115	Bc
Somersham, *Suff.* .	99	Ac
Somerton, *Oxon.* .	92	Dc
Somerton, *Som.* . .	34	Db
Somerton, *Suff.* .	98	Cb
Somerton Door, *Som.* .	34	Db
Sompting, *W. Sus.* .	24	Cc
Sonning, *Berks.* . .	55	Ba
Sonning Common, *Oxon.*	55	Ba
Sookholme, *Notts.* .	164	Dc
Sopley, *Hants.* . .	19	Bb
Sopworth, *Wilts.* .	69	Bc
Sorbie, *Dum/Gall.* .	210	Db
Sorn, *Strath.* . .	237	Ac
Sortat, *Highl.* . .	324	Cb
Sotby, *Lincs.* . .	153	Aa
Sotherton, *Suff.* .	100	Da
Sotterley, *Suff.* . .	120	Cc
Sotwell, *Oxon.* . .	73	Ac
Soughton, *Clwyd* .	159	Ac
Soulbury, *Bucks.* . .	94	Cc
Soulby, *Cumb.* . .	203	Bb
Soulby, *Cumb.* . .	204	Dc
Souldern, *Oxon.* . .	92	Db
Souldrop, *Beds.* . .	114	Cc
Sourton, *Dev.* . .	13	Aa
Soutergate, *Cumb.* .	192	Cc
South Acre, *Norf.* .	135	Bc
Southall, *Gt. Lon.* .	57	Ab
Southall Green, *Gt. Lon.*	57	Ab
Southam, *Glos.* . .	90	Cc
Southam, *Warks.* .	111	Bc
Southampton, *Hants.* .	21	Aa
South Anston, *S. Yorks.* .	164	Db
South Ashford, *Kent* .	27	Ba
Southay, *Som.* . .	34	Ca
South Bank, *Cleve.* .	208	Cc
South Barrow, *Som.* .	35	Ab
South Benfleet, *Essex* .	59	Bb
South Bersted, *W. Sus.* .	23	Ac
Southborough, *Kent* .	43	Bb
South Brent, *Dev.* . .	9	Ba
South Brewham, *Som.* .	35	Ba
South Burlingham, *Norf.* . .	120	Ca
Southburgh, *Norf.* .	118	Da
Southburn, *Humb.* .	187	Bc
South Cadbury, *Som.* .	35	Bb
South Carlton, *Lincs.* .	166	Cb
South Carlton, *Notts.* .	164	Db
South Cave, *Humb.* .	176	Ca
South Cerney, *Glos.* .	70	Db
South Charlton, *N'land* . .	244	Dc
South Cheriton, *Som.* .	35	Bb
Southchurch, *Essex* .	60	Cb
South Clifton, *Notts.* .	165	Bc
South Cockerington, *Lincs.* . .	168	Cc
South Collingham, *Notts.*	151	Ba
South Cornelly, *M. Glam.* .	65	Bb
Southcott, *Bucks.* . .	94	Cc
South Cove, *Suff.* . .	100	Da
South Creake, *Norf.* .	136	Ca
South Crosland, *W. Yorks.* . .	172	Db
South Croxton, *Leics.* .	130	Db
South Dalton, *Humb.* .	177	Aa
South Damerham, *Hants.* . .	37	Ac
South Darenth, *Kent* .	58	Dc
South Duffield, *N. Yorks.* . .	175	Aa
Southease, *E. Sus.* .	25	Ac
South Elkington, *Lincs.* . .	167	Bc
South Elmsall, *W. Yorks.*	174	Cb
South Erradale, *Highl.* .	307	Ac
Southend, *Glos.* . .	69	Bb
Southend-on-Sea, *Essex* . .	60	Cb
Southern Down, *M. Glam.* . .	65	Bb
Southery, *Norf.* . .	116	Db
South Fambridge, *Essex* . .	60	Ca
South Fawley, *Berks.* .	54	Ca
South Ferriby, *Humb.* .	176	Bb
Southfleet, *Kent* . .	59	Ac
South Garvan, *Highl.* .	274	Dc
Southgate, *Gt. Lon.* .	57	Ba
South Gosforth, *Ty/We.* .	222	Cb
South Hanningfield, *Essex* . .	59	Ba
South Harting, *W. Sus.* .	40	Cc
South Hayling, *Hants.* .	22	Cb
South Hetton, *Dur.* .	207	Ba
South Hiendley, *W. Yorks.* . .	174	Cb
South Hill, *Corn.* . .	7	Ba
South Hinksey, *Oxon.* .	73	Ac
South Huish, *Dev.* . .	9	Ba
South Hykeham, *Lincs.* .	166	Cc
South Hylton, *Ty/We.* .	222	Dc
Southill, *Beds.* . .	95	Ac
South Kelsey, *Lincs.* .	166	Da
South Killingholme, *Humb.* . .	177	Bc
South Kilvington, *N. Yorks.* . .	197	Bb
South Kilworth, *Leics.* .	112	Da
South Kirkby, *W. Yorks.*	174	Cb
South Knapdale, *Strath.* . .	245	Ab
South Kyme, *Lincs.* .	152	Db
South Laggan, *Highl.* .	276	Ca
South Lawn, *Oxon.* .	71	Ba
Southleigh, *Dev.* . .	15	Bb
South Leigh, *Oxon.* .	72	Ca
South Leverton, *Notts.* .	165	Bb
South Littleton, *Hf/Wor.*	90	Da
South Lopham, *Norf.* .	118	Dc
South Lowestoft, *Suff.* .	120	Db
South Luffenham, *Leics.* . .	132	Cc
South Lyncombe, *Avon* .	51	Bb
South Malling, *E. Sus.* .	25	Ab
Southmarsh, *Som.* .	35	Ba
South Milford, *N. Yorks.* . .	174	Ca
South Milton, *Dev.* . .	9	Bb
South Mimms, *Herts.* .	75	Bc
Southminster, *Essex* .	60	Da
South Molton, *Dev.* . .	31	Ba
South Moreton, *Oxon.* .	72	Dc
South Mundham, *W. Sus.* . .	22	Da
South Muskham, *Notts.*..	151	Aa
South Newbald, *Humb.* .	186	Dc
South Newington, *Oxon.*	92	Cb
South Newton, *Wilts.* .	37	Ab
South Normanton, *Derby.*.. . .	149	Ba
South Norwood, *Gt. Lon.*	58	Cc
South Ockendon, *Gt. Lon.* . .	59	Ab
Southoe, *Cambs.*.. .	95	Aa
Southolt, *Suff.* . .	99	Ba
South Ormsby, *Lincs.* .	154	Ca
Southorpe, *Cambs.* .	132	Db
South Otterington, *N. Yorks.* . .	197	Ab
Southowram, *W. Yorks.*..	172	Da
South Perrott, *Som.* .	16	Da
South Petherton, *Som.* .	34	Dc
South Petherwin, *Corn.* .	7	Bb
South Pickenham, *Norf.*..	118	Ca
South Pool, *Dev.* . .	10	Cc
Southport, *Mers.* . .	169	Ab
South Queensferry, *Fife* .	251	Aa
South Rauceby, *Lincs.* .	152	Cb
South Raynham, *Norf.* .	136	Cb
Southrepps, *Norf.* .	137	Ab
South Reston, *Lincs.* .	168	Cc
Southrey, *Lincs.* . .	153	Ab
Southrop, *Glos.* . .	71	Ab
Southrope, *Hants.* .	39	Ba
South Runcton, *Norf.* .	117	Aa
South Scarle, *Lincs.* .	165	Bc
Southsea, *Hants.*. .	22	Cb
South Shields, *Ty/We.* .	222	Db
South Shoebury, *Essex* .	60	Cb
South Somercotes, *Lincs.* . .	168	Cb
South Stainley, *N. Yorks.* . .	184	Ca
South Stoke, *Avon* .	51	Bb
South Stoke, *Oxon.* .	55	Aa
South Stoke, *W. Sus.* .	23	Bb
South Stoneham, *Hants.*..	38	Dc
South Street, *Kent* .	43	Ba
South Street, *Kent* .	45	Bb
South Tawton, *Dev.* .	13	Ba
South Thoresby, *Lincs.* .	154	Ca
South Tidworth, *Wilts.* .	53	Bc
Southtown, *Norf.* .	120	Da
Southtown, *Som.* . .	35	Aa
Southwaite, *Cumb.* .	203	Ba
South Walsham, *Norf.* .	138	Cc
South Warmborough, *Hants.*.. . .	39	Bb
Southwater, *W. Sus.* .	24	Ca
Southway, *Som.* . .	34	Db
South Weald, *Essex* .	59	Aa
Southwell, *Dors.* . .	17	Bb
Southwell, *Notts.* .	150	Da
South Weston, *Oxon.* .	73	Bb
South Wheatley, *Notts.* .	165	Bb
Southwick, *Hants.* .	21	Ba
Southwick, *N'hants.* .	132	Cc
Southwick, *Ty/We.* .	222	Db
Southwick, *W. Sus.* .	24	Cc
Southwick, *Wilts.* .	51	Bb
South Widcombe, *Avon* .	50	Db
South Wigston, *Leics.* .	130	Cc
South Willingham, *Lincs.* . .	167	Bc
South Wingate, *Dur.* .	207	Ba
South Wingfield, *Derby.* . .	149	Aa
South Witham, *Lincs.* .	131	Bc
Southwold, *Suff.* . .	100	Da
Southwood, *Norf.* .	120	Ca
Southwood, *Som.* . .	35	Aa
South Wootton, *Norf.* .	135	Ab
South Wraxall, *Dors.* .	51	Bb
South Zeal, *Dev.* . .	13	Ba
Sowerby, *N. Yorks.* .	197	Bc
Sowerby, *W. Yorks.* .	172	Ca
Sowerby Bridge, *W. Yorks.* . .	172	Ca
Sowton, *Dev.* . .	14	Da
Soyland, *W. Yorks.* .	172	Cb
Spalding, *Lincs.* . .	133	Bb
Spaldington, *Humb.* .	175	Ba
Spaldwick, *Cambs.* .	95	Aa
Spalford, *Notts.* . .	165	Bc
Spanby, *Lincs.* . .	133	Aa
Spargrove, *Som.* . .	35	Ba
Sparham, *Norf.* . .	137	Ac
Spark Bridge, *Cumb.* .	192	Db
Sparkford, *Som.* . .	35	Ab
Sparkwell, *Dev.* . .	8	Db
Sparsholt, *Hants.* .	38	Db
Sparsholt, *Oxon.* .	72	Cc
Sparrowpit, *Derby.* .	162	Db
Spaunton, *N. Yorks.* .	198	Db
Spaxton, *Som.* . .	33	Bb
Spean Bridge, *Highl.* .	275	Bb
Speeton, *N. Yorks.* .	188	Cb
Speldhurst, *Kent.* .	43	Ac
Spellbrook, *Herts.* .	76	Db
Spelsbury, *Oxon.* .	91	Bc
Spennithorne, *N. Yorks.*..	196	Cb
Spennymoor, *Dur.* .	207	Aa
Spernall, *Warks.*. .	110	Cc
Spetchley, *Hf/Wor.* .	109	Bc
Spettisbury, *Dors.* .	18	Da
Spexhall, *Suff.* . .	100	Ca
Speybridge, *Highl.* .	290	Da
Spilsby, *Lincs.* . .	154	Cb
Spinkhill, *Derby.*. .	164	Cb
Spital, *Dur.* . .	205	Bc
Spital-in-the-Street, *Lincs.* . .	166	Ca
Spittal, *Dyfed* . .	62	Ca
Spittal, *N'land* . .	243	Ba
Spittal-of-Glenshee, *Tay.* . .	279	Bc
Spittle, *Humb.* . .	186	Cb
Spixworth, *Norf.* .	137	Ba
Spofforth, *N. Yorks.* .	184	Cb
Spondon, *Derby.* . .	149	Bc
Spooner Row, *Norf.* .	118	Db
Sporle, *Norf.* . .	136	Ca
Spott, *Tay.* . .	253	Bb
Spratton, *N'hants.* .	118	Ca
Spreyton, *Dev.* . .	13	Ba
Spridlington, *Lincs.* .	166	Cb
Springburn, *Strath.* .	249	Ab
Springfield, *Dum/Gall.* .	203	Ab
Springfield, *Essex* .	77	Bc
Springfield, *Fife* . .	261	Bb
Springfield, *Gt. Man.* .	33	Ac
Springthorpe, *Lincs.* .	166	Ca
Sproatley, *Humb.* .	178	Db
Sprotbrough, *S. Yorks.* .	174	Dc
Sproughton, *Suff.* .	79	Ba
Sprouston, *Bord.* . .	242	Cb
Sprowston, *Norf.* .	137	Bc
Sproxton, *Leics.* . .	131	Ba
Sproxton, *N. Yorks.* .	198	Cc
Spurstow, *Ches.* . .	145	Aa
Stableford, *Salop* .	126	Dc
Stackpole, *Dyfed* .	62	Cc
Stacksteads, *Lancs.* .	171	Bb
Staddlethorpe, *Humb.* .	175	Bb
Stadhampton, *Oxon.* .	73	Ab
Staffield, *Cumb.* . .	204	Ca
Stafford, *Staffs.* . .	127	Ba
Stagsden, *Beds.* . .	94	Ba
Stainborough, *S. Yorks.*..	173	Bc
Stainburn, *Cumb.* .	203	Ac
Stainburn, *N. Yorks.* .	184	Cb
Stainby, *Lincs.* . .	131	Ba
Staincross, *S. Yorks.* .	173	Bb
Staindrop, *Dur.* . .	206	Cb
Staines, *Surr.* . .	56	Cc
Stainfield, *Lincs.* . .	133	Ba
Stainfield, *Lincs.* . .	153	Ab
Stainforth, *N. Yorks.* .	182	Ca
Stainforth, *S. Yorks.* .	174	Db
Staining, *Lancs.* . .	180	Cc
Stainland, *W. Yorks.* .	172	Cb
Stainsacre, *N. Yorks.* .	200	Ca
Stainsby, *Lincs.* . .	154	Cb
Stainton, *Cleve.* . .	208	Cc
Stainton, *Cumb.* . .	192	Db
Stainton, *Cumb.* . .	203	Bb
Stainton, *Dur.* . .	206	Cb
Stainton, *N. Yorks.* .	196	Cb
Stainton, *S. Yorks.* .	174	Dc
Stainton-by-Langworth, *Lincs.* . .	166	Cb
Staintondale, *N. Yorks.* .	200	Cb
Stainton-le-Vale, *Lincs.* . .	167	Ab
Stair, *Strath.* . .	236	Dc
Stairfoot, *S. Yorks.* .	173	Bc
Staithes, *N. Yorks.* .	199	Ba
Staken Bridge, *Hf/Wor.*..	89	Bb
Stalbridge, *Dors.* .	35	Ab
Stalbridge Weston, *Dors.*	35	Ab
Stalham, *Norf.* . .	138	Cb
Stalisfield, *Kent* . .	45	Ab
Stallingborough, *Humb.* .	167	Ba
Stalling Busk, *N. Yorks.* . .	195	Ab
Stalmine, *Lancs.* . .	180	Cc
Stalybridge, *Gt. Man.* .	162	Ca
Stambourne, *Essex* .	77	Ba
Stamford, *Lincs.* . .	132	Cb
Stamford Bridge, *Humb.*. . .	186	Cb
Stamfordham, *N'land* .	220	Da
Stanborough, *Herts.* .	75	Bc
Stanbridge, *Beds.* .	94	Dc
Stanbury, *W. Yorks.* .	182	Dc
Standeford, *Staffs.* .	127	Ab
Standen, *Kent* . .	27	Aa
Standerwick, *Wilts.* .	51	Bc
Standford, *Hants.* .	40	Cb
Standish, *Glos.* . .	69	Ba
Standish, *Gt. Man.* .	170	Cc
Standlake, *Oxon.* .	72	Cb
Standon, *Hants.* . .	38	Db
Standon, *Herts.* . .	76	Cb
Standon, *Staffs.* . .	146	Dc
Standwell Green, *Suff.* . .	99	Aa
Stane, *Strath.* . .	250	Cc
Stanfield, *Norf.* . .	136	Cc
Stanford, *Beds.* . .	95	Ac
Stanford, *Kent* . .	28	Ca
Stanford, *Norf.* . .	118	Cb
Stanford Bishop, *Hf/Wor.* . .	108	Dc
Stanford Dingley, *Berks.* . .	54	Da
Stanford-in-the-Vale, *Oxon.* . .	72	Cc
Stanford-le-Hope, *Essex* . .	59	Ab
Stanford-on-Avon, *N'hants.* . .	112	Da
Stanford-on-Teme, *Hf/Wor.* . .	108	Db
Stanford Rivers, *Essex* . .	58	Da
Stanford-upon-Soar, *Notts.* . .	130	Ca
Stanghow, *Cleve.* .	199	Aa
Stanground, *Cambs.* .	115	Aa
Stanhoe, *Norf.* . .	135	Ba
Stanhope, *Dur.* . .	206	Ca
Stanion, *N'hants.* .	113	Ba
Stanley, *Derby.* . .	149	Bb
Stanley, *Dur.* . .	221	Bc
Stanley, *Staffs.* . .	146	Db
Stanley, *Tay.* . .	270	Cc
Stanley Pontlarge, *Glos.* . .	90	Cb
Stanmer, *W. Sus.* .	24	Db
Stanmore, *Gt. Lon.* .	57	Aa
Stanningfield, *Suff.* .	98	Cb
Stanningley, *W. Yorks.* .	173	Aa
Stannington, *N'land* .	221	Ba
Stannington, *S. Yorks.* .	173	Bc
Stansbatch, *Hf/Wor.* .	107	Ac
Stansfield, *Suff.* . .	98	Bb
Stanstead, *Suff.* . .	98	Cc
Stanstead Abbots, *Herts.* . .	76	Cc
Stansted, *Kent* . .	43	Ba
Stansted Mountfitchet, *Essex* . .	76	Db
Stanton, *Glos.* . .	90	Cb
Stanton, *Staffs.* . .	148	Cb
Stanton, *Suff.* . .	99	Aa
Stanton-by-Bridge, *Derby.* . .	149	Ac
Stanton-by-Dale, *Derby.*	149	Bb
Stanton Drew, *Avon* .	50	Db
Stanton Fitzwarren, *Wilts.* . .	71	Ac
Stanton Harcourt, *Oxon.* . .	72	Cb
Stanton Lacy, *Salop* .	107	Ba
Stanton Long, *Salop* .	126	Db
Stanton-in-Peak, *Derby.* . .	163	Ac
Stanton-on-the-Wolds, *Notts.* . .	150	Cc
Stanton Prior, *Avon* .	51	Ab
Stanton St. Bernard, *Wilts.* . .	52	Db
Stanton St. John, *Oxon.* . .	73	Ab
Stanton St. Quintin, *Wilts.* . .	70	Dc
Stanton-under-Bardon, *Leics.* . .	129	Bb
Stanton-upon-Hine Heath, *Salop* .	125	Bb
Stanton Wick, *Avon* .	50	Db
Stanwardine-in-the- Fields, *Salop* .	125	Ba
Stanway, *Essex* . .	78	Db
Stanway, *Glos.* . .	90	Cb
Stanwell, *Surr.* . .	56	Ca
Stanwellmoor, *Sur.* .	56	Da
Stanwick, *N'hants.* .	114	Cb
Stanwix, *Cumb.* . .	217	Cb

	PAGE	SQ.		PAGE	SQ.		PAGE	SQ.		PAGE	SQ.
Stapenhill, *Staffs.*	128	Da	Stinsford, *Dors.*	18	Cb	Stoke Talmage, *Oxon.*	73	Ab	Stragglethorpe,		
Staple, *Kent*	46	Cb	Stirchley, *Salop*	126	Cb	Stoke Trister, *Som.*	35	Bb	*Lincs.*	151	Ba
Staplefield, *W. Sus.*	24	Da	Stirling, *Cen.*	259	Ac	Stoke-upon-Tern,			Straiton, *Strath.*	224	Cb
Staple Fitzpaine, *Som.*	33	Bc	Stisted, *Essex*	78	Cb	*Salop*	145	Bc	Stramshall, *Staffs.*	147	Bc
Stapleford, *Cambs.*	96	Db	Stithians, *Corn.*	2	Db	Stoke-upon-Trent,			Strang, *I.O.M.*	190	Cb
Stapleford, *Herts.*	75	Bb	Stittenham, *N. Yorks.*	185	Ba	*Staffs.*	146	Db	Stranraer, *Dum/Gall.*	209	Aa
Stapleford, *Leics.*	131	Ba	Stixwould, *Lincs.*	153	Ab	Stoke Wake, *Dors.*	36	Cc	Strata Florida, *Dyfed*	102	Db
Stapleford, *Lincs.*	151	Ba	Stobo, *Bord.*	239	Bb	Stondon Massey, *Essex*	59	Aa	Stratfield Mortimer,		
Stapleford, *Notts.*	149	Bc	Stoborough, *Dors.*	18	Db	Stone, *Bucks.*	73	Ba	*Berks.*	55	Ab
Stapleford, *Wilts.*	37	Aa	Stock, *Avon*	50	Cb	Stone, *Glos.*	69	Ab	Stratfield Saye,		
Stapleford Abbots,			Stock, *Essex*	59	Ba	Stone, *Kent*	27	Ab	*Hants.*	55	Ab
Essex	58	Da	Stockbridge, *Hants.*	38	Cb	Stone, *Kent*	58	Dc	Stratfield Turgis,		
Stapleford Tawney,			Stockbury, *Kent*	44	Da	Stone, *N. Yorks.*	196	Cc	*Hants.*	55	Ab
Essex	58	Da	Stockcross, *Berks.*	54	Cb	Stone, *Staffs.*	146	Dc	Stratford-on-Avon,		
Staplegrove, *Som.*	33	Bb	Stockdalewath, *Cumb.*	203	Aa	Stone, *S. Yorks.*	164	Da	*Warks.*	91	Aa
Staplehurst, *Kent*	44	Da	Stockerston, *Leics.*	131	Bc	Stone Allerton, *Som.*	50	Cc	Stratford St. Andrew,		
Stapleton, *Avon*	50	Da	Stockingford, *Warks.*	129	Ac	Ston Easton, *Som.*	51	Ab	*Suff.*	100	Cb
Stapleton, *H/ Wor.*	107	Ab	Stocking Pelham,			Stonebridge, *Avon*	50	Cb	Stratford St. Mary,		
Stapleton, *Leics.*	129	Bc	*Herts.*	76	Da	Stonebridge, *E. Sus.*	25	Ba	*Suff.*	79	Ab
Stapleton, *Salop*	125	Ab	Stockland, *Dev.*	15	Ba	Stonebroom, *Derby.*	149	Ba	Stratford-sub-Castle,		
Stapleton, *Som.*	34	Dc	Stockland Bristol,			Stoneferry, *Humb.*	177	Bb	*Wilts.*	37	Ab
Star, *Dyfed*	83	Ab	*Som.*	33	Ba	Stonefield, *Strath.*	249	Ac	Stratford Tony,		
Star, *Som.*	50	Cb	Stockleigh English,			Stonegrave, *N. Yorks.*	192	Dc	*Wilts.*	37	Ab
Starbeck, *N. Yorks.*	184	Cb	*Dev.*	32	Cb	Stonehall, *H/ Wor.*	90	Ca	Strathaven, *Strath.*	237	Ba
Starbotton, *N. Yorks.*	195	Bc	Stockleigh Pomeroy,			Stonehaven, *Gramp.*	282	Db	Strathblane, *Cen.*	248	Da
Starcross, *Dev.*	14	Db	*Dev.*	32	Cc	Stonehenge, *Wilts.*	37	Aa	Strathcoul, *Highl.*	323	Bb
Stareton, *Warks.*	111	Ab	Stocklinch, *Som.*	34	Cc	Stone Hill, *Kent*	28	Ca	Strathkinness, *Fife*	262	Ca
Starston, *Norf.*	119	Bc	Stockport, *Gt. Man.*	162	Ca	Stonehouse, *Dev.*	8	Cc	Strathmiglo, *Fife*	261	Ab
Statham, *Ches.*	161	Aa	Stocks, *Dors.*	19	Bb	Stonehouse, *Glos.*	69	Ba	Strathpeffer, *Highl.*	300	Cb
Stathe, *Som.*	34	Cb	Stocksbridge, *S. Yorks.*	163	Ba	Stonehouse, *Strath.*	238	Ca	Strathy, *Highl.*	322	Ca
Stathern, *Leics.*	150	Dc	Stockton, *H/ Wor.*	107	Bc	Stoneleigh, *Warks.*	111	Ab	Strathyre, *Cen.*	258	Da
Statfold, *Dev.*	128	Db	Stockton, *Norf.*	120	Cb	Stonely, *Cambs.*	95	Aa	Stratton, *Corn.*	11	Ba
Staunton, *Glos.*	68	Da	Stockton, *Salop*	126	Dc	Stonesby, *Leics.*	131	Ba	Stratton, *Dors.*	17	Ba
Staunton, *H/ Wor.*	89	Bb	Stockton, *Warks.*	111	Bc	Stonesfield, *Oxon.*	72	Ca	Stratton, *Glos.*	70	Da
Staunton-in-the-Vale,			Stockton, *Wilts.*	36	Da	Stones Green, *Essex*	79	Bb	Stratton Audley,		
Notts.	151	Bb	Stockton-on-Tees,			Stone Street, *Suff.*	99	Ab	*Oxon.*	93	Ac
Staunton-on-Arrow,			*Cleve.*	208	Cc	Stonethwaite, *Cumb.*	202	Dc	Stratton-on-the-Fosse,		
H/ Wor.	107	Ac	Stockton-on-Teme,			Stoneyford, *Dev.*	15	Ac	*Som.*	51	Ac
Staunton-on-Wye,			*H/ Wor.*	108	Db	Stoneykirk, *Dum/Gall.*	209	Aa	Stratton St. Margaret,		
H/ Wor.	87	Ba	Stockton-on-the-Forest,			Stoney Middleton,			*Wilts.*	71	Ac
Staveley, *Cumb.*	192	Db	*N. Yorks.*	185	Bb	*Derby.*	163	Ab	Stratton St. Michael,		
Staveley, *Cumb.*	193	Ba	Stodmarsh, *Kent*	46	Cb	Stoney Royd, *W. Yorks.*	172	Da	*Norf.*	119	Ab
Staveley, *Derby.*	164	Cb	Stoer, *Highl.*	313	Ab	Stoney Stanton,			Stratton Strawless,		
Staveley, *N. Yorks.*	184	Ca	Stoford, *Som.*	35	Ac	*Leics.*	129	Bc	*Norf.*	137	Bb
Staverton, *Dev.*	10	Ca	Stoford, *Wilts.*	37	Aa	Stoney Stoke, *Som.*	35	Ba	Streat, *E. Sus.*	24	Db
Staverton, *Glos.*	90	Cc	Stogumber, *Som.*	33	Aa	Stoney Stratton,			Streatham, *Gt. Lon.*	57	Bc
Staverton, *N'hants.*	112	Cc	Stogursey, *Som.*	33	Ba	*Som.*	35	Ba	Streatley, *Beds.*	75	Aa
Staverton, *Wilts.*	52	Cb	Stoke, *Ches.*	160	Cc	Stoneywood, *Gramp.*	294	Cb	Streatley, *Berks.*	55	Aa
Stawell, *Som.*	34	Ca	Stoke, *Dev.*	29	Ac	Stonham Aspall, *Suff.*	99	Ab	Street, *Som.*	34	Da
Stawley, *Som.*	33	Ac	Stoke, *Hants.*	54	Cc	Stonor, *Oxon.*	73	Bc	Street Dinas, *Salop*	144	Cb
Staxigoe, *Highl.*	324	Dc	Stoke, *Kent*	60	Cc	Stonton Wyville,			Streetway, *Staffs.*	128	Cb
Staxton, *N. Yorks.*	187	Ba	Stoke, *W. Mid.*	111	Ba	*Leics.*	130	Dc	Street-on-the-Fosse,		
Staylittle, *Powys*	122	Db	Stoke Abbott, *Dors.*	16	Db	Stony Houghton,			*Som.*	35	Ba
Staynall, *Lancs.*	180	Cc	Stoke Albany, *N'hants.*	113	Ba	*Derby.*	164	Dc	Strefford, *Salop*	107	Ba
Staythorpe, *Notts.*	150	Da	Stoke Ash, *Suff.*	99	Aa	Stony Stratford,			Strelley, *Notts.*	149	Bb
Steane, *N'hants.*	92	Db	Stoke Bardolph,			*Bucks.*	93	Bb	Strensall, *N. Yorks.*	185	Ba
Stebbing, *Essex*	77	Bb	*Notts.*	150	Db	Stoodleigh, *Dev.*	32	Da	Stretcholt, *Som.*	34	Ca
Stechford, *W. Mid.*	128	Cc	Stoke Bliss, *H/ Wor.*	108	Cc	Stoop, *Dum/Gall.*	216	Ca	Strete, *Dev.*	10	Cb
Stedham, *W. Sus.*	40	Dc	Stoke Bruerne, *N'hants.*	93	Ba	Stopham, *W. Sus.*	23	Bb	Stretford, *Gt. Man.*	161	Ba
Steens Bridge, *H/ Wor.*	108	Cc	Stoke-by-Clare, *Suff.*	97	Bc	Stopsley, *Beds.*	75	Ab	Stretford, *H/ Wor.*	107	Bc
Steeple, *Dors.*	18	Db	Stoke-by-Nayland,			Storeton, *Mers.*	159	Bb	Strethall, *Essex*	96	Dc
Steeple, *Essex*	60	Ba	*Suff.*	78	Da	Storridge, *H/ Wor.*	89	Ba	Stretham, *Cambs.*	116	Dc
Steeple Ashton, *Wilts.*	52	Cb	Stoke Canon, *Dev.*	32	Dc	Storrington, *W. Sus.*	23	Bb	Stretton, *Ches.*	144	Da
Steeple Aston, *Oxon.*	92	Dc	Stoke Charity, *Hants.*	39	Aa	Storthwaite, *Humb.*	186	Cc	Stretton, *Ches.*	160	Db
Steeple Barton, *Oxon.*	92	Cc	Stoke Climsland,			Stotfield, *Gramp.*	303	Aa	Stretton, *Derby.*	149	Ba
Steeple Bumpstead,			*Corn.*	7	Ba	Stotfold, *Beds.*	75	Ba	Stretton, *Leics.*	132	Ca
Essex	97	Ac	Stoke D'Abernon,			Stottesden, *Salop*	108	Da	Stretton, *Staffs.*	127	Ab
Steeple Claydon,			*Sur.*	41	Ba	Stoughton, *Leics.*	130	Dc	Stretton, *Staffs.*	148	Dc
Bucks.	93	Ac	Stoke Doyle, *N'hants.*	114	Ca	Stoughton, *Sur.*	41	Ab	Stretton-en-le-Field,		
Steeple Gidding,			Stoke Dry, *Leics.*	131	Bc	Stoughton, *W. Sus.*	22	Da	*Leics.*	129	Ab
Cambs.	114	Da	Stoke Edith, *H/ Wor.*	88	Da	Stoul, *Highl.*	273	Ba	Stretton Grandison,		
Steeple Langford,			Stokeferry, *Norf.*	117	Aa	Stoulton, *H/ Wor.*	90	Ca	*H/ Wor.*	88	Da
Wilts.	37	Aa	Stoke Fleming, *Dev.*	10	Db	Stourbridge, *W. Mid.*	109	Ba	Stretton Heath,		
Steeple Morden,			Stokeford, *Dors.*	18	Db	Stourhead, *Wilts.*	36	Ba	*Salop*	124	Db
Cambs.	95	Bc	Stoke Gabriel, *Dev.*	10	Ca	Stourmouth, *Kent*	46	Cb	Stretton-on-Dunsmore,		
Steeton, *W. Yorks.*	182	Dc	Stoke Gifford, *Avon*	68	Dc	Stourpaine, *Dors.*	36	Cc	*Warks.*	111	Bb
Stemster, *Highl.*	323	Bb	Stoke Golding, *Leics.*	129	Bc	Stourport, *H/ Wor.*	109	Ab	Stretton-on-Fosse,		
Stenton, *Loth.*	253	Ab	Stoke Goldington,			Stour Provost, *Dors.*	36	Cb	*Warks.*	91	Ab
Stepaside, *Dyfed.*	62	Db	*Bucks.*	94	Ca	Stour Row, *Dors.*	36	Cb	Stretton Sugwas,		
Stepney, *Gt. Lon.*	58	Cb	Stokeham, *Notts.*	165	Bb	Stourton, *Warks.*	91	Bb	*H/ Wor.*	88	Ca
Steppingley, *Beds.*	94	Db	Stoke Hammond,			Stourton, *W. Yorks.*	173	Ba	Stretton-under-Fosse,		
Stepps, *Strath.*	249	Ab	*Bucks.*	94	Cb	Stourton, *Wilts.*	36	Ba	*Warks.*	111	Ba
Sternfield, *Suff.*	100	Cb	Stoke Heath, *Salop*	145	Bc	Stourton Caundle,			Strichen, *Gramp.*	306	Cb
Stert, *Wilts.*	52	Bb	Stoke Holy Cross,			*Dors.*	35	Bb	Strines, *Gt. Man.*	162	Ca
Stetchworth, *Cambs.*	97	Ab	*Norf.*	119	Ba	Stoven, *Suff.*	120	Cc	Strixton, *N'hants.*	113	Bc
Stevenage, *Herts.*	75	Ba	Stokeinteignhead,			Stow, *Bord.*	241	Aa	Stroat, *Glos.*	68	Db
Stevenston, *Strath.*	235	Bb	*Dev.*	14	Dc	Stow, *Lincs.*	166	Cb	Stromeferry, *Highl.*	286	Ca
Steventon, *Hants.*	54	Dc	Stoke Lacy, *H/ Wor.*	88	Da	Stow, *Salop*	107	Ba	Stronachlachar, *Cen.*	257	Bb
Steventon, *Oxon.*	72	Dc	Stoke Lyne, *Oxon.*	92	Dc	Stow Bardolph, *Norf.*	117	Aa	Strone, *Highl.*	288	Da
Stevington, *Beds.*	94	Da	Stoke Mandeville,			Stow Bedon, *Norf.*	118	Cc	Strone, *Strath.*	247	Aa
Stewarton, *Strath.*	236	Da	*Bucks.*	74	Ca	Stowbridge, *Norf.*	116	Da	Strontian, *Highl.*	265	Aa
Stewkley, *Bucks.*	94	Cc	Stokenchurch, *Bucks.*	73	Bb	Stow-cum-Quy,			Strood, *Kent*	59	Bc
Stewton, *Lincs.*	168	Cc	Stokenham, *Dev.*	10	Cb	*Cambs.*	96	Db	Stroud, *Glos.*	70	Ca
Steyning, *W. Sus.*	24	Cb	Stoke Orchard, *Glos.*	90	Cb	Stowe, *Staffs.*	147	Bc	Stroxton, *Lincs.*	151	Bc
Steynton, *Dyfed*	61	Bb	Stoke Pero, *Som.*	47	Bb	Stowe, *Staffs.*	128	Cb	Struan, *Highl.*	278	Cc
Stibbard, *Norf.*	136	Db	Stoke Poges, *Bucks.*	56	Da	Stowell, *Glos.*	70	Da	Strubby, *Lincs.*	168	Dc
Stibbington, *Cambs.*	132	Dc	Stoke Prior, *H/ Wor.*	107	Bc	Stowell, *Som.*	35	Bb	Strumpshaw, *Norf.*	120	Ca
Stichill, *Bord.*	242	Cb	Stoke Priors, *H/ Wor.*	109	Bb	Stowey, *Avon*	50	Cb	Struy, *Highl.*	299	Bc
Sticker, *Corn.*	6	Cc	Stoke Rivers, *Dev.*	30	Db	Stowford, *Dev.*	11	Aa	Stuartfield, *Gramp.*	306	Cb
Stickford, *Lincs.*	154	Cb	Stoke Rochford,			Stowlangtoft, *Suff.*	98	Da	Stubbin, *S. Yorks.*	164	Ca
Sticklepath, *Dev.*	13	Aa	*Lincs.*	151	Bc	Stow Maries, *Essex*	60	Ba	Stubbington, *Hants.*	21	Ba
Sticklinch, *Som.*	35	Aa	Stoke Row, *Oxon.*	55	Aa	Stowmarket, *Suff.*	98	Db	Stubbins, *Lancs.*	171	Ab
Stickney, *Lincs.*	153	Bb	Stoke St. Gregory,			Stow-on-the-Wold,			Stubbs, *N. Yorks.*	175	Bb
Stidd, *Lancs.*	181	Aa	*Som.*	34	Cb	*Glos.*	91	Ac	Stubhampton, *Dors.*	36	Dc
Stiffkey, *Norf.*	136	Da	Stoke St. Mary,			Stowting, *Kent*	28	Ca	Stubton, *Lincs.*	151	Ab
Stifford, *Essex*	59	Ab	*Som.*	33	Bc	Stowupland, *Suff.*	99	Ab	Studham, *Beds.*	74	Da
Stillingfleet, *N. Yorks.*	185	Bc	Stoke St. Milborough,			Strachan, *Gramp.*	281	Ba	Studland, *Dors.*	19	Ac
Stillington, *Dur.*	207	Bb	*Salop*	108	Ca	Strachur, *Strath.*	256	Dc	Studley, *Oxon.*	73	Aa
Stillington, *N. Yorks.*	185	Aa	Stokesay, *Salop*	107	Ba	Stradbroke, *Suff.*	99	Bb	Studley, *Warks.*	110	Cb
Stilton, *Cambs.*	114	Da	Stokesby, *Norf.*	120	Ca	Stradishall, *Suff.*	97	Bb	Studley, *Wilts.*	52	Ca
Stinchcombe, *Glos.*	69	Ab	Stokesley, *N. Yorks.*	197	Ba	Stradsett, *Norf.*	117	Aa	Stuntney, *Cambs.*	116	Dc

	PAGE	SQ.
Sturmer, Essex	97	Bc
Sturminster Marshall, Dors.	19	Aa
Sturminster Newton, Dors.	36	Ba
Sturton, Humb.	176	Dc
Sturton, Lincs.	166	Cb
Sturton-le-Steeple, Notts.	165	Bb
Sturry, Kent	46	Cb
Stuston, Suff.	99	Aa
Stutton, Suff.	79	Ba
Styrrup, Notts.	164	Da
Suckley, Hf/Wor.	108	Dc
Sudborough, N'hants.	114	Ca
Sudbourne, Suff.	100	Cc
Sudbrook, Gwent	68	Dc
Sudbrook, Lincs.	152	Cb
Sudbrooke, Lincs.	166	Bb
Sudbury, Derby.	148	Cc
Sudbury, Gt. Lon.	57	Ab
Sudbury, Suff.	98	Cc
Suffield, Norf.	137	Bb
Suffield, N. Yorks.	200	Dc
Sugnall, Staffs.	146	Cc
Sulby, I.O.M.	189	Bb
Sulgrave, N'hants.	92	Da
Sulham, Berks.	55	Aa
Sulhampstead Abbots, Berks.	55	Ab
Sulhampstead Bannister, Berks.	55	Ab
Sullington, W. Sus.	23	Bb
Sully, S. Glam.	49	Aa
Summer Bridge, N. Yorks.	183	Ba
Summercourt, Corn.	5	Bc
Summerhill, Gramp.	294	Cb
Summerhouse, Dur.	206	Dc
Summertown, Oxon.	72	Da
Summit, Gt. Man.	172	Cb
Sunbury, Sur.	57	Ac
Sunderland, Cumb.	202	Ca
Sunderland, Ty/We.	222	Dc
Sunderland Bridge, Dur.	207	Aa
Sundon, Beds.	94	Dc
Sundridge, Kent	43	Aa
Sunk Island, Humb.	178	Cc
Sunninghill, Berks.	56	Cb
Sunningwell, Oxon.	72	Db
Sunniside, Dur.	206	Da
Sunny Brow, Dur.	206	Da
Sunton, Wilts.	53	Bc
Surbiton, Gt. Lon.	57	Ac
Surfleet, Lincs.	133	Bb
Surfleet Seas End, Lincs.	133	Bb
Surlingham, Norf.	119	Ba
Sustead, Norf.	137	Ba
Susworth, Lincs..	176	Cc
Sutcombe, Dev.	12	Ca
Sutterby, Lincs.	154	Ca
Sutterton, Lincs..	133	Ba
Sutton, Beds.	95	Bc
Sutton, Cambs.	116	Cc
Sutton, Ches.	160	Db
Sutton, Essex	60	Cb
Sutton, Gt. Lon.	57	Ab
Sutton, Gt. Lon.	42	Ca
Sutton, Gt. Man.	160	Ca
Sutton, Humb.	177	Bb
Sutton, Kent	46	Dc
Sutton, Norf.	138	Cb
Sutton, N'hants..	132	Dc
Sutton, N. Yorks.	174	Ca
Sutton, Notts.	165	Ab
Sutton, Notts.	150	Dc
Sutton, Oxon.	72	Cb
Sutton, Salop	125	Bb
Sutton, Som.	35	Aa
Sutton, S. Yorks.	174	Db
Sutton, Staffs.	126	Da
Sutton, Suff	80	Ca
Sutton, W. Sus.	23	Ab
Sutton-at-Hone, Kent	58	Dc
Sutton Bassett, N'hants.	113	Aa
Sutton Benger, Wilts.	70	Cc
Sutton Bingham, Som.	35	Ac
Sutton Bonington, Notts.	130	Ca
Sutton Bridge, Lincs.	134	Db
Sutton Cheney, Leics.	129	Bc
Sutton Coldfield, W. Mid.	128	Cc
Sutton Courtenay, Oxon.	72	Dc
Sutton Crosses, Lincs.	134	Cb
Sutton Forest Side, Notts.	149	Ba
Sutton Grange, N. Yorks.	196	Dc
Sutton-in-Ashfield, Notts.	149	Ba
Sutton-in-the-Elms, Leics.	130	Cc
Sutton-le-Marsh, Lincs.	154	Da
Sutton Maddock, Salop	126	Db
Sutton Mallett, Som.	34	Cb
Sutton Mandeville, Wilts.	36	Db
Sutton Marsh, Hf/Wor.	88	Da
Sutton Mill, N. Yorks.	182	Dc
Sutton Montis, Som.	35	Bb
Sutton-on-Sea, Lincs.	168	Dc
Sutton-on-the-Forest, N. Yorks.	185	Ba
Sutton-on-the-Hill, Derby..	148	Dc
Sutton Poyntz, Dors.	18	Cb
Sutton St. Edmund, Lincs.	134	Cc
Sutton St. James, Lincs.	134	Cc
Sutton St. Nicholas, Hf/Wor.	88	Da
Sutton Scotney, Hants.	38	Da
Sutton-upon-Brailes, Warks.	91	Bb
Sutton-upon-Derwent, Humb..	186	Cc
Sutton-upon-Trent, Notts.	165	Bc
Sutton Valence, Kent	44	Db
Sutton Veny, Wilts.	52	Cc
Sutton Waldron, Dors.	36	Cc
Sutton Wick, Avon	50	Db
Sutton Wick, Oxon.	72	Db
Swaby, Lincs.	154	Ca
Swadlincote, Derby.	129	Aa
Swaffham, Norf.	117	Ba
Swaffham Bulbeck, Cambs.	96	Da
Swaffham Prior, Cambs.	96	Da
Swafield, Norf.	137	Bb
Swainby, N. Yorks.	197	Ba
Swainsthorpe, Norf.	119	Ba
Swainswick, Avon	51	Ba
Swalcliffe, Oxon..	92	Cb
Swalecliffe, Kent	45	Ba
Swallow, Lincs.	167	Aa
Swallowcliffe, Wilts.	36	Db
Swallowfield, Berks.	55	Bb
Swallow Nest, S. Yorks.	164	Cb
Swalwell, Ty/We.	221	Bb
Swampton, Hants.	54	Cc
Swanage, Dors.	19	Ac
Swanbourne, Bucks.	93	Bc
Swan Green, Ches.	161	Ab
Swanington, Norf.	137	Ac
Swanland, Humb.	176	Da
Swanley, Kent	58	Dc
Swannington, Leics.	129	Ba
Swanscombe, Kent	59	Ac
Swansea, W. Glam.	64	Dc
Swan Street, Essex	78	Ca
Swanton Abbot, Norf.	137	Bb
Swanton Morley, Norf.	136	Dc
Swanton Novers, Norf.	136	Db
Swanton Street, Kent	44	Bb
Swanwick, Derby.	149	Ba
Swanwick, Hants.	21	Aa
Swarby, Lincs.	152	Ca
Swardeston, Norf.	119	Aa
Swarkestone, Derby.	149	Ac
Swarland, N'land	232	Cb
Swarraton, Hants.	39	Aa
Swaton, Lincs.	133	Aa
Swavesey, Cambs.	96	Ca
Sway, Hants.	20	Cb
Swayfield, Lincs..	132	Ca
Sweeney, Salop	124	Da
Swefling, Suff.	100	Cb
Swell, Som.	34	Cc
Swepstone, Leics.	129	Ab
Swerford, Oxon..	92	Cc
Swettenham, Ches.	161	Bc
Swilland, Suff.	99	Bc
Swillington, W. Yorks.	174	Ca
Swimbridge, Dev.	30	Db
Swimbridge Newland, Dev.	30	Db
Swinbrook, Oxon.	71	Ba
Swincliffe, N. Yorks.	184	Cb
Swinderby, Lincs.	151	Ba
Swindon, Glos.	90	Cc
Swindon, Staffs..	127	Ac
Swindon, Wilts.	71	Ac
Swine, Humb.	177	Bb
Swinefleet, Humb.	175	Bb
Swineshead, Beds.	114	Cc
Swineshead, Lincs.	133	Ba
Swineside, Cumb.	202	Db
Swinford, Leics.	112	Ca
Swinford, Oxon..	72	Ca
Swingfield, Kent	28	Da
Swinhoe, N'land	244	Dc
Swinhope, Lincs.	167	Bb
Swinithwaite, N. Yorks.	195	Bb
Swinscoe, Staffs..	148	Cb
Swinstead, Lincs.	132	Ca
Swinthorpe, Lincs.	166	Db
Swinton, Bord.	242	Da
Swinton, Gt. Man.	171	Ac
Swinton, N. Yorks.	196	Dc
Swinton, N. Yorks.	198	Dc
Swinton, S. Yorks.	174	Cc
Swithland, Leics.	130	Cb
Swordly, Highl.	321	Ba
Swyncombe, Oxon.	73	Ac
Swynnerton, Staffs.	146	Dc
Swyre, Dors.	17	Ab
Syde, Glos.	70	Ca
Sydenham, Gt. Lon.	58	Cc
Sydenham, Oxon.	73	Bb
Sydenham Dameral, Dev.	8	Ca
Syderstone, Norf.	136	Cb
Sydling St. Nicholas, Dors.	17	Ba
Sydmonton, Hants.	54	Dc
Syerston, Notts.	150	Db
Sykehouse, S. Yorks.	175	Ab
Syleham, Suff.	99	Ba
Symington, Strath.	236	Cb
Symington, Strath.	239	Ab
Symondsbury, Dors.	16	Db
Symond's Yat, Hf/Wor.	88	Dc
Synod, Dyfed	83	Ba
Syreford, Glos.	90	Dc
Syresham, N'hants.	93	Ab
Syston, Leics.	130	Db
Syston, Lincs.	152	Cb
Sytchampton, Hf/Wor.	109	Ab
Sywell, N'hants.	113	Bb
TACKLEY, Oxon.	92	Dc
Tacolneston, Norf.	119	Ab
Tadcaster, N. Yorks.	184	Dc
Taddington, Derby.	163	Ac
Tadley, Hants.	55	Ab
Tadlow, Cambs.	95	Bc
Tadmarton, Oxon.	92	Cb
Tadwick, Avon	51	Ba
Tadworth, Sur.	42	Ca
Tafolwern, Powys	122	Db
Taibach, W. Glam.	65	Ba
Tain, Highl.	312	Cc
Tair Bull, Powys	86	Ca
Tai-yr-ysgol, W. Glam.	65	Aa
Takeley, Essex	76	Db
Talachddu, Powys	104	Dc
Talaton, Dev.	15	Ab
Talbenny, Dyfed	61	Bb
Talbot Green, M. Glam.	66	Db
Talbot Village, Dors.	19	Bb
Talerddig, Powys	122	Db
Talgarreg, Dyfed	83	Ba
Talgarth, Powys	87	Ab
Talisker, Highl.	283	Ba
Talke, Staffs.	146	Da
Talkin, Cumb.	218	Cc
Talland, Corn.	7	Ac
Tallern Green, Clwyd	144	Db
Tallington, Lincs.	132	Db
Talog, Dyfed	83	Bc
Talsarnau, Gwyn.	140	Db
Talwrn, Gwyn.	156	Cb
Talybont, Dyfed	121	Bc
Talybont, Powys	86	Da
Tal-y-llyn, Gwyn.	122	Ca
Tal-y-sarn, Gwyn.	140	Ca
Tamerton Foliott, Dev.	8	Ca
Tamworth, Staffs.	128	Db
Tamworth Green, Lincs.	134	Ca
Tandridge, Sur.	42	Db
Tanfield, Dur.	221	Bc
Tangley, Hants.	53	Bc
Tangmere, W. Sus.	23	Ac
Tankersley, S. Yorks.	173	Bc
Tannadice, Tay.	271	Ba
Tannington, Suff.	99	Bb
Tansley, Derby.	148	Da
Tansley Knoll, Derby.	148	Da
Tansor, N'hants..	114	Ca
Tantobie, Dur.	221	Bc
Tanvats, Lincs.	153	Ab
Tanworth, Warks.	110	Cb
Tanworth-in-Arden, Warks.	110	Cb
Tan-y-grisiau, Gwyn.	141	Ba
Taplow, Bucks.	56	Ca
Tarbert, Strath.	245	Bc
Tarbert, Strath.	257	Bb
Tarbolton, Strath.	236	Dc
Tarbrax, Highl.	250	Dc
Tarland, Gramp.	292	Dc
Tarleton, Lancs.	169	Bb
Tarlton, Glos.	70	Cb
Tarnock, Som.	50	Cc
Tarporley, Ches.	160	Dc
Tarrant Crawford, Dors.	18	Da
Tarrant Gunville, Dors.	36	Dc
Tarrant Hinton, Dors.	19	Aa
Tarrant Keynston, Dors.	18	Da
Tarrant Launceston, Dors.	19	Aa
Tarrant Monkton, Dors.	19	Aa
Tarrant Rawston, Dors.	19	Aa
Tarrant Rushton, Dors.	19	Aa
Tarring Neville, E. Sus.	25	Ac
Tarrington, Hf/Wor.	88	Da
Tarskavaig, Highl.	284	Dc
Tarves, Gramp.	294	Ca
Tarvin, Ches.	160	Cc
Tasburgh, Norf.	119	Ab
Tasley, Salop	126	Cc
Taston, Oxon.	92	Cc
Tatenhill, Staffs.	128	Da
Tatham, Lancs.	181	Aa
Tathwell, Lincs.	167	Bc
Tatsfield, Sur.	42	Da
Tattenhall, Ches.	145	Aa
Tatterford, Norf.	136	Cb
Tattersett, Norf.	136	Cb
Tattershall, Lincs.	153	Ab
Tattershall Bridge, Lincs.	153	Ab
Tattershall Thorpe, Lincs.	153	Ab
Tattingstone, Suff.	79	Ba
Taunton, Som.	33	Bb
Tavelty, Gramp.	293	Bb
Taverham, Norf.	137	Ac
Tavistock, Dev.	8	Ca
Tawstock, Dev.	30	Cb
Taxal, Derby.	162	Cb
Tayinloan, Strath.	233	Aa
Taynton, Glos.	89	Bc
Taynton, Oxon.	71	Ba
Taynuilt, Strath..	265	Bc
Taypult, Fife	271	Bc
Tayvallich, Strath.	245	Aa
Tealby, Lincs.	167	Ab
Tebay, Cumb.	194	Ca
Tebworth, Beds.	94	Dc
Tedburn St. Mary, Dev.	14	Ca
Teddington, Gt. Lon.	57	Ac
Teddington, Hf/Wor.	90	Cb
Tedstone Delamere, Hf/Wor.	108	Dc
Tedstone Wafer, Hf/Wor.	108	Dc
Teeton, N'hants.	112	Db
Teffont Evias, Wilts.	36	Da
Teffont Magna, Wilts.	36	Da
Teigh, Leics.	131	Ba
Teigncombe, Dev.	13	Ba
Teigngrace, Dev.	14	Cb
Teignmouth, Dev.	14	Db
Tellisford, Wilts.	51	Bb
Telscombe, E. Sus.	25	Ac
Temple, Corn.	6	Da
Temple, Loth.	252	Cc
Temple Bar, Dyfed	84	Ca
Temple Cloud, Avon	51	Ab
Temple Combe, Som.	35	Bb
Temple Grafton, Warks.	91	Aa
Temple Guiting, Glos.	90	Db
Temple Hirst, N. Yorks.	174	Da
Temple Normanton, Derby.	164	Cc
Temple Sowerby, Cumb.	204	Cb
Templeton, Dev.	32	Cb
Templeton, Dyfed	62	Db
Tempsford, Beds.	95	Ab
Tenbury, Hf/Wor.	108	Cb
Tenby, Dyfed	62	Db
Tendring, Essex	79	Bb
Tendring Green, Essex	79	Bb

	PAGE	SQ.
Ten Mile Bank,		
Norf.	116	Db
Tenterden, Kent .	27	Aa
Terling, Essex	77	Bb
Terregles, Dum/Gall.	215	Db
Terrington, N. Yorks.	185	Ba
Terrington St. Clement,		
Norf.	134	Db
Terrington St. John,		
Norf.	134	Dc
Terwick, W. Sus.	40	Cb
Teston, Kent	44	Cb
Tetbury, Glos.	70	Cb
Tetbury Upton,		
Glos.	70	Cb
Tetchill, Salop	144	Dc
Tetcott, Dev.	12	Cb
Tetford, Lincs.	153	Ba
Tetney, Lincs.	167	Bb
Tetsworth, Oxon.	73	Ab
Tettenhall, Staffs.	127	Ab
Tettenhall Wood,		
W. Mid.	127	Ac
Tetworth, Cambs.	95	Bb
Teversall, Notts.	149	Ba
Teversham, Cambs.	96	Db
Teviothead, Bord.	228	Da
Tewin, Herts.	75	Bb
Tewkesbury, Glos.	90	Cb
Teynham, Kent	45	Aa
Thakeham, W. Sus.	23	Bb
Thame, Oxon.	73	Bb
Thames Ditton, Sur.	57	Ac
Thanington, Kent	45	Bb
Thankerton, Strath.	238	Db
Tharston, Norf.	119	Ab
Thatcham, Berks.	54	Db
Thaxted, Essex	77	Aa
Theakston, N. Yorks.	196	Bb
Thealby, Humb.	176	Cb
Theale, Berks.	55	Ab
Theale, Som.	34	Da
Thearne, Humb.	177	Bb
Theberton, Suff.	100	Db
The Cleaver, Hf/Wor.	88	Db
Theddingworth, Leics.	112	Da
Theddlethorpe All		
Saints, Lincs.	168	Dc
Theddlethorpe St.		
Helen, Lincs.	168	Dc
The Hill, Cumb.	192	Cc
The Hollies, Staffs.	126	Da
The Hyde, Gt. Lon.	57	Ba
The Knolls, Salop	124	Dc
Thelbridge, Dev. .	32	Cb
The Lee, Bucks. .	74	Cb
The Lings, S. Yorks.	175	Ac
The Linleys, Wilts.	52	Ca
Thelnetham, Suff.	118	Dc
Thelveton, Norf.	119	Ac
Thelwall, Ches.	160	Da
Themelthorpe, Norf.	136	Db
Thenford, N'hants.	92	Db
Therfield, Herts.	76	Ca
The Spa, Wilts.	52	Cb
Thetford, Norf.	118	Cc
Theydon Bois,		
Essex	58	Da
Theydon Garnon,		
Essex	58	Da
Theydon Mount,		
Essex	58	Da
Thickwood, Wilts.	51	Ba
Thimbleby, Lincs.	153	Ba
Thimbleby, N. Yorks.	197	Bc
Thirkleby, N. Yorks.	197	Bc
Thirlby, N. Yorks.	197	Bb
Thirn, N. Yorks. .	196	Db
Thirsk, N. Yorks.	197	Bc
Thirston, N'land	232	Cb
Thirtleby, Humb.	177	Bb
Thistleton, Lancs.	180	Cc
Thistleton, Leics.	131	Ba
Thixendale, N. Yorks.	186	Da
Thockrington, N'land	220	Ca
Tholthorpe, N. Yorks.	184	Da
Thomas Chapel,		
Dyfed .	62	Db
Thompson, Norf.	118	Cb
Thongs Bridge,		
W. Yorks.	172	Dc
Thoralby, N. Yorks.	195	Bb
Thoresway, Lincs.	167	Ab
Thorganby, Lincs.	167	Bb
Thorganby, N. Yorks.	185	Bc
Thorington, Suff.	100	Da
Thorlby, N. Yorks.	182	Db
Thorley, Herts.	76	Db
Thorley, Hants. .	20	Db
Thormanby, N. Yorks.	197	Bc
Thornaby, Cleve.	208	Cc
Thornaby-on-Tees,		
Cleve. .	208	Cc
Thornage, Norf. .	136	Da
Thornborough, Bucks.	93	Bb
Thornbrough, N. Yorks.	196	Dc
Thornbury, Avon	69	Ab
Thornbury, Dev. .	12	Ca
Thornbury, Hf/Wor.	108	Cc
Thornby, N'hants.	112	Db
Thorncliff, Staffs.	147	Ba

	PAGE	SQ.
Thorncombe, Dors.	16	Ca
Thorndon, Dev. .	12	Dc
Thorndon, Suff. .	99	Aa
Thorne, Som.	34	Dc
Thorne, S. Yorks.	175	Ab
Thorner, W. Yorks.	184	Dc
Thorney, Cambs.	115	Ba
Thorney, Notts.	165	Bc
Thorney, Som.	34	Dc
Thorn Falcon, Som.	33	Bc
Thornford, Dors.	35	Ac
Thorngumbald,		
Humb. .	178	Cc
Thorngrove, Som.	34	Cb
Thornham, Kent .	44	Ca
Thornham, Norf.	135	Ad
Thornham Magna,		
Suff. .	99	Aa
Thornham Parva,		
Suff. .	99	Aa
Thornhaugh, Cambs.	132	Dc
Thornhill, Cen.	258	Dc
Thornhill, Derby.	163	Ab
Thornhill, Dum/Gall.	226	Db
Thornhill, M. Glam.	67	Ac
Thornhill, W. Yorks.	173	Bb
Thornhill Edge,		
W. Yorks.	173	Bb
Thornhill Lees,		
W. Yorks.	173	Bb
Thornholme, Humb.	188	Cb
Thornington, N'land	243	Ab
Thornley, Dur. .	207	Ba
Thornley, Dur. .	206	Da
Thornliebank, Strath.	248	Dc
Thornsett, Derby.	162	Ca
Thornthwaite, Cumb.	202	Cb
Thornthwaite,		
N. Yorks.	183	Bb
Thornton, Bucks.	93	Bb
Thornton, Gt. Man.	169	Ac
Thornton, Humb.	186	Cc
Thornton, Lancs.	179	Bc
Thornton, Leics.	129	Bb
Thornton, Lincs.	153	Ba
Thornton, W. Yorks.	172	Da
Thornton Curtis,		
Humb. .	177	Bc
Thornton Dale,		
N. Yorks.	187	Aa
Thornton in Craven,		
N. Yorks.	182	Cb
Thornton-in-		
Lonsdale, N. Yorks.	194	Cc
Thornton-le-Beans,		
N. Yorks.	197	Ab
Thornton-le-Clay,		
N. Yorks.	185	Ba
Thornton-le-Fen,		
Lincs. .	153	Bc
Thornton-le-Moor,		
Lincs. .	166	Da
Thornton-le-Moor,		
N. Yorks.	197	Ab
Thornton-le-Moors,		
Ches. .	160	Cb
Thornton-le-Street,		
N. Yorks.	197	Ab
Thornton Rust,		
N. Yorks.	195	Bb
Thornton Steward,		
N. Yorks.	196	Cb
Thornton Watlass,		
N. Yorks.	196	Db
Thoroton, Notts.	150	Db
Thorp Arch, N. Yorks.	184	Dc
Thorpe, Derby.	148	Ca
Thorpe, Humb. .	177	Aa
Thorpe, Lincs.	168	Dc
Thorpe, N. Yorks.	182	Da
Thorpe, Sur.	56	Db
Thorpe Abbotts,		
Norf. .	99	Ba
Thorpe Acre, Leics.	130	Ca
Thorpe Arnold,		
Leics. .	131	Aa
Thorpe Audlin,		
W. Yorks.	174	Db
Thorpe Bassett,		
N. Yorks.	187	Ab
Thorpe-by-Water,		
Leics. .	131	Bc
Thorpe Constantine,		
Staffs. .	128	Db
Thorpe Culvert,		
Lincs. .	154	Cb
Thorpe Hesley,		
S. Yorks.	164	Ca
Thorpe-in-Balne,		
S. Yorks.	174	Dc
Thorpe-in-the-		
Fallows, Lincs.	166	Cb
Thorpe Langton,		
Leics. .	131	Ac
Thorpe-le-Soken,		
Essex .	79	Bc
Thorpe-le-Street,		
Humb. .	186	Cc
Thorpe Malsor,		
N'hants.	113	Ba

	PAGE	SQ.
Thorpe Mandeville,		
N'hants.	92	Da
Thorpe Market,		
Norf. .	137	Ba
Thorpe Morieux,		
Suff. .	98	Cb
Thorpe-next-Norwich,		
Norf. .	119	Ba
Thorpe-on-the-Hill,		
Lincs. .	166	Cc
Thorpe-on-the-Hill,		
W. Yorks.	173	Ba
Thorpe Row,		
Norf. .	118	Ca
Thorpe St. Peter,		
Lincs. .	154	Db
Thorpe Salvin,		
S. Yorks.	164	Db
Thorpe Satchville,		
Leics. .	130	Db
Thorpe Stapleton,		
W. Yorks.	173	Ba
Thorpe Thewles,		
Cleve. .	207	Bb
Thorpe Tilney,		
Lincs. .	152	Da
Thorpe Willoughby,		
N. Yorks.	174	Da
Thorrington, Essex	79	Ac
Thorverton, Dev.	32	Dc
Thrandeston, Suff.	99	Aa
Thrapston, N'hants.	114	Cb
Threapwood, Clwyd	144	Db
Threapland, Cumb.	182	Da
Threekingham, Lincs.	152	Dc
Three Bridges,		
W. Sus.	42	Cc
Threemile Cross,		
Berks. .	55	Bb
Threlkeld, Cumb.	202	Bb
Threshfield, N. Yorks.	182	Da
Threxton, Norf. .	118	Ca
Thrigby, Norf. .	120	Da
Thringstone, Leics.	129	Ba
Thrintoft, N. Yorks.	197	Ab
Thriplow, Cambs.	96	Cc
Throapham, S. Yorks.	164	Da
Throcking, Herts.	76	Ca
Throckmorton, Hf/Wor.	90	Ca
Thropton, N'land	231	Bb
Througham, Glos.	70	Ca
Throwleigh, Dev.	13	Ba
Throwley, Kent .	45	Ab
Thrumpton, Notts.	149	Bc
Thrunton, N'land	231	Ba
Thrupp, Oxon. .	70	Ca
Thruscross, N. Yorks.	183	Bb
Thrushelton, Dev.	12	Dc
Thrussington, Leics.	130	Da
Thruxton, Hants.	38	Ca
Thruxton, Hf/Wor.	88	Cb
Thrybergh, S. Yorks.	164	Ca
Thulston, Derby.	149	Bc
Thundersley, Essex	59	Bb
Thundridge, Herts.	76	Cb
Thurcaston, Leics.	130	Cb
Thurcroft, S. Yorks.	164	Da
Thurgarton, Norf.	137	Ba
Thurgarton, Notts.	150	Db
Thurgoland, S. Yorks.	173	Bc
Thurlaston, Leics.	130	Cc
Thurlaston, Warks.	111	Bb
Thurlbear, Som.	33	Bc
Thurlby, Lincs.	151	Ba
Thurlby, Lincs.	132	Da
Thurleigh, Beds. .	114	Cc
Thurlestone, Dev.	9	Bb
Thurloxton, Som.	33	Bb
Thurlstone, S. Yorks.	173	Ac
Thurlton, Norf. .	120	Cb
Thurmaston, Leics.	130	Cb
Thurnby, Leics. .	130	Db
Thurne, Norf. .	138	Cc
Thurning, Norf. .	137	Ab
Thurning, N'hants.	114	Da
Thurnscoe, S. Yorks.	174	Cc
Thursby, Cumb. .	217	Bc
Thursford, Norf. .	136	Db
Thursley, Sur. .	40	Da
Thurso, Highl. .	323	Ba
Thurstaston, Mers.	159	Ab
Thurston, Suff. .	98	Ca
Thurstonfield, Cumb.	217	Bc
Thurstonland, S. Yorks.	172	Dc
Thurton, Norf. .	119	Ba
Thurvaston, Derby.	148	Db
Thuxton, Norf. .	118	Da
Thwaite, N. Yorks.	195	Aa
Thwaite, Suff. .	99	Aa
Thwaite St. Mary,		
Norf. .	119	Bb
Thwaites, W. Yorks.	183	Ac
Thwing, Humb. .	188	Cb
Tibbermore, Tay.	260	Ca
Tibberton, Glos. .	89	Bc
Tibberton, Hf/Wor.	109	Bc
Tibberton, Salop.	126	Ca
Tibenham, Norf. .	119	Ab
Tibshelf, Derby. .	149	Ba
Tibthorpe, Humb.	187	Bc
Ticehurst, E. Sus.	26	Ca
Tickborne, Hants.	39	Ab

	PAGE	SQ.
Tickencote, Leics.	132	Cb
Tickenham, Avon	50	Ca
Tickhill, S. Yorks.	164	Da
Ticklerton, Salop	125	Bc
Ticknall, Derby. .	129	Aa
Tickton, Humb. .	177	Ba
Tidcombe, Wilts.	53	Bc
Tiddington, Warks.	91	Ba
Tideford, Corn. .	7	Bb
Tidenham, Glos. .	68	Db
Tideswell, Derby.	163	Ab
Tidmarsh, Berks.	55	Aa
Tidmington, Warks.	91	Bb
Tidpit, Hants. .	37	Ac
Tiffield, N'hants. .	93	Aa
Tigerton, Tay. .	281	Ac
Tighnabruaich,		
Strath. .	246	Cb
Tilbrook, Cambs.	95	Aa
Tilbury, Essex	59	Ac
Tilbury-juxta-Clare,		
Essex .	97	Bc
Tilehurst, Berks. .	55	Aa
Tilford, Sur. .	40	Da
Tilley, Salop	145	Ac
Tillicoultry, Cen..	259	Bc
Tillingham, Essex	78	Dc
Tillington, Hf/Wor.	88	Ca
Tillington, W. Sus.	23	Aa
Tillybirloch, Gramp.	293	Ac
Tillyloss, Tay. .	271	Ba
Tilmanstone, Kent	46	Cc
Tilney All Saints,		
Norf. .	134	Dc
Tilney-cum-Islington,		
Norf. .	134	Dc
Tilney St. Lawrence,		
Norf. .	134	Dc
Tilshead, Wilts. .	52	Dc
Tilstock, Salop .	145	Ab
Tilston, Ches. .	144	Da
Tilsworth, Beds. .	94	Dc
Tilton, Leics. .	131	Ab
Tilty, Essex	77	Ab
Timberland, Lincs.	152	Da
Timberscombe, Som.	48	Cb
Timble, N. Yorks.	183	Bb
Timsbury, Avon .	51	Ab
Timsbury, Hants.	38	Cb
Timworth, Suff. .	98	Ca
Tincleton, Dors. .	18	Cb
Tingewick, Bucks.	93	Ab
Tingley, W. Yorks.	173	Ba
Tingrith, Beds. .	94	Db
Tinhay, Wilts. .	52	Cb
Tinhead, Wilts. .	52	Cb
Tinsley, S. Yorks.	164	Ca
Tintagel, Corn. .	11	Ac
Tintern Parva,		
Gwent .	68	Db
Tintinhull, Som. .	34	Db
Tintwistle, Derby.	162	Da
Tinwald, Dum/Gall.	227	Ac
Tinwell, Leics. .	132	Cb
Tipton, W. Mid. .	127	Bc
Tiptree, Essex .	78	Cb
Tirley, Glos. .	89	Bb
Tirphil, M. Glam.	86	Dc
Tisbury, Wilts. .	36	Da
Tissington, Derby.	148	Ca
Titchfield, Hants.	21	Ba
Titchmarsh, N'hants.	114	Ca
Titchwell, Norf. .	135	Ad
Tithby, Notts. .	150	Dc
Titley, Hf/Wor. .	107	Ac
Titsey, Sur. .	42	Da
Tittensor, Staffs..	146	Db
Tittleshall, Norf..	136	Cc
Tiverton, Ches. .	145	Aa
Tiverton, Dev. .	32	Db
Tivetshall St.		
Margaret, Norf.	119	Ab
Tivetshall St. Mary,		
Norf. .	119	Ac
Tixall, Staffs. .	127	Ba
Tixover, Leics. .	132	Cc
Tobermory, Strath.	263	Bb
Tocher, Gramp. .	293	Aa
Tockenham, Wilts.	70	Dc
Tockwith, N. Yorks.	184	Db
Todber, Dors. .	36	Cb
Toddington, Beds.	94	Dc
Toddington, Glos.	90	Db
Todenham, Glos.	91	Bb
Todhills, Cumb. .	217	Bb
Todlachie, Gramp.	293	Ab
Todmorden, W. Yorks.	172	Ca
Todwick, S. Yorks.	164	Db
Toft, Cambs. .	96	Cb
Toft, Ches. .	161	Bb
Toft, Lincs. .	132	Da
Toft Monks, Norf.	120	Cb
Toft-next-Newton,		
Lincs. .	166	Da
Toftrees, Norf. .	136	Cb
Tokavaig, Highl..	285	Ac
Tolland, Som. .	33	Ab
Tollard Royal,		
Wilts. .	36	Da
Tollcross, Strath.	249	Ac
Toller Fratrum, Dors.	17	Ba

366

	PAGE	SQ.
Toller Porcorum, *Dors.*	17	Ba
Tollerton, *Notts.*	150	Cc
Tollerton, *N. Yorks.*	185	Aa
Toller Whelme, *Dors.*	17	Ba
Tollesbury, *Essex*	78	Dc
Tolleshunt D'Arcy, *Essex*	78	Dc
Tolleshunt Knights, *Essex*	78	Dc
Tolleshunt Major, *Essex*	78	Cc
Tolpuddle, *Dors.*	18	Ca
Tomich, *Highl.*	300	Cb
Tomintoul, *Gramp.*	291	Ab
Tomnavoulin, *Gramp.*	291	Ab
Ton, *Gwent*	66	Ca
Tonbridge, *Kent*	43	Bb
Tondu, *M. Glam.*	66	Cb
Tonedale, *Som.*	33	Ac
Tong, *Salop*	126	Db
Tong, *W. Yorks.*	173	Aa
Tonge, *Leics.*	129	Ba
Tongham, *Sur.*	56	Cc
Tongland, *Dum/Gall.*	214	Cc
Tong Norton, *Salop*	126	Db
Tong Street, *W. Yorks.*	173	Aa
Tongue, *Highl.*	320	Db
Tonypandy, *M. Glam.*	66	Ca
Ton-yr-efail, *M. Glam.*	66	Ca
Toot Baldon, *Oxon.*	72	Db
Tooting, *Gt. Lon.*	57	Bc
Topcliffe, *N. Yorks.*	197	Ac
Topcroft, *Norf.*	119	Bb
Topcroft Street, *Norf.*	119	Bb
Toppesfield, *Essex*	77	Ba
Toprow, *Norf.*	119	Ab
Topsham, *Dev.*	14	Da
Torbryan, *Dev.*	10	Ca
Torcross, *Dev.*	10	Cc
Torksey, *Lincs.*	165	Bb
Tormarton, *Avon*	69	Bc
Tormore, *Highl.*	273	Aa
Torness, *Highl.*	288	Da
Torpenhow, *Cumb.*	202	Ca
Torphins, *Gramp.*	293	Ac
Torpoint, *Corn.*	8	Cc
Torquay, *Dev.*	10	Da
Torran, *Highl.*	284	Db
Torrance, *Strath.*	249	Ab
Torrisholme, *Lancs.*	180	Ca
Torry, *Gramp.*	294	Cc
Torryburn, *Fife.*	250	Da
Torthorwald, *Dum/Gall.*	216	Ca
Tortington, *W. Sus.*	23	Ab
Torton, *Hf/Wor.*	109	Ab
Tortworth, *Avon*	69	Ab
Torver, *Cumb.*	192	Db
Torworth, *Notts.*	165	Ab
Toseland, *Cambs.*	95	Ba
Tostock, *Suff.*	98	Da
Totaig, *Highl.*	295	Ac
Totford, *Hants.*	39	Aa
Tot Hill, *Sur.*	41	Ba
Tothill, *Lincs.*	168	Cc
Totland, *I.O.W.*	20	Db
Totley, *S. Yorks.*	163	Bb
Totnes, *Dev.*	10	Ca
Toton, *Notts.*	149	Bc
Tottenham, *Dur.*	207	Ab
Tottenham, *Gt. Lon.*	58	Ca
Tottenhill, *Norf.*	135	Ac
Totteridge, *Gt. Lon.*	57	Ba
Totternhoe, *Beds.*	94	Db
Tottington, *Gt. Man.*	171	Ab
Tottington, *Norf.*	118	Cb
Totton, *Hants.*	38	Cc
Toulton, *Som.*	33	Bb
Tovil, *Kent*	44	Ca
Towcester, *N'hants.*	93	Aa
Towednack, *Corn.*	1	Bb
Towersey, *Oxon.*	73	Bb
Towie, *Gramp.*	292	Cb
Tow Law, *Dur.*	206	Da
Town Barningham, *Norf.*	137	Aa
Town End, *Cambs.*	116	Cb
Towngate, *Lincs.*	132	Db
Townhead, *Gramp.*	293	Ac
Townhill, *Fife*	251	Aa
Town Kelloe, *Dur.*	207	Ba
Townshend, *Corn.*	2	Da
Town Street, *Suff.*	117	Bc
Towthorpe, *Humb.*	186	Da
Towthorpe, *N. Yorks.*	185	Bb
Towton, *N. Yorks.*	184	Dc
Toxteth Park, *Mers.*	159	Ba
Toynton All Saints, *Lincs.*	154	Cb
Toynton Fen Side, *Lincs.*	154	Cb
Toynton St. Peter, *Lincs.*	154	Cb
Towyn, *Clwyd*	158	Ca
Trallong, *Powys*	86	Ca
Tranch, *Gwent*	67	Bb
Tranent, *Loth.*	252	Cb
Trapp, *Dyfed*	64	Da
Traquair, *Bord.*	240	Db
Travellers' Rest, *Dev.*	30	Dc
Trawden, *Lancs.*	182	Cc
Trawsfynydd, *Gwyn.*	141	Bb
Tre-Alaw, *M. Glam.*	66	Ca
Treales, *Lancs.*	169	Ba
Trebartha, *Corn.*	7	Ba
Trebarwith, *Corn.*	11	Ac
Treborough, *Som.*	48	Cc
Trecastle, *Powys*	85	Ba
Trecynon, *M. Glam.*	86	Cc
Tredegar, *Gwent*	67	Aa
Tredington, *Glos.*	90	Cb
Tredington, *Warks.*	91	Bb
Tredunnock, *Gwent*	67	Bb
Treeton, *S. Yorks.*	164	Ca
Trefdraeth, *Gwyn.*	155	Bb
Trefeglwys, *Powys*	123	Ac
Treffgarne, *Dyfed*	62	Ca
Treffynnon, *Gwyn.*	155	Ba
Tref-garn-Owen, *Dyfed*	61	Ba
Trefilan, *Dyfed*	101	Bc
Treflach Wood, *Salop*	124	Ca
Trefnant, *Clwyd*	158	Db
Trefriw, *Gwyn.*	157	Bb
Tregagle, *Gwent*	68	Da
Tregaian, *Gwyn.*	156	Cb
Tregare, *Gwent*	68	Ca
Tregaron, *Dyfed*	102	Cb
Tregavethan, *Corn.*	2	Da
Tregeiriog, *Clwyd*	143	Bc
Tregiskin, *M. Glam.*	86	Cc
Tregonetha, *Corn.*	6	Cb
Tregony, *Corn.*	4	Ca
Tregurrian, *Corn.*	5	Bb
Tregynon, *Powys*	123	Bc
Trehafod, *M. Glam.*	66	Da
Treharris, *M. Glam.*	66	Da
Treherbert, *M. Glam.*	86	Cc
Trelech, *Dyfed*	83	Ac
Trelech-ar-Bettws, *Dyfed*	83	Bc
Trelights, *Corn.*	6	Ca
Trelleck, *Gwent*	68	Ca
Trelleck Grange, *Gwent*	68	Cb
Trelowia, *Corn.*	7	Bc
Trelystan, *Powys*	124	Cb
Tremadog, *Gwyn.*	140	Db
Tremain, *Dyfed*	83	Aa
Tremaine, *Corn.*	11	Bc
Trematon, *Corn.*	8	Cb
Tremeirchion, *Clwyd*	158	Db
Treneglos, *Corn.*	11	Bc
Trent, *Dors.*	35	Ab
Trentham, *Staffs.*	146	Da
Trentishoe, *Dev.*	30	Da
Trent Vale, *Staffs.*	146	Db
Treoes, *S. Glam.*	66	Cb
Treorchy, *M. Glam.*	66	Ca
Trescoll, *Corn.*	6	Cb
Trescowe, *Corn.*	2	Cc
Tresham, *Avon*	69	Bb
Tresmeer, *Corn.*	11	Bc
Treswell, *Notts.*	165	Bb
Tre Taliesin, *Dyfed*	121	Bc
Tretio, *Dyfed*	83	Ac
Treuddyn, *Clwyd*	144	Ca
Trevalga, *Corn.*	11	Ac
Trevanson, *Corn.*	6	Ca
Trevarrick, *Corn.*	4	Da
Treveighan, *Corn.*	6	Ca
Treverbyn, *Corn.*	6	Cb
Trevethin, *Gwent*	67	Bb
Trevine, *Dyfed*	81	Bb
Trevor, *Clwyd*	139	Bb
Trewen, *Corn.*	11	Bc
Trewent, *Dyfed*	62	Cc
Trewidland, *Corn.*	7	Bb
Treyford, *W. Sus.*	40	Cc
Triangle, *W. Yorks.*	172	Cb
Trimdon, *Dur.*	207	Ba
Trimingham, *Norf.*	137	Ba
Trimley, *Suff.*	80	Ca
Trimpley, *Hf/Wor.*	109	Aa
Trim-Saran, *Dyfed*	64	Cb
Trinant, *Gwent*	67	Ab
Tring, *Herts.*	74	Ca
Trispen, *Corn.*	3	Bc
Tritlington, *N'land*	232	Cc
Trochrie, *Tay.*	269	Bb
Troedyraur, *Dyfed*	83	Ba
Troon, *Strath.*	236	Cb
Troqueer, *Dum/Gall.*	216	Cb
Trossachs, The, *Cen.*	258	Cb
Troston, *Suff.*	98	Ca
Trostrey, *Gwent*	67	Ba
Trottiscliffe, *Kent*	43	Bc
Trotton, *W. Sus.*	40	Cc
Troutbeck, *Cumb.*	193	Aa
Troway, *Derby.*	164	Cb
Trowbridge, *Wilts.*	52	Cb
Trowell, *Notts.*	149	Bb
Trowse Newton, *Norf.*	119	Ba
Troy, *W. Yorks.*	183	Bc
Truddoxhill, *Som.*	51	Bc
Trull, *Som.*	33	Bc
Trumpan, *Highl.*	295	Ab
Trumpington, *Cambs.*	96	Db
Trunch, *Norf.*	137	Ba
Truro, *Corn.*	2	Da
Trusham, *Dev.*	14	Cb
Trusley, *Derby.*	148	Dc
Trusthorpe, *Lincs.*	168	Dc
Trysull, *Staffs.*	127	Ac
Tubney, *Oxon.*	72	Cb
Tuckerton, *Som.*	33	Bb
Tuckhill, *Salop*	126	Dc
Tuckingmill, *Corn.*	36	Da
Tuddenham, *Suff.*	97	Ba
Tuddenham, *Suff.*	99	Bc
Tudeley, *Kent*	43	Bb
Tudhoe, *Dur.*	207	Aa
Tuffley, *Glos.*	89	Bc
Tufton, *Hants.*	38	Da
Tugby, *Leics.*	131	Ac
Tugford, *Salop*	108	Ca
Tullibody, *Cen.*	259	Bc
Tullynessle, *Gramp.*	292	Db
Tumble, *Dyfed*	64	Ca
Tumby, *Lincs.*	153	Bb
Tumby Woodside, *Lincs.*	153	Bb
Tunbridge Wells, *Kent*	43	Bc
Tundergarth, *Dum/Gall.*	216	Da
Tunley, *Avon*	51	Ab
Tunstall, *Humb.*	178	Cb
Tunstall, *Kent*	44	Da
Tunstall, *Lancs.*	194	Cc
Tunstall, *Norf.*	120	Ca
Tunstall, *N. Yorks.*	196	Db
Tunstall, *Staffs.*	146	Da
Tunstall, *Suff.*	100	Cc
Tunstead, *Derby.*	162	Db
Tunworth, *Hants.*	55	Ac
Tupsley, *Hf/Wor.*	88	Da
Tupton, *Derby.*	164	Cc
Turclossie, *Gramp.*	305	Ba
Tur Langton, *Leics.*	130	Dc
Turleigh, *Wilts.*	51	Bb
Turnastone, *Hf/Wor.*	87	Bb
Turnditch, *Derby.*	148	Db
Turnershill, *W. Sus.*	42	Cc
Turners Puddle, *Dors.*	18	Da
Turnworth, *Dors.*	36	Cc
Turriff, *Gramp.*	305	Ab
Turton Bottoms, *Lancs.*	170	Db
Turvey, *Beds.*	94	Ca
Turville, *Bucks.*	73	Bc
Turweston, *Bucks.*	93	Ab
Tutbury, *Staffs.*	148	Cb
Tuttington, *Norf.*	137	Bb
Tuxford, *Notts.*	165	Ac
Tweedmouth, *N'land*	243	Ba
Tweedsmuir, *Bord.*	239	Bc
Twenty, *Lincs.*	132	Da
Twerton, *Avon*	51	Bb
Twickenham, *Gt. Lon.*	57	Ac
Twigworth, *Glos.*	89	Bc
Twineham, *W. Sus.*	24	Cb
Twinhoe, *Avon*	51	Bb
Twinstead, *Essex*	78	Ca
Twitchen, *Dev.*	47	Bc
Twitchen, *Salop*	107	Aa
Twycross, *Leics.*	129	Ab
Twyford, *Berks.*	55	Ba
Twyford, *Bucks.*	93	Ac
Twyford, *Derby.*	148	Dc
Twyford, *Hants.*	38	Cb
Twyford, *Leics.*	130	Cb
Twyford, *Norf.*	136	Db
Twyn-carno, *Gwent*	86	Db
Twynholm, *Dum/Gall.*	214	Cc
Twyning, *Glos.*	90	Cb
Twyning Green, *Glos.*	90	Cb
Twyn Llanan, *Dyfed*	85	Aa
Twywell, *N'hants.*	114	Cb
Tyberton, *Hf/Wor.*	87	Ba
Tyburn, *W. Mid.*	128	Cc
Tyby, *Norf.*	137	Ab
Ty-croes, *Dyfed*	64	Ca
Tydd Gote, *Lincs.*	134	Cc
Tydd St. Giles, *Cambs.*	134	Cc
Tydd St. Mary, *Lincs.*	134	Cc
Tydweiliog, *Gwyn.*	139	Ab
Ty-gwyn, *Powys*	64	Cb
Tyldesley, *Gt. Man.*	170	Dc
Tylerhill, *Kent*	45	Bc
Tyndrum, *Cen.*	267	Ac
Tyneham, *Dors.*	18	Ca
Tynemouth, *Ty/We.*	222	Db
Tynewydd, *M. Glam.*	66	Ca
Tynron, *Dum/Gall.*	226	Cb
Tyringham, *Bucks.*	94	Cb
Tythecott, *Dev.*	12	Ca
Tythegston, *M. Glam.*	66	Cc
Tytherington, *Avon*	69	Ac
Tytherington, *Ches.*	161	Bc
Tytherington, *Som.*	51	Bc
Tytherington, *Wilts.*	52	Ca
Tytherleigh, *Dev.*	16	Ca
Tytherton Lucas, *Wilts.*	52	Cb
Tywardreath, *Corn.*	6	Db
Tywyn, *Gwyn.*	157	Bb
Tywyn, *Gwyn.*	121	Bb
UBBESTON, *Suff.*	100	Ca
Ubley, *Avon*	50	Db
Uckfield, *E. Sus.*	25	Aa
Uckinghall, *Hf/Wor.*	90	Cb
Uckington, *Glos.*	90	Cc
Uddingston, *Strath.*	249	Ac
Udimore, *E. Sus.*	27	Ab
Udny, *Gramp.*	294	Ca
Uffcott, *Wilts.*	53	Aa
Uffculme, *Dev.*	15	Aa
Uffington, *Lincs.*	132	Db
Uffington, *Oxon.*	71	Bc
Uffington, *Salop*	125	Ba
Ufford, *N'hants.*	132	Db
Ufford, *Suff.*	99	Bc
Ufton, *Warks.*	111	Bc
Ufton Nervet, *Berks.*	55	Ab
Ugborough, *Dev.*	9	Ba
Uggeshall, *Suff.*	100	Da
Ugley, *Essex*	76	Da
Ugthorpe, *N. Yorks.*	199	Bb
Uig, *Highl.*	295	Ac
Uig, *Highl.*	296	Cb
Uiginish, *Highl.*	295	Ac
Ulbster, *Highl.*	318	Da
Ulceby, *Humb.*	167	Aa
Ulceby, *Lincs.*	154	Ca
Ulcombe, *Kent*	44	Db
Uldale, *Cumb.*	202	Da
Uley, *Glos.*	69	Bb
Ulgham, *N'land*	232	Cc
Ullapool, *Highl.*	309	Aa
Ullenhall, *Warks.*	110	Cb
Ulleskelf, *N. Yorks.*	185	Ac
Ullesthorpe, *Leics.*	112	Ca
Ulley, *S. Yorks.*	164	Ca
Ullingswick, *Hf/Wor.*	88	Da
Ullock, *Cumb.*	201	Bb
Ulpha, *Cumb.*	192	Cb
Ulrome, *Humb.*	188	Cc
Ulverston, *Cumb.*	192	Dc
Unapóol, *Highl.*	314	Ca
Uncleby, *N. Yorks.*	186	Cb
Underbarrow, *Cumb.*	193	Bb
Undercliffe, *W. Yorks.*	173	Aa
Underwood, *Notts.*	149	Bb
Undy, *Gwent*	68	Cc
Unstone, *Derby.*	164	Cb
Unstone Green, *Derby.*	163	Bb
Unsworth, *Gt. Man.*	171	Bc
Unthank, *Cumb.*	204	Ca
Upavon, *Wilts.*	53	Ac
Up Cerne, *Dors.*	17	Ba
Upchurch, *Kent*	60	Cc
Up Exe, *Dev.*	32	Db
Upgate Street, *Norf.*	118	Db
Uphall, *Loth.*	250	Db
Upham, *Hants.*	39	Ac
Uphampton, *Hf/Wor.*	109	Ab
Up Hill, *Kent*	28	Da
Uphill, *Avon*	49	Bb
Upholland, *Lancs.*	170	Cc
Upleadon, *Glos.*	89	Bb
Upleatham, *Cleve.*	199	Aa
Uploders, *Dors.*	16	Bb
Uplowman, *Dev.*	32	Bb
Uplyme, *Dev.*	16	Cc
Up Marden, *W. Sus.*	40	Cc
Upminster, *Gt. Lon.*	58	Db
Up Nately, *Hants.*	55	Ac
Uppottery, *Dev.*	15	Bb
Upper Aldringham, *Suff.*	100	Da
Upper Arley, *Salop*	108	Da
Upper Basildon, *Berks.*	55	Aa
Upper Beeding, *W. Sus.*	24	Cb
Upper Benefield, *N'hants.*	114	Ca
Upper Boat, *M. Glam.*	66	Da
Upper Boddington, *N'hants.*	92	Da
Upper Bradway, *S. Yorks.*	163	Bb
Upper Brailes, *Warks.*	91	Bb
Upper Breakish, *Highl.*	285	Ab
Upper Broughton, *Notts.*	130	Da
Upperby, *Cumb.*	217	Bc
Upper Chapel, *Powys*	104	Cb
Upper Cheddon, *Som.*	33	Bb
Upper Clatford, *Hants.*	38	Ca
Upper Corris, *Gwyn.*	122	Ca
Upper Cudworth, *S. Yorks.*	174	Cc
Upper Cumberworth, *W. Yorks.*	173	Ac
Upper Cwmbran, *Gwent*	67	Bb
Upper Dallachy, *Gramp.*	303	Ba
Upper Dean, *Beds.*	114	Cb
Upper Denby, *W. Yorks.*	173	Ab
Upper Denton, *Cumb.*	204	Da
Upper Dicker, *E. Sus.*	25	Ab
Upper Dunsforth, *N. Yorks.*	184	Da
Upper Elkstone, *Staffs.*	147	Ba
Upper Esholt, *W. Yorks.*	183	Bc
Upper Godney, *Som.*	34	Da
Upper Gornal, *W. Mid.*	127	Bc

	PAGE	SQ.
Upper Gravenhurst, *Beds.*	75	Aa
Upper Green, *W. Yorks.*	173	Ba
Upper Halistra, *Highl.*	295	Ab
Upper Hambleton, *Leics.*	131	Bb
Upper Hardres, *Kent*	45	Bc
Upper Hatherley, *Glos.*	90	Cc
Upper Haugh, *S. Yorks.*	164	Ca
Upper Helmsley, *N. Yorks.*	185	Bb
Upper Heyford, *N'hants.*	112	Dc
Upper Heyford, *Oxon.*	92	Dc
Upper Hiendley, *W. Yorks.*	174	Cb
Upper Hopton, *W. Yorks.*	173	Ab
Upper Howsell, *Hf/Wor.*	89	Ba
Upper Hulme, *Staffs.*	147	Ba
Upper Inglesham, *Wilts.*	71	Bb
Upper Kirby, *Essex*	79	Bc
Upper Lambourn, *Berks.*	53	Ba
Upper Langford, *Avon*	50	Cb
Upper Langwith, *Derby.*	164	Dc
Upper Machen, *Gwent*	67	Ac
Upper Mill, *Gt. Man.*	172	Cc
Upper Milovaig, *Highl.*	295	Ac
Upper Mitton, *Hf/Wor.*	109	Ab
Upper Norwood, *Gt. Lon.*	58	Cc
Upper Ollach, *Highl.*	284	Da
Upper Pen, *W. Mid.*	127	Bc
Upper Poppleton, *N. Yorks.*	185	Ab
Upper Rochford, *Hf/Wor.*	108	Cb
Upper Sapey, *Hf/Wor.*	108	Dc
Upper Sheringham, *Norf.*	137	Aa
Upper Shuckburgh, *Warks.*	112	Cc
Upper Slaughter, *Glos.*	91	Ac
Upper Somborne, *Hants.*	38	Db
Upper Stoke, *Norf.*	119	Ba
Upper Stratton, *Wilts.*	71	Ac
Upper Studley, *Wilts.*	52	Cb
Upper Swell, *Glos.*	91	Ac
Upper Tasburgh, *Norf.*	119	Ab
Upper Tean, *Staffs.*	147	Bb
Upperthong, *W. Yorks.*	172	Dc
Upperton, *W. Sus.*	23	Aa
Uppertown, *Derby.*	163	Bc
Upper Tysoe, *Warks.*	91	Bb
Upper Wardington, *Oxon.*	92	Da
Upper Weedon, *N'hants.*	112	Dc
Upper Whiston, *S. Yorks.*	164	Ca
Upper Whitley, *Ches.*	173	Ab
Upper Winchendon, *Bucks.*	73	Ba
Upper Woodford, *Wilts.*	37	Ba
Upper Wraxall, *Dors.*	51	Ba
Upper Wyche, *Hf/Wor.*	89	Ba
Uppingham, *Leics.*	131	Bc
Uppington, *Salop*	126	Cb
Upsall, *N. Yorks.*	197	Bb
Up Stondon, *Beds.*	75	Aa
Upstreet, *Kent*	46	Cb
Up Sydling, *Dors.*	17	Ba
Upton, *Bucks.*	73	Ba
Upton, *Cambs.*	114	Db
Upton, *Ches.*	160	Cc
Upton, *Corn.*	7	Ba
Upton, *Dors.*	18	Cb
Upton, *Dyfed*	62	Cb
Upton, *Leics.*	129	Bc
Upton, *Lincs.*	166	Cb
Upton, *Mers.*	159	Aa
Upton, *N'hants.*	113	Ac
Upton, *N'hants.*	132	Dc
Upton, *Norf.*	120	Ca
Upton, *Notts.*	165	Bb
Upton, *Notts.*	150	Da
Upton, *Oxon.*	72	Dc
Upton, *Som.*	34	Db
Upton, *W. Yorks.*	174	Cb
Upton, *Wilts.*	36	Ca
Upton, *Wilts.*	54	Cc
Upton Bishop, *Hf/Wor.*	89	Ab
Upton Cheyney, *Avon*	51	Aa
Upton Cressett, *Salop*	126	Cc
Upton Green, *Norf.*	138	Cc
Upton Grey, *Hants.*	55	Bc
Upton Hellions, *Dev.*	32	Cc
Upton Lovell, *Wilts.*	36	Da
Upton Magna, *Salop*	125	Bb
Upton Noble, *Som.*	35	Ba
Upton-on-Severn, *Hf/Wor.*	90	Ca
Upton Pyne, *Dev.*	32	Dc
Upton St. Leonards, *Glos.*	70	Ca
Upton Scudamore, *Wilts.*	52	Cc
Upton Snodsbury, *Hf/Wor.*	109	Bc
Upton Warren, *Hf/Wor.*	109	Bb
Upwaltham, *W. Sus.*	23	Ab
Upwell, *Cambs.*	116	Da
Upwey, *Dors.*	17	Bb
Upwood, *Cambs.*	115	Bc
Urchfont, *Wilts.*	52	Db
Urmston, *Gt. Man.*	161	Ba
Urquhart, *Gramp.*	303	Aa
Urr, *Dum/Gall.*	214	Db
Usk, *Gwent*	67	Bb
Usselby, *Lincs.*	166	Da
Utkinton, *Ches.*	160	Dc
Utley, *W. Yorks.*	182	Dc
Uton, *Dev.*	32	Cc
Utterby, *Lincs.*	167	Bb
Uttoxeter, *Staffs.*	147	Bc
Uxbridge, *Gt. Lon.*	56	Da
Uzmaston, *Dyfed*	62	Ca
VALLEY, *Gwyn.*	155	Ab
Vange, *Essex*	59	Bb
Vaynor, *Powys*	86	Db
Velindre, *Dyfed*	83	Bb
Velindre, *Powys*	87	Ab
Venn Ottery, *Dev.*	15	Ab
Ventnor, *I.O.W.*	21	Bc
Vernham Dean, *Hants.*	54	Cc
Verwick, *Dyfed*	82	Da
Verwood, *Dors.*	19	Ba
Veryan, *Corn.*	4	Ca
Vickerstown, *Cumb.*	179	Aa
Victoria, *Gwent*	67	Aa
Vinchall, *E. Sus.*	26	Da
Virginstow, *Dev.*	12	Cc
Virley, *Essex*	78	Dc
Vobster, *Som.*	51	Ac
Vowchurch, *Hf/Wor.*	87	Bb
WACTON, *Norf.*	119	Ab
Waddesdon, *Bucks.*	73	Ba
Waddingham, *Lincs.*	166	Ca
Waddington, *Lancs.*	181	Bc
Waddington, *Lincs.*	166	Cc
Waddingworth, *Lincs.*	153	Aa
Wadebridge, *Corn.*	6	Ca
Wadenhoe, *N'hants.*	114	Ca
Wadhurst, *E. Sus.*	26	Ca
Wadshelf, *Derby.*	163	Bc
Wadsley, *S. Yorks.*	163	Ba
Wadsley Bridge, *S. Yorks.*	163	Ba
Wadworth, *S. Yorks.*	164	Da
Waen, *Clwyd*	158	Db
Waen-fawr, *Gwyn.*	156	Cc
Wainfleet-all-Saints, *Lincs.*	154	Db
Wainfleet Bank, *Lincs.*	154	Cb
Waingroves, *Derby.*	149	Bb
Wainscot, *Kent*	59	Bc
Wainstalls, *W. Yorks.*	172	Ca
Waitby, *Cumb.*	194	Da
Waithe, *Lincs.*	167	Bb
Wakefield, *W. Yorks.*	173	Bb
Wakeham, *Dors.*	18	Cc
Wakerley, *N'hants.*	132	Cc
Wakes Colne, *Essex*	78	Ca
Walberswick, *Suff.*	100	Da
Walberton, *W. Sus.*	23	Ac
Walby, *Cumb.*	218	Cb
Walcot, *Humb.*	176	Cb
Walcot, *Lincs.*	152	Da
Walcot, *Lincs.*	152	Dc
Walcote, *Leics.*	112	Ca
Walcott, *Norf.*	138	Cb
Walderton, *W. Sus.*	22	Da
Walditch, *Dors.*	16	Db
Waldringfield, *Suff.*	80	Ca
Waldron, *E. Sus.*	25	Bb
Wales, *S. Yorks.*	164	Cb
Walesby, *Lincs.*	167	Ab
Walesby, *Notts.*	165	Ac
Walford, *Hf/Wor.*	107	Ab
Walford, *Hf/Wor.*	88	Dc
Walford, *Salop*	125	Aa
Walford Heath, *Salop*	125	Aa
Walgrave, *N'hants.*	113	Ab
Walkden, *Gt. Man.*	170	Dc
Walker, *Ty/We.*	222	Cb
Walkerburn, *Bord.*	240	Db
Walkeringham, *Notts.*	165	Ba
Walkerith, *Lincs.*	165	Ba
Walkern, *Herts.*	75	Ba
Walkhampton, *Dev.*	8	Da
Walkington, *Humb.*	177	Ab
Walkers Green, *Hf/Wor.*	88	Da
Wall, *N'land*	220	Cb
Wall, *Staffs.*	128	Cb
Wallasey, *Mers.*	159	Ba
Wallbrook, *W. Mid.*	127	Bc
Wallend, *Kent*	60	Cc
Wallheath, *Staffs.*	127	Ac
Wallingford, *Oxon.*	73	Ac
Wallington, *Gt. Lon.*	42	Ca
Wallington, *Herts.*	75	Ba
Wallsend, *Ty/We.*	222	Cb
Wallsworth, *Glos.*	89	Bc
Walmer, *Kent*	46	Dc
Walmer Bridge, *Lancs.*	169	Ba
Walmersley, *Gt. Man.*	171	Ab
Walmley, *W. Mid.*	128	Cc
Walmley Ash, *W. Mid.*	128	Cc
Walpole, *Norf.*	100	Ca
Walpole Highway, *Norf.*	134	Dc
Walpole St. Andrew, *Norf.*	134	Dc
Walpole St. Peter, *Norf.*	134	Dc
Walsall, *W. Mid.*	127	Bc
Walsall Wood, *W. Mid.*	127	Bb
Walsden, *W. Yorks.*	172	Cb
Walsgrave-on-Sowe, *W. Mid.*	111	Ba
Walsham-le-Willows, *Suff.*	98	Da
Walshaw Lane, *Gt. Man.*	171	Ab
Walshford, *N. Yorks.*	184	Db
Walsoken, *Cambs.*	134	Cc
Walston, *Strath.*	239	Aa
Walterston, *S. Glam.*	66	Dc
Walterstone, *Hf/Wor.*	87	Bc
Waltham, *Humb.*	167	Ba
Waltham, *Kent*	45	Bc
Waltham Abbey, *Essex*	58	Ca
Waltham-on-the-Wolds, *Leics.*	131	Ba
Waltham St. Lawrence, *Berks.*	56	Ca
Walthamstow, *Gt. Lon.*	58	Cb
Walton, *Bucks.*	74	Ca
Walton, *Bucks.*	94	Cb
Walton, *Cumb.*	218	Cb
Walton, *Leics.*	112	Da
Walton, *N'hants.*	115	Aa
Walton, *N'hants.*	132	Dc
Walton, *Powys*	106	Dc
Walton, *Som.*	34	Db
Walton, *Staffs.*	146	Dc
Walton, *Suff.*	80	Ca
Walton, *W. Yorks.*	173	Bb
Walton, *W. Yorks.*	184	Db
Walton-in-Gordano, *Avon*	50	Ca
Walton-le-Dale, *Lancs.*	170	Ca
Walton-on-Thames, *Sur.*	57	Ac
Walton-on-the-Hill, *Staffs.*	127	Ba
Walton-on-the-Hill, *Sur.*	42	Ca
Walton-on-the-Naze, *Essex*	80	Cc
Walton-on-the-Wolds, *Leics.*	130	Ca
Walton-upon-Trent, *Derby.*	128	Da
Walton West, *Dyfed*	61	Bb
Walwick, *N'land*	220	Ca
Walworth, *Dur.*	207	Ac
Walwyns Castle, *Dyfed*	61	Bb
Wambrook, *Som.*	16	Ca
Wamphray, *Dum/Gall.*	227	Bb
Wanborough, *Sur.*	56	Cc
Wanborough, *Wilts.*	53	Ba
Wandsworth, *Gt. Lon.*	57	Bc
Wangford, *Suff.*	117	Bc
Wangford, *Suff.*	100	Da
Wanlip, *Leics.*	130	Cb
Wanlockhead, *Dum/Gall.*	226	Ca
Wannock, *E. Sus.*	25	Bc
Wansford, *Cambs.*	132	Dc
Wansford, *Humb.*	188	Cc
Wanshurst Green, *Kent*	44	Cb
Wanstead, *Gt. Lon.*	58	Cb
Wanswell Green, *Glos.*	69	Ab
Wantage, *Oxon.*	72	Cc
Wantisden, *Suff.*	100	Cc
Wapley, *Avon*	69	Ac
Waplington, *Humb.*	186	Cc
Wappenbury, *Warks.*	111	Bb
Wappenham, *N'hants.*	93	Aa
Wappenshall, *Salop*	126	Ca
Warbleton, *E. Sus.*	25	Bb
Warblington, *Hants.*	22	Ca
Warborough, *Oxon.*	73	Ac
Warboys, *Cambs.*	115	Bc
Warbreck, *Lancs.*	179	Bc
Warbstow, *Corn.*	11	Bc
Warburton, *Gt. Man.*	161	Aa
Warcop, *Cumb.*	204	Dc
Warden, *Kent*	45	Aa
Warden, *N'land*	220	Cb
Ward End, *W. Mid.*	128	Cc
Wardington, *Oxon.*	92	Da
Wardle, *Ches.*	145	Ba
Wardle, *Gt. Man.*	171	Bb
Wardley, *Leics.*	131	Bc
Wardlow, *Derby.*	163	Ab
Ware, *Herts.*	76	Cb
Ware, *Kent*	44	Ca
Ware, *Kent*	46	Cb
Wareham, *Dors.*	18	Db
Warehorne, *Kent*	27	Ba
Warenford, *N'land*	244	Cc
Waresley, *Cambs.*	95	Bb
Warfield, *Berks.*	56	Ca
Wargate, *Lincs.*	133	Bb
Wargrave, *Berks.*	55	Ba
Warham All Saints, *Norf.*	136	Da
Warham St. Mary, *Norf.*	136	Ca
Wark, *N'land*	220	Ca
Wark, *N'land*	242	Db
Warkleigh, *Dev.*	30	Dc
Warkton, *N'hants.*	113	Ba
Warkworth, *N'hants.*	92	Db
Warkworth, *N'land*	232	Db
Warlaby, *N. Yorks.*	197	Ab
Warleggan, *Corn.*	6	Db
Warley, *W. Yorks.*	172	Da
Warlingham, *Sur.*	42	Da
Warmfield, *W. Yorks.*	174	Cb
Warmingham, *Ches.*	146	Ca
Warminghurst, *W. Sus.*	23	Bb
Warmington, *N'hants.*	114	Da
Warmington, *Warks.*	92	Ca
Warminster, *Wilts.*	52	Cc
Warmley, *Avon*	51	Aa
Warmsworth, *S. Yorks.*	174	Dc
Warmwell, *Dors.*	18	Cb
Warndon, *Hf/Wor.*	109	Bc
Warnford, *Hants.*	39	Bb
Warnham, *W. Sus.*	41	Bc
Warninglid, *W. Sus.*	24	Ca
Warpsgrove, *Oxon.*	73	Ab
Warren, *Ches.*	162	Cc
Warren, *Dyfed*	61	Bc
Warrington, *Bucks.*	94	Ca
Warrington, *Ches.*	160	Da
Warsash, *Hants.*	21	Aa
Warslow, *Staffs.*	147	Ba
Warsop, *Notts.*	164	Dc
Warter, *Humb.*	186	Db
Warthill, *N. Yorks.*	185	Bb
Wartling, *E. Sus.*	26	Cb
Wartnaby, *Leics.*	130	Da
Warton, *Lancs.*	169	Ba
Warton, *Lancs.*	180	Da
Warton, *Warks.*	128	Db
Warwick, *Cumb.*	218	Cc
Warwick, *Warks.*	111	Ac
Washbrook, *Suff.*	79	Ba
Washfield, *Dev.*	32	Db
Washfold, *N. Yorks.*	195	Ba
Washford, *Som.*	33	Aa
Washford Pyne, *Dev.*	32	Cb
Washingborough, *Lincs.*	166	Dc
Washington, *Ty/We.*	222	Cc
Washington, *W. Sus.*	23	Bb
Washwood Heath, *W. Mid.*	128	Cc
Wasing, *Berks.*	55	Ab
Waskerley, *Dur.*	206	Ca
Wasperton, *Warks.*	111	Ac
Wass, *N. Yorks.*	198	Cc
Watchet, *Som.*	33	Aa
Watchfield, *Oxon.*	71	Bc
Watendlath, *Cumb.*	202	Dc
Waterbeach, *Cambs.*	96	Da
Waterden, *Norf.*	136	Ca
Water Eaton, *Bucks.*	94	Cb
Waterfall, *Staffs.*	147	Ba
Waterford, *Herts.*	76	Cb
Water Fryston, *W. Yorks.*	174	Ca
Waterhouses, *Staffs.*	147	Ba
Wateringbury, *Kent*	43	Bb
Waterlane, *Glos.*	70	Ca
Waterloo, *Mers.*	159	Ba
Waterloo, *Strath.*	250	Cc
Waterloo, *Tay.*	270	Cc
Waterlooville, *Hants.*	22	Ca
Water Newton, *Cambs.*	132	Dc
Water Orton, *Warks.*	128	Dc
Waterperry, *Oxon.*	73	Ab
Waterrow, *Som.*	33	Ab
Watersfield, *W. Sus.*	23	Ab
Waterside, *Lancs.*	171	Aa
Waterside, *S. Yorks.*	175	Ab
Watersplace, *Herts.*	76	Cb
Waterstock, *Oxon.*	73	Ab
Water Stratford, *Bucks.*	93	Ab
Water Street, *W. Glam.*	65	Bb
Waters Upton, *Salop*	126	Ca
Watford, *Herts.*	57	Aa

	PAGE	SQ.
Watford, *N'hants.*	112	Db
Wath, *N. Yorks.*	197	Ac
Wath-upon-Dearne, *S. Yorks.*	174	Cc
Watlington, *Norf.*	135	Ac
Watlington, *Oxon.*	73	Bc
Watnall Chaworth, *Notts.*	149	Bb
Watten, *Highl.*	324	Cc
Wattisfield, *Suff.*	98	Da
Wattisham, *Suff.*	98	Db
Wattlefield, *Norf.*	119	Ab
Watton, *Humb.*	177	Aa
Watton, *Norf.*	118	Ca
Watton-at-Stone, *Herts.*	76	Cb
Wauldby, *Humb.*	176	Da
Waun-arlwydd, *W. Glam.*	64	Dc
Waun-y-clyn, *Dyfed*	64	Cb
Wavendon, *Bucks.*	94	Cb
Waverton, *Ches.*	160	Cc
Waverton, *Cumb.*	216	Dc
Wavertree, *Mers.*	159	Ba
Wawne, *Humb.*	177	Bb
Waxham, *Norf.*	138	Db
Waxholme, *Humb.*	178	Db
Wayford, *Som.*	16	Da
Weald, *Oxon.*	71	Bb
Wealdstone, *Gt. Lon.*	57	Aa
Weare, *Som.*	50	Cc
Weare Gifford, *Dev.*	30	Cc
Wear Head, *Dur.*	205	Ba
Wearne, *Som.*	34	Db
Weasenham All Saints, *Norf.*	136	Cc
Weasenham St. Peter, *Norf.*	136	Cb
Weaverham, *Ches.*	160	Db
Weaverthorpe, *N. Yorks.*	187	Bb
Webbery, *Dev.*	30	Cc
Webheath, *Hf/Wor.*	109	Bb
Webscott, *Salop*	125	Ba
Weddington, *Warks.*	129	Bc
Wedhampton, *Wilts.*	52	Da
Wedmore, *Som.*	34	Db
Wednesbury, *W. Mid.*	127	Bc
Wednesfield, *W. Mid.*	127	Bb
Weedon Beck, *N'hants.*	112	Dc
Weedon Lois, *N'hants.*	93	Aa
Weeford, *Staffs.*	128	Cb
Weeke, *Hants.*	38	Db
Weekley, *N'hants.*	113	Ba
Week St. Mary, *Corn.*	11	Bb
Weeley, *Essex*	79	Bc
Weem, *Tay.*	269	Ab
Weethley, *Warks.*	110	Cc
Weeting, *Norf.*	117	Bb
Weeton, *Humb.*	178	Dc
Weeton, *Lancs.*	169	Ba
Weeton, *N. Yorks.*	184	Cc
Weir, *Essex*	60	Cb
Weirbrook, *Salop*	124	Ba
Welborne, *Norf.*	118	Da
Welbourn, *Lincs.*	152	Ca
Welburn, *N. Yorks.*	186	Ca
Welburn, *N. Yorks.*	198	Db
Welbury, *N. Yorks.*	197	Aa
Welby, *Leics.*	130	Da
Welby, *Lincs.*	152	Cc
Welches Dam, *Cambs.*	116	Cb
Welcombe, *Dev.*	11	Ba
Welford, *Berks.*	54	Ca
Welford, *N'hants.*	112	Da
Welford-on-Avon, *Warks.*	91	Aa
Welham, *Leics.*	131	Ac
Welham, *Notts.*	165	Ab
Well, *Lincs.*	154	Ca
Well, *N. Yorks.*	196	Dc
Welland, *Hf/Wor.*	89	Ba
Wellesbourne Hastings, *Warks.*	91	Ba
Wellesbourne Mount-ford, *Warks.*	91	Ba
Well Hill, *Kent*	43	Aa
Wellhouse, *Berks.*	54	Da
Wellhouse, *W. Yorks.*	172	Db
Welling, *Gt. Lon.*	58	Dc
Wellingborough, *N'hants.*	113	Bb
Wellingham, *Norf.*	136	Cb
Wellingore, *Lincs.*	152	Ca
Wellington, *Hf/Wor.*	88	Ca
Wellington, *Salop*	126	Cb
Wellington, *Som.*	33	Ac
Wellington Heath, *Hf/Wor.*	89	Aa
Wellow, *Avon*	51	Bb
Wellow, *Hants.*	20	Db
Wellow, *Notts.*	165	Ac
Wells, *Som.*	34	Db
Wells-next-the-Sea, *Norf.*	136	Ca
Wells-of-Ythan, *Gramp.*	304	Dc
Welney, *Norf.*	116	Db
Welshampton, *Salop*	144	Dc
Welsh Bicknor, *Hf/Wor.*	88	Dc
Welshend, *Salop*	145	Ac
Welsh Newton, *Hf/Wor.*	88	Cc
Welshpool, *Powys*	124	Cb
Welsh St. Donats, *S. Glam.*	66	Db
Welton, *Avon*	51	Ab
Welton, *Cumb.*	202	Da
Welton, *Humb.*	176	Da
Welton, *Lincs.*	166	Db
Welton, *N'hants.*	112	Cb
Welton, *N'land*	220	Db
Welton-le-Marsh, *Lincs.*	154	Ca
Welton-le-Wold, *Lincs.*	167	Bc
Welwick, *Humb.*	178	Dc
Welwyn, *Herts.*	75	Bb
Wem, *Salop*	145	Ac
Wembdon, *Som.*	33	Ba
Wembley, *Gt. Lon.*	57	Ab
Wembury, *Dev.*	8	Dc
Wembworthy, *Dev.*	31	Bb
Wemyss Bay, *Strath.*	247	Ab
Wendens Ambo, *Essex*	76	Da
Wendlebury, *Oxon.*	92	Dc
Wendling, *Norf.*	136	Cc
Wendover, *Bucks.*	74	Ca
Wendron, *Corn.*	2	Cb
Wendy, *Cambs.*	96	Cc
Wenhaston, *Suff.*	100	Ca
Wennington, *Cambs.*	115	Bc
Wennington, *Gt. Lon.*	58	Db
Wensley, *N. Yorks.*	196	Cb
Wentbridge, *W. Yorks.*	174	Cb
Wentnor, *Salop*	124	Dc
Wentworth, *Cambs.*	116	Cc
Wentworth, *S. Yorks.*	164	Ca
Wenvoe, *S. Glam.*	49	Aa
Weobley, *Hf/Wor.*	87	Ba
Weobley Marsh, *Hf/Wor.*	88	Ca
Wereham, *Norf.*	117	Aa
Werrington, *Dev.*	12	Cc
Werrington, *N'hants.*	115	Aa
Werrington, *Staffs.*	147	Ab
Wervin, *Ches.*	160	Cc
Wesham, *Lancs.*	169	Ba
Wessington, *Derby.*	149	Aa
West Acklam, *Cleve.*	208	Cc
West Acre, *Norf.*	135	Bc
West Anstey, *Dev.*	32	Ca
West Ashton, *Wilts.*	52	Cb
West Auckland, *Dur.*	206	Db
West Ayton, *N. Yorks.*	187	Ba
West Barkwith, *Lincs.*	167	Ac
West Barnby, *N. Yorks.*	199	Ba
West Barsham, *Norf.*	136	Cb
West Bay, *Dors.*	16	Db
West Beckham, *Norf.*	137	Aa
Westbere, *Kent*	46	Cb
West Bergholt, *Essex*	78	Db
West Bilney, *Norf.*	135	Bc
West Blatchington, *E. Sus.*	24	Dc
West Boldon, *Ty/We.*	222	Cb
Westborough, *Lincs.*	151	Bb
Westbourne, *W. Sus.*	22	Ca
West Bradenham, *Norf.*	118	Ca
West Bradford, *W. Yorks.*	181	Bc
West Bradley, *Som.*	35	Aa
West Bretton, *W. Yorks.*	173	Bb
West Bridgford, *Notts.*	150	Ca
West Bromwich, *W. Mid.*	127	Bc
Westbrook, *Wilts.*	52	Ca
West Buckland, *Som.*	33	Bc
West Burton, *N. Yorks.*	195	Bb
West Burton, *Notts.*	165	Bb
West Burton, *W. Sus.*	23	Ab
Westbury, *Bucks.*	93	Ab
Westbury, *Salop*	124	Db
Westbury, *Som.*	34	Da
Westbury, *Wilts.*	52	Cc
Westbury Leigh, *Wilts.*	52	Cc
Westbury-on-Severn, *Glos.*	69	Aa
Westbury-upon-Trym, *Avon*	50	Da
West Butterwick, *Humb.*	176	Cc
Westby, *Lincs.*	152	Cc
West Calder, *Loth.*	250	Dc
West Camel, *Som.*	35	Ab
West Challow, *Oxon.*	72	Cc
West Chelborough, *Dors.*	35	Ac
West Chiltington, *W. Sus.*	23	Bb
West Chinnock, *Som.*	16	Da
West Chisenbury, *Wilts.*	53	Ac
West Clandon, *Sur.*	41	Ab
West Cliffe, *Kent.*	46	Dc
Westcombe, *Som.*	35	Ba
West Compton, *Dors.*	17	Ba
West Compton, *Som.*	50	Dc
Westcot Barton, *Oxon.*	92	Cc
Westcote, *Glos.*	91	Bc
West Cowick, *Humb.*	175	Ab
West Cross, *W. Glam.*	64	Dc
Westdean, *E. Sus.*	25	Bc
West Dean, *W. Sus.*	40	Dc
West Dean, *Wilts.*	38	Cb
West Deeping, *Lincs.*	132	Db
West Derby, *Mers.*	159	Ba
West Dereham, *Norf.*	117	Aa
West Down, *Dev.*	30	Ca
West Drayton, *Gt. Lon.*	56	Da
West Drayton, *Notts.*	165	Ab
West Dunnet, *Highl.*	323	Ba
West Ella, *Humb.*	176	Da
West End, *Hants.*	38	Dc
West End, *Norf.*	120	Da
West End, *Sur.*	56	Db
West End, *Wilts.*	36	Db
Wester Anstruther, *Fife.*	262	Db
Westerdale, *Highl.*	323	Bc
Westerdale, *N. Yorks.*	198	Da
Westerfield, *Suff.*	99	Bc
Wester Greenyards, *Highl.*	311	Ab
Westerham, *Kent*	42	Da
Westerkirk, *Dum/Gall.*	228	Cc
Westerleigh, *Avon*	69	Ac
Westerton, *Gramp.*	293	Bb
Westerton, *W. Sus.*	22	Da
West Farleigh, *Kent*	44	Cb
West Farndon, *N'hants.*	92	Da
West Felton, *Salop*	124	Da
West Ferring, *W. Sus.*	23	Bc
Westfield, *E. Sus.*	26	Db
Westfield, *Norf.*	118	Da
West Firle, *E. Sus.*	25	Ab
West Firsby, *Lincs.*	166	Cb
West Garforth, *W. Yorks.*	174	Ca
Westgate, *Dur.*	205	Ba
Westgate, *Humb.*	175	Bc
Westgate, *Norf.*	137	Bb
Westgate, *Norf.*	136	Da
Westgate Hill, *W. Yorks.*	173	Aa
Westgate-on-Sea, *Kent*	46	Da
West Grimstead, *Wilts.*	37	Bb
West Grinstead, *W. Sus.*	24	Cb
West Haddlesey, *N. Yorks.*	174	Da
West Haddon, *N'hants.*	112	Db
West Hagbourne, *Oxon.*	72	Dc
Westhall, *Suff.*	100	Da
West Hallam, *Derby.*	149	Bb
West Halton, *Humb.*	176	Cb
West Ham, *Gt. Lon.*	58	Cb
Westham, *E. Sus.*	26	Cc
Westham, *Som.*	34	Ca
West Hampnett, *W. Sus.*	22	Da
West Handley, *Derby.*	164	Cb
West Hanney, *Oxon.*	72	Cc
West Hanningfield, *Essex*	59	Ba
West Hardwick, *W. Yorks.*	174	Ca
West Harling, *Norf.*	118	Cc
West Harnham, *Wilts.*	37	Bb
West Harptree, *Avon*	50	Db
West Hartlepool, *Cleve.*	208	Cb
West Hatch, *Som.*	33	Bc
West Hauxwell, *N. Yorks.*	196	Cb
Westhay, *Som.*	34	Da
Westhead, *Lancs.*	169	Bc
West Helmsdale, *Highl.*	317	Dc
West Hendred, *Oxon.*	72	Cc
West Heslerton, *N. Yorks.*	187	Aa
Westhide, *Hf/Wor.*	88	Da
West Hill, *Avon*	50	Ca
West Hoathly, *E. Sus.*	24	Da
West Holme, *Dors.*	18	Db
Westhorp, *N'hants.*	92	Da
Westhorpe, *Derby.*	164	Cb
Westhorpe, *Lincs.*	133	Bb
Westhorpe, *Notts.*	150	Da
Westhorpe, *Suff.*	98	Da
West Horrington, *Som.*	50	Dc
West Horsley, *Sur.*	41	Ab
West Hougham, *Kent*	28	Da
Westhoughton, *Gt. Man.*	170	Dc
West Howe, *Dors.*	19	Bb
West Hythe, *Kent*	28	Ca
West Ilsley, *Berks.*	54	Da
West Itchenor, *W. Sus.*	22	Da
West Keal, *Lincs.*	154	Cb
West Kennett, *Wilts.*	53	Ab
West Kilbride, *Strath.*	235	Ba
West Kington, *Wilts.*	51	Ba
West Kirby, *Mers.*	159	Ab
West Knighton, *Dors.*	18	Cb
West Knoyle, *Wilts.*	36	Ca
West Lambrook, *Som.*	34	Cc
West Langdon, *Kent*	46	Dc
West Lavington, *W. Sus.*	23	Aa
West Lavington, *Wilts.*	52	Db
West Leake, *Notts.*	150	Cc
Westleigh, *Dev.*	30	Cb
Westleigh, *Gt. Man.*	170	Dc
Westleton, *Suff.*	100	Db
West Lexham, *Norf.*	136	Cc
Westley, *Salop*	124	Db
Westley, *Suff.*	98	Ca
Westley Waterless, *Cambs.*	97	Ab
West Lilling, *N. Yorks.*	185	Ba
Westlington, *Bucks.*	73	Ba
West Linton, *Bord.*	239	Ba
Westlinton, *Cumb.*	217	Bb
West Littleton, *Avon*	51	Ba
West Lockinge, *Oxon.*	72	Cc
West Looe, *Corn.*	7	Bc
West Lulworth, *Dors.*	18	Db
West Lutton, *N. Yorks.*	186	Da
West Lydford, *Som.*	35	Aa
West Lyng, *Som.*	34	Cb
West Malling, *Kent*	25	Ab
West Malvern, *Hf/Wor.*	89	Ba
Westmancote, *Hf/Wor.*	90	Cb
West Marden, *W. Sus.*	22	Ca
West Marsh, *Humb.*	167	Ba
Westmarsh, *Kent*	46	Cb
West Marton, *N. Yorks.*	182	Cb
West Melton, *S. Yorks.*	174	Cc
West Meon, *Hants.*	39	Bb
West Mersea, *Essex*	78	Dc
Westmeston, *E. Sus.*	24	Db
Westmill, *Herts.*	76	Ca
West Molesey, *Sur.*	57	Ac
West Monkton, *Som.*	33	Bb
West Moors, *Dors.*	19	Ba
West Morden, *Dors.*	18	Da
West Morton, *W. Yorks.*	183	Ac
West Mosbrough, *S. Yorks.*	164	Cb
West Newton, *Cumb.*	202	Ca
West Newton, *Humb.*	178	Cb
West Newton, *Norf.*	135	Bb
West Newton, *Som.*	33	Bb
Weston, *Ty/We.*	222	Db
West Ogwell, *Dev.*	14	Cc
Weston, *Avon*	51	Aa
Weston, *Berks.*	54	Ca
Weston, *Ches.*	146	Ca
Weston, *Ches.*	160	Cb
Weston, *Dors.*	17	Bc

Name	County	Page	Sq.
Weston,	*Dyfed*	62	Cb
Weston,	*Herts.*	75	Ba
Weston,	*Lincs.*	133	Bb
Weston,	*N'hants.*	92	Da
Weston,	*Norf.*	137	Ac
Weston,	*N. Yorks.*	183	Bb
Weston,	*Notts.*	165	Bc
Weston,	*Salop*	145	Bc
Weston,	*Salop*	126	Cc
Weston,	*Suff.*	120	Cc
Weston Bampfylde,	*Som.*	35	Ab
Weston Beggard,	*Hf/Wor.*	88	Da
Weston-by-Welland,	*N'hants.*	131	Ac
Weston Colley,	*Hants.*	39	Aa
Weston Colville,	*Cambs.*	97	Ab
Weston Corbett,	*Hants.*	39	Ba
Weston Favell,	*N'hants.*	113	Ac
Weston Hills,	*Lincs.*	133	Bb
Westoning,	*Beds.*	94	Db
Weston-in-Gordano,	*Avon*	50	Ca
Weston Jones,	*Staffs.*	126	Da
Weston Lullingfields,	*Salop*	125	Aa
Weston-on-Avon,	*Warks.*	91	Aa
Weston-on-the-Green,	*Oxon.*	72	Da
Weston Patrick,	*Hants.*	39	Ba
Weston Rhyn,	*Salop*	144	Cc
Weston Subedge,	*Glos.*	91	Ab
Weston-super-Mare,	*Avon*	49	Bb
Weston Turville,	*Bucks.*	74	Ca
Weston-under-Lizard,	*Staffs.*	126	Db
Weston-under-Penyard,	*Hf/Wor.*	88	Dc
Weston-under-Wetherley,	*Warks.*	111	Bb
Weston Underwood,	*Bucks.*	94	Ca
Weston Underwood,	*Derby.*	148	Db
Weston-upon-Trent,	*Derby.*	149	Bc
Weston-upon-Trent,	*Staffs.*	147	Bc
Weston Zoyland,	*Som.*	34	Cb
West Orchard,	*Dors.*	36	Cb
West Ord,	*N'land*	243	Ba
West Overton,	*Wilts.*	53	Ab
Westow,	*N. Yorks.*	186	Ca
Westowe,	*Som.*	33	Ab
West Parley,	*Dors.*	19	Bb
West Peckham,	*Kent*	43	Bb
West Pennard,	*Som.*	35	Aa
West Perry,	*Cambs.*	95	Aa
West Porlock,	*Som.*	47	Bb
Westport,	*Som.*	34	Cc
West Quantockshead,	*Som.*	33	Aa
Westra,	*S. Glam.*	49	Aa
West Rainton,	*Ty/We.*	222	Cc
West Rasen,	*Lincs.*	166	Da
West Raynham,	*Norf.*	136	Cb
Westrop,	*Wilts.*	71	Ac
Westrop,	*Wilts.*	52	Cb
West Rounton,	*N. Yorks.*	197	Ba
West Row,	*Suff.*	117	Ac
West Rudham,	*Norf.*	135	Bb
West Runton,	*Norf.*	137	Ba
Westruther,	*Bord.*	241	Bd
Westry,	*Cambs.*	116	Ca
West Scrafton,	*N. Yorks.*	196	Cc
West Shefford,	*Berks.*	54	Ca
West Somerton,	*Norf.*	138	Dc
West Stafford,	*Dors.*	18	Cb
West Stockwith,	*Lincs.*	165	Ba
West Stoke,	*W. Sus.*	22	Da
West Stonesdale,	*N. Yorks.*	195	Aa
West Stoughton,	*Som.*	34	Ca
West Stour,	*Dors.*	36	Cb
West Stow,	*Suff.*	98	Ca
West Stratton,	*Hants.*	39	Aa
West Tanfield,	*N. Yorks.*	196	Dc
West Tarring,	*W. Sus.*	23	Bc
West Thorney,	*W. Sus.*	22	Ca
West Thurrock,	*Essex*	59	Ab
West Tisbury,	*Essex*	59	Ab
West Tisted,	*Hants.*	39	Bb
West Tofts,	*Norf.*	117	Bb
West Torrington,	*Lincs.*	167	Ac
West Tytherley,	*Hants.*	38	Cb
West Walton,	*Norf.*	134	Cc
Westward Ho!,	*Dev.*	29	Bb
Westwell,	*Kent*	45	Ac
Westwell,	*Oxon.*	71	Ba
West Wellow,	*Hants.*	38	Cc
Westwick,	*Cambs.*	96	Ca
West Wickham,	*Cambs.*	97	Ac
West Wickham,	*Gt. Lon.*	42	Da
West Williamston,	*Dyfed*	62	Cb
West Winch,	*Norf.*	135	Ac
West Witton,	*N. Yorks.*	196	Cb
Westwood,	*Kent*	59	Ac
Westwood,	*Notts.*	149	Ba
Westwood,	*Wilts.*	51	Bb
West Woodhay,	*Hants.*	54	Cb
Westwoodside,	*Lincs.*	165	Ba
West Worldham,	*Hants.*	40	Ca
West Wratting,	*Suff.*	97	Ab
West Wycombe,	*Bucks.*	74	Cc
West Yatton,	*Wilts.*	52	Ca
Wetheral,	*Cumb.*	217	Bb
Wetheral,	*Cumb.*	218	Cc
Wetherby,	*W. Yorks.*	184	Db
Wetherden,	*Suff.*	98	Db
Wetheringsett,	*Suff.*	99	Ab
Wethersfield,	*Essex*	77	Ba
Wetherup Street,	*Suff.*	99	Ab
Wettenhall,	*Ches.*	145	Ba
Wetton,	*Staffs.*	147	Ba
Wetwang,	*Humb.*	186	Db
Wexcombe,	*Wilts.*	53	Bb
Wexham,	*Berks.*	56	Da
Weybourne,	*Norf.*	137	Aa
Weybread,	*Suff.*	99	Ba
Weybridge,	*Sur.*	41	Aa
Weyhill,	*Hants.*	38	Ca
Weymouth,	*Dors.*	17	Bc
Whaddon,	*Bucks.*	93	Bb
Whaddon,	*Cambs.*	96	Cc
Whaddon,	*Glos.*	69	Ba
Whaddon,	*Wilts.*	37	Bb
Whaddon,	*Wilts.*	52	Cb
Whale,	*Cumb.*	203	Bb
Whaley,	*Derby.*	164	Dc
Whaley Bridge,	*Derby.*	162	Db
Whalley,	*Lancs.*	181	Bc
Whalton,	*N'land*	221	Ba
Whaplode,	*Lincs.*	133	Bb
Whaplode Drove,	*Lincs.*	133	Bc
Wharfe,	*N. Yorks.*	181	Ba
Wharles,	*Lancs.*	180	Cc
Wharncliffe Side,	*S. Yorks.*	163	Ba
Wharram-le-Street,	*N. Yorks.*	186	Da
Wharton,	*Ches.*	161	Ba
Wharton,	*Hf/Wor.*	107	Bc
Whashton,	*N. Yorks.*	196	Ca
Whasset,	*Cumb.*	193	Bc
Whatcote,	*Warks.*	91	Ba
Whatfield,	*Suff.*	79	Aa
Whatley,	*Som.*	51	Bc
Whatlington,	*E. Sus.*	26	Db
Whatton,	*Notts.*	150	Db
Whaw,	*N. Yorks.*	195	Ba
Wheatacre,	*Norf.*	120	Cb
Wheatcroft,	*Derby.*	148	Da
Wheatenhurst,	*Glos.*	69	Ba
Wheatfield,	*Oxon.*	73	Ab
Wheathampstead,	*Herts.*	75	Bb
Wheathill,	*Salop*	108	Ca
Wheathill,	*Som.*	35	Aa
Wheatley,	*Hants.*	40	Ca
Wheatley,	*Oxon..*	73	Ab
Wheatley,	*S. Yorks.*	174	Dc
Wheatley,	*W. Yorks.*	172	Da
Wheatley Lane,	*Lancs.*	182	Cc
Wheaton Aston,	*Staffs.*	127	Aa
Wheelock,	*Ches.*	146	Ca
Wheelton,	*Lancs.*	170	Cb
Wheldrake,	*N. Yorks.*	185	Bc
Whelford,	*Glos.*	71	Ab
Whempstead,	*Herts.*	76	Cb
Whenby,	*N. Yorks.*	185	Ba
Whepstead,	*Suff.*	98	Cb
Wherstead,	*Suff.*	79	Ba
Wherwell,	*Hants.*	38	Da
Wheston,	*Derby..*	162	Db
Whetstone,	*Gt. Lon.*	57	Ba
Whetstone,	*Leics.*	130	Cc
Whicham,	*Cumb.*	191	Bc
Whichford,	*Warks.*	91	Bb
Whickham,	*Ty/We.*	221	Bb
Whiddon Down,	*Dev.*	13	Ba
Whifflet,	*Strath..*	249	Bc
Whilton,	*N'hants.*	112	Dc
Whimple,	*Dev.*	15	Ab
Whinburgh,	*Norf.*	118	Da
Whippingham,	*I.O.W.*	21	Ab
Whipsnade,	*Beds.*	74	Da
Whipton,	*Dev.*	14	Da
Whirlow,	*S. Yorks.*	163	Bb
Whisby,	*Lincs.*	166	Cc
Whissendine,	*Leics.*	131	Bb
Whissonsett,	*Norf.*	136	Cb
Whistley Green,	*Berks.*	55	Ba
Whiston,	*Mers.*	160	Ca
Whiston,	*N'hants.*	113	Bc
Whiston,	*S. Yorks.*	164	Ca
Whiston,	*Staffs.*	127	Aa
Whitbeck,	*Cumb.*	191	Bc
Whitbourne,	*Hf/Wor.*	108	Dc
Whitburn,	*Loth.*	250	Db
Whitburn,	*Ty/We.*	222	Db
Whitby,	*Ches.*	159	Bb
Whitby,	*N. Yorks.*	200	Cb
Whitchurch,	*Avon*	51	Aa
Whitchurch,	*Bucks.*	93	Bc
Whitchurch,	*Dev.*	8	Da
Whitchurch,	*Dyfed*	61	Aa
Whitchurch,	*Hants.*	38	Da
Whitchurch,	*Hf/Wor.*	88	Dc
Whitchurch,	*Oxon.*	55	Aa
Whitchurch,	*Salop*	145	Ab
Whitchurch,	*S. Glam.*	67	Ac
Whitchurch,	*Warks.*	91	Ba
Whitchurch Canonicorum,	*Dors.*	16	Db
Whitcombe,	*Dors.*	18	Cb
Whitebrook,	*Gwent*	68	Da
Whitechurch,	*Dyfed*	82	Db
White Colne,	*Essex*	78	Ca
Whitefield,	*Gt. Man.*	171	Bc
Whitefield,	*Som..*	33	Ab
Whitegate,	*Ches.*	160	Dc
Whitehall,	*Dev.*	30	Cb
Whitehaven,	*Cumb.*	201	Ac
Whitehill,	*Kent*	45	Ab
Whitehill,	*Leics.*	129	Bb
Whitehills,	*Gramp.*	304	Da
Whitehouse,	*Strath.*	245	Bc
Whitekirk,	*Loth.*	253	Aa
White Lackington,	*Som.*	34	Cc
White Ladies Aston,	*Hf/Wor.*	109	Bc
Whiteley,	*Gwent*	68	Db
White Notley,	*Essex*	77	Bb
Whiteparish,	*Wilts.*	38	Cb
White Roding,	*Essex*	77	Ab
Whitesmith,	*E. Sus.*	25	Bb
Whitestaunton,	*Som.*	16	Ca
Whitestone,	*Dev.*	14	Ca
White Waltham,	*Berks.*	56	Ca
Whitfield,	*Avon*	69	Ab
Whitfield,	*Kent*	46	Dc
Whitfield,	*N'hants.*	93	Ab
Whitfield,	*N'land*	219	Bb
Whitford,	*Clwyd.*	158	Da
Whitford,	*Dev.*	16	Cb
Whitgift,	*Humb.*	175	Bb
Whitgreave,	*Staffs.*	146	Dc
Whithorn,	*Dum/Gall.*	230	Db
Whiting Bay,	*Strath.*	234	Dc
Whitkirk,	*W. Yorks.*	173	Ba
Whitland,	*Dyfed*	63	Aa
Whitley,	*N. Yorks.*	174	Db
Whitley,	*Wilts.*	52	Ca
Whitley Bay,	*Ty/We.*	222	Ca
Whitleybridge,	*N. Yorks.*	174	Db
Whitmore,	*Dors.*	19	Ba
Whitmore,	*Staffs.*	146	Db
Whitnash,	*Warks.*	111	Ac
Whitney,	*Hf/Wor.*	87	Ba
Whitrigg,	*Cumb.*	202	Ca
Whitrigg,	*Cumb.*	216	Db
Whitsbury,	*Hants.*	37	Bb
Whitsome,	*Bord.*	242	Da
Whitson,	*Gwent*	67	Bc
Whitstable,	*Kent*	46	Da
Whitstone,	*Corn.*	11	Bb
Whittingham,	*Lancs.*	180	Cc
Whittingham,	*N'land*	231	Ba
Whittinghame,	*Loth.*	253	Ab
Whittington,	*Derby.*	164	Cb
Whittington,	*Glos.*	90	Dc
Whittington,	*Hf/Wor.*	109	Bc
Whittington,	*Lancs.*	194	Cc
Whittington,	*Norf.*	117	Ba
Whittington,	*Salop*	144	Cc
Whittington,	*Staffs.*	128	Cb
Whittington Moor,	*Derby..*	164	Cb
Whittingstow,	*Salop*	125	Ac
Whittlebury,	*N'hants.*	93	Aa
Whittle-le-Woods,	*Lancs.*	170	Cb
Whittlesey,	*Cambs.*	115	Ba
Whittlesford,	*Cambs.*	96	Dc
Whitton,	*Bord.*	242	Cc
Whitton,	*Dur.*	207	Bb
Whitton,	*Gt. Lon.*	57	Ac
Whitton,	*Humb.*	176	Ca
Whitton,	*N'land*	231	Bb
Whitton,	*Powys*	106	Db
Whitton,	*Suff.*	99	Ac
Whittonditch,	*Wilts.*	53	Ba
Whittonstall,	*N'land*	220	Dc
Whitway,	*Hants..*	54	Db
Whitwell,	*Derby.*	164	Db
Whitwell,	*I.O.W.*	21	Bc
Whitwell,	*Leics.*	131	Bb
Whitwell,	*Norf.*	137	Ab
Whitwell,	*N. Yorks.*	196	Ba
Whitwell-on-the-Hill,	*N. Yorks.*	186	Ca
Whitwick,	*Leics..*	129	Ba
Whitwood,	*W. Yorks.*	174	Ca
Whitworth,	*Lancs.*	171	Bb
Whixall,	*Salop*	145	Ac
Whixley,	*N. Yorks.*	184	Db
Whorlton,	*Dur.*	206	Dc
Whorlton,	*N. Yorks.*	197	Ba
Whyle,	*Hf/Wor.*	108	Cc
Wibdon,	*Glos.*	68	Db
Wibsey,	*W. Yorks.*	172	Da
Wibtoft,	*Warks.*	112	Ca
Wichenford,	*Hf/Wor.*	108	Dc
Wichling,	*Kent*	44	Da
Wick,	*Hf/Wor.*	90	Ca
Wick,	*Highl.*	324	Da
Wick,	*S. Glam.*	66	Cc
Wick,	*Som.*	33	Ba
Wick,	*Som.*	34	Cb
Wicken,	*Cambs.*	96	Da
Wicken,	*N'hants.*	93	Bb
Wicken Bonhunt,	*Essex*	76	Da
Wickenby,	*Lincs.*	166	Db
Wickerslack,	*Cumb.*	204	Cc
Wickersley,	*S. Yorks.*	164	Ca
Wickford,	*Essex*	59	Ba
Wickham,	*Berks.*	54	Ca
Wickham,	*Hants.*	21	Ba
Wickham Bishops,	*Essex*	78	Cc
Wickhambreux,	*Kent*	46	Cb
Wickhambrook,	*Suff.*	97	Bb
Wickhamford,	*Hf/Wor.*	90	Da
Wickham Market,	*Suff.*	100	Cb
Wickhampton,	*Norf.*	120	Ca
Wickham St. Pauls,	*Essex*	78	Ca
Wickham Skeith,	*Suff.*	99	Aa
Wicklewood,	*Norf.*	118	Da
Wickmere,	*Norf.*	137	Bb
Wick St. Lawrence,	*Avon*	49	Bb
Wickwar,	*Avon*	69	Ac
Widdington,	*Essex*	76	Da
Widdrington,	*N'land*	232	Db
Widecombe-in-the-Moor,	*Dev.*	13	Bb
Wide Open,	*Ty/We.*	222	Ca
Widford,	*Essex*	77	Bc
Widford,	*Herts.*	76	Cb
Widford,	*Oxon.*	71	Ba
Widmerpool,	*Notts.*	150	Cc
Widnes,	*Ches.*	160	Cb
Widworthy,	*Dev.*	16	Cb
Wield,	*Hants.*	39	Ba
Wigan,	*Gt. Man..*	170	Cb
Wiggaton,	*Dev.*	15	Ab
Wiggenhall St. German,	*Norf.*	134	Dc
Wiggenhall St. Mary Magdalen,	*Norf.*	134	Dc
Wiggenhall St. Mary the Virgin,	*Norf.*	135	Ac
Wigginton,	*Herts.*	74	Da
Wigginton,	*N. Yorks.*	185	Bb
Wigginton,	*Oxon.*	92	Cb
Wigginton,	*Staffs.*	128	Cb
Wigglesworth,	*N. Yorks.*	182	Cc
Wiggonby,	*Cumb.*	217	Ac
Wiggonholt,	*W. Sus.*	23	Bb
Wighill,	*N. Yorks.*	184	Cc
Wighton,	*Norf.*	136	Da
Wigmore,	*Hf/Wor.*	107	Bc
Wigsley,	*Notts.*	165	Bc
Wigsthorpe,	*Notts.*	114	Cb
Wigston Magna,	*Leics.*	130	Cc
Wigston Parva,	*Leics.*	112	Ca
Wigthorpe,	*Notts.*	164	Db

Name	PAGE	SQ.
Wigtoft, *Lincs.*	133	Ba
Wigton, *Cumb.*	217	Ac
Wigtown, *Dum/Gall.*	210	Da
Wike, *W. Yorks..*	184	Cc
Wilbarston, *N'hants.*	113	Ba
Wilberfoss, *Humb.*	186	Cb
Wilberton, *Dev.*	9	Bb
Wilburton, *Cambs.*	116	Cc
Wilby, *N'hants.*	113	Bc
Wilby, *Norf.*	118	Db
Wilby, *Suff.*	99	Ba
Wilcot, *Wilts.*	53	Ab
Wilcote, *Oxon.*	72	Ca
Wilcott, *Salop*	124	Da
Wilcrick, *Gwent*	68	Cc
Wilden, *Beds.*	95	Ab
Wilden, *Hf/Wor..*	109	Ab
Wildhern, *Hants.*	54	Cc
Wildsworth, *Humb.*	165	Ba
Wilford, *Notts.*	150	Cc
Wilkesley, *Ches..*	145	Bb
Wilksby, *Lincs.*	153	Bb
Willand, *Dev.*	15	Aa
Willaston, *Ches..*	159	Bb
Willaston, *Ches..*	146	Ca
Willen, *Bucks.*	94	Cb
Willenhall, *W. Mid.*	127	Bc
Willenhall, *W. Mid.*	111	Bb
Willerby, *Humb..*	176	Da
Willerby, *N. Yorks.*	187	Ba
Willersey, *Glos.*	90	Da
Willersley, *Derby.*	87	Ba
Willesborough, *Kent*	27	Ba
Willesden, *Gt. Lon.*	57	Bb
Willesley, *Leics.*	70	Cc
Willett, *Som.*	33	Ab
Willey, *Salop*	126	Cc
Willey, *Warks.*	112	Ca
Williamscot, *Oxon.*	92	Da
Wilian, *Herts.*	75	Ba
Willingdon, *E. Sus.*	25	Bc
Willingham, *Cambs.*	96	Ca
Willingham, *Lincs.*	166	Cb
Willington, *Beds.*	95	Ab
Willington, *Derby.*	148	Dc
Willington, *Dur..*	206	Da
Willington, *Ty/We.*	222	Cb
Willington Quay, *Ty/We.*	222	Cb
Willisham, *Suff..*	99	Ac
Willitoft, *Humb..*	175	Ba
Williton, *Som.*	33	Aa
Willoughbridge, *Staffs.*	146	Ba
Willoughby, *Lincs.*	154	Da
Willoughby, *Warks.*	112	Cb
Willoughby-on-the-Wolds, *Notts.*	130	Da
Willoughby Waterless, *Leics.*	130	Cc
Willoughton, *Lincs.*	166	Ca
Willsbridge, *Avon*	51	Aa
Wilmcote, *Warks.*	110	Dc
Wilmington, *Avon*	51	Ab
Wilmington, *E. Sus.*	25	Bc
Wilmington, *Kent*	58	Dc
Wilmslow, *Ches..*	161	Bb
Wilnecote, *Warks.*	128	Db
Wilpshire, *Lancs.*	170	Da
Wilsden, *W. Yorks.*	183	Ac
Wilsford, *Lincs.*	152	Cb
Wilsford, *Wilts.*	37	Ba
Wilsford, *Wilts.*	52	Db
Wilsham, *Dev.*	47	Ab
Wilshamstead, *Beds.*	94	Da
Wilshaw, *W. Yorks.*	172	Dc
Wilsill, *N. Yorks.*	183	Ba
Wilsontown, *Strath.*	250	Dc
Wilsthorpe, *Lincs.*	132	Db
Wilstone, *Herts.*	74	Ca
Wilton, *Bord.*	229	Aa
Wilton, *Cleve.*	208	Dc
Wilton, *Hf/Wor.*	88	Dc
Wilton, *N. Yorks.*	187	Aa
Wilton, *Som.*	33	Bc
Wilton, *Wilts.*	37	Ab
Wilton, *Wilts.*	53	Bb
Wimbish, *Essex*	77	Aa
Wimbledon, *Gt. Lon.*	57	Bc
Wimblington, *Cambs.*	116	Cb
Wimborne Minster, *Dors.*	19	Aa
Wimborne St. Giles, *Dors.*	37	Ac
Wimbotsham, *Norf.*	117	Aa
Wincanton, *Som.*	35	Bb
Winceby, *Lincs.*	153	Bb
Winchburgh, *Loth.*	251	Ab
Winchcombe, *Glos.*	90	Db
Winchelsea, *E. Sus.*	27	Ac
Winchester, *Hants.*	38	Db
Winchfield, *Hants.*	55	Bc
Wincobank, *S. Yorks.*	164	Ca
Windermere, *Cumb.*	193	Aa
Winderton, *Warks.*	91	Bb
Windlesham, *Sur.*	56	Cb
Windley, *Derby.*	148	Db
Windrush, *Glos.*	71	Aa
Windsor, *Berks.*	56	Da
Winestead, *Humb.*	178	Cc
Winewall, *Lancs.*	182	Cc
Winfarthing, *Norf.*	118	Dc
Winford, *Avon*	50	Db
Winforton, *Hf/Wor.*	87	Ba
Winfrith Newburgh, *Dors.*	18	Cb
Wing, *Bucks.*	94	Cc
Wing, *Leics.*	131	Bb
Wingates, *Gt. Man.*	170	Dc
Wingates, *N'land*	231	Bb
Wingerworth, *Derby.*	164	Cc
Wingfield, *Suff.*	99	Ba
Wingfield, *Wilts..*	51	Bb
Wingham, *Kent*	46	Cb
Wingrave, *Bucks.*	74	Ca
Winkburn, *Notts.*	150	Da
Winkfield, *Berks.*	56	Ca
Winkhill, *Staffs.*	147	Ba
Winkleigh, *Dev.*	31	Ab
Winksley, *N. Yorks.*	184	Ca
Winkton, *Dors.*	19	Bb
Winlaton, *Ty/We.*	221	Bb
Winless, *Highl.*	324	Cc
Winnington, *Ches.*	146	Cb
Winscombe, *Avon*	50	Cb
Winsford, *Ches..*	161	Ac
Winsford, *Som..*	48	Cc
Winsham, *Som.*	16	Ca
Winshill, *Staffs.*	128	Da
Winskill, *Staffs.*	204	Ca
Winslade, *Hants.*	55	Ac
Winsley, *Avon*	51	Bb
Winslow, *Bucks..*	93	Bc
Winson, *Glos.*	70	Da
Winster, *Cumb.*	193	Ab
Winster, *Derby.*	148	Da
Winston, *Dur.*	206	Dc
Winston, *Suff.*	99	Bb
Winstone, *Glos.*	70	Ca
Winterborne Abbas, *Dors.*	17	Bb
Winterborne Came, *Dors.*	18	Cb
Winterborne Clenston, *Dors.*	18	Da
Winterborne Herringstone, *Dors.*	17	Bb
Winterborne Houghton, *Dors.*	18	Ca
Winterborne Kingston, *Dors.*	18	Da
Winterborne Monkton, *Dors.*	17	Bb
Winterborne St. Martin, *Dors.*	17	Bb
Winterborne Steepleton, *Dors.*	17	Bb
Winterborne Stickland, *Dors.*	18	Da
Winterborne Tomson, *Dors.*	18	Da
Winterborne Whitchurch, *Dors.*	18	Da
Winterborne Zelstone, *Dors.*	18	Da
Winterbourne, *Avon*	69	Ac
Winterbourne, *Berks.*	54	Da
Winterbourne Bassett, *Wilts.*	53	Aa
Winterbourne Dauntsey, *Wilts.*	37	Bb
Winterbourne Earls, *Wilts.*	37	Bb
Winterbourne Gunner, *Wilts.*	37	Bb
Winterbourne Monkton, *Wilts.*	52	Da
Winterbourne Stoke, *Wilts.*	37	Aa
Winterburn, *N. Yorks.*	182	Db
Wintercott, *Hf/Wor.*	107	Bc
Winteringham, *Humb.*	176	Cb
Winterley, *Ches..*	146	Ca
Wintersett, *W. Yorks.*	174	Cb
Winterslow, *Wilts.*	37	Bb
Winterton, *Humb.*	176	Cb
Winthorpe, *Norf.*	138	Dc
Winthorpe, *Lincs.*	154	Db
Winthorpe, *Notts.*	151	Ba
Winton, *Cumb.*	204	Dc
Winton, *Dors.*	19	Bb
Winton, *E. Sus.*	25	Bc
Winton, *N. Yorks.*	197	Aa
Wintringham, *N. Yorks.*	187	Ab
Winwick, *Cambs.*	114	Da
Winwick, *Ches.*	160	Ca
Winwick, *N'hants.*	112	Bb
Wirksworth, *Derby.*	148	Ba
Wisbech, *Cambs.*	134	Cc
Wisbech St. Mary, *Cambs.*	116	Ca
Wisborough Green, *W. Sus.*	23	Ab
Wiseton, *Notts.*	165	Aa
Wishaw, *Strath.*	249	Ab
Wishaw, *Warks..*	128	Dc
Wisley, *Sur.*	41	Ac
Wispington, *Lincs.*	153	Aa
Wissett, *Suff.*	100	Ca
Wissington, *Suff.*	78	Db
Wistanstow, *Salop*	107	Ba
Wistanswick, *Salop*	145	Bc
Wistaston, *Ches..*	145	Ba
Wiston, *Dyfed*	62	Ca
Wiston, *Strath.*	238	Db
Wistow, *Cambs..*	115	Bc
Wistow, *Leics.*	130	Dc
Wistow, *N. Yorks.*	185	Bc
Wiswell, *Lancs.*	181	Bc
Witcham, *Cambs.*	116	Cc
Witchampton, *Dors.*	19	Aa
Witchford, *Cambs.*	116	Dc
Witham, *Essex*	78	Cc
Witham Friary, *Som.*	36	Ca
Witham-on-the-Hill, *Lincs..*	132	Ca
Withcall, *Lincs.*	167	Bc
Withcote, *Leics.*	131	Ab
Witheridge, *Dev..*	32	Cb
Witherley, *Leics..*	129	Ac
Withern, *Lincs.*	168	Cc
Withernsea, *Humb.*	178	Db
Withernwick, *Humb.*	178	Ca
Withersdane, *Kent*	45	Bc
Withersfield, *Suff.*	97	Ac
Withiel, *Som.*	35	Aa
Withiel, *Corn.*	6	Cb
Withiel Florey, *Som..*	48	Cc
Withington, *Glos.*	90	Dc
Withington, *Gt. Man.*	161	Ba
Withington, *Hf/Wor.*	88	Da
Withington, *Salop*	125	Ba
Withington, *Staffs.*	147	Bc
Withnell, *Lancs.*	170	Db
Withybrook, *Som.*	51	Ac
Withybrook, *Warks.*	111	Ba
Withycombe, *Som.*	48	Cb
Withycombe Raleigh, *Dev.*	15	Ac
Withyham, *E. Sus.*	43	Ac
Withypool, *Som.*	47	Bc
Witley, *Sur.*	40	Da
Witnesham, *Suff.*	99	Bc
Witney, *Oxon.*	72	Ca
Wittering, *Cambs.*	132	Cb
Wittersham, *Kent*	27	Ab
Witton, *Norf.*	119	Ba
Witton, *Norf.*	138	Cb
Witton Gilbert, *Dur.*	222	Cc
Witton-le-Wear, *Dur.*	206	Db
Witton Park, *Dur.*	206	Db
Wiveliscombe, *Som.*	33	Ab
Wivelsfield, *E. Sus.*	24	Db
Wivenhoe, *Essex*	78	Db
Wiveton, *Norf.*	136	Da
Wix, *Essex*	79	Bb
Wixford, *Hf/Wor.*	91	Aa
Wixhill, *Salop*	145	Bc
Wixoe, *Suff.*	97	Bc
Woburn, *Beds.*	94	Cb
Woburn Sands, *Beds.*	94	Cb
Woking, *Sur.*	41	Aa
Wokingham, *Berks.*	55	Bb
Wolborough, *Dev.*	14	Cc
Woldingham, *Sur.*	42	Da
Wold Newton, *Humb..*	187	Bb
Wold Newton, *Humb..*	188	Cb
Woldridge, *Glos.*	89	Bc
Wolferlow, *Hf/Wor.*	108	Dc
Wolferton, *Norf..*	135	Ab
Wolfhamcote, *Warks.*	112	Cc
Wollage Green, *Kent*	46	Cc
Wollaston, *Hf/Wor.*	109	Ba
Wollaston, *N'hants.*	113	Bc
Wollaston, *Salop*	124	Db
Wollaton, *Notts.*	149	Bb
Wollerton, *Salop*	145	Bc
Wollescote, *W. Mid.*	109	Ba
Wolsingham, *Dur.*	206	Da
Wolstanton, *Staffs.*	146	Db
Wolston, *Warks.*	111	Ab
Wolterton, *Norf.*	137	Ab
Wolvercote, *Oxon.*	72	Ca
Wolverhampton, *W. Mid.*	127	Ac
Wolverley, *Salop*	109	Aa
Wolverton, *Bucks.*	94	Bb
Wolverton, *Hants.*	54	Dc
Wolverton, *Warks.*	110	Da
Wolverton, *Wilts.*	36	Ca
Wolves Newton, *Gwent*	68	Cb
Wolvey, *Warks..*	111	Ba
Wolviston, *Cleve.*	208	Cb
Wombleton, *N. Yorks.*	198	Cc
Wombourn, *Staffs.*	109	Ab
Wombridge, *Salop*	126	Cb
Wombwell, *S. Yorks.*	174	Ca
Womenswold, *Kent*	46	Cc
Womersley, *N. Yorks.*	174	Db
Wonersh, *Sur.*	41	Ab
Wonston, *Hants.*	54	Dc
Wooburn, *Bucks.*	74	Cc
Wooburn Green, *Bucks..*	74	Cc
Woodale, *N. Yorks.*	195	Bc
Woodall, *S. Yorks.*	164	Cb
Woodbastwick, *Norf.*	138	Cc
Woodborough, *Notts.*	150	Cb
Woodborough, *Som.*	50	Cb
Woodborough, *Wilts.*	53	Ab
Woodbridge, *Suff.*	99	Bc
Woodbury, *Dev.*	14	Da
Woodbury Salterton, *Dev.*	14	Da
Woodchester, *Glos.*	69	Ba
Woodchurch, *Kent*	27	Aa
Woodchurch, *Mers.*	159	Ba
Woodcote, *Oxon.*	55	Aa
Woodcott, *Hants.*	54	Cc
Woodcroft, *Glos.*	68	Db
Woodcutts, *Dors.*	36	Db
Wood Dalling, *Norf..*	137	Ab
Wood Ditton, *Cambs.*	97	Ab
Wood Eaton, *Oxon.*	72	Da
Wood End, *Herts.*	76	Ca
Woodend, *N'hants.*	93	Aa
Wood Enderby, *Lincs..*	153	Bb
Woodford, *Glos..*	69	Ab
Woodford, *Gt. Lon.*	58	Ca
Woodford, *Gt. Man.*	162	Cb
Woodford, *N'hants.*	114	Cb
Woodford, *Wilts.*	37	Ba
Woodford Green, *Gt. Lon.*	58	Ca
Woodford Halse, *N'hants.*	92	Da
Woodgate, *Norf..*	136	Dc
Woodgate, *Staffs.*	147	Bc
Wood Green, *Gt. Lon.*	57	Ba
Woodgreen, *Oxon.*	72	Ca
Wood Green, *W. Mid.*	127	Bc
Woodhall, *Lincs.*	153	Bb
Woodhall, *N. Yorks.*	195	Bb
Woodhall Spa, *Lincs.*	153	Ab
Woodham, *Dur.*	207	Ab
Woodham Ferrers, *Essex*	60	Ca
Woodham Mortimer, *Essex*	78	Cc
Woodham Walter, *Essex*	78	Cc
Woodhead, *Gramp.*	305	Bc
Woodhill, *Som.*	50	Ca
Woodhill, *Som.*	34	Cb
Woodhorn, *N'land*	232	Dc
Woodhouse, *Leics.*	130	Ca
Woodhouse, *W. Yorks.*	174	Cb
Woodhouse Eaves, *Leics.*	130	Ca
Woodhouses, *Staffs.*	128	Ca
Woodhouses, *Staffs.*	128	Cb
Woodland, *Dev.*	14	Cc
Woodlands, *Hants.*	38	Cc
Woodlands, *Som.*	51	Bc
Woodlane, *Staffs.*	128	Ca
Woodleigh, *Dev..*	10	Cb
Woodlesford, *W. Yorks..*	173	Ba
Woodley, *Berks..*	55	Bb
Woodmancote, *Glos.*	69	Bb
Woodmancote, *Glos.*	90	Cb
Woodmancote, *Glos.*	70	Da
Woodmancote, *W. Sus.*	24	Cb
Woodmancott, *Hants.*	39	Aa
Woodmansey, *Humb.*	177	Bb
Woodmansterne, *Sur.*	42	Ca
Woodnesborough, *Kent*	46	Db
Woodnewton, *N'hants.*	132	Cc
Wood Norton, *Norf.*	136	Db
Woodplumpton, *Lancs.*	170	Ca
Woodrising, *Norf.*	118	Da
Woodsetts, *S. Yorks.*	164	Cb
Woodsford, *Dors.*	18	Cb
Woodside, *Dyfed*	62	Db
Woodside, *Gramp.*	294	Cc
Woodside, *Tay.*	270	Ac
Wood Stanway, *Glos.*	90	Db
Woodstock, *Dyfed*	62	Ca
Woodstock, *Oxon.*	72	Ca
Woodston, *Cambs.*	115	Aa
Woodstreet, *Sur.*	56	Dc
Woodthorpe, *Derby.*	164	Cb
Woodthorpe, *Leics.*	130	Ca
Wootton, *Norf.*	135	Ab
Wood Walton, *Cambs.*	115	Ac
Woodyates, *Dors.*	37	Ac
Wookey, *Som.*	34	Da
Wookey Hole, *Som.*	34	Da
Wool, *Dors.*	18	Ca
Woolacombe, *Dev.*	30	Ca
Woolaston, *Glos.*	68	Db
Woolavington, *Som.*	34	Ca

Name	PAGE	SQ.
Woolbeding, *W. Sus.*	40	Dc
Wooldale, *W. Yorks.*	172	Dc
Wooler, *N'land*	243	Bc
Woolfardisworthy, *Dev.*	29	Bc
Woofardisworthy, *Dev.*	32	Cb
Woolfold, *Gt. Man.*	171	Ab
Woolhampton, *Berks.*	54	Db
Woolhope, *Hf/Wor.*	88	Db
Woolland, *Dors.*	36	Cc
Woolley, *Avon*	51	Ba
Woolley, *Cambs.*	114	Db
Woolley, *W. Yorks.*	173	Bb
Woolley Green, *Wilts.*	51	Bb
Woolmer Green, *Herts.*	75	Bb
Woolmersdon, *Som.*	33	Bb
Woolpit, *Suff.*	98	Db
Woolstaston, *Salop*	125	Ac
Woolsthorpe, *Lincs.*	131	Ba
Woolsthorpe, *Lincs.*	151	Bc
Woolston, *Hants.*	21	Aa
Woolston, *Salop*	107	Ba
Woolston, *Salop*	124	Da
Woolston, *Som.*	35	Bb
Woolstone, *Bucks.*	94	Cb
Woolstone, *Glos.*	90	Cb
Woolstone, *Oxon.*	71	Bc
Woolton, *Mers.*	160	Ca
Woolverstone, *Suff.*	79	Ba
Woolverton, *Som.*	51	Bb
Woolwich, *Gt. Lon.*	58	Cb
Woore, *Salop*	146	Cb
Wootton, *Beds.*	94	Da
Wootton, *Hf/Wor.*	107	Ac
Wootton, *Humb.*	177	Bc
Wootton, *I.O.W.*	21	Bb
Wootton, *Kent*	46	Cc
Wootton, *N'hants.*	113	Ac
Wootton, *Oxon.*	92	Cc
Wootton, *Oxon.*	72	Db
Wootton, *Staffs.*	148	Cb
Wootton, *Staffs.*	146	Dc
Wootton Bassett, *Wilts.*	70	Dc
Wootton Courtney, *Som.*	48	Cb
Wootton Fitzpaine, *Dors.*	16	Cb
Wootton Rivers, *Wilts.*	53	Ab
Wootton St. Lawrence, *Hants.*	55	Ac
Wootton Wawen, *Warks.*	110	Db
Worcester, *Hf/Wor.*	109	Ac
Worcester Park, *Sur.*	57	Bc
Wordsley, *W. Mid.*	109	Ba
Wordwell, *Suff.*	98	Ca
Worfield, *Salop*	126	Dc
Workington, *Cumb.*	201	Bb
Worksop, *Notts.*	164	Db
Worlaby, *Humb.*	176	Db
Worlaby, *Lincs.*	153	Ba
World's End, *Berks.*	54	Da
Worle, *Avon*	49	Bb
Worlingham, *Suff.*	120	Cb
Worlington, *Suff.*	97	Ba
Worlingworth, *Suff.*	99	Ba
Wormbridge, *Hf/Wor.*	88	Cb
Wormegay, *Norf.*	135	Ac
Wormhill, *Derby.*	162	Db
Wormingford, *Essex*	78	Da
Worminghall, *Bucks.*	73	Aa
Wormington, *Glos.*	90	Db
Wormit, *Fife*	271	Bc
Wormleighton, *Warks.*	92	Ca
Wormley, *Herts..*	76	Cc
Wormley Hill, *S. Yorks.*	175	Ab
Wormshill, *Kent*	44	Da
Wormsley, *Hf/Wor.*	88	Ca
Worplesdon, *Sur.*	56	Dc
Worrall, *S. Yorks.*	163	Ba
Worsborough, *S. Yorks..*	173	Bc
Worsborough Bridge, *S. Yorks.*	173	Bc
Worsborough Dale, *S. Yorks.*	173	Bc
Worsley, *Gt. Man.*	171	Ac
Worstead, *Norf..*	138	Cb
Worsthorne, *Lancs.*	171	Ba
Worston, *Lancs..*	181	Bc
Worth, *Kent*	46	Db
Worth, *W. Sus.*	42	Cc
Wortham, *Suff.*	99	Aa
Worthen, *Salop*	124	Db
Worthenbury, *Clwyd*	144	Db
Worthing, *Norf..*	136	Dc
Worthing, *W. Sus.*	24	Cc
Worthington, *Leics.*	129	Ba
Worth Matravers, *Dors.*	19	Ac
Worthy, *Som.*	47	Bb
Worting, *Hants..*	55	Ac
Wortley, *Glos.*	69	Bb
Wortley, *S. Yorks.*	173	Bc
Worton, *N. Yorks.*	195	Bb
Worton, *Oxon.*	72	Da
Worton, *Wilts.*	52	Cb
Wortwell, *Norf.*	119	Bc
Wothorpe, *Cambs.*	132	Cb
Wotton, *Sur.*	41	Bb
Wotton-under-Edge, *Glos.*	69	Bb
Wotton Underwood, *Bucks.*	73	Ba
Woughton-on-the-Green, *Bucks.*	94	Cb
Wouldham, *Kent*	44	Ca
Wrabness, *Essex*	79	Bb
Wrafton, *Dev.*	30	Cb
Wragby, *Lincs.*	153	Aa
Wragby, *W. Yorks.*	174	Cb
Wragholme, *Lincs.*	168	Cb
Wramplingham, *Norf.*	119	Aa
Wrangbrook, *W. Yorks..*	174	Cb
Wrangle, *Lincs.*	154	Cc
Wrangle Bank, *Lincs.*	154	Cc
Wrangle Tofts, *Lincs.*	154	Cc
Wrantage, *Som.*	34	Cc
Wrawby, *Humb.*	176	Dc
Wraxall, *Avon*	50	Ca
Wraxall, *Dors.*	17	Ba
Wray, *Lancs.*	181	Aa
Wraysbury, *Berks.*	56	Da
Wrayton, *Lancs..*	181	Aa
Wreay, *Cumb.*	217	Bc
Wrecclesham, *Sur.*	40	Ca
Wrekenton, *Ty/We.*	222	Cb
Wrelton, *N. Yorks.*	198	Db
Wremingham, *Norf.*	119	Ab
Wrenbury, *Ches..*	145	Bb
Wrentham, *Suff..*	120	Dc
Wrenthorpe Potovens, *W. Yorks.*	173	Bb
Wressell, *Humb..*	175	Ba
Wrestlingworth, *Beds.*	95	Bc
Wretton, *Norf..*	117	Aa
Wrexham, *Clwyd*	144	Ca
Wrickton, *Salop*	108	Ca
Wrightington, *Lancs.*	170	Cb
Wrinehill, *Ches..*	146	Cb
Wrington, *Avon*	50	Cb
Writhlington, *Avon*	51	Ab
Writtle, *Essex*	77	Bc
Wrockwardine, *Salop*	126	Cb
Wroot, *Lincs.*	175	Bc
Wrotham, *Kent*	43	Ba
Wroughton, *Wilts.*	53	Aa
Wroxall, *I.O.W..*	21	Bc
Wroxall, *Warks..*	110	Db
Wroxeter, *Salop*	125	Bb
Wroxham, *Norf..*	138	Cc
Wroxton, *Oxon..*	92	Cb
Wyberton, *Lincs.*	133	Ba
Wyboston, *Beds..*	95	Ab
Wybunbury, *Ches.*	146	Ca
Wychbold, *Hf/Wor.*	109	Bb
Wychnor, *Staffs..*	128	Ca
Wyck, *Hants.*	40	Ca
Wyck Rissington, *Glos.*	91	Ac
Wycliffe, *Dur.*	206	Dc
Wycomb, *Leics.*	131	Aa
Wycombe Marsh, *Bucks.*	74	Cc
Wyddial, *Herts.*	76	Ca
Wye, *Kent*	45	Bc
Wyesham, *Gwent*	68	Da
Wyfordby, *Leics.*	131	Aa
Wyke, *W. Yorks.*	173	Aa
Wyke Champflower, *Som.*	35	Ba
Wyke Marsh, *Dors.*	36	Cb
Wyken, *W. Mid.*	111	Ba
Wyke Regis, *Dors.*	17	Bc
Wykey, *Salop*	124	Da
Wylam, *N'land*	221	Bb
Wylde Green, *W. Mid.*	28	Cc
Wylye, *Wilts.*	37	Aa
Wymering, *Hants.*	22	Ca
Wymeswold, *Leics.*	130	Ca
Wymington, *Beds.*	114	Cc
Wymondham, *Leics.*	131	Ba
Wymondham, *Norf.*	119	Aa
Wynford Eagle, *Dors.*	17	Ba
Wyre Piddle, *Hf/Wor.*	90	Cb
Wysall, *Notts.*	150	Cc
Wytham, *Oxon.*	72	Da
Wythburn, *Cumb.*	202	Dc
Wyton, *Cambs.*	95	Ba
Wyton, *Humb.*	177	Bb
Wyverstone, *Suff.*	98	Da
Wyville, *Lincs.*	151	Bc
Yarnton, *Oxon.*	72	Da
Yarpole, *Hf/Wor.*	107	Bb
Yarrow, *Bord.*	240	Cc
Yarrow Feus, *Bord.*	240	Cc
Yarwell, *N'hants.*	132	Dc
Yate, *Avon*	69	Ac
Yateley, *Hants.*	55	Bb
Yatesbury, *Wilts.*	52	Da
Yattendon, *Berks.*	54	Da
Yatton, *Avon*	50	Ca
Yatton, *Hf/Wor..*	107	Bb
Yatton Keynell, *Wilts.*	52	Ca
Yaverland, *I.O.W.*	21	Bc
Yaxham, *Norf.*	118	Da
Yaxley, *Cambs.*	114	Da
Yaxley, *Suff.*	99	Aa
Yazor, *Hf/Wor.*	88	Ca
Yeading, *Gt. Lon.*	57	Ab
Yeadon, *W. Yorks.*	183	Bc
Yealand Conyers, *Lancs.*	193	Bc
Yealand Redmayne, *Lancs.*	193	Bc
Yealmpton, *Dev.*	8	Dc
Yearsley, *N. Yorks.*	198	Cc
Yeaton, *Salop*	125	Aa
Yeaveley, *Derby.*	148	Cb
Yedingham, *N. Yorks.*	187	Aa
Yelden, *Beds.*	114	Cb
Yelford, *Oxon.*	72	Cb
Yelland, *Dev.*	30	Cb
Yelling, *Cambs.*	95	Ba
Yelvertoft, *N'hants.*	112	Db
Yelverton, *Dev.*	8	Db
Yelverton, *Norf..*	119	Ba
Yenston, *Som.*	35	Bb
Yeovil, *Som.*	35	Ac
Yeovil Marsh, *Som.*	35	Ab
Yeovilton, *Som.*	35	Ab
Yerbeston, *Dyfed*	62	Cb
Yetholm, *Bord.*	242	Dc
Yetlington, *N'land*	231	Ba
Yetminster, *Dors.*	35	Ac
Yiewsley, *Gt. Lon.*	56	Da
Y'nys-ddu, *Gwent*	67	Ab
Y'nys-hir, *M. Glam.*	66	Da
Y'nys-y-bwl, *M. Glam.*	66	Da
Yockenthwaite, *N. Yorks.*	195	Ac
Yockleton, *Salop*	125	Ab
Yokefleet, *Humb.*	175	Ba
Yoker, *Strath.*	248	Db
York, *N. Yorks..*	185	Bb
Yorkley, *Glos.*	68	Da
York Town, *Sur.*	56	Cb
Yorton, *Salop*	125	Ba
Youlgrave, *Derby.*	163	Ac
Youlthorpe, *Humb.*	186	Cb
Yoxall, *Staffs.*	128	Ca
Yoxford, *Suff.*	100	Ca
Ysbyty Ifan, *Gwyn.*	142	Ca
Ysgubor-y-coed, *Dyfed*	121	Bb
Yspytty Ystwyth, *Dyfed*	102	Db
Ystalyfera, *W. Glam.*	85	Ab
Ystradfellte, *Powys*	86	Cb
Ystradgynlais, *Powys*	85	Bb
Ystrad meurig, *Dyfed*	102	Cb
Ystrad Owen, *Dyfed*	85	Ab
Ystradowen, *S. Glam.*	66	Db
YADDLETHORPE, *Humb.*	176	Cc
Yafforth, *N. Yorks.*	197	Ab
Yalding, *Kent*	44	Cb
Yanworth, *Glos.*	70	Da
Yapham, *Humb.*	186	Cb
Yapton, *W. Sus..*	23	Ac
Yarburgh, *Lincs.*	168	Cb
Yarcombe, *Dev.*	15	Ba
Yardley, *W. Mid.*	110	Ca
Yardley Gobion, *N'hants.*	93	Ba
Yardley Hastings, *N'hants.*	113	Bc
Yarkhill, *Hf/Wor.*	88	Da
Yarley, *Som.*	34	Da
Yarlington, *Som.*	35	Bb
Yarm, *Cleve.*	207	Bc
Yarmacott, *Dev..*	30	Db
Yarmouth, *I.O.W.*	20	Db
Yarnbrook, *Wilts.*	52	Cb
Yarnfield, *Staffs.*	146	Dc
Yarnscombe, *Dev.*	30	Cc
Zeal Monachorum, *Dev.*	31	Bc
Zeals, *Wilts.*	36	Ca
Zennor, *Corn.*	1	Bb

INDEX TO AIRPORTS

Name	PAGE	SQ.
Aberdeen (Dyce)	294	Cb
Ashford (Lympne)	28	Ca
Birmingham	110	Da
Blackpool	169	Aa
Bournemouth (Hurn)	19	Bb
Bristol	50	Da
Cambridge	96	Db
Cardiff	66	Dc
Coventry	111	Bb
East Midlands	129	Ba
Edinburgh	251	Ab
Exeter	14	Dc
Glasgow	248	Db
Hawarden	159	Bc
Inverness	301	Ab
Isle of Man (Ronaldsway)	190	Db
Leeds-Bradford	183	Bc
Liverpool	160	Cb
London (Gatwick)	42	Cc
London (Heathrow)	56	Da
Luton	75	Ab
Lydd	27	Bb
Machrihanish	233	Ac
Manchester	161	Bb
Manston	46	Da
Newcastle	221	Ba
Newquay	5	Bb
Nottingham	150	Cc
Penzance	1	Bb
Prestwick	236	Cc
Roborough	8	Db
Southampton	38	Dc
Southend	60	Cb
Stansted	76	Db
Staverton	90	Cc
Swansea	64	Dc
Teesside	207	Bc
Valley	155	Ab
Wick	324	Dc

TABLE OF DISTANCES

The table shows the distance between any two towns at the intersection of the columns, which contain the names of selected towns thus:—
London to Brighton, 54 miles.

LONDON
ABERDEEN	498
ABERYSTWYTH	211	440
BIRMINGHAM	111	411	116
BLACKPOOL	227	308	151	123
BOURNEMOUTH	103	561	198	143	266
BRIGHTON	54	552	245	160	280	90
BRISTOL	115	490	124	88	202	74	134
BUXTON	159	358	133	63	72	206	212	146
CAMBRIDGE	56	451	217	101	202	156	110	147	130
CANTERBURY	58	548	270	169	285	156	75	174	217	99
CARDIFF	154	493	110	102	206	118	178	44	158	173	213
CARLISLE	299	215	225	196	93	338	353	275	143	258	355	278
DARLINGTON	245	258	226	170	105	307	299	255	109	197	294	268	74
DOVER	74	563	285	184	300	172	82	189	232	114	15	228	370	310
EDINBURGH	378	121	320	290	187	433	432	369	238	330	427	373	94	137	442
EXETER	171	565	199	163	278	82	168	75	221	221	229	120	350	330	244	444
FISHGUARD	248	497	57	168	208	223	283	149	190	262	306	112	282	283	321	377	224
GLASGOW	395	145	321	292	189	434	449	371	239	354	451	374	96	168	466	44	446	378
GLOUCESTER	103	457	108	53	170	99	137	35	111	117	161	56	242	220	177	336	111	145	338
HOLYHEAD	258	430	106	147	141	279	306	209	134	244	316	203	215	217	332	309	284	163	311	180
HULL	172	346	217	123	129	249	226	205	90	124	221	225	153	88	237	225	281	274	249	170	218
INVERNESS	536	107	477	448	345	598	590	527	395	488	485	530	252	295	600	158	602	534	170	494	467	383
KENDAL	254	260	180	151	48	294	308	230	98	216	313	233	45	64	328	139	305	237	141	197	170	128	297
LEEDS	193	314	171	110	73	247	246	196	50	145	242	208	115	60	257	193	271	228	211	161	163	56	351	70
LEICESTER	97	404	151	41	135	160	150	116	63	69	155	137	206	151	171	284	192	209	302	81	179	89	441	161	96
LINCOLN	134	375	191	85	131	211	188	167	67	86	183	187	182	121	199	254	243	248	278	132	201	38	412	140	69	51
LIVERPOOL	197	335	105	90	46	228	250	161	53	178	255	165	120	124	270	214	237	162	216	130	95	128	372	75	73	109	118
MANCHESTER	184	333	131	81	47	224	237	162	25	155	242	173	118	97	257	213	238	188	214	127	122	96	371	73	41	88	84	34
NEWCASTLE/TYNE	279	228	259	204	128	341	333	288	143	231	328	301	57	34	343	107	364	316	145	253	250	121	265	87	94	184	155	155	131
NORTHAMPTON	65	436	167	51	165	133	118	105	95	50	123	129	237	183	139	316	180	216	333	74	198	119	474	192	128	32	81	135	120	216
NORWICH	114	480	271	161	232	216	163	209	164	62	141	235	287	227	156	360	282	324	383	180	295	144	517	245	174	120	106	217	185	260	112
NOTTINGHAM	123	379	156	49	118	183	176	137	46	84	181	151	183	126	196	259	213	213	279	102	173	73	416	138	70	26	35	99	71	159	58	123
OBAN	489	179	415	386	283	528	543	465	333	448	545	468	190	262	560	125	540	472	94	432	405	343	115	235	305	396	372	310	308	232	427	477	373
OXFORD	56	473	157	63	186	91	97	70	124	80	114	104	258	220	129	353	141	193	354	48	209	158	511	214	164	69	120	153	144	254	42	141	95	448
PLYMOUTH	213	608	242	206	320	124	209	118	263	263	271	162	393	373	287	487	43	267	488	153	326	323	645	348	313	234	285	279	280	407	222	324	256	583	183
PORTSMOUTH	71	552	218	141	264	46	49	94	202	126	121	138	337	298	131	431	124	243	432	105	282	237	589	292	242	148	199	231	222	332	119	184	173	527	78	165
SCARBOROUGH	215	314	235	163	137	292	269	248	114	167	264	265	138	65	280	194	324	292	230	213	227	43	352	112	64	132	81	137	105	87	162	187	114	319	201	366	280
SHEFFIELD	160	347	156	76	85	213	214	164	29	117	211	178	145	94	229	227	240	213	241	129	159	61	385	100	34	63	46	72	38	128	95	146	38	335	130	282	208	93
SHREWSBURY	154	386	75	43	98	174	201	104	59	140	212	107	171	163	227	265	179	131	267	76	104	143	423	126	107	76	117	57	66	197	94	196	81	361	104	222	177	171	82
SOUTHAMPTON	77	538	198	128	251	29	61	74	189	130	130	118	323	285	143	418	107	223	419	91	267	223	575	278	229	134	185	217	208	319	107	190	160	513	65	148	17	266	195	163
STRANRAER	401	232	327	298	195	440	455	377	245	360	457	380	102	175	472	126	452	384	86	344	317	255	253	147	217	308	284	222	220	157	339	389	285	177	360	495	439	237	247	273	425
SWANSEA	192	500	73	121	211	158	218	84	173	206	250	40	285	280	266	380	160	72	381	89	179	244	537	240	223	162	206	165	183	314	163	268	170	476	137	203	179	287	194	117	158	388
TRURO	258	650	284	248	363	169	255	160	306	308	316	205	435	415	332	530	87	310	531	196	369	366	687	390	356	277	328	322	323	449	265	369	298	625	228	52	211	409	325	265	194	537	245
YORK	199	307	195	129	97	263	253	217	74	151	248	231	114	49	264	186	292	252	210	182	187	39	344	89	24	105	74	197	165	282	137	181	180	305	174	335	252	40	53	131	239	216	248	377

1D